3e édition

Le français apprivoisé

Sylvie Clamageran
Université York

Isabelle Clerc
Université Laval

Monique Grenier
Université Laval

Renée-Lise Roy
Université Laval

D1444962

Nous reconnaissons l'aide financière du gouvernement du Canada par l'entremise du Programme d'Aide au Développement de l'Industrie de l'Édition (PADIE) pour nos activités d'édition.

Catalogage avant publication de Bibliothèque et Archives nationales du Québec et Bibliothèque et Archives Canada

Vedette principale au titre :
   Le français apprivoisé
   3ᵉ éd.
   Comprend des réf. bibliogr. et un index.
   Pour les étudiants du niveau collégial.
   ISBN 978-2-89650-255-4

   1. Français (Langue) – Grammaire. 2. Français (Langue) – Syntaxe. 3. Français (Langue) – Français écrit. 4. Français (Langue) – Grammaire – Problèmes et exercices. I. Clamageran, Sylvie.

PC2112.F693 2010   448.2   C2010-940621-4

Équipe de production

Éditeur: Sylvain Garneau
Chargée de projet: Dolène Schmidt
Révision linguistique: Dolène Schmidt
Correction d'épreuves: Isabelle Canarelli
Montage: Alphatek
Coordination de la mise en pages: Marguerite Gouin
Maquette: Robert Dolbec, Marguerite Gouin
Couverture: Marguerite Gouin (œuvre: Jacinthe Tétrault, Vis, monotype, 54 cm 3 98 cm, 2007-2009)
Recherche des droits: Julie Saindon
Gestion des droits: Gisèle Séguin
Indexage: Ghislain Morin

Groupe Modulo est membre de
l'Association nationale des éditeurs de livres.

Le français apprivoisé, 3ᵉ édition
(1ʳᵉ édition: 2001; 2ᵉ édition: 2004)

© Groupe Modulo, 2011
5800, rue Saint-Denis, bureau 1102
Montréal (Québec)
Canada H2S 3L5
Téléphone : 514 738-9818 / 1 888 738-9818
Télécopieur : 514 738-5838 / 1 888 273-5247
Site Internet : www.groupemodulo.com

Dépôt légal – Bibliothèque et Archives nationales du Québec, 2010
Bibliothèque et Archives Canada, 2010
ISBN 978-2-89650-255-4

Remerciements

Merci aux milliers d'étudiants, en classe ou à distance, qui nous ont donné le gout de poursuivre l'aventure du *Français apprivoisé* entamée il y a maintenant plus de 20 ans.

Merci également à tous les enseignants qui utilisent le manuel dans leurs cours et qui nous ont fait part de leurs commentaires. Notre reconnaissance va tout particulièrement à mesdames Suzanne Bourgeault (Cégep de Jonquière), Suzanne Lemay (Cégep Champlain-St-Lawrence), Marie-Élaine Bourgeois (Université York, Collège Glendon), Thérèse Guay et Rachel Sauvé (Université Laval), qui nous ont donné des suggestions pour améliorer la présente édition.

À madame Dolène Schmidt, réviseure et chargée de projet, notre profonde gratitude pour son professionnalisme, sa minutie et son sens linguistique sans faille.

Les auteures

Avant-propos

Que vous soyez aux études ou sur le marché du travail, vous avez sans doute à rédiger différentes sortes de documents. Rédiger est un exercice difficile et exigeant. Rédiger sans faute, un idéal à atteindre. Le manuel qui vous est proposé ici a la prétention de vous faciliter la démarche, de vous permettre d'apprivoiser le français. De chapitre en chapitre, vous apprendrez à vous servir des outils d'aide à la rédaction, à analyser les mots, à les agencer entre eux, à identifier les problèmes et à les résoudre. Vous toucherez à toutes les dimensions de la langue : grammaire, syntaxe, lexique et texte.

Le français apprivoisé vous permet de découvrir une facette de la langue à la fois, en vous donnant des explications et en vous faisant travailler les notions. Grâce aux nombreux exercices, vous pourrez revoir les notions fondamentales du français selon votre rythme et vos difficultés propres. Les corrigés, accessibles sur le site Modulo en ligne, vous permettront d'évaluer votre acquisition des connaissances au fur et à mesure de votre apprentissage.

Le français apprivoisé a fait le choix de la nouvelle grammaire dans sa 2ᵉ édition ; dans la 3ᵉ édition, il fait celui de la nouvelle orthographe. Les rectifications de l'orthographe, acceptées par la communauté internationale et présentées dans la plupart des ouvrages de référence, sont donc intégrées. Outre une mise à jour complète, la 3ᵉ édition a été enrichie pour répondre encore mieux aux besoins des lecteurs : nouveau chapitre sur les outils d'aide à la rédaction, nouveau chapitre sur la démarche de rédaction, remaniement de tous les chapitres, en particulier de ceux sur la grammaire de la phrase.

Si la 3ᵉ édition fait encore référence au *Multidictionnaire de la langue française* de Marie-Éva de Villers, réédité en 2009, au *Nouveau Petit Robert de la langue française 2010*, elle renvoie également au logiciel *Antidote,* ainsi qu'à la *Banque de dépannage linguistique* et au *Grand dictionnaire terminologique* de l'Office québécois de la langue française, dont les outils en ligne sont gratuits.

TABLE DES MATIÈRES

Partie 3   Le lexique

Partie 1
Pour commencer

Chapitre 1

Les outils d'aide à la rédaction

Le charpentier a sa scie, son niveau, ses rabots; le rédacteur, lui, a ses dictionnaires, ses grammaires, ses guides... Comme ceux du charpentier, les outils du rédacteur changent, se modernisent; beaucoup se sont faits électroniques.

Dans ce chapitre, nous ferons un survol des ouvrages de référence, logiciels et banques de données linguistiques les plus couramment utilisés aujourd'hui pour mieux rédiger, au Québec et dans la francophonie canadienne. Au fil du manuel, vous serez appelé à vous servir de ces outils afin de résoudre des difficultés linguistiques et rédactionnelles.

1.1 LES DICTIONNAIRES

Il existe des dictionnaires sur tous les sujets et dans tous les formats. Ceux qui nous intéressent ici sont ceux qui aident directement à rédiger.

1.1.1 *Petit Larousse* et *Petit Robert*

Le ***Petit Larousse illustré*** a longtemps trôné comme roi et maitre des dictionnaires dans les chaumières. Puis le ***Petit Robert*** (plus exactement le *Nouveau Petit Robert* depuis 1993, mais on continue de l'appeler communément le *Petit Robert*) a mis un terme à ce règne absolu. Pourquoi?

En bref, c'est parce que le *Petit Robert* (*PR*) est un dictionnaire «pour rédiger» et que le *Petit Larousse* (*PL*) est davantage un dictionnaire «pour connaitre». En termes plus techniques, on dit que le *PR* est un **dictionnaire de langue**, alors que le *PL* est un **dictionnaire encyclopédique**. Le *PR* vise à donner le plus de renseignements possible sur le fonctionnement des mots: origine (étymologie), sens, emplois, contextes lexicaux, syntaxiques et discursifs, évolution, en s'appuyant sur de nombreux exemples et citations. Quant au *PL*, il nous renseigne, certes, sur le sens des mots et les spécificités d'emploi, mais il vise tout autant à nous renseigner sur leurs «référents», c'est-à-dire les choses derrière les mots, ce à quoi ils renvoient: c'est bien pour cela que le *PL* est illustré (et encore davantage dans sa version électronique) et qu'il comprend les noms propres. Le *PR* aussi renseigne sur les référents, mais il le fait plutôt par le truchement de citations et d'exemples présentés pour illustrer les différents emplois.

Pour bien comprendre la différence, ouvrez le *PL* et le *PR* à l'article «cinéma». Au premier coup d'œil, vous percevrez la différence: cinq définitions ou emplois avec quelques expressions ou contextes pour le *PL*; cinq définitions ou emplois également dans le *PR*, mais avec tant de renvois, de locutions, d'exemples et de citations que l'article est cinq fois plus long. Comparons le traitement d'une seule de ces cinq définitions.

Comparaison du traitement d'un sens du mot *cinéma*: PL et PR 2010 (édition papier)	
PL	**PR**
1. Art de composer et de réaliser des films. — *Fam. C'est du cinéma*, de la comédie, de la frime. — *Fam. Faire du cinéma, tout un cinéma*, des manières, des complications.	2. Art de composer et de réaliser des films (cf. Le septième art). *Faire du cinéma.* ⟶ **filmer, tourner; réalisation**. *Adaptation d'un roman pour le cinéma.* «*La peau humaine des choses, le derme de la réalité, voilà avec quoi le cinéma joue d'abord*» (Artaud). «*Le cinéma substitue à notre regard un monde qui s'accorde à nos désirs*» (A. Bazin). *Plateau, studio de cinéma. Décors, trucages de cinéma. Acteur, vedette; réalisateur (metteur en scène), techniciens de cinéma (caméraman, perchiste, décorateur, maquilleur, électricien, ingénieur du son, monteur, scripte, etc.). Amateur de cinéma.* ⟶ **cinéphage, cinéphile; cinéclub, cinémathèque, cinéshop**. *Cinéma professionnel, d'amateur. Cinéma d'auteur. Cinéma français, italien*, etc., ensemble des œuvres produites par cet art en France, en Italie, etc. *Cinéma scientifique. Cinéma porno. Cinéma d'animation*. Critique, revue de cinéma.*

Le Petit Larousse illustré 2010 © Larousse 2009.   Nouveau Petit Robert de la langue française 2010.

La définition du *PL* est suivie de deux locutions (expressions) familières qui sont absentes du développement de la définition du *PR*, lequel repousse ces locutions sous un autre point. Le *PR*, lui, intègre à la définition même une locution synonyme: *le septième art*. Suit toute une série d'exemples (en italique), de renvois (précédés d'une flèche) et de sous-définitions (en caractères romains) qui exposent un grand pan du vocabulaire (et du monde) du cinéma. La section comporte aussi deux citations d'auteurs qui permettent à la définition de s'incarner: en quoi, pourquoi le cinéma est-il un art? Par le biais linguistique, le concept s'anime.

Le *PL* a ses forces. Prenons encore l'article «cinéma». L'article du *PL* comporte plusieurs illustrations accompagnées de légendes détaillées ainsi qu'un long complément encyclopédique sur le développement du cinéma. Dans la version électronique s'ajoutent un dessin technique comprenant toutes les parties d'une caméra de plateau de télévision avec les termes les désignant (section Médias) ainsi que six tableaux sur différents prix et festivals (dans les annexes).

Selon les besoins, on utilisera donc un dictionnaire ou l'autre. Comme outil linguistique, le *PR* est nettement plus puissant. Nous l'explorerons davantage au point 1.1.2.

Les avantages du format électronique

Le *Petit Robert* et le *Petit Larousse* existent depuis de nombreuses années en format électronique. Un premier avantage du format électronique est la rapidité de consultation (plus besoin de feuilleter en se récitant l'ordre des lettres de l'alphabet) ; un autre avantage est la possibilité d'appeler directement un article du dictionnaire à partir du texte qu'on est en train d'écrire une fois qu'on a activé cette fonctionnalité. Sur le plan du contenu, le grand avantage est la puissance de réorganisation de l'information et de recherche qu'offre une banque de données informatisée. Ainsi, dans le *PR*, on peut, si on veut, « appeler » un seul élément de l'article (le plan de l'article, par exemple, ce qui facilite la consultation quand l'article est long) ou trouver toutes les expressions et locutions renfermant le mot *esprit*, que celles-ci soient dans l'article *esprit* ou ailleurs dans le dictionnaire (le mot en gras indique sous quelle entrée on trouve l'expression : l'expression *esprit **d'à-propos***, par exemple, est donnée et définie dans l'article *à-propos*). Grâce à la fonction de recherche par critères du *PR*, on pourrait aussi trouver toutes les occurrences (apparitions) du mot *esprit* dans l'ensemble du dictionnaire, soit 1 264 occurrences qui mettent en contexte les différents sens du mot. Dans le *PL* électronique, on peut, entre autres, accéder à une multitude de tableaux et de listes de référence, consulter des cartes interactives, écouter des extraits sonores (dont les hymnes nationaux de 65 pays) et même s'amuser à des jeux de lettres ! Les fonctionnalités des deux ouvrages permettent de faire une multitude de recherches une fois qu'on sait s'en servir.

D'une édition à l'autre du *Petit Larousse* et du *Nouveau Petit Robert*

Depuis longtemps, le *Petit Larousse* lance chaque année une nouvelle édition, qui comprend notamment l'ajout des derniers mots de l'heure (par exemple *geek, mobinaute* ou *adulescent* pour l'année 2010), une mise à jour de l'information encyclopédique et parfois de nouvelles fonctionnalités. Le *Nouveau Petit Robert* suit maintenant le mouvement : les années 2009 et 2010 ont chacune vu une nouvelle édition de ce dictionnaire. S'il n'est nullement besoin d'avoir la toute dernière édition, il est intéressant de voir comment les dictionnaires évoluent. Le *PL* se préoccupe constamment de mettre à jour son contenu multimédia en plus d'intégrer de nouveaux termes techniques et scientifiques et d'augmenter sa couverture des différents usages francophones. Le *PR* vise tout particulièrement à actualiser son traitement des mots en renouvelant les exemples et les citations : les dernières éditions ont ainsi vu apparaitre bon nombre de citations extraites de chansons, de films et d'autres médias auparavant peu mentionnés dans le *PR*. D'une édition à l'autre, le *PR* cherche aussi à réduire l'ethnocentrisme français par l'ajout d'entrées ou d'emplois de l'ensemble de la francophonie ainsi que de citations d'auteurs, de personnalités ou de médias non français. Par exemple, à côté de mots nouveaux comme *geek, wiki, agrocarburant, écoquartier*, on voit apparaitre dans l'édition 2010 les mots *oka, poulamon*, ainsi que des emplois ou expressions d'ici, comme *abreuvoir* au sens de « fontaine » ou l'anglicisme *retourner un appel*. Par contre, l'ajout d'auteurs, de personnalités et de médias québécois et canadiens progresse moins : aucun média québécois n'est encore cité dans l'édition 2010, et Marie Laberge et Gaëtan Soucy sont les plus récentes additions à la maigre représentation de nos auteurs dans les citations.

1.1.2 Le *Petit Robert* : mieux le connaitre, mieux l'utiliser

Le *Nouveau Petit Robert* s'étant imposé comme référence quasi universelle pour les études collégiales et universitaires, il convient d'en tirer le maximum.

Structure des articles

Un article de dictionnaire ne se lit pas comme un roman : on y cherche généralement une information particulière. La longueur de certains articles du *PR* pouvant les rendre rébarbatifs, il faut savoir y naviguer. Le premier système de balises, c'est la structuration matérielle de l'article, dont on doit apprendre à décoder les diverses mises en relief typographiques. Le second, c'est la structure abstraite de l'article. Pourquoi telle définition avant telle autre ? Pourquoi telle définition en sous-point d'une autre ? Pourquoi tel regroupement ?

Les articles du *PR* suivent avant tout un **plan historique** : les différents sens, ou acceptions, d'un mot sont rangés dans l'ordre de leur apparition dans la langue ; à cet ordre historique se combine un ordre logique quand les emplois d'un mot sont à peu près aussi anciens les uns que les autres. Selon un **plan logique**, les différents emplois d'un mot sont classés du sens premier au sens le plus éloigné. La progression des définitions dans l'article « film » illustre bien le plan historico-logique :

1. Pellicule photographique.
   Pellicule cinématographique ; bande régulièrement perforée.
2. Œuvre cinématographique enregistrée sur film.
   L'art cinématographique.
3. Déroulement (d'évènements).
4. Pellicule, mince couche d'une matière.
5. Support recouvert d'une émulsion photosensible utilisé en photogravure.

Le premier sens à apparaitre est celui de « pellicule photographique », pellicule à partir de laquelle on a créé la pellicule cinématographique, présentée donc en « sous-sens ». Avec la pellicule, on a fait les films, présentés en 2ᵉ sens, avec en sous-sens, l'art auquel les films ont donné naissance : ainsi, le mot *film* peut désigner une œuvre en particulier ou l'art même dans certaines expressions. De ces sens propres aux domaines de la photographie (définition générale du point 1) et du cinéma est dérivé le sens figuré de « déroulement (d'évènements) », comme dans l'expression *revoir le film de sa vie*. Le sens 4 regroupe des emplois métaphoriques divers du mot : une mince couche de quelque chose sur quelque chose (notion qui existait avant qu'on emploie le mot *film* pour la désigner : *un film de poussière, de crasse, de gras...*). Le sens 5 est aussi ancien que le premier, mais logiquement près du sens 4 de « mince couche » (d'un produit photosensible pour la photogravure).

Si l'on n'a pas besoin de toujours décortiquer la structure conceptuelle d'un article pour trouver ou mieux saisir un sens ou un emploi, l'organisation des définitions aide à comprendre l'extension référentielle du mot. Plus on consulte le *PR*, plus il devient facile de « deviner » où, dans un long article, se trouvera le sens qu'on cherche.

Un autre mode de classement se combine au plan historique et logique, celui des **comportements grammaticaux**, qu'il est aussi essentiel de comprendre pour trouver ce que l'on cherche. Les divisions en chiffres romains I, II, III, etc., signalent ce type de classement ou encore des regroupements de sens apparentés dans de longs articles. Ainsi, un article portant sur un verbe qui accepte plusieurs constructions se découpera en fonction de celles-ci : pour le verbe *parler*, on trouve dans un premier temps les emplois intransitifs du verbe (*parler, parler fort,* etc.), puis les emplois transitifs indirects (*parler de, parler à, se parler,* etc.) et, finalement, les emplois transitifs directs (*parler une langue, parler politique,* etc.).

Préfaces, postfaces et annexes du *Petit Robert*

Le *Petit Robert*, et en particulier les éditions récentes du *Nouveau Petit Robert,* comprend de multiples annexes ainsi que les préfaces et postfaces de différentes éditions. La plupart des annexes (que vous serez amené à consulter dans les exercices) sont directement utilitaires. Mentionnons les suivantes en particulier :

• Table de l'alphabet phonétique international ;
• Tableau des termes, signes conventionnels et abréviations ;
• Liste des noms communs et des adjectifs correspondant aux noms propres de personnes et de lieux ;
• Petit dictionnaire des suffixes du français ;
• L'accord du participe passé ;
• Les conjugaisons.

Les préfaces et postfaces nous renseignent pour leur part sur l'esprit, la méthode, l'évolution du *PR*. On lira en particulier la préface de 1993, qui expose la conception du dictionnaire de langue et la méthodologie à l'œuvre dans le *Nouveau Petit Robert,* ainsi que la postface de 2009 sur l'intégration partielle de l'orthographe rectifiée dans le *PR*.

Le *Petit Robert* électronique

Nous avons déjà mentionné les atouts des ouvrages de référence électroniques. Pour découvrir toutes les fonctionnalités du *PR* électronique, vous ne pourrez faire l'économie de consulter, voire de lire, le « Guide d'utilisation du *Petit Robert* électronique », qui comporte une vingtaine de rubriques, couvrant de l'hyperappel aux raccourcis clavier, en passant par l'explorateur des articles longs ou l'index des locutions et expressions. Ce guide est accessible à partir du bouton d'aide situé à droite de l'écran. L'aide donne également accès aux préfaces, aux postfaces, aux annexes, à une visite guidée du logiciel, etc. ; on peut l'appeler directement à partir de certaines zones sensibles du texte (par exemple, les abréviations des marques d'usage comme *Mod.* pour « moderne », *Fam.* pour « familier », etc.). Examinons quelques fonctionnalités du *PR* électronique.

Commençons par l'anecdotique. Y a-t-il des mots que vous ne savez pas prononcer ? Outre la transcription phonétique, la version électronique vous permet d'écouter la prononciation de certains mots. Dans les dernières éditions, certaines citations peuvent également être écoutées.

Le *PR* électronique offre aussi un accès direct à toutes les formes fléchies de la langue, c'est-à-dire la conjugaison complète de chaque verbe ainsi que les féminins et les pluriels de tous les mots variant en genre et en nombre, à partir du mot en cause.

Les fonctions de recherche sont puissantes. Outre la recherche, déjà mentionnée, de toutes les occurrences d'un mot ou d'une expression dans l'ensemble du dictionnaire, on peut effectuer des recherches à partir de plusieurs critères et sous-critères. On peut, par exemple, chercher un mot ou une expression uniquement dans les citations. On peut, en recherche intégrale, trouver tous les mots du domaine de l'informatique en sélectionnant «Inform.» comme sous-critère de marque d'usage ou domaine (515 entrées dans l'édition 2009). En matière d'étymologie, on peut extraire, par exemple, tous les mots français venant de l'algonquin, de l'inuit, de l'arabe magrébin, etc.

Avant d'utiliser les recherches avancées, il convient cependant de bien comprendre l'organisation de l'interface qui offre, sur un écran unique, toutes les informations permettant de consulter le dictionnaire, de rechercher un mot, de lire un article et d'effectuer des recherches. L'écran a changé au fil des éditions. (Voir la figure 1.1 pour un aperçu de ce qui apparait à l'écran dans une édition récente à l'article *film*.)

Panneau de gauche : Nomenclature et boutons de recherche associés en premier lieu à la nomenclature, dont la recherche par critères.

Barre d'outils de droite : Menu complémentaire de navigation et d'édition.

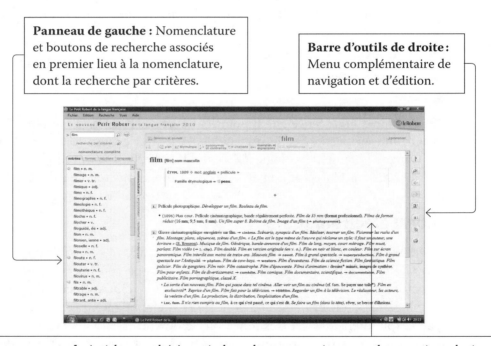

Panneau central : Article consulté, à partir duquel on peut naviguer vers les renvois analogiques (ainsi que vers tous les mots contenus dans l'article, le texte entier de l'article étant une zone hypertextuelle). Les boutons en haut de ce panneau donnent accès à différentes sélections de visualisation (plan, étymologie, etc.) ainsi qu'aux formes fléchies du mot (conjugaison pour les verbes, féminin et pluriel pour les catégories variant en genre et en nombre).

Figure 1.1 – Écran du *Petit Robert* électronique. CD-ROM du *Petit Robert de la langue française.*

1.1.3 D'autres dictionnaires de langue

Le Québec a produit plusieurs dictionnaires du français, notamment, en 1988, le ***Dictionnaire du français plus*** («plus» parce qu'il intègre plus de 4000 mots, sens et emplois canadiens et plusieurs centaines de développements encyclopédiques reflétant la réalité canadienne). Un nouveau dictionnaire de langue prenant comme référence «le français standard en usage au Québec» doit paraitre en 2011: ce ***Dictionnaire de la langue française: le français vu du Québec*** (conçu par une équipe de chercheurs de l'Université de Sherbrooke) comprendra une version électronique et des fonctionnalités d'utilisation avancées.

Parmi les dictionnaires de langue, on ne peut passer sous silence le ***Trésor de la langue française*** (*TLF*), disponible en ligne: produit en France dans les dernières décennies du XXᵉ siècle, le *TLF* répertorie et traite le lexique des XIXᵉ et XXᵉ siècles (on n'y trouvera donc pas le verbe *bloguer*!). Les articles sont denses, leur présentation un peu rébarbative, mais l'information est riche, et l'accès, gratuit.

1.1.4 D'autres types de dictionnaires

À côté des dictionnaires de langue généraux, on trouve des dictionnaires qui ne traitent que d'un aspect de la langue (par exemple la synonymie, les régionalismes) ou d'un champ du savoir ou des activités humaines (par exemple la médecine, l'informatique). Dans les sections qui suivent, il sera question de trois types de dictionnaires particulièrement utiles: les dictionnaires de synonymes, les dictionnaires de cooccurrences et les dictionnaires ou banques terminologiques. Les dictionnaires de difficultés, qui offrent des conseils de rédaction en plus de traiter de difficultés linguistiques particulières, ont été regroupés avec les guides de rédaction.

Les dictionnaires de synonymes

Le mot «synonyme» est un mot bien trompeur, car, d'une part, il n'y a guère de synonymes parfaits (*acteur* et *star* ne portent pas exactement le même sens) et, d'autre part, on appelle souvent synonymes des mots qui entretiennent plutôt un rapport d'analogie: ils appartiennent au même domaine, au même «champ sémantique», mais ils ne renvoient pas à la même réalité. Reprenons l'article «cinéma» du *Petit Robert*. Les quatre renvois dans le point 1 (*caméra, bande, film, pellicule*) ne sont pas des synonymes de *cinéma*, mais des mots relevant du domaine du cinéma. Au point 2 de l'article, les deux premiers renvois qui suivent l'expression *amateur de cinéma* (*cinéphage, cinéphile*) sont bien des synonymes, mais ce n'est pas le cas des trois suivants (*cinéclub, cinémathèque, cinéshop*), qui font référence à des lieux que peut fréquenter l'amateur de cinéma.

Si l'on assimile les mots analogues aux synonymes comme le fait le *Petit Robert*, ce dictionnaire est sans conteste le premier des dictionnaires de synonymes: l'article «cinéma» (pour reprendre le même exemple) comporte plus de 20 renvois, qui donnent accès à tout un réseau de mots et de notions (à la vitesse des clics, sinon de la lumière, si l'on utilise la version électronique). L'exploration peut cependant se transformer en rêverie d'un mot à l'autre et les dictionnaires de synonymes ont donc toujours leur place pour les recherches systématiques et structurées.

Le ***Grand Druide des synonymes et des antonymes*** figure parmi les plus intéressants des dictionnaires de synonymes actuels : 35 000 articles très structurés sont proposés. Dans chacun, les synonymes sont regroupés, comme il se doit, selon les différents sens du mot traité ; ils sont aussi classés selon les domaines d'usage, les registres, ainsi que l'aire d'emploi pour les régionalismes ; les hyperonymes (mots dont le sens englobe celui d'un mot donné) et les hyponymes (mots dont le sens est plus spécifique que celui d'un mot donné) sont clairement marqués comme tels. Le *Grand Druide* est en fait un extrait du **dictionnaire des synonymes** inclus dans le logiciel d'aide à la rédaction ***Antidote*** : aux caractéristiques du *Grand Druide*, le dictionnaire électronique ajoute notamment un nombre accru d'hyperonymes et d'hyponymes et la visualisation immédiate de la définition de tout synonyme dans le panneau de droite de la fenêtre. Encore une fois, les outils électroniques déploient une puissance de traitement que ne peuvent atteindre les ouvrages sur support papier (voir « *Antidote,* un outil à tout faire », à la section 1.4 pour une présentation des autres outils inclus dans ce logiciel).

Même la suite ***Microsoft Office***, et donc le logiciel *Word*, comporte un dictionnaire des synonymes qui peut dépanner, particulièrement lorsqu'on a un mot sur le bout de la langue (des doigts !), mais qu'il ne vient pas : par exemple, pour le mot *acteur*, le dictionnaire des synonymes de *Word* offre *comédien, artiste, tragédien, mime, doublure, figurant, star*, etc.

Un synonyme ne se choisit pas au hasard parmi les mots ayant le même référent. Le chapitre 9 « L'emploi du mot juste » vous en apprendra davantage sur la synonymie et l'analogie.

Les dictionnaires de cooccurrences

Les dictionnaires de cooccurrences, ou de combinaisons de mots, répertorient les associations de mots courantes sans qu'elles soient pour autant des locutions figées. L'usage de combinaisons attendues rend l'écriture naturelle et facilite la lecture : le lecteur n'est pas déconcerté par des associations de mots qui le surprennent et interrompent sa lecture.

Ce genre de dictionnaire est particulièrement utile à ceux qui ne trouvent pas facilement les combinaisons usuelles, que ce soit parce qu'ils lisent peu, que le français n'est pas leur langue maternelle ou pour toute autre raison. Par la richesse des expressions, des exemples et des citations qu'il renferme, le *Petit Robert* est déjà un dictionnaire de cooccurrences. Un dictionnaire dédié uniquement aux cooccurrences offre cependant davantage de combinaisons et les regroupe généralement par constructions (associations nom + adjectif, nom + nom, verbe + nom, etc.), ce qui facilite le repérage des combinaisons qu'on veut vérifier et permet d'en découvrir une multitude d'autres.

Mentionnons deux de ces dictionnaires. Le **dictionnaire des cooccurrences** du logiciel d'aide à la rédaction *Antidote* offre un nombre impressionnant de cooccurrences, qui sont classées selon un découpage très détaillé des constructions (pour un nom, par exemple :

sujet, complément du nom, complément de l'adjectif, complément direct, complément indirect, etc.). De plus, tous les mots (sauf les prépositions et les conjonctions) sont traités, autant les adjectifs, les verbes et les adverbes que les noms, qui figurent généralement seuls à la nomenclature de ce type de dictionnaire. Enfin, le dictionnaire des coocurrences d'*Antidote* se caractérise par un corpus qui comprend des sources constamment actualisées, reflétant ainsi un usage contemporain et très réel des mots plutôt qu'un usage quelque peu idéalisé. Citons également le ***Dictionnaire des combinaisons de mots*** de la maison Robert, qui propose quelque 160 000 combinaisons de mots et 26 000 exemples soigneusement sélectionnés reflétant certainement un usage plus conventionnel que le dictionnaire d'*Antidote*; toutes les entrées de ce dictionnaire sont des noms.

Les dictionnaires ou banques terminologiques

La terminologie, c'est l'ensemble des termes (mots spécialisés) d'un domaine de savoir ou d'activité (et aussi la science qui étudie, organise les termes). Les dictionnaires généraux comprennent bon nombre de termes appartenant à des domaines d'intérêt commun, mais certainement pas tous les termes techniques de tous les domaines. Le ***Grand dictionnaire terminologique*** (*GDT*) de l'Office québécois de la langue française (OQLF) est une ressource fondamentale pour la terminologie : il comprend plus de trois-millions de termes français et anglais employés dans l'administration, les affaires et différents secteurs d'activité et de savoir au Québec et on y accède librement sur le site de l'OQLF. Le gouvernement du Canada offre un outil semblable, ***Termium Plus***, une banque de données terminologiques trilingue (français, anglais, espagnol) qui est accessible gratuitement depuis septembre 2009. De consultation plus complexe que le *GDT*, *Termium Plus* comprend près de quatre-millions de termes anglais et français. (Tant le site de l'OQLF que celui de *Termium* sont de véritables portails linguistiques : nous reviendrons sur les autres outils qu'ils proposent dans la section portant sur les dictionnaires de difficultés et les guides de rédaction.) D'autres provinces du Canada ont des bases terminologiques bilingues, mais elles portent spécifiquement sur les besoins propres de leur administration ; c'est le cas de *ONTERM* en Ontario.

EXERCICE 1.1

Les questions suivantes visent à vous faire mieux connaitre les dictionnaires présentés ici. Il vous faudra minimalement un *Petit Robert* et l'accès à Internet pour utiliser les ressources en ligne présentées dans cette section. Quatre des questions vous invitent à comparer l'information trouvée dans différentes ressources avec celle présentée dans *Antidote*, si vous y avez accès. (Reportez-vous à la section 1.4 de ce chapitre pour découvrir les composantes d'*Antidote* qui n'ont pas été présentées dans cette section.)

Bon nombre d'institutions scolaires ont un abonnement au *PR* électronique et même à *Antidote* pour leurs étudiants et leur personnel ; de plus, le site de la maison Robert offre souvent des essais gratuits.

1 Les articles du *PR* utilisent des mises en relief typographiques (couleur, italique, etc.), des symboles et signes alphanumériques ainsi que des abréviations pour structurer l'information, aider à son repérage et classer les sens. Complétez le tableau suivant, qui présente quelques-uns de ces signes avec leur signification.

Signe	Signification
(Marques relevées dans l'édition électronique 2010 : les mises en relief par la couleur ainsi que les encadrés en général n'apparaissent que dans la version électronique.)	*(Élément de l'article mis en relief ; valeur, sens d'un symbole, d'un signe, d'une abréviation)*
En bleu	*Définition*
	Étymologie
Entre parenthèses et en brun	
	Regroupement de plusieurs sens
(Consultez le « Tableau des termes, signes conventionnels et abréviations du dictionnaire » ou les infobulles pour connaitre le sens de ces abréviations.) Absolt Anciennt Littér. Loc. Mod. Plaisant Spécialt Vx	
	Exemple
	Citation
Texte en noir sans italique	
	Renvoi analogique

Losange noir	
Astérisque après un mot	

2 Que veulent dire au juste les marques d'usage «Absolument», «Plaisant», «Vieux», «Vieilli» et «Anciennement» utilisées dans le *PR*?

3 Relevez dans le *PR* les définitions des mots *nomenclature, entrée* et *article* qui correspondent à l'emploi de ces mots dans le domaine de la lexicographie; notez le marquage alphanumérique de la définition ainsi que les marques d'usage ou de domaine.

4 a) Dans l'article *cœur*, à quels regroupements de sens correspondent les grandes
divisions introduites par les chiffres romains ?

b) Quel bouton du *PR* électronique permet de visualiser l'architecture de l'article,
c'est-à-dire toutes ses divisions et subdivisions ?

c) Expliquez la progression dans chacune des grandes divisions.

5 Décrivez le mode de découpage des articles des verbes *penser* et *comprendre*.

6 « *La "**peopolisation**" est un miroir aux alouettes, mais Cannes n'en finit plus de répercuter son reflet.* » (Le Devoir, *20 mai 2009*)

Le Devoir guillemète le mot *peopolisation*, signalant ainsi son caractère spécial (en l'occurrence, néologisme par calque de l'anglais). Vérifiez si on le trouve dans le *PL* et le *PR*. Cherchez-le également dans le *GDT* (*Grand dictionnaire terminologique*) et dans *Termium Plus*. Résumez le résultat de vos recherches.

7 Le mot *acception* est-il synonyme du mot *acceptation* ? Quel est le sens usuel du mot *acception* ?

_____

_____

_____

_____

8 Vérifiez dans le *PR* comment se prononce le *th* dans *forsythia*.

_____

9 À partir du *PR*, puis d'*Antidote* (si vous y avez accès), déterminez quel est le subjonctif passé passif du verbe *acquérir* (3e personne du sing.).

_____

10 a) Cherchez l'expression *faire main basse* ou *faire mains basses* dans le *PR*. Sous quel mot l'expression est-elle définie ? S'écrit-elle au singulier ou au pluriel ?

_____

_____

b) En faisant une recherche par critères en texte intégral dans le *PR* électronique (mettez l'expression entre guillemets), trouvez toutes ses occurrences dans le dictionnaire.

_____

_____

_____

11 Cherchez dans le *PR* (avec la fonction de recherche par critères) tous les anagrammes du mot *crâne*. Faites la recherche premièrement en excluant les formes fléchies (féminins, pluriels, verbes conjugués), puis en les incluant.

_____

_____

_____

12 Comment appelle-t-on les habitants de la ville de Trois-Rivières et ceux de la province de la Saskatchewan ? Cherchez la réponse dans le *PR* (dans l'annexe *Liste des noms propres de lieux et de noms d'habitants et adjectifs correspondants* à laquelle on accède par l'aide).

_____

13 Cherchez les synonymes du verbe *comprendre* dans le *PR*, *Antidote* (si vous y avez accès) et *Microsoft Word*. Lequel des trois trouvez-vous le plus efficace pour la recherche de synonymes ?

14 Supposons que vous ne connaissiez pas l'emploi du verbe *appréhender* au sens de « comprendre ». Le *PR* vous donne cette courte définition : « Philos. Saisir par l'esprit, *Appréhender une notion, un phénomène* ($\longrightarrow$ aperception). » Vous pourriez faire une recherche en texte intégral pour trouver d'autres occurrences dans le *PR*, mais vous obtiendriez alors toutes les occurrences du verbe et pas uniquement celles où le verbe signifie « comprendre ». Cherchez des contextes d'emploi dans le *Trésor de la langue française* (en accès libre en ligne) ainsi que dans le dictionnaire des cooccurrences d'*Antidote* (si vous y avez accès).

15 Les habitants de diverses régions du Québec utilisent le terme *tourtière* pour désigner deux mets bien différents.

a) Trouvez dans le *Grand dictionnaire terminologique* les deux définitions de *tourtière* et indiquez la région où chacune s'applique.

b) Comparez-les avec la définition du *PR* et éventuellement avec celle d'*Antidote*.

1.2 LES DICTIONNAIRES DE DIFFICULTÉS ET LES GUIDES DE RÉDACTION

Comme les dictionnaires, les guides de rédaction évoluent. Après les manuels de rhétorique et les guides épistolaires des XVIIIe et XIXe siècles, en France et ici, s'imposent, au XXe siècle, les guides du bon usage linguistique, sous l'effet, notamment, de la démocratisation de l'école. «Ne dites pas cela», «n'écrivez pas cela»: les fautes de français sont cataloguées et pourchassées. La fin du XXe siècle, puis le XXIe siècle voient les demandes se complexifier en matière de maitrise de l'écrit, outil de travail fondamental pour tant de gens. C'est ainsi que les guides se font plus polyvalents que jamais: encore et toujours, comment accorder ces bougres de participes passés (surtout ceux des verbes pronominaux!), quand employer et ne pas employer tel mot, comment bien ponctuer, mais aussi comment rédiger un CV, un rapport, un essai, comment écrire pour convaincre, comment résumer, comment présenter un tableau, numéroter, mettre en pages...; bref, comment être le maitre d'œuvre de ses textes de a à z. Nous vous présentons ici quelques-uns des outils les plus couramment utilisés pour les études, mais aussi dans le cadre du travail.

1.2.1 Le Multidictionnaire de la langue française

Le *Multi*, comme on l'appelle couramment, est avant tout un dictionnaire de difficultés, même s'il offre aussi les définitions courantes des mots. Il fait partie des ouvrages de référence préférés en matière de difficultés parce qu'il rend compte des réalités québécoises et offre des réponses claires et simples qui font autorité dans bien des milieux rédactionnels: «C'est le *Multi* qui le dit», peut-on arguer. On y trouve ainsi réponse à des questions d'accord (accord du participe passé pour chaque verbe pronominal), à des questions d'usage lexical (régionalismes acceptés dans le bon usage, anglicismes à éviter...), à des questions de construction syntaxique (les prépositions possibles pour introduire les compléments des verbes, le mode verbal après les conjonctions...), etc. Les difficultés linguistiques générales, les règles, les conseils de rédaction ou de mise en pages sont présentés dans des tableaux : la 5ᵉ édition du *Multidictionnaire de la langue française* (2009) comporte 134 tableaux.

1.2.2 La *Banque de dépannage* linguistique de l'Office québécois de la langue française

Pour les intimes, c'est la *BDL*. En ligne, gratuite, la *BDL* est un outil incontournable : quelque 2 400 articles (en date d'octobre 2009) répartis dans 11 thèmes (grammaire ; orthographe ; syntaxe ; vocabulaire ; anglicismes ; ponctuation ; prononciation ; typographie ; noms propres ; sigles, abréviations et symboles ; rédaction et communication). Construits comme des fiches, ces articles ne sont pas très longs et les mises en relief sont claires : en vert, ce qui est bon ; en rouge, ce qui ne l'est pas.

La *BDL* lèvera ainsi le doute sur de nombreuses hésitations lexicales, qu'il s'agisse d'anglicismes, de paronymes, d'impropriétés diverses ou d'autres questions lexicales. Dira-t-on, par exemple : *assumer* ou *présumer* qu'une tâche a été accomplie ? avoir une vision *biaisée* ou *subjective* des choses ? *nécessiter* ou *avoir besoin* d'une nouvelle couche de peinture ? On trouvera également réponse à tous les problèmes, ou presque, de morphologie grammaticale (38 articles, par exemple, sur la formation du pluriel des noms) ou d'accord (50 articles sur l'accord du nom ; 36 uniquement sur l'accord du verbe avec le sujet, etc.). La nouvelle orthographe est entièrement couverte : oui, l'accent circonflexe peut disparaître (pardon, *disparaitre*) dans les verbes en *-aître* (pardon, *-aitre* !). Dans la section « Rédaction et communication », vous trouverez un traité des principales figures de style, des conseils sur la présentation de graphiques et presque tout ce qu'il faut savoir sur la présentation de citations et de références bibliographiques.

Les autres sections sont tout aussi riches : à vous d'explorer. La recherche se fait soit de façon alphabétique, soit par thème. On peut, par exemple, entrer le mot *ne* dans l'index alphabétique ou dans l'index thématique. L'accès à l'information voulue est ainsi assez rapide.

1.2.3 *Termium Plus*

Termium Plus, c'est un peu la mémoire du Bureau de la traduction du Canada. Accessible en ligne gratuitement depuis 2009 seulement, *Termium* comprend la banque de données terminologiques du Canada (voir ci-dessus « Les dictionnaires terminologiques » au point 1.1.4) ainsi que plusieurs outils d'aide à la rédaction. Voici les plus utiles en rédaction générale.

Le *Guide du rédacteur*

C'est un outil dont se servent les réviseurs professionnels, mais qu'utilisera avec profit toute personne rédigeant des textes dans le cadre de son travail. Le *Guide du rédacteur* fournit des réponses à toutes les questions sur des détails techniques concernant les abréviations, l'emploi des majuscules, l'écriture des nombres, des noms géographiques ; il comprend également des chapitres sur la féminisation, la langue claire et simple, la ponctuation... Sa consultation est facile, ce qui fait du *Guide du rédacteur* une précieuse ressource complémentaire.

Chroniques de langue

Ces chroniques, qui regroupent des articles parus dans *L'Actualité langagière* depuis plusieurs décennies, touchent à toutes sortes de questions. Si certaines fiches anciennes ont perdu de leur pertinence, les fiches récentes sont généralement d'un grand intérêt. On peut lire, à titre d'exemple, la chronique « Accroitre son QC (quotient courriel) », qui présente de façon plaisante d'excellents conseils de rédaction de courriels ou « Communication claire et efficace : favoriser la rétention de l'information », ou encore « Ce n'est pas dans le dictionnaire. Ce n'est donc pas... bon ! » ou « La quête de la bonne préposition dans les ouvrages de référence ».

Autres composantes de *Termium Plus*

Termium Plus comprend plusieurs autres outils, parmi lesquels :

- Les *Clefs du français pratique*, qui traite de difficultés de grammaire, de syntaxe et d'usage.

- Le *Dictionnaire des cooccurrences* de Jacques Beauchesne, qui ne comporte pas de contextes d'emploi, mais peut s'avérer utile surtout pour ceux qui ne disposent pas d'*Antidote* ou du *Dictionnaire des combinaisons de mots* de la maison Robert.

- Le *Juridictionnaire,* qui, comme son nom l'indique, traite des difficultés linguistiques liées aux particularités du langage juridique, notamment à l'influence de la common law sur le droit public canadien et sur la langue de ce droit.

1.2.4   Le site *Amélioration du français* du Centre collégial de développement de matériel didactique (CCDMD)

Comme son nom l'indique, le site propose des ressources diverses pour améliorer son français : fiches de préparation à l'Épreuve uniforme de français du Québec, tests diagnostiques, exercices, interactifs ou non, sur différents points de langue, fiches d'autocorrection (en fait, des fiches de synthèse sur diverses difficultés, par exemple le temps verbal du discours dans un travail scolaire), mais aussi fiches explicatives et modèles sur différents genres de textes qu'on peut être appelé à écrire au niveau collégial, particulièrement en sciences humaines. Le site est constamment alimenté.

EXERCICE 1.2

Répondez aux questions suivantes en utilisant les outils spécifiés dans chaque question. (Si vous ne disposez pas du *Multi*, utilisez une autre ressource présentée dans cette section.)

1 a) Accordez s'il y a lieu les participes passés des verbes pronominaux de la phrase ci-dessous et vérifiez vos réponses dans le *Multi*.

     b) Regardez si le *PR* vous permet de vérifier les accords dans les articles *parler* et *entendre*.

     c) Cherchez ensuite les règles d'accord du participe passé des verbes pronominaux dans la *BDL* et dans le site *Amélioration du français*.

     Les deux parties se sont parlé _____ et se sont finalement entendu _____ .

     ....

     ....

     ....

     ....

2 Doit-on écrire le nombre en chiffres ou en lettres dans la phrase ci-dessous ? Cherchez la réponse dans deux des trois sources suivantes : le *Multi*, la *BDL* et le *Guide du rédacteur*.

    En faisant un calcul de probabilité, on se rend compte qu'on a environ une chance sur (quatorze millions / quatorze-millions » [graphie rectifiée], 14 millions ou 14 000 000) _____ de gagner le gros lot à la 6/49.

    ....

    ....

3 Doit-on, peut-on mettre des accents sur les sigles ? Cherchez la réponse dans la *BDL*, puis dans le *Guide du rédacteur* et le *Multi*.

    ....

    ....

1.3   LE TRAITEMENT DE TEXTE ET LA CORRECTION AUTOMATIQUE DU TEXTE

Chaque nouvelle version des logiciels de traitement de texte apporte de nouvelles fonctionnalités. Le plus connu est certainement *Word*, dont presque tout le monde se sert pour saisir et stocker ses textes. Mais jusqu'à quel point connait-on ses fonctions de mise en pages, de correction, d'édition et de révision? Connait-on tous les outils linguistiques que *Word* recèle? Nous avons vu au point 1.1.4 le dictionnaire de synonymes de *Word*. Nous rappellerons ici quelques fonctionnalités particulièrement utiles pour soutenir la rédaction (sans les chemins d'accès, qui peuvent changer). Explorez les menus de *Word*, consultez l'aide pour en découvrir davantage.

1.3.1   Choix de la langue et correction

Si tout le monde, ou presque, se sert de la vérification orthographique et grammaticale au cours de la frappe (soulignements rouge et vert), plusieurs compléments fort utiles sont peu utilisés.

Choix de la langue

Lorsqu'on tape du texte, il est important de choisir la langue appropriée pour avoir accès aux bons dictionnaires et pour éviter que la fonction de correction automatique ne souligne tout le texte (comme ce serait le cas si on écrivait en français après avoir sélectionné l'anglais du Canada comme langue du texte). Au Canada, il convient de choisir le français du Canada (si c'est bien ce qu'on veut) et non le français de France: il y a en effet quelques différences, la principale étant l'utilisation d'espaces typographiques avec un plus grand nombre de signes de ponctuation en français de France qu'en français du Canada.

La sélection du français (d'ici ou d'ailleurs) donne aussi accès au choix entre orthographe traditionnelle ou orthographe rectifiée à partir de *Word 2003*. (Voir au point 1.5.2 ci-après la façon dont les outils d'aide prennent en charge l'orthographe rectifiée.)

Correction automatique des fautes de frappe répétitives

Si vous avez le moindrement tendance à faire des fautes de frappe, il vaut la peine d'ajouter dans les corrections automatiques la correction des fautes que vous répétez. Par exemple, une personne qui taperait des virgules plutôt que des apostrophes peut ajouter toutes les formes à corriger dans la liste des corrections automatiques. (Par défaut, la liste contient beaucoup de corrections automatiques concernant le redoublement de la consonne, la majuscule et les signes typographiques spéciaux.)

Ajout de mots et de formes dans le dictionnaire

Il vaut la peine d'ajouter dans le dictionnaire les noms propres (et leurs dérivés) qu'on écrit fréquemment et qui n'y figurent pas déjà. Ainsi, ils ne seront pas relevés par la correction automatique et vous verrez plus clairement les vraies fautes soulignées.

1.3.2 **Suivi des modifications**

Faire relire ses textes par une autre personne est une bonne pratique rédactionnelle : les meilleurs scripteurs sont les premiers à s'échanger leurs textes. La fonction de suivi des modifications permet de le faire électroniquement en laissant des marques de correction et en ajoutant des commentaires si on le désire.

La fonction de commentaires est utile quand plusieurs personnes travaillent à un même texte, mais également lorsqu'il n'y a qu'un seul scripteur : on peut y mettre des notes personnelles sur ce qu'on est en train d'écrire, par exemple ce qu'on doit développer davantage, des questions qu'on doit poser, des recherches à pousser, un découpage différent du texte auquel on pense tout à coup, mais dont on n'est pas sûr, etc. Voir la figure 1.2 ci-dessous.

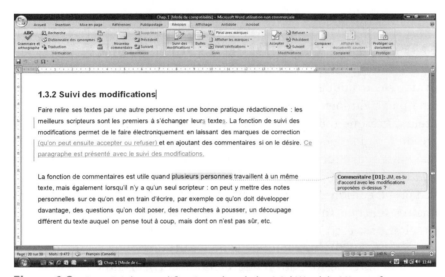

Figure 1.2 – Le suivi des modifications dans le logiciel *Word* de Microsoft.
© Utilisé avec la permission de Microsoft.

Le texte peut en tout temps être visualisé avec les marques de correction et les commentaires (Final avec marques) ou sans marques ni commentaires (Final). Les corrections peuvent être acceptées ou refusées une à une ou en bloc. De même, les commentaires peuvent être effacés en bloc ou au fur et à mesure qu'ils deviennent inutiles.

EXERCICE 1.3

1 Ajoutez dans la liste de corrections automatiques du logiciel *Word* de votre ordinateur (sous «Options de correction automatique») les corrections des fautes suivantes: *férquent* → *fréquent*; *ardamment* → *ardemment*; *qu,* → *qu'*.

2 Ajoutez les mots suivants dans le dictionnaire de *Word* en utilisant le menu contextuel à partir de chacun des mots (cliquez sur le bouton droit de la souris quand vous êtes sur le mot → Ajoutez au dictionnaire): *Adéquistes, Bloquistes, Obamistes, Sarkozystes*.

3 Activez le suivi des modifications (raccourci: Ctrl + Maj + R), puis tapez quelques mots et ajoutez deux commentaires. Ouvrez ensuite le menu d'impression et, dans la fenêtre «Imprimer», désélectionnez «Document avec marques» et sélectionnez «Document».

1.4 ANTIDOTE, UN OUTIL À TOUT FAIRE

Les outils d'aide électroniques visent la facilité de consultation, notamment par un hyper-appel facile à partir du logiciel de traitement de texte; c'est le cas des dictionnaires et des correcteurs. Presque tous visent aussi, à divers degrés, la polyvalence: être à la fois dictionnaire de langue, encyclopédie, grammaire, guide de rédaction, correcteur... Le logiciel d'aide à la rédaction *Antidote* incarne cette évolution: dès sa première édition en 1996, *Antidote* visait la polyvalence; aujourd'hui, le logiciel est devenu un véritable outil à tout faire. L'édition de 2006, *Antidote RX*, réunit un correcteur personnalisable, 10 dictionnaires (chaque rubrique constitue un «dictionnaire»: définitions, locutions, synonymes, citations, etc.) et 10 guides linguistiques (orthographe, lexique, etc.). La 7e édition (novembre 2009) a introduit deux nouveaux dictionnaires, un nouveau guide et un correcteur amélioré, permettant notamment de corriger directement dans la fenêtre de correction. Le menu d'aide comprend le guide d'utilisation complet (la «Posologie»); nous présenterons brièvement ici les trois volets du système.

1.4.1 Le correcteur

Le correcteur d'*Antidote* repère bon nombre des fautes réelles et indique des fautes potentielles ou des choix discutables en matière de lexique (anglicismes, mots familiers...), de syntaxe, etc. Pour laisser l'utilisateur maitre de ses choix et ne pas encombrer la correction, *Antidote* comprend un système de réglages: l'utilisateur s'attribue un niveau de compétence rédactionnelle, détermine le niveau de tolérance qu'il veut appliquer à l'égard de différents écarts par rapport à une norme stricte, sélectionne l'orthographe traditionnelle ou rectifiée (voir la section 1.5 ci-après), etc. Le correcteur comporte aussi trois modes ou «prismes»: correction, révision, inspection. À partir de chacun, on peut appliquer différents filtres: par exemple, en mode correction, on peut demander de détecter uniquement les fautes (réelles ou possibles) de ponctuation, et parmi celles-ci, de naviguer uniquement d'une virgule superflue à une autre.

1.4.2 Les dictionnaires

Nous avons déjà traité à la section 1.1.4 du dictionnaire des synonymes et du dictionnaire des cooccurrences d'*Antidote* ; vous avez aussi été appelé à consulter les dictionnaires de conjugaisons et de définitions dans l'exercice 1.1. Voyons les huit autres dictionnaires (édition HD).

Le dictionnaire des locutions

Le **dictionnaire des locutions** regroupe des termes complexes (*cinéma maison, film documentaire, film de série B, film dentaire…*) et des expressions plus ou moins figées, figurées ou non (*se faire du cinéma, crever l'écran…*). Quand un mot a plusieurs sens, les locutions sont séparées en fonction de ces sens ; par exemple, pour *vedette*, *Antidote* distingue les locutions se rapportant à la vedette comme être humain (*jouer les vedettes*), comme mot (*mettre en vedette*) et comme embarcation (*vedette garde-pêche*). Les termes complexes nous ouvrent instantanément tout un réseau de notions ; les expressions, tout un vocabulaire idiomatique.

Le dictionnaire des antonymes

Comme le **dictionnaire des synonymes**, celui-ci donne directement accès à la définition de chacun des antonymes dans la fenêtre de droite tout en gardant la liste dans la fenêtre centrale. Regroupés selon les différents sens du mot traité, les antonymes sont une voie rapide à la polysémie de ce mot ; par ailleurs, ils aident souvent à trouver un mot dont on n'a que l'antonyme à l'esprit.

Le dictionnaire des familles

Du *cinéparc* au *cinérama*, en passant par le *cinéphage*, le **dictionnaire des familles** extrait de la nomenclature tous les mots de la même famille lexicale ; on peut afficher la définition de n'importe lequel de ces mots dans la 3e fenêtre, sur la droite.

Le dictionnaire des analogies

Ce dictionnaire propose une mini-encyclopédie autour de chaque mot. Pour le mot *cinéma*, par exemple, on trouvera plusieurs personnalités du monde du cinéma (Arcand, Chaplin…), les noms de métiers du cinéma, des techniques, etc. La 3e fenêtre, à droite, permet de voir la définition de chacune de ces analogies.

Le dictionnaire des citations

Si le dictionnaire des cooccurrences propose lui aussi des citations pour chaque cooccurrence afin de les placer dans le contexte d'une phrase, le **dictionnaire des citations** vise pour sa part à illustrer les emplois par la littérature et les « grands journaux ». Les citations d'auteurs étant placées en ordre chronologique, elles peuvent mettre en lumière l'évolution de l'emploi du mot.

Le dictionnaire historique

Outre l'étymologie, ce dictionnaire présente l'évolution graphique des mots.

Le dictionnaire des anagrammes

C'est utile pour les jeux de lettres! Comme pour tous les autres dictionnaires d'*Antidote*, on y accède d'un clic de souris.

Le dictionnaire des illustrations

Ce dictionnaire comporte 6 000 illustrations avec des légendes, auxquelles est associée une liste des termes relatifs au sujet.

1.4.3 Les guides linguistiques

Ensemble, les 11 guides (Orthographe, Lexique, Grammaire, Syntaxe, Ponctuation, Style, Rédaction, Typographie, Historique, Rectifications, Points de langue) comportent plus de 750 articles. Quelques-uns sont théoriques (Qu'est-ce que la morphologie? Quels sont les procédés de formation néologique?, etc.), mais la plupart ont une visée résolument pratique : si un truc peut aider l'utilisateur, le guide n'hésite pas à le donner. Bien qu'on puisse trouver ailleurs à peu près toute l'information que recèlent ces guides, leur intégration dans un outil polyvalent qu'on peut appeler directement du texte qu'on est en train d'écrire ou de réviser en fait une ressource très appréciable.

1.5 LES OUTILS D'AIDE À LA RÉDACTION ET LES RECTIFICATIONS DE L'ORTHOGRAPHE

Presque tout le monde, aujourd'hui, a entendu parler des rectifications de l'orthographe proposées en 1990 par le Conseil supérieur de la langue française (un organisme gouvernemental français). Si les grandes instances faisant autorité en matière de langue ont généralement été favorables aux rectifications proposées (en France, elles ont reçu l'aval de l'Académie française), leur mise en œuvre est lente. Vingt ans après les recommandations du Conseil supérieur de la langue française, le mouvement est néanmoins bien enclenché : des manuels scolaires, des journaux, des maisons d'édition l'appliquent. Au Québec, l'Office québécois de la langue française estime que les deux graphies doivent être considérées comme correctes; le ministre de l'Éducation, du Loisir et du Sport du Québec accepte les deux graphies dans la correction des examens; les universités ont pour leur part commencé à enseigner l'orthographe rectifiée aux futurs maitres. Dans les autres provinces, l'Alberta et la Saskatchewan sont les plus progressistes : l'orthographe rectifiée est la forme de référence dans les programmes d'études de français, et les directions de l'éducation française des deux provinces l'appliquent de plus en plus dans leurs écrits. Le ministre de l'Éducation du Nouveau-Brunswick accepte les deux graphies dans les copies des élèves et des étudiants. Au Manitoba et en Ontario, les ministères de l'Éducation n'ont pas de politique à l'égard de l'orthographe rectifiée pour l'éducation des francophones. Dans les pays francophones d'Europe, les programmes d'études ont généralement pour référence l'orthographe rectifiée, mais les deux graphies sont acceptées.

Le temps est donc venu de connaitre les rectifications de l'orthographe et de les appliquer, en fonction de ses préférences (du moins pour l'instant), mais aussi selon la norme que peut imposer un employeur, un professeur, voire un client.

1.5.1 L'abc des rectifications

Les rectifications visent à éliminer des éléments inutiles et à corriger des anomalies et des incohérences. La liste ci-dessous présente les grandes catégories touchées. Vous pouvez trouver la description de l'ensemble des réformes dans différentes ressources, notamment la *BDL* de l'Office québécois de la langue française et le site du Réseau pour la nouvelle orthographe du français (Renouvo) ou celui de sa section québécoise, le Groupe québécois pour la modernisation de la norme du français (GQMNF).

Le trait d'union

Mots composés Pourquoi devrait-on écrire *auto-stop*, mais *autoroute*? *préopératoire*, mais *pré-universitaire*? *portefeuille*, mais *porte-monnaie*? La réforme recommande la soudure des mots composés dans le plus grand nombre de cas possible.

Numéraux Dorénavant, on peut mettre des traits d'union entre tous les éléments: *mille-cent-vingt-et-un*. (La réforme recommande aussi le trait d'union pour relier les numéraux qui sont des noms: *dix-millions*.)

Les accents et le tréma

Accent circonflexe Comme il n'y a pas de différence de prononciation entre *i* et *î*, ou entre *u* et *û*, la réforme recommande d'éliminer les accents circonflexes sur ces deux lettres sauf dans les cas d'homophonie (*mur/mûr*). Adieu aux circonflexes qui paraissent pour ensuite disparaître (pardon, *disparaitre*) dans la conjugaison des verbes en… -aitre. Le passé simple et le subjonctif imparfait conservent cependant leurs accents circonflexes. Pour leur part, les accents sur les lettres *a* et *o* restent, puisqu'ils distinguent généralement deux sons différents (*tache/tâche*).

e/é/è On connait le cas d'*évènement*, qui a déjà presque supplanté *événement*. Mais pourquoi *réfréner* (*refréner* dans l'orthographe traditionnelle) ses ardeurs? Pourquoi ne pas *asséner* (et non plus *assener*) un bon coup? S'ils appliquent l'orthographe rectifiée, les enseignants ne *piègeront* plus les étudiants avec le futur et le conditionnel: le *e* de la dernière syllabe du radical porte dorénavant un accent conforme à sa prononciation (*cédera* devient *cèdera*, *pénétrerait* devient *pénètrerait*). Vous pouvez y aller *allègrement* (et non plus *allégrement*). Dans la nouvelle orthographe, le choix entre e/é/è correspond davantage à la prononciation.

Accent grave ou redoublement de la consonne *l* ou *t* dans les verbes Je *pèle*, mais j'*appelle*; j'*achète*, mais je *jette*... Seuls *appeler* et *jeter* conservent le redoublement de la consonne lorsque le *e* de la syllabe suivante est muet. Tous les autres verbes en -*eler* ou -*eter* se conjuguent comme *peler* et *acheter* selon l'orthographe rectifiée.

Le tréma On peut dorénavant écrire *aigüe* et *ambigüe* sans aucun remords.

Le pluriel

Pluriel des noms composés Finis *le casse-noisettes* et *les abat-jour*. Tous les mots composés avec trait d'union de forme verbe + nom ou préposition + nom peuvent s'écrire sans *s* au singulier et avec *s* au pluriel: *des abat-jours*, *des brise-glaces*, *des chasse-neiges*.

Pluriel des noms étrangers D'origine latine, anglaise ou autre, les mots étrangers peuvent prendre la marque du pluriel française: le *s*. Cette évolution était déjà bien amorcée: *des matchs*, *des sopranos*, *des maximums*...

Anomalies rectifiées

Harmonisation dans quelques familles de mots Quelques familles de mots sont touchées: *imbécilité* peut dorénavant s'écrire avec un seul *l*, comme *imbécile*.

Ognon Comme *grognon, pognon, rognon, trognon*.

1.5.2 La nouvelle orthographe dans les outils d'aide à la rédaction

La plupart des outils ont intégré au moins une partie des réformes de l'orthographe. Comme chaque nouvelle édition d'un outil apporte des changements, on ne peut guère en donner un compte rendu totalement fiable. Nous nous limiterons donc à présenter le traitement donné aux rectifications dans les outils les plus courants déjà mentionnés dans ce chapitre.

Le *Petit Robert*

Les recommandations concernant le trait d'union et le pluriel ont été intégrées pour la plupart dans l'édition de 2009 (ou pour certains mots dans des éditions antérieures), non seulement dans les entrées, mais dans le dictionnaire dans son entier. L'accent circonflexe reste sur le *i* devant un *t* dans la conjugaison des verbes en -*aître*; celle des verbes en -*eler* et en -*eter* ne change pas; cependant, la conjugaison en *è* plutôt qu'en *é* au futur et au conditionnel pour les verbes comme *céder* est mentionnée.

Le *Multidictionnaire*

La 5ᵉ édition du *Multi* reconnait à peu près les mêmes éléments de la nouvelle orthographe que le *Petit Robert* en ce qui a trait aux entrées, mais conserve la graphie traditionnelle en premier (alors que le *PR* présente d'abord l'orthographe rectifiée). Le *Multi* offre cependant pour chaque terme dont la nouvelle graphie n'a pas été intégrée une

note explicative se référant aux rectifications orthographiques de 1990 ; il comporte aussi deux tableaux qui traitent de la nouvelle orthographe : « Rectifications orthographiques » et « Anomalies orthographiques ». Les tableaux portant sur les points touchés par la réforme comprennent aussi des notes à cet égard.

La *Banque de dépannage linguistique*

La *BDL* propose 26 articles sur les rectifications orthographiques et répète les rectifications dans les articles pertinents. Le *Grand dictionnaire terminologique,* également de l'OQLF, applique les rectifications pour les néologismes et les emprunts.

Le site *Amélioration du français* du CCDMD

On y trouve une quinzaine de fiches d'exercices sur les rectifications de l'orthographe.

Le correcteur orthographique de *Microsoft Office*

Le correcteur orthographique de *Microsoft Office 2007*, utilisable dans tous les logiciels de la suite *Office* (*Word*, *PowerPoint*, etc.), permet de choisir l'orthographe traditionnelle ou rectifiée ou, par défaut, de considérer les deux comme correctes. Si le réglage par défaut convient pour ouvrir des documents et les lire, dès que l'on écrit, corrige, révise, on a tout intérêt à choisir une forme ou l'autre, selon le destinataire du texte, afin d'assurer la cohérence orthographique. On peut télécharger à partir du site de Microsoft des mises à jour (*service pack 2*) pour ajouter à *Office 2003* le choix de l'orthographe traditionnelle ou rectifiée.

Antidote

Le correcteur de l'édition RX (2006) permet de choisir l'orthographe traditionnelle ou l'orthographe rectifiée. Par défaut, le correcteur de l'édition HD (2009) utilise l'orthographe rectifiée, qui est aussi la graphie utilisée dans l'interface d'*Antidote*. Un des guides linguistiques porte spécifiquement sur l'orthographe rectifiée.

EXERCICE 1.4

1 Que dit le lexicographe Alain Rey, dans la postface de l'édition 2009 du *PR*, des principes qui ont guidé l'intégration ou le rejet des différentes rectifications dans cette édition ?

_____

_____

_____

_____

_____

_____

2 Trouvez dans la *BDL* et dans *Antidote* d'autres mots que *imbécilité* dont l'orthographe a été rectifiée pour s'harmoniser aux autres mots de la famille.

_____

_____

3 Si vous disposez du *Multi,* relevez les tableaux qui traitent de la nouvelle orthographe en plus des deux tableaux généraux « Rectifications orthographiques » et « Anomalies orthographiques ».

_____

_____

1.6 POUR CONCLURE

Au fil des textes qu'on rédige, des cours qu'on suit, des emplois qu'on occupe, chacun se constitue son arsenal de ressources préférées. À la question « quelles sont les meilleures ? », on pourrait répondre « celles que vous utilisez » : rien ne sert en effet d'empiler sur sa table des ouvrages de référence qu'on n'ouvre pas. Certaines ressources sont meilleures que d'autres ; aucune n'est parfaite. Le principal, c'est de s'en servir.

Un logiciel de traitement de texte comme *Word* recèle de multiples fonctionnalités pour éviter ou corriger des fautes, mieux présenter ses textes, mieux rédiger même. Le *Petit Robert* (comme *Word*) comprend un conjugueur complet, indique le mode verbal qu'appellent les verbes dans leurs subordonnées compléments, donne le sens de tous les préfixes, suffixes et formants savants… Le *Multi,* la *Banque de dépannage linguistique* (*BDL*), le *Guide du rédacteur*, etc., répondent à de multiples questions. *Antidote* vise le tout-en-un.

Dans ce manuel, vous aurez à travailler en particulier avec le *Petit Robert* et avec d'autres ressources électroniques en accès libre comme la *BDL* (de même qu'avec le *Multi* ou *Antidote*, si vous les avez) et vous apprendrez à bien vous en servir. En y consacrant suffisamment de temps, on peut apprivoiser un outil électronique à première vue rébarbatif.

Adresses des ressources électroniques en accès libre présentées dans ce chapitre

Amélioration du français (Centre collégial de développement de matériel didactique) : http://www.ccdmd.qc.ca/fr

Banque de dépannage linguistique (Office québécois de la langue française) : http://www.oqlf.gouv.qc.ca/ressources/bdl.html

Grand dictionnaire terminologique (Office québécois de la langue française) : http://www.oqlf.gouv.qc.ca/ressources/gdt.html

Réseau pour la nouvelle orthographe du français (Renouvo) : http://www.renouvo.org

Termium Plus (Bureau de la traduction du Canada) : http://www.termiumplus.gc.ca

Trésor de la langue française informatisé : http://atilf.atilf.fr

À NOTER

Pour une bibliographie plus substantielle des outils d'aide à la rédaction, voir la section « Index des ressources » du site *Amélioration du français* du Centre collégial de développement de matériel didactique.

Partie 2
La grammaire de la phrase

Chapitre 2

La phrase

Dans la grammaire traditionnelle, on définit la **phrase** comme un ensemble de mots qui forme, du point de vue du sens, un énoncé complet commençant par une lettre majuscule et se terminant par un point. Or, le critère de la complétude n'est pas toujours pertinent. En effet, une phrase, même si elle est bien construite, n'est pas nécessairement complète quant aux informations qu'elle livre. À l'inverse, un simple mot, par exemple *Non !*, peut être un énoncé complet au point de vue du sens. Il ne peut cependant servir de modèle pour illustrer la phrase française. Dans la nouvelle grammaire, la définition de la phrase repose d'abord sur des critères syntaxiques.

2.1 LA PHRASE (P)

Dans la nouvelle grammaire, la définition de la phrase, notée P, se fonde sur la reconnaissance de constituants obligatoires et facultatifs. Ces constituants sont composés de groupes de mots qui ont pour centre un noyau, lequel peut être complété ou non par d'autres groupes de mots.

2.1.1 Les constituants de la phrase

La formulation d'une phrase implique nécessairement :

– que l'on parle de quelque chose ou de quelqu'un : c'est le **sujet** de la phrase ;

– que l'on dise quelque chose à propos de ce sujet : c'est le **prédicat** de la phrase.

Sujet	Prédicat
Mon groupe préféré	*se produira à Québec.*

Dans l'énoncé ci-dessus, on parle de *mon groupe préféré*, le **sujet** de la phrase, et on en dit quelque chose, à savoir qu'il *se produira à Québec*, ce qui constitue le **prédicat** de la phrase.

Une phrase est donc formée de deux **constituants obligatoires** : le **sujet** et le **prédicat**.
On ne peut les effacer ni les déplacer.

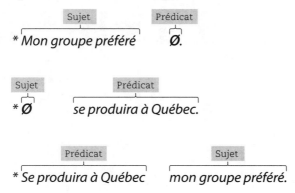

En nouvelle grammaire, le terme *prédicat* désigne la fonction syntaxique du groupe
verbal (GV) dans la phrase. La grammaire traditionnelle parlait simplement du verbe
ou du groupe du verbe, deux termes désignant une classe grammaticale et non une
fonction syntaxique.

La phrase peut également s'enrichir d'un **constituant facultatif** qui précise les circonstances de ce qui est énoncé dans la phrase : c'est le **complément de phrase**. Celui-ci peut
être effacé ou déplacé sans que cela nuise à la formation de la phrase.

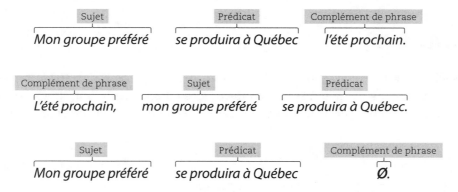

En fait, la phrase se construit un peu à l'image des poupées russes. Ainsi, à l'intérieur des
groupes de mots qui ont la fonction sujet, prédicat et complément de phrase, d'autres
relations s'établissent encore. Ces fonctions seront vues plus loin sous la rubrique de
chacun des groupes de mots. On trouvera également, aux pages 87-90, un tableau récapitulatif des fonctions.

2.1.2 La représentation d'une phrase

La représentation d'une phrase (P) est basée non seulement sur la fonction de ses constituants, mais également sur la sorte de groupes de mots qui peuvent remplir ces fonctions.

Ainsi, la fonction sujet étant généralement rendue par un groupe nominal, le premier constituant obligatoire, le sujet, sera représenté le plus souvent par **GN**, c'est-à-dire **groupe nominal**. Un pronom, un groupe infinitif (GInf) ou une subordonnée (Sub.) peuvent aussi remplir la fonction de sujet.

Donc, **sujet = GN**, ou **pronom**, ou plus rarement **GInf** ou **Sub**.

La fonction prédicat étant toujours rendue par un groupe du verbe (avec ou sans expansions), le prédicat sera représenté par **GV**, c'est-à-dire **groupe verbal**.

Donc, **prédicat = GV**.

Le complément de phrase peut être rendu par différents groupes de mots, soit un groupe nominal (GN), un groupe prépositionnel (GPrép), un groupe adverbial (GAdv) ou une subordonnée (Sub.).

Donc, **complément de phrase = GN**, ou **GPrép**, ou **GAdv** ou **Sub**.

Voici la représentation schématique d'une phrase P.

Élise vit à Paris depuis trois ans.

P		
Sujet de P **GN**	Prédicat de P **GV**	Complément de P **GPrép**
Élise	*vit à Paris*	*depuis trois ans.*

Toutes les phrases françaises peuvent être ramenées à ce modèle de la phrase P, sauf quelques constructions particulières dont nous parlerons plus loin.

EXERCICE 2.1

Séparez les constituants des phrases suivantes par une barre oblique et donnez leur fonction.

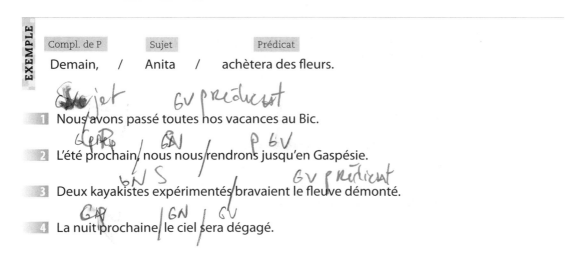

EXEMPLE

Compl. de P		Sujet		Prédicat
Demain,	/	Anita	/	achètera des fleurs.

Sujet   GV prédicat

1 Nous avons passé toutes nos vacances au Bic.

GPrép   GN   P GV

2 L'été prochain / nous nous / rendrons jusqu'en Gaspésie.

GN S   GV prédicat

3 Deux kayakistes expérimentés / bravaient le fleuve démonté.

GP   GN   GV

4 La nuit prochaine / le ciel / sera dégagé.

5 Nous en profiterons pour observer les Perséides.

6 Nelly, Nancy et Nicolas ont descendu la rivière des Français en canot.

7 Éric et moi préparerons le feu.

8 Pendant ce temps, Dany et Louis monteront la tente.

9 L'eau est glaciale.

10 Nous avons bien profité de nos vacances cette année.

2.1.3 La phrase de base

Nous avons défini la phrase en fonction des rapports s'établissant entre ses constituants. Différents traits linguistiques affectent aussi la phrase dans sa globalité et ont une incidence sur sa construction, déterminant le type et les formes de la phrase.

Les grammaires modernes s'entendent pour dire que la **phrase de base** française est une phrase qui n'est affectée d'aucun trait particulier. Elle est de type déclaratif, en ce sens que son rôle essentiel est de communiquer, sans plus, un fait, une information, une opinion, une idée. En outre, elle est affirmative, neutre, construite autour d'un verbe non impersonnel à la forme active. Elle ne comporte aucune caractéristique susceptible de lui donner un relief particulier.

Le chien de la voisine a attaqué ton chat.
(Phrase déclarative, affirmative, neutre, active et personnelle)

2.2 LES TYPES DE PHRASES

La structure d'une phrase varie selon l'intention de communication ; c'est ce qui permet de distinguer différents **types** de phrases. Les types de phrases sont exclusifs les uns des autres. Toutes les phrases n'appartiennent donc qu'à l'un ou l'autre de ces types. Il y a quatre types, dont le type déclaratif qui est celui de la phrase de base. Les autres types sont déterminés à partir de ce qui les distingue du type déclaratif.

2.2.1 Le type déclaratif

La phrase déclarative, on l'a vu, sert à énoncer une idée, à communiquer une information. Elle se termine par un point.

Les astéroïdes sont des résidus de la formation du système solaire.
Le comité de sélection a retenu sa candidature.

2.2.2 Le type impératif (ou injonctif)

La phrase impérative sert à formuler une exigence, un ordre, une consigne ou une incitation. Dans une phrase de ce type, le verbe est au mode impératif; le type impératif est donc marqué par l'effacement du sujet (dont la présence serait obligatoire dans la phrase de base). La phrase impérative se termine par un point ou par un point d'exclamation.

> **Venez** me voir demain matin**.**
>
> **Sortez** d'ici **!**

À NOTER

On utilise aussi parfois le mode infinitif pour formuler une consigne, une directive. C'est ce qu'on peut observer, par exemple, dans nombre de recettes.

> **Laisser** mijoter à découvert. **Saler** au gout.
>
> **Incorporer** les ingrédients secs au mélange.

2.2.3 Le type interrogatif

La phrase interrogative sert à poser une question. Elle se caractérise par l'inversion du sujet, la présence de mots interrogatifs, ou les deux. Elle se termine par un point d'interrogation.

> As-**tu** donné à manger au chat **?**
>
> **Est-ce que** vous serez présents **?**
>
> **Pourquoi** refuserions-**nous** de collaborer **?**

L'interrogation totale

L'interrogation est **totale** si elle porte sur toute la phrase; la réponse à la question peut alors se résumer à *oui* ou à *non*.

> As-tu vu tous les épisodes de cette série télévisée ? **Oui.** (ou **Non.**)

Les procédés de l'interrogation totale sont les suivants:

- le recours à la locution interrogative *est-ce que*

> **Est-ce que** tu viens ?
>
> **Est-ce que** le temps va s'améliorer ?

- l'inversion du sujet

On dit que l'inversion du sujet est **simple** quand le sujet est déplacé après le verbe, ce qui n'est toutefois possible que si le sujet est un pronom personnel.

> Pensez-**vous** que ce film en vaut la peine ?
>
> Peut-**on** espérer qu'un vaccin viendra un jour enrayer cette terrible maladie ?

Lorsque le sujet est un GN ou un pronom autre que personnel, on a recours à l'inversion **complexe** : le sujet, qui est alors un nom ou un pronom, demeure à sa place devant le verbe et il est repris par un pronom placé après ce dernier.

> *Les chercheurs arriveront-ils un jour à trouver un vaccin ?*

> *Quelqu'un a-t-il déjà suivi le même itinéraire ?*

À NOTER

Il est courant, dans la langue orale, de ne marquer l'interrogation totale qu'au moyen de l'intonation, sans modifier l'ordre des mots dans la phrase. L'interrogation totale n'entraine alors aucune modification de la structure de la phrase déclarative. À l'écrit, seul le point d'interrogation à la fin de la phrase indique que celle-ci sert à poser une question.

> *Tu viens ?*

> *Le souper est prêt ?*

Ce dernier procédé n'est pas recommandable à l'écrit, du moins dans le registre soutenu.

L'interrogation partielle = Question ouverte

Quand l'interrogation porte sur une partie seulement de la phrase, c'est-à-dire sur un élément ou un constituant de la phrase, on la dit **partielle**. On ne peut pas répondre à une interrogation partielle simplement par *oui* ou par *non*.

> *Quand reviendra-t-il ?* **Dans dix minutes.**

> *Qui donc a téléphoné ?* **Un de mes amis.**

Les procédés de l'interrogation partielle sont les suivants :

- L'emploi d'un adverbe ou d'un pronom interrogatif.

  Lorsque l'interrogation partielle porte sur le sujet, elle peut être formulée à l'aide d'un mot interrogatif, qui peut être un adverbe ou un pronom.

  > *Combien d'étudiants sont venus ?*

  > *Qui peut répondre à cette question ?*

 Voir les tableaux « Adverbe » et « Interrogatif, pronom » dans le *Multi*.

- L'inversion du sujet, combinée avec l'emploi d'un adverbe ou d'un pronom interrogatif.

  Lorsque l'interrogation partielle ne porte pas sur le sujet, elle est marquée par l'emploi d'un adverbe ou d'un pronom interrogatif et également par l'inversion du sujet, simple ou complexe.

  > *Pourquoi refuses-tu son offre ?*

  > *Que feront les enfants pendant ce temps ?*

> **Comment** réagira **le gouvernement** aux pressions des syndicats ?
>
> **Comment le gouvernement** réagira-**t-il** aux pressions des syndicats ?
>
> **Quand** commencera **la campagne de vaccination** ?
>
> **Quand la campagne de vaccination** commencera-**t-elle** ?

Cependant, dans certaines structures, notamment en présence du mot interrogatif *pourquoi*, l'inversion simple n'est pas acceptable lorsque le sujet est un GN. Quand l'inversion simple n'est pas acceptable, il faut faire une inversion complexe.

> ***Pourquoi** partent **ses amis** ? | **Pourquoi ses amis** partent-**ils** ?

De même, lorsque le sujet est un GN et que le verbe a un **complément direct**, on doit recourir à l'inversion complexe.

> ***Comment** acceptera **le gouvernement** les demandes des syndicats ? | **Comment le gouvernement** acceptera-**t-il** les demandes des syndicats ?

À NOTER

Dans la langue parlée familière, il n'y a pas nécessairement inversion du verbe et du sujet et le mot interrogatif apparait alors à la fin de la phrase.

> Tu pars **quand** ?
>
> Vous partez avec **qui** ?
>
> Vous allez **où** ?

- L'emploi de la locution interrogative *est-ce que*, ou ses dérivés, combinée avec un mot interrogatif.

> **Où est-ce que** tu vas ?
>
> **Qu'est-ce qui** fait courir les foules ?

2.2.4 Le type exclamatif (ou interjectif)

La phrase exclamative sert à exprimer l'intensité d'une réaction, d'un sentiment. C'est la présence d'un mot exclamatif ainsi que d'un point d'exclamation à la fin de la phrase qui caractérise le type exclamatif, aussi appelé interjectif.

> **Que** c'est beau ici **!**
>
> **Comme** elle chante bien **!**

2.3 LES CONSTRUCTIONS PARTICULIÈRES

Il existe certaines constructions de phrases particulières non conformes au modèle de la phrase de base qui ne sont pas le résultat d'une transformation du type ou de la forme de la phrase de base.

- Les constructions commençant par les locutions *voici, voilà, c'est* et *il y a* (**phrases à présentatif**).

> **Voici** *enfin le rapport tant attendu.*
>
> **C'est** *le temps de penser à son jardin.*
>
> **Il y a** *de nombreuses erreurs dans ce texte.*

- Les énoncés qui ne comportent pas de verbe conjugué, donc pas de GV, mais qui contiennent un groupe infinitif (GInf) ou un groupe nominal (GN), et dont le sens est clair et complet.

> *Défense de fumer.*
>
> *Marcher pieds nus sur la plage, dans le sable chaud… quel bonheur !*

2.4 LES FORMES DE PHRASES

Il existe huit **formes** de phrases qui peuvent être groupées par paires. Dans chacune de ces paires, une forme est marquée et l'autre est non marquée. La phrase de base possède les quatre formes non marquées : affirmative, neutre, active et personnelle.

2.4.1 La phrase affirmative et la phrase négative

La forme **affirmative** s'oppose à la forme **négative**. On reconnait la forme négative à la présence d'une locution adverbiale de négation (*ne… pas, ne… jamais, ne… rien*, etc.).

> *Mes amis m'ont invité à leur chalet.* (Phrase déclarative, forme affirmative)
>
> *Mes amis **ne** m'ont **pas** invité à leur chalet.* (Phrase déclarative, forme négative)

2.4.2 La phrase neutre et la phrase emphatique

La forme **neutre** s'oppose à la forme **emphatique**, qui comprend des marques de *mise en relief*. La mise en relief est très fréquente, particulièrement dans la langue parlée. On peut mettre en relief un élément de la phrase (généralement le sujet ou un complément) en utilisant l'un ou l'autre des procédés suivants : reprise au moyen d'un pronom, déplacement d'un mot ou d'un groupe de mots en tête de phrase, encadrement à l'aide de *c'est… qui* ou *c'est… que*.

> *Nous avons eu accès aux documents.* (Forme neutre)
>
> **Les documents**, *nous **y** avons eu accès.* (Forme emphatique)
>
> Procédé utilisé : déplacement du complément indirect (CI) en tête de phrase et reprise au moyen d'un pronom.

J'ai utilisé ce document. (Forme neutre)

C'est *ce document* ***que*** *j'ai utilisé.* (Forme emphatique)

Procédé utilisé : encadrement du complément direct (CD) à l'aide de *c'est… que*.

Le gouvernement a interdit la publication du document. (Forme neutre)

C'est *le gouvernement* ***qui*** *a interdit la publication du document.*
(Forme emphatique)

Procédé utilisé : encadrement du sujet à l'aide de *c'est… qui*.

2.4.3 La phrase active et la phrase passive

La forme **active** s'oppose à la forme **passive**, dans laquelle le verbe est à la forme passive : il est construit avec le verbe *être* conjugué au temps de la phrase active correspondante, suivi de l'adjectif verbal issu du verbe de la phrase active. Le complément, s'il est exprimé, est précédé de la préposition *par* ou, plus rarement, de la préposition *de*.

On a pris toutes les mesures nécessaires. (Type déclaratif, forme active)

Toutes les mesures nécessaires ***ont été prises****.* (Type déclaratif, forme passive)

La direction approuve vos propositions. (Type déclaratif, forme active)

Vos propositions ***sont approuvées par*** *la direction.* (Type déclaratif, forme passive)

Seuls les verbes transitifs directs, c'est-à-dire ceux qui se construisent avec un complément direct, peuvent subir une transformation de la forme active à la forme passive. Les verbes transitifs indirects, c'est-à-dire ceux qui se construisent avec un complément indirect, ne peuvent subir de transformation passive.

* Avez-vous été répondu ?	*Est-ce qu'on vous a répondu ?*
* Sa question a été répondue.	*On a répondu à sa question.*
	(Le verbe *répondre* est transitif indirect : on répond **à** qqn.)

2.4.4 La phrase personnelle et la phrase impersonnelle

La forme **personnelle** s'oppose à la forme **impersonnelle**. On reconnaitra la forme impersonnelle à la présence du pronom impersonnel sujet *il*. On appelle ce pronom « impersonnel » parce qu'il ne représente rien ni personne ; il n'a pas de référent.

Une pluie fine tombe depuis ce matin. (Type déclaratif, forme personnelle)

Il *tombe une pluie fine depuis ce matin.* (Type déclaratif, forme impersonnelle)

Certaines phrases impersonnelles ne sont pas issues d'une phrase personnelle.

Il a neigé toute la journée.

Il n'y a pas de phrase personnelle correspondant à la phrase ci-dessus, car le verbe *neiger* est un verbe impersonnel : il est toujours employé avec le pronom *il* impersonnel.

À NOTER

Une phrase peut subir une ou plusieurs transformations de formes.

Une plainte n'a-t-elle pas été déposée par le comité ?

(Type interrogatif ; formes **négative**, neutre, personnelle et **passive**)

Voici un tableau récapitulatif des types et des formes de phrases.

Les types de phrases	
Phrase de base	**Phrase transformée**
Phrase déclarative *Tu iras à l'épicerie chercher des pommes.*	**Phrase impérative** ***Va*** *à l'épicerie chercher des pommes.*
Phrase déclarative *Le comité a commandé une nouvelle étude.*	**Phrase interrogative** *Le comité* ***a-t-il*** *commandé une nouvelle étude* **?** ***Est-ce que*** *le comité a commandé une nouvelle étude* **?**
Phrase déclarative *Elle écrit bien.*	**Phrase exclamative** ***Comme*** *elle écrit bien* **!**
Les formes de phrases	
Phrase de base	**Phrase transformée**
Phrase affirmative *Le comité a commandé une nouvelle étude.*	**Phrase négative** *Le comité* ***n'a pas*** *commandé de nouvelle étude.*
Phrase neutre *François prépare bien les pétoncles.*	**Phrase emphatique** *François* ***les*** *prépare bien,* ***les pétoncles.*** ***C'est*** *François* ***qui*** *prépare bien les pétoncles.*
Phrase active *Le professeur a bien expliqué toutes les règles.* *On connait les coupables.*	**Phrase passive** *Toutes les règles* ***ont été*** *bien* ***expliquées par*** *le professeur.* *Les coupables* ***sont connus.***
Phrase personnelle *Une tempête se prépare.* *Cuisiner sans gras est presque impossible.*	**Phrase impersonnelle** ***Il*** *se prépare une tempête.* ***Il*** *est presque impossible de cuisiner sans gras.*

EXERCICE 2.2

Donnez le type et les formes des phrases suivantes.

1 La date de l'examen sera bientôt fixée.

Type : *déclarative*

Formes : *active, affirmative, passive, neutre, personnelle*

2 Pèse bien tes mots.

Type : *imperatif*

Formes : *Affirmatif, actif, neutre, personnelle*

3 C'est à lui qu'il revient de trouver une solution.

Type : *déclaratif*

Formes : *Affirmatif, neutre, emphatique, imper, actif*

4 C'est dans la chanson que les Québécois donnent le meilleur d'eux-mêmes.

Type : *déclarative*

Formes : *Affirmatif, personnelle, ~~passif~~ actif, neutre emphatique*

5 Vos affaires, vous en occupez-vous ?

Type : *interrogatif*

Formes : *Affirmative, emphatique, actif, personnel*

6 Ne parlez à personne de cette triste affaire.

Type : *Impérative*

Formes : *~~Affirmative~~ négative, neutre, active, impersonnelle*

7 Lui, n'est-il pas inquiet de son sort ?

Type : *Int.*

Formes : *Neg, Neutre, ~~passive~~ emphatique active, personnelle*   active - verbe attribut

8 Ce n'est pas par hasard qu'il est arrivé en retard.

Type : *déclarative*

Formes : *Neg, emp, ~~pass~~ active, perso*   verbe attribut

9 Qu'il n'est donc pas facile de trouver une gardienne à la dernière minute !

Type : *excla*

Formes : *Neg, ~~emphatique~~ Neutre, impersonnelle, active*

10 Cette montre a été fabriquée par des horlogers suisses.

Type : *déclaratif*

Formes : *Affi, pass, neutre, personnel*

EXERCICE 2.3

Transformez les phrases suivantes, qui sont toutes de type déclaratif et de formes non marquées (neutre, active, personnelle et affirmative), selon les indications entre parenthèses.

1. Une société régie par le gouvernement se chargera des travaux. ($\rightarrow$ Forme emphatique)

   C'est une société régie par le gouvernement qui se ...

2. Une simple annonce dans un journal suffira. ($\rightarrow$ Type interrogatif, forme impersonnelle)

   Une Suffira-t-il d'une simple annonce dans le journal ?

3. Vous vous attendez à un bon résultat. ($\rightarrow$ Type impératif, forme négative)

   Ne vous attendez pas à un bon résultat

4. On a constaté une augmentation alarmante du nombre d'enfants obèses. ($\rightarrow$ Forme passive)

   une augmentation alarmante du nombre ... ont été constaté

5. Une injection massive de capitaux les aiderait dans leurs efforts de relance. ($\rightarrow$ Type interrogatif, forme négative)

   Bon

6. La méthode découle d'un ensemble de techniques. ($\rightarrow$ Type interrogatif, forme emphatique)

   Est-ce que c'est d'un ensemble ... que découle

7. Ce dispositif transforme la lumière en énergie électrique. ($\rightarrow$ Type interrogatif, formes négative et passive)

   La lumière n'est-elle pas transformé en   pas ce dispo ?

8. Les professeurs ont accordé un délai aux retardataires. ($\rightarrow$ Type interrogatif, forme passive)

   Un délai a-t-il été accordé ...   par ...

9. Une équipe d'agronomes a mis sur pied une association professionnelle l'an dernier. ($\rightarrow$ Formes passive et emphatique)

   C'est par ...

10. On sort difficilement de la ville aux heures de pointe. ($\rightarrow$ Type exclamatif, forme impersonnelle)

    Comme il est difficile ... !

2.5 LES CLASSES DE MOTS

En nouvelle grammaire, pour désigner les différents types de mots, on ne parle plus de *nature* et de *parties du discours*, mais bien de *classes de mots* et de *catégories grammaticales*. On utilise le terme *classe*, plus général que *nature*, parce qu'il évoque le fait que la classe d'un mot donné n'est pas figée et qu'elle peut varier selon le contexte syntaxique (groupe ou phrase) dans lequel le mot est employé. En nouvelle grammaire, on détermine, en effet, l'appartenance d'un mot à une classe ou à une autre en observant ses caractéristiques syntaxiques dans le contexte. C'est d'ailleurs ce qui caractérise l'approche de la nouvelle grammaire par rapport à celle de la grammaire traditionnelle : en nouvelle grammaire, tous les mots répertoriés dans une classe donnée ont les mêmes caractéristiques syntaxiques.

En français, il existe huit classes de mots : le nom, le déterminant, le verbe, l'adjectif, le pronom, la préposition, l'adverbe et la conjonction. Parmi les classes de mots, on distingue les classes de mots **variables** et les classes de mots **invariables**.

2.5.1 Les classes de mots variables

Les tableaux qui suivent présentent les principales caractéristiques des classes de mots **variables**.

Le nom	
Le **nom** est un mot qui sert à désigner des réalités (un être animé, un lieu, une chose, un concept) et à les distinguer les unes des autres. Sur le plan du sens, il existe plusieurs catégories de noms (abstraits, concrets, animés, inanimés, etc.). Sur le plan grammatical, le nom est un donneur de genre et de nombre.	
Caractéristiques	**Exemples**
Le nom est le noyau du GN.	
Le nom peut être : • simple • complexe	*Table, livre, amitié, sommeil,* etc. *Clin d'œil, pomme de terre, casse-tête,* etc.
Le nom peut être : • commun • propre	*Femme, joueur, chat, bouteille,* etc. *Pierre, Québec, Le Soleil, Australie,* etc.
Le nom est un donneur d'accord (genre, nombre et personne).	*Toutes les* **propositions** *soumises seront analysées.* (Le nom *propositions* donne son genre, féminin, et son nombre, pluriel, au déterminant *Toutes les*, à l'adjectif *soumises* et au participe passé *analysées* ; il donne son nombre et la 3e personne au verbe *seront*.)
Comment reconnaitre le nom ? Le nom est souvent précédé d'un déterminant.	***Le*** *train,* ***ma*** *ville,* ***cette*** *voiture,* ***quelques*** *questions*

Pour en apprendre davantage sur les **caractéristiques sémantiques** du nom, voir par exemple le tableau « Nom » dans le *Multi*.

Pour en apprendre davantage sur ses **caractéristiques morphologiques** (la variation de son orthographe selon qu'il est singulier ou pluriel), voir par exemple le tableau « Pluriel des noms » dans le *Multi* et la section 6.2 du chapitre 6.

Pour en apprendre davantage sur ses **caractéristiques syntaxiques**, voir « Les accords dans le GN », à la section 7.3 du chapitre 7.

Le déterminant

Le **déterminant** est un mot qui précède le nom et qui sert à le préciser sous différents aspects : la singularité ou la généralité, la quantité, l'appartenance, l'insistance, etc.

Un *homme t'attend devant la porte.*	*Cet* *homme t'attend depuis une heure.*
Deux *hommes t'attendent devant la porte.*	*Quel* *homme m'attend devant la porte ?*
L'homme t'attend devant la porte.	*Aucun* *homme ne m'attend devant la porte.*
Ton *homme t'attend devant la porte.*	

Les déterminants n'ont pas de fonction à proprement parler ; cependant, tous les déterminants exercent le même rôle : introduire le nom en donnant des précisions sur la réalité évoquée par lui.

Caractéristiques	Exemples
La plupart des déterminants varient en genre et en nombre, parfois en personne (dans le cas des déterminants possessifs).	*Le/la/les, cet/cette/ces, mon/ta/ses/leur*, etc.
Le déterminant peut être de forme simple ou complexe.	*Le* *dossier est bien monté.* *Tous les* *dossiers sont bien montés.*
Le déterminant est un receveur d'accord : il reçoit le genre et le nombre du nom qu'il introduit.	*Cet* *épisode* (Masculin singulier) *Certaines* *plantes* (Féminin pluriel)
Comment reconnaitre le déterminant ? Le déterminant fait partie du GN et doit toujours accompagner un nom. Le déterminant ne peut être effacé.	*Tous les* *dossiers sont prêts.* * Ø *Dossiers sont prêts.*
Le déterminant est toujours placé devant le nom qu'il introduit dans le GN ; il peut cependant en être séparé par un GAdj.	*Ces* *chatons ont faim.* *Ces* ***petits*** *chatons ont faim.*
Le déterminant peut être remplacé par un autre déterminant.	*Les* *enfants sont arrivés en retard.* *Mes* *enfants sont arrivés en retard.* *Plusieurs* *enfants sont arrivés en retard.* *Tous les* *enfants sont arrivés en retard.* *Douze* *enfants sont arrivés en retard.* *Ces* *enfants sont arrivés en retard.*

À NOTER

Le terme *déterminant* est une nouveauté de la nouvelle grammaire. La grammaire traditionnelle parle, selon le cas, d'*article* ou d'*adjectif* pour désigner les mots qui précèdent le nom en le déterminant. Voici un tableau présentant les différents déterminants avec les termes correspondants en grammaire traditionnelle.

Catégories de déterminants (nouvelle grammaire)	Termes utilisés en grammaire traditionnelle	Exemples
Déterminant défini	Article défini	*La grammaire n'est pas si compliquée.*
Déterminant indéfini	Article indéfini	*J'ai vu des enfants traverser la rue.*
Déterminant indéfini partitif	Article partitif	*Je vais acheter du pain.* *Bois encore de l'eau.*
Déterminant contracté	Article contracté	*Il est allé au cinéma.*
Déterminant démonstratif	Adjectif démonstratif	*Ce travail est parfait.*
Déterminant possessif	Adjectif possessif	*Tes clés sont sur la table.*
Déterminant quantitatif	Adjectif indéfini	*J'ai vu quelques films.*
Déterminant numéral	Adjectif numéral	*Ce dictionnaire coute cinquante dollars.*
Déterminant interrogatif	Adjectif interrogatif	*Quelle route faut-il prendre ?*
Déterminant exclamatif	Adjectif exclamatif	*Quelle drôle de situation !*

 Pour en apprendre davantage sur les **caractéristiques sémantiques, morphologiques** et **syntaxiques** du déterminant, voir par exemple le tableau « Déterminant » dans le *Multi*.

Le verbe

Le **verbe** exprime différentes valeurs. D'abord, il permet de situer un évènement dans le temps, soit le passé, le présent ou le futur. Il permet aussi de situer un évènement par rapport à un autre, en indiquant s'il lui est antérieur ou postérieur ou si les deux évènements sont simultanés. Il nous indique la façon dont on doit envisager l'évènement, en précisant s'il s'agit d'un souhait, d'un ordre, d'une réalité, d'une opinion, d'un état, etc. Il existe plusieurs types de verbes et leurs constructions sont nombreuses.

Caractéristiques	Exemples
Le verbe est le noyau du GV. Le verbe est un receveur d'accord : il reçoit les traits grammaticaux du sujet.	

Il se conjugue. Il varie donc :
- en mode (infinitif, indicatif, subjonctif, impératif, participe)
- en temps
- en personne
- en aspect (temps simples et temps composés)

Il **court** (Présent), *il* **courra** (Futur), *il* **courait** (Imparfait).
Je cours, **vous** courez, etc.
Il **court** (Action en cours de réalisation), *il* **a couru** (Action terminée).

Le verbe peut avoir plusieurs constructions.
On distingue, entre autres :
- les verbes transitifs directs se construisant avec un CD

Léa **mange** une pomme.
(Le verbe *mange* est transitif direct, car il a un CD : *une pomme*.)

- les verbes transitifs indirects se construisant avec un CI

Léa **parle** à son père.
(Le verbe *parle* est transitif indirect, car il a un CI : *à son père*.)

- les verbes intransitifs se construisant sans CD ni CI

Il **court** vite, *il* **parle** trop.
(Les verbes *court* et *parle* sont intransitifs, car ils n'ont ni CD ni CI ; *vite* et *trop* sont des modificateurs du verbe.)

- les verbes attributifs se construisant avec un attribut du sujet ou du CD

Ses notes **sont** excellentes.
(L'adjectif *excellentes* est attribut du sujet *Ses notes*.)
Elle **a trouvé** ces romans passionnants.
(L'adjectif *passionnants* est attribut du CD *ces romans*.)

Les verbes essentiellement attributifs, comme *être*, sont toujours suivis d'un attribut du sujet, qui ne peut être effacé.

Ils **sont** heureux.
Ils **sont** Ø .

Les principaux verbes attributifs sont *être* et les verbes *devenir, demeurer, paraitre, rester, sembler, avoir l'air, passer pour, tomber, mourir...* (on peut les remplacer par le verbe *être*).

Marie **semble** inquiète.
Marie **est** inquiète.

Dans certains cas, le verbe *être* n'est pas attributif, mais transitif indirect.

Léa **est** à l'école.
(Dans cet exemple, le verbe *être* est un verbe transitif indirect. Le GPrép *à l'école* est complément indirect de *est* ; on peut d'ailleurs le remplacer par le pronom *y* : *Léa* **y** est.)

- les verbes pronominaux
- les verbes impersonnels

Se lever, **se** tromper, **s'**apercevoir, **s'**assoir, etc.
Il **faut**, *il* **pleut**, *il* **neige**, etc.

Comment reconnaitre le verbe ?
On peut ajouter la locution *ne... pas* de part et d'autre du verbe.

Je **ne** travaille **pas** toujours bien.

Pour en apprendre davantage sur les différents **types de verbes**, voir par exemple le tableau « Verbe » dans le *Multi*.

Pour connaitre ses **caractéristiques morphologiques** (la conjugaison) et ses **caractéristiques syntaxiques** (accord du verbe avec le sujet et accord du participe passé), voir « Le verbe et les conjugaisons » à la section 6.1 du chapitre 6, « L'accord du verbe avec le sujet » et « L'accord du participe passé » au chapitre 7.

L'adjectif

Il existe deux types d'**adjectifs** :
- L'adjectif **qualifiant**, comme son nom l'indique, sert à qualifier un nom ou un pronom.
  *Un **beau** chat **noir***

- L'adjectif **classifiant**, quant à lui, sert à distinguer la réalité exprimée par le nom ou le pronom d'autres réalités.
  *Un chat **siamois***

Caractéristiques	Exemples
L'adjectif est le noyau du GAdj.	
Il complète un nom ou un pronom et il est un receveur d'accord : il reçoit le genre et le nombre du nom ou du pronom qu'il complète.	***Courageuse**, ma mère a décidé de continuer le combat.* (L'adjectif *Courageuse* reçoit le genre, féminin, et le nombre, singulier, du nom *mère*.) ***Courageuse**, elle a décidé de continuer le combat.* (L'adjectif *Courageuse* reçoit le genre, féminin, et le nombre, singulier, du pronom *elle*.)
L'adjectif **qualifiant**, qu'il soit neutre, négatif ou positif, peut généralement varier en intensité.	*Le fleuve est **calme** aujourd'hui.* *Le fleuve est **très calme** aujourd'hui.* *Elle est **jolie**.* *Elle est **plutôt jolie**.*
Contrairement à l'adjectif qualifiant, l'adjectif **classifiant** ne peut pas varier en intensité.	*J'apporterai mon ordinateur **portable**.* *J'apporterai mon ordinateur ***très portable**.* *La Compagnie espère pouvoir offrir un vol **hebdomadaire** dans cette région.* *La Compagnie espère pouvoir offrir un vol ***moins hebdomadaire** dans cette région.*
Un même adjectif peut être qualifiant ou classifiant selon le contexte.	*Comme d'habitude, il s'est montré **très négatif**.* (Adjectif qualifiant) *Votre relevé de compte indique que votre solde est **négatif**.* (Adjectif classifiant)
Comment reconnaitre l'adjectif ? Dans le GN, l'adjectif peut généralement être effacé.	*Regarde le **beau** chat **noir**.* *Regarde le Ø chat Ø .*

Pour en apprendre davantage sur les **caractéristiques sémantiques** de l'adjectif (les types d'adjectifs), voir par exemple le tableau « Adjectif » dans le *Multi*.

Pour connaitre ses **caractéristiques morphologiques** (la variation de son orthographe selon son genre et son nombre), voir « L'adjectif » à la section 6.3 du chapitre 6. Pour connaitre ses **caractéristiques syntaxiques**, voir « Les accords dans le GN », au chapitre 7.

EXERCICE 2.4

Dites si les adjectifs contenus dans les groupes de mots suivants sont qualifiants ou classifiants.

1 Une réunion importante : *qual*

2 Un gros chat : *qual*

3 Un ours polaire : *class*

4 La culture maraichère : *class*

5 Une plante aquatique : *class*

6 Un ruban adhésif : *class*

7 Un discours ennuyeux : *qual*

8 Le discours présidentiel : *class*

9 Un livre intéressant : *qual*

10 Un parcours difficile : *qual*

Le pronom

Étymologiquement, le mot *pronom* signifie « à la place du nom ». Mais le **pronom** peut aussi remplacer d'autres groupes de mots qu'un GN (par exemple, un GPrép ou un GAdj), et même une phrase ou une partie de phrase. Les caractéristiques syntaxiques du pronom dépendent de la sorte de groupe de mots qu'il remplace.

Caractéristiques	Exemples
Le pronom peut servir à reprendre quelque chose, une idée, etc., qui a été mentionné antérieurement dans le texte ; on l'appelle alors **pronom de reprise**.	*Pierre est mon collègue et ami. Je l'estime beaucoup.* (Le pronom *l'* (*le*) fait référence à l'antécédent *Pierre*.) *Pierre a enfin obtenu un travail **qui** lui plait.* (Le pronom *qui* fait référence à l'antécédent *travail*.)
Lorsque le pronom ne reprend pas d'antécédent, on l'appelle **pronom nominal**.	***Rien** ne **me** fera manquer le spectacle.*
Le pronom est un donneur d'accord (genre, nombre et personne).	***Ils** sont charmants.* (Le pronom *Ils* donne son genre, masculin, à l'adjectif *charmants*. Il donne son nombre, pluriel, et sa personne, 3ᵉ, au verbe *sont*.)
Comment reconnaitre le pronom ? On le trouve généralement avant ou après le verbe.	***Je me** fierais à **eux**.*

Pour en apprendre davantage sur les **caractéristiques sémantiques** et **morphologiques** du pronom, voir par exemple le tableau « Pronom » dans le *Multi*.

EXERCICE 2.5

Complétez le tableau en transcrivant les noms et les pronoms de l'extrait suivant et en indiquant entre parenthèses, s'il y a lieu :

– **le déterminant qui accompagne le nom ;**
– **l'antécédent des pronoms de reprise.**

Jadis vivaient un vieil homme et sa femme. Ils logeaient dans une masure en terre battue que peu de personnes auraient accepté d'occuper, mais eux ne s'en plaignaient pas. Depuis trente-trois ans, le vieil homme et sa femme vivaient heureux ensemble. Parfois ils se chamaillaient, mais cela n'avait jamais beaucoup d'importance. Le vieil homme était pêcheur. Pendant qu'il pêchait, sa femme filait, assise à son rouet. Or, au moment où commence cette histoire, rien n'allait. C'était comme si tous les poissons de la mer étaient partis vers d'autres océans. Le vieil homme avait beau s'entêter, il ne pêchait plus rien.

(Le pêcheur et le petit poisson doré, *Alexandre Pouchkine*)

Noms	Pronoms
homme (un)	ils (homme et sa femme)
masure (une)	que
personne (de)	e
	s' (le vieil homme et sa femme)
personnes (peu de)	
	où (le moment)
moment (Au = à le)	
	rien
	c'
	rien

2.5.2 Les classes de mots invariables

Voici des tableaux présentant les différentes classes de mots invariables.

La préposition

La **préposition** est un mot invariable qui permet de former des compléments.

Lorsque la préposition est composée de plusieurs mots, on l'appelle *locution prépositive*. Celle-ci est le plus souvent formée d'un GN et de la préposition *à* ou *de*.

> ***Grâce à*** *son aide, j'ai attrapé deux grosses truites.*
> *Il rouspète* ***à propos de*** *tout.*

Caractéristiques	Exemples
La préposition est le noyau du GPrép.	
Elle peut être simple ou complexe.	*À, de, pour, avec, sans, afin de, au lieu de, avant de, à la suite de*, etc.
Devant *le* ou *les*, les prépositions *à* et *de* fusionnent avec le déterminant.	*Il a participé* ***au*** *spectacle.* (au = à + le) *Il a participé* ***aux*** *biennales.* (aux = à + les) *Cela dépend* ***du*** *temps.* (du = de + le) *Cela dépend* ***des*** *circonstances.* (des = de + les)
Comment reconnaitre la préposition ? Elle sert à former des compléments et a donc obligatoirement une expansion à sa droite.	*Léa doit rentrer* ***à*** *la maison.* * *Léa doit rentrer* ***à*** Ø .

 Pour en apprendre davantage sur les **principales prépositions** et **locutions prépositives**, voir par exemple le tableau « Préposition » dans le *Multi*.

L'adverbe

L'**adverbe** est une classe difficile à définir, car il existe en fait plusieurs sortes d'adverbes qui n'ont pas de réels points communs, si ce n'est leur invariabilité. La façon la plus logique de les définir consiste à observer le rôle qu'ils jouent dans la phrase et dans le texte, c'est-à-dire à les classer selon leur fonction.

Caractéristiques	Exemples
L'adverbe est le noyau du GAdv.	
L'adverbe modifie le sens d'un autre mot, qui peut être un verbe, un adjectif ou un autre adverbe.	*Elle parle* ***fort***. (L'adverbe *fort* modifie le verbe *parle*.) *Elle est* ***gravement*** *malade.* (L'adverbe *gravement* modifie l'adjectif *malade*.) *Elle parle* ***très*** *fort.* (L'adverbe *très* modifie l'adverbe *fort*.)

Comment reconnaitre l'adverbe ?	
L'adverbe est presque toujours facultatif ; il peut donc être effacé.	*Elle parle* **fort**. *Elle parle* Ø . *Elle parle* **très** *fort*. *Elle parle* Ø *fort*. *Elle est* **gravement** *malade*. *Elle est* Ø *malade*.
L'adverbe est obligatoire dans un seul cas : en fonction CI.	*Elle habite ici.* * *Elle habite* Ø.

La conjonction

La **conjonction**, tout comme le déterminant, ne forme pas le noyau d'un groupe de mots. Son rôle consiste à unir des mots ou groupes de mots, ou des phrases, mais elle ne fait pas partie des groupes qu'elle met en rapport.

Caractéristiques	Exemples
La conjonction est un mot invariable qui sert à joindre des groupes ou des phrases :	
• en les coordonnant On l'appelle alors **conjonction de coordination**. On dit aussi que c'est un **coordonnant**. Les conjonctions de coordination sont : *et, ou, mais, or, ni, car*. En nouvelle grammaire, le terme *coordonnant* désigne les mots qui lient des unités de même niveau syntaxique. Ces mots sont les conjonctions de coordination, mais aussi des adverbes de liaison comme *ensuite, puis, alors,* etc.	*Rachel* **et** *Sophie sont les deux plus jeunes de la famille.* (La conjonction *et* relie deux GN sujets.) *J'aimerais aller au cinéma,* **mais** *je n'ai pas terminé mon travail.* (La conjonction *mais* unit deux phrases P.) *Il s'est levé,* **puis** *il est parti sans dire un mot.* (L'adverbe *puis* unit deux phrases P.)
• en les subordonnant On l'appelle alors **conjonction de subordination**. On dit aussi que c'est un **subordonnant**. En nouvelle grammaire, le terme *subordonnant* désigne les mots qui servent à intégrer une phrase à une autre en la subordonnant. Ces mots sont les conjonctions de subordination, mais aussi les pronoms relatifs et des adverbes et pronoms interrogatifs et exclamatifs.	*Je crains* **que** *Laura ne soit pas encore rentrée.* (La conjonction *que* relie la subordonnée *Laura ne soit pas encore rentrée* au verbe *crains*.) *Les pêches* **que** *j'ai mangées étaient délicieuses.* (Le pronom relatif *que* relie la subordonnée au nom *pêches*.) *Je ne comprends pas* **pourquoi** *il ne m'aime plus.* (L'adverbe *pourquoi* relie la subordonnée au verbe *comprends*.)

2.6 LES GROUPES DE MOTS

La notion de **groupe** est fondamentale en nouvelle grammaire : le groupe est l'unité intermédiaire entre le mot et la phrase. Un **groupe de mots** est un ensemble de mots structuré autour d'un **noyau**. Le noyau peut être le seul mot du groupe ou être complété par d'autres éléments, appelés **expansions**.

Le **noyau** d'un groupe de mots ne peut pas être effacé. C'est le mot qui donne au groupe son nom.

Dans la phase ci-dessus, le groupe *Un magnifique bouquet d'aubépine* a comme noyau le **nom** *bouquet* et constitue ainsi un **groupe nominal** (GN). Le groupe *montait bravement la garde* a comme noyau le **verbe** *montait*, ce qui en fait un **groupe verbal** (GV). Le groupe *devant la maison* a comme noyau la **préposition** *devant*, c'est donc un **groupe prépositionnel** (GPrép).

Par ailleurs, on remarque que dans le GN *Un magnifique bouquet d'aubépine*, le déterminant *Un* n'est pas une expansion. En effet, dans un groupe du nom, le déterminant n'est jamais une expansion du noyau. Le déterminant introduit le noyau, il ne le complète pas.

Un groupe de mots n'est pas un énoncé complet, c'est-à-dire une suite de mots autonome, tant du point de vue du sens que du point de vue de la syntaxe; il fait nécessairement partie d'un ensemble plus grand, qui peut être un autre groupe de mots qui s'insère à son tour dans une phrase. Par exemple, dans la phrase *Un magnifique bouquet d'aubépine montait bravement la garde devant la maison,* le GPrép *d'aubépine* fait partie de l'ensemble plus grand qu'est le GN *Un magnifique bouquet d'aubépine*; le GN *Un magnifique bouquet d'aubépine* est contenu dans l'ensemble complet qu'est la phrase.

Les différents groupes de mots sont :

- le groupe nominal (GN), qui a pour noyau un nom ;
- le groupe verbal (GV), qui a pour noyau un verbe conjugué ;
- le groupe adjectival (GAdj), qui a pour noyau un adjectif ;
- le groupe prépositionnel (GPrép), qui a pour noyau une préposition ;
- le groupe adverbial (GAdv), qui a pour noyau un adverbe ;
- le groupe infinitif (GInf), qui a pour noyau un verbe à l'infinitif ;
- le groupe participe (GPart), qui a pour noyau un participe présent.

Dégageons, dans la phrase suivante, les principaux groupes de mots.

Un magnifique bouquet d'aubépine montait bravement la garde devant la maison.

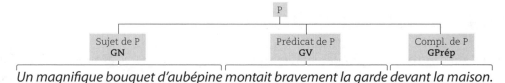

| GAdj | GPrép | GAdv | GN | GN |

Un magnifique bouquet d'aubépine montait bravement la garde devant la maison.

| GN |

Un magnifique bouquet d'aubépine montait bravement la garde devant la maison.

Groupes de mots	Noyaux	Expansions
Un magnifique bouquet d'aubépine (GN)	bouquet	magnifique d'aubépine
magnifique (GAdj)	magnifique	(sans expansion)
d'aubépine (GPrép)	d' (de)	aubépine
aubépine (GN)	aubépine	(sans expansion)
montait bravement la garde (GV)	montait	bravement la garde
bravement (GAdv)	bravement	(sans expansion)
la garde (GN)	garde	(sans expansion)
devant la maison (GPrép)	devant	la maison
la maison (GN)	maison	(sans expansion)

EXERCICE 2.6

Même si nous n'avons pas encore étudié en détail les groupes de mots, tentez de reconnaitre les noyaux et, s'il y a lieu, leurs expansions, dans les groupes de mots de la phrase suivante.

La réforme de l'éducation soulève encore des débats passionnés.

Groupes de mots	Noyaux	Expansions
La réforme de l'éducation (GN)	Réforme	de l'éducation
de l'éducation (GPrép)	de	l'éducation
l'éducation (GN)	éducation	
soulève encore des débats passionnés (GV)	soulève	encore des débats passionné
encore (GAdv)	encore	
des débats passionnés (GN)	débat	passionnés
passionnés (GAdj)	passionné	

2.6.1 Le groupe nominal (GN)

Le noyau du GN

Le noyau du GN peut être :

- un **nom commun**, généralement accompagné d'un déterminant (*le, un, son, cet,* etc.)

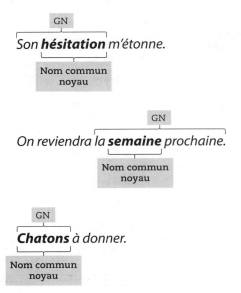

```
        ┌─ GN ─┐
   Son  hésitation  m'étonne.
        └────┘
       Nom commun
         noyau
```

```
              ┌── GN ──┐
On reviendra la  semaine  prochaine.
              └──────┘
             Nom commun
               noyau
```

```
   ┌─ GN ─┐
   Chatons  à donner.
   └─────┘
  Nom commun
    noyau
```

- un **nom propre**, généralement sans déterminant

```
      ┌─ GN ─┐
 Voir  Naples  et mourir.
      └────┘
     Nom propre
       noyau
```

```
              ┌─ GN ─┐
 Je l'ai appelé  Félix.
              └────┘
            Nom propre
              noyau
```

À NOTER

Dans la nouvelle grammaire, la notion de groupe de mots n'implique pas qu'il y ait plus d'un mot dans un groupe. Par exemple, le nom *Naples* forme à lui seul un GN.

Les expansions dans le GN

Comme on l'a vu précédemment, le noyau d'un groupe de mots peut être complété par d'autres groupes de mots qu'on appelle **expansions**. Elles servent à préciser le noyau, à l'expliquer ou à le qualifier ; bref, elles le complètent. Voyons quelles peuvent être les expansions dans le GN.

La phrase suivante contient toutes les expansions possibles dans un GN.

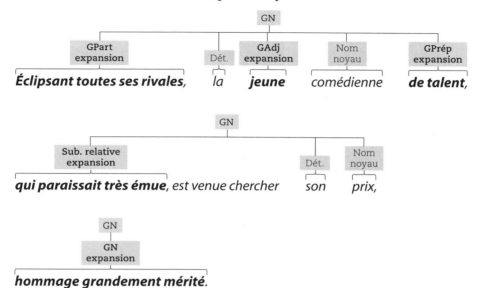

Ainsi, comme l'illustre la phrase ci-dessus, les expansions dans le GN peuvent être : un GAdj, un GPrép, un GPart, une subordonnée ou un GN.

	Noyau du GN	Expansion dans le GN
Un GAdj	*comédienne*	*jeune*
Un GPrép	*comédienne*	*de talent*
Un GPart	*comédienne*	*Éclipsant toutes ses rivales*
Une subordonnée	*comédienne*	*qui paraissait très émue*
Un GN	*prix*	*hommage grandement mérité*

EXERCICE 2.7

Dans les phrases qui suivent, soulignez, s'il y a lieu, les expansions des noyaux en caractères gras et dites de quelle sorte de groupe de mots ou de subordonnée il s'agit.

EXEMPLE

Mon **amie** Marie est en Australie. *GN*

1 Un **tremblement** de terre a ébranlé le petit village de Sutto. *g prep*

2 Je vous présente mon **frère** Martin. *gn*

3 Ne manquez pas cette **émission** qui vous bouleversera. *g prep   S relative*

4 J'ai présenté mon **frère** à Marie-Dominique. *gn*

5 Cette fois-là, nous avions emprunté le **sentier** sinueux qui mène à la rivière. *g adj   sub relative*

6 Le sentier est bordé d'**arbres** en santé. *g prep*

7 L'**arrière-cour**, un véritable jardin anglais, était limitée par la rivière. *gn*

8 L'arrière-cour, un véritable **jardin** anglais, était limitée par la rivière. *g adj*

9 Les plaines d'Abraham surplombent le **fleuve** Saint-Laurent. *gn*

10 Les spécialistes ne craignent pas la **disparition** de l'espèce. *g prep*

Les fonctions du GN

Les fonctions qu'un GN peut remplir dans la phrase et dans des groupes de mots sont les suivantes :

- sujet de P

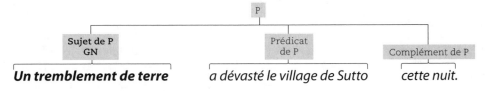

- complément de P

- complément direct du verbe (CD)

Contrairement au complément de phrase, le complément direct du verbe est indissociable du verbe. On ne peut donc pas le déplacer. De plus, on peut rarement l'effacer sans modifier le sens de l'énoncé. Certains verbes, d'ailleurs, demandent obligatoirement un complément direct. Ainsi, on ne peut pas dire :

Un tremblement de terre a dévasté Ø.

- complément du nom

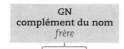

Mon frère **Martin** est avocat.

Martin, **mon frère**, est avocat.

- attribut du sujet

Mon frère est **avocat**.

L'attribut du sujet est une expansion obligatoire d'un verbe essentiellement attributif, comme les verbes *être, paraitre, devenir, sembler*, etc. ; il ne peut donc être effacé.

Mon frère Martin est Ø.

L'attribut du sujet peut également être une expansion d'un verbe occasionnellement attributif, comme *sortir, arriver*, etc.

*Elle arrive **première** dans toutes les matières.*

- attribut du complément direct

On a élu Vincent **président de l'assemblée**.

Voici un tableau récapitulatif des fonctions du GN.

Les fonctions du GN		
Sujet de P	*Mon ami Simon, qui subissait souvent les railleries de ses camarades,* était pourtant un enfant heureux cet été-là.	Le GN est sujet de la phrase.
Complément de P	*Mon ami Simon, qui subissait souvent les railleries de ses camarades, était pourtant un enfant heureux cet été-là.*	Le GN est complément de phrase. On peut le supprimer ou le déplacer.
Complément direct du verbe (CD)	*Mon ami Simon, qui subissait souvent les railleries de ses camarades, était pourtant un enfant heureux cet été-là.*	Le GN est complément direct du verbe *subissait*.
Complément du nom	*Mon ami Simon, qui subissait souvent les railleries de ses camarades, était pourtant un enfant heureux cet été-là.*	Le GN est complément du nom *ami*.
Attribut du sujet	*Mon ami Simon, qui subissait souvent les railleries de ses camarades, était pourtant un enfant heureux cet été-là.*	Le GN est attribut du sujet et est une expansion obligatoire du verbe *était*.
Attribut du complément direct	*Ses camarades l'avaient nommé « président des cancres ».*	Le GN est attribut du complément direct *l'*.

EXERCICE 2.8

Donnez la fonction des GN en caractères gras dans les phrases suivantes.

La Compagnie remboursera **les frais de location de la voiture**.

Complément direct (CD) du verbe remboursera.

1 La plupart des cyclistes respectent **les règles de la circulation**.

CD de respectent

2 Son père est **professeur de mécanique automobile**.

Attribut du sujet

3 Une téléphoniste prendra **vos appels**.

CD de prendra

4 **L'été dernier**, nous avons visité le canyon des Portes de l'enfer.

complément de P

5 **Des milliers de petits coquillages** craquaient sous nos pas.

sujet de P

6   Ilana, **une néoquébécoise**, vient d'obtenir un poste dans un CLSC.

Complément du nom

7   Doris est **une Québécoise de souche**.

Attribut du Sujet

8   **La marée descendante** laissait derrière elle des filaments d'algues verdâtres.

Sujet du verbe laissait

9   Ma cousine **Gabrielle** revient d'un voyage en Europe.

Complément du nom

10   Nous participerons au Festival des rameurs de Petit-Rocher **l'été prochain**.

Complément de p

2.6.2 Le groupe verbal (GV)

Le noyau du GV

Le noyau du groupe verbal est un **verbe conjugué** à un mode personnel, soit à l'indicatif, au subjonctif ou à l'impératif.

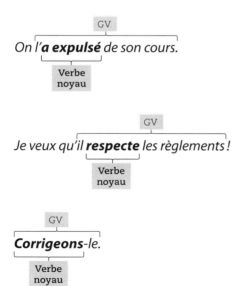

GV

On l'***a expulsé*** de son cours.

Verbe noyau

GV

Je veux qu'il ***respecte*** les règlements !

Verbe noyau

GV

Corrigeons-le.

Verbe noyau

À NOTER

Les verbes employés à l'**infinitif** (*former, sortir, voir, prendre,* etc.) et au **participe présent** (*formant, sortant,* etc.) ne sont pas le noyau d'un GV parce qu'ils ne peuvent généralement pas à eux seuls tenir le rôle de prédicat de la phrase (ce que l'on dit du sujet).

Le verbe à l'infinitif est le noyau d'un **groupe infinitif** (GInf). Le GInf peut remplir certaines fonctions du GN. Entre autres, il peut être :

- sujet de P

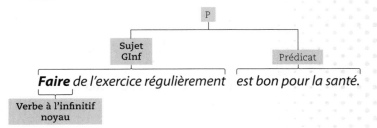

- CD du verbe

Le participe présent est le noyau d'un **groupe participe** (GPart).

Précédé de la préposition *en*, le participe présent forme ce qu'on appelle le **gérondif**.

Il est alors le noyau d'un GPart inclus dans un GPrép dont le noyau est la préposition *en*.

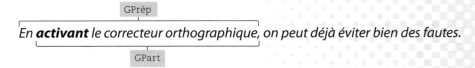

Le gérondif indique la manière ou le moyen et exprime la simultanéité avec le verbe principal (conjugué) de la phrase.

EXERCICE 2.9

Soulignez les 22 verbes de l'extrait suivant, puis reportez-les dans le tableau ci-dessous et cochez le groupe dont ils sont le noyau : GV, GInf ou GPart.

Cendrillon alla aussitôt cueillir la plus belle citrouille qu'elle put trouver, et la porta à sa marraine, ne pouvant deviner comment cette citrouille pourrait la faire aller au bal. Sa marraine la creusa et, ne laissant que l'écorce, la frappa de sa baguette, et la citrouille se changea aussitôt en un beau carrosse tout doré. Ensuite elle alla regarder dans la souricière, où elle trouva six souris toutes en vie. Elle dit à Cendrillon de lever la trappe de la souricière, et à chaque souris qui sortait elle donnait un coup de baguette, et la souris se changeait aussitôt en un beau cheval.

(Cendrillon, *Charles Perrault*)

Verbe	GV	GInf	GPart
alla	✓		
cueillir		✓	
put	✓		
trouver	✓	✓	
porta	✓		
pouvant			✓
deviner		✓	
pourrait	✓		
faire		✓	
aller		✓	
creusa	✓		

Verbe	GV	GInf	GPart
laissant			✓
frappa	✓		
changea	✓		
alla	✓		
regarder		✓	
trouva	✓	✓	
dit	✓		
lever		✓	
sortait	✓		
donnait	✓		
changeait	✓		

Les expansions dans le GV

Le verbe est parfois le seul élément du GV.

Le beau temps **revient**. Tout **resplendit**.

Mais la plupart du temps, le verbe a des expansions. Voici un tableau des principales expansions possibles dans le GV.

Les expansions dans le GV	
Un **GN** GV → V + GN *On ouvre **les fenêtres**.*	Un **GInf** GV → V + GInf *Michel aime **observer les étoiles**.*
Un **pronom** qui remplace un GN GV → Pron. + V *Sylvie **le** connait.*	Un **pronom** qui remplace un GPrép GV → Pron. + V *Elle **lui** a parlé.*
Un **GPrép** GV → V + GPrép *On dine **sur la terrasse**.*	Un **GAdj** GV → V + GAdj *Elle est **fière de ses crocus**.*
Un **GAdv** GV → V + GAdv *Il parle **beaucoup**.*	Une **subordonnée complétive** GV → V + Sub. complétive *J'espère **qu'il reviendra**.*

Les expansions dans le groupe verbal peuvent bien sûr être cumulées, même si le nombre de combinaisons possibles reste limité. Voici quelques exemples de combinaisons possibles.

- GV = Pronom + V + GN

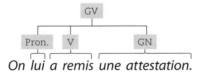

On lui a remis une attestation.

- GV = V + GN + GPrép

On a convoqué Andréanne à une entrevue.

- GV = Pronom + V + GPrép + GPrép

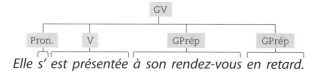

Elle s' est présentée à son rendez-vous en retard.

- GV = Pronom + V + GAdj

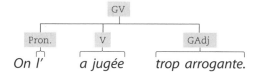

On l'   a jugée   trop arrogante.

Voici un tableau récapitulatif des principales constructions du GV.

Constructions du GV	Sujet	GV	
GV = V		**V**	
	La rivière	*scintille.*	
GV = V + GN		**V**	**GN**
	Nous	*remontons*	*la rivière.*
	Nous	*observons*	*l'eau qui monte.*
GV = Pron. + V		**Pronom**	**V**
	Je	*la*	*remercierai.*
	Tu	*lui*	*téléphoneras.*
GV = V + GPrép		**V**	**GPrép**
	Nous	*revenons*	*dans un instant.*
	Nous	*penserons*	*à le prévenir.*
GV = V + GInf		**V**	**GInf**
	Nous	*reviendrons*	*pêcher.*
	Martin	*a prévu*	*visiter quelques maisons.*
GV = V + GAdj		**V**	**GAdj**
	Nathalie	*semble*	*satisfaite.*
	Nous	*sommes*	*heureux du dénouement.*
GV = V + GAdv		**V**	**GAdv**
	Il	*respire*	*régulièrement.*
	Il	*réagissait*	*trop promptement.*
GV = V + Sub. complétive		**V**	**Sub. complétive**
	Je	*suppose*	*que vous n'êtes pas encore décidé.*
	Nous	*avons remarqué*	*qu'il manifestait beaucoup d'intérêt.*

EXERCICE 2.10

Donnez les expansions des verbes soulignés dans les phrases suivantes à l'aide des informations qui vous sont fournies.

EXEMPLE

Je <u>pense</u> qu'il se rendra aux iles de Mingan en avion.

GV = V + Sub. complétive
Expansion : qu'il se rendra aux iles de Mingan en avion *(Sub. complétive)*

1   Claire <u>semble</u> satisfaite de son nouvel emploi.

GV = V + GAdj
Expansion : satisfaite de son

2   Je l'<u>ai rencontré</u> au cinéma.

GV = pronom + V + GPrép
Expansions : _____

3   Vous <u>devez</u> explorer toutes les avenues possibles.

GV = V + GInf
Expansion : _____

4   J'<u>ai transmis</u> ton message à Sébastien.

GV = V + GN + GPrép
Expansions : _____

5   On l'<u>a trouvée</u> débordante d'énergie.

GV = pronom + V + GAdj
Expansions : _____

6   Lucas <u>semblait</u> plutôt confiant.

GV = V + GAdj
Expansion : _____

7   Je <u>vois</u> que tu as changé d'idée !

GV = V + Sub. complétive
Expansion : _____

8 Je vois que tu <u>as changé d'idée</u>!

GV = V + GPrép
Expansion :

EXERCICE 2.11

Identifiez les constituants des groupes verbaux soulignés.

Je <u>suppose qu'il a amené les enfants à la rivière</u>.
Je suppose qu'il <u>a amené les enfants à la rivière</u>.

<u>GV</u> = *V + Sub. complétive*

<u>GV</u> = *V + GN + GPrép*

1 On <u>vous a préparé tout un piquenique</u>!

<u>GV</u> = PRONOM + V + GN

2 J'ai <u>fait un rêve qui m'a tourmenté</u>.
     J'ai fait un rêve qui <u>m'a tourmenté</u>.

<u>GV</u> = V + GN
<u>GV</u> = PRONOM + V

3 En rentrant de voyage avec ses parents, la petite Nelly <u>semblait surprise de revoir ses affaires</u>.

<u>GV</u> = V + g adj

4 Sa mémoire <u>avait dû enregistrer des choses</u>, mais elles <u>restaient enfouies dans son subconscient</u>.

<u>GV</u> = V + g inf
<u>GV</u> = V + g adj

5 Nous <u>l'avons trouvé très attachant</u>.

<u>GV</u> =

EXERCICE 2.12

Soulignez les GV contenus dans le texte suivant et, au-dessus de chaque GV, indiquez son type de construction.

Cela se passait en plein hiver et les flocons de neige tombaient du ciel comme un duvet léger. Une reine était assise à sa fenêtre encadrée de bois d'ébène et cousait. Tout en tirant l'aiguille, elle regardait voler les blancs flocons. Elle se piqua le doigt et quelques gouttes de sang tombèrent sur la neige. Le contraste entre le rouge du sang, la couleur de la fenêtre et la blancheur de la neige était si beau, qu'elle se dit:

— Je voudrais avoir une petite fille à la peau blanche comme cette neige, aux lèvres rouges comme ce sang, aux yeux et aux cheveux noirs comme l'ébène de cette fenêtre.

Peu de temps après, elle eut une petite fille à la peau blanche comme la neige, aux lèvres rouges comme le sang, aux yeux et aux cheveux noirs comme l'ébène. On l'appela Blanche-Neige. Mais la reine mourut le jour de sa naissance.

Un an plus tard, le roi se remaria. Sa femme était très belle et très jalouse. Elle possédait un miroir magique qui répondait à toutes les questions. Chaque matin, lorsque la reine se coiffait, elle lui demandait:

— Miroir, miroir, dis-moi que je suis la plus belle.

(Blanche-Neige et les sept nains, *Jacob et Wilhelm Grimm*)

La fonction du GV dans la phrase

Le GV ne peut avoir qu'une seule fonction dans la phrase P, celle de **prédicat**. Comme nous l'avons déjà vu, le prédicat est un constituant obligatoire de P.

Sujet de P GN	Prédicat de P GV	Complément de P GPrép

Tout le sud du Québec **recevra entre 15 et 20 cm de neige** *à partir de demain matin.*

2.6.3 Le groupe adjectival (GAdj)

Le noyau du GAdj

Le noyau du GAdj est un **adjectif**.

Le chat **angora** a un poil très **long**.

L'adjectif **qualifiant** se trouve généralement après le nom, parfois avant. Il peut avoir des expansions.

> Un chat **craintif**
>
> Un **petit** chat
>
> Un très **beau** chat

L'adjectif **classifiant** est toujours placé après le nom et il peut avoir une expansion à sa droite. Il ne peut cependant varier en intensité.

> Elle est **enceinte** de quelques mois.
>
> Un chat **siamois**
>
> * Un **siamois** chat
>
> * Un chat très **siamois**

Les expansions dans le GAdj

Les principales expansions de l'adjectif peuvent être :

- un GAdv

C'est un projet **difficilement** réalisable.

- une subordonnée complétive

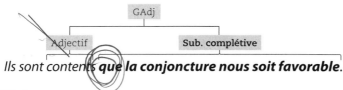

Ils sont contents **que la conjoncture nous soit favorable**.

- un GPrép

Elle est fière **de sa petite-fille**.

• un pronom remplaçant un GPrép

*Elle **en** est fière.* (**en** = de sa petite-fille)

EXERCICE 2.13

Transcrivez les expansions du noyau du GAdj dans les phrases suivantes et dites de quelle sorte d'expansions il s'agit.

EXEMPLE

Il s'est montré plutôt intéressé par notre offre.

plutôt : *GAdv* ; par notre offre : *GPrép*

1 Il est important que vous communiquiez avec elle.

important GAdv ; que vous ... : sub complétive

2 Je vais vous faire gouter un vin agréablement fruité.

GAdv agréablement ; fruité GAdv

3 Elle était trop sure de son coup.

g adv : trop ; sure gadj   de son coup ; g prep

4 Votre reproduction est conforme à l'original.

g prep

conforme : gadj   à l'original sub complétive

5 Il est fâché contre Julien.

fâché : gadj ; contre julien g prep

6 Je suis déçue qu'on n'ait pas retenu ta candidature.

déçu : adj qu'on est pas ; g prep sub comple

7 Il est si mignon.

si g adv   mignon adj.

8 Je suis satisfait de mon séjour. Vraiment, j'en suis ravi.

satisfait g adv   en gprep   vraiment, dv   en suis adj

Les fonctions du GAdj

Le GAdj peut avoir les fonctions suivantes :

- complément du nom

> GAdj
> **complément du nom**
> *histoire*

*Je vais vous raconter une histoire **vraie**.*

> GAdj
> **complément du nom**
> *Luc*

*Luc, **impassible**, contemplait le désordre de la chambre.*

À NOTER

Où donc est passée l'épithète ?

La fonction d'« épithète » n'existe plus dans la nouvelle grammaire. Elle a été remplacée par la fonction de **complément du nom**.

On appelait « épithète détachée » (ou apposition) l'adjectif apposé au nom et encadré par des virgules, comme c'est le cas de *impassible* dans l'exemple ci-dessus. Alors que la fonction épithète était réservée à l'adjectif, celle de **complément du nom** s'applique à tous les groupes de mots qui complètent le nom, par exemple une subordonnée relative.

> Sub. relative
> **complément du nom** *patron*

*Alain est un patron **qui est honnête envers ses employés**.*

- attribut du sujet

> GAdj
> **attribut du sujet**
> *Sa demande*

*Sa demande est **exagérée**.*

À NOTER

Dans la grammaire traditionnelle, l'adjectif issu d'une forme verbale était souvent considéré comme un participe passé.

*Voici un recueil de poèmes **choisis**.*

(Le mot *choisis* était considéré comme un participe passé employé seul.)

*Elle a été **choisie** à l'unanimité.*

(Le mot *choisie* était considéré comme un participe passé employé avec l'auxiliaire *être*.)

On considère maintenant, à juste titre, que ces participes passés sont des adjectifs parce qu'ils se comportent syntaxiquement comme des adjectifs. Ils peuvent donc avoir la fonction de **complément du nom** ou la fonction d'**attribut du sujet**.

*Voici un recueil de poèmes **choisis**.*

(Le GAdj *choisis* est complément du nom *poèmes*.)

*Elle a été **choisie** à l'unanimité.*

(Le GAdj *choisie à l'unanimité* est attribut du sujet *Elle*.)

Le participe passé, quant à lui, fait partie d'une forme verbale composée et peut toujours être conjugué à une forme simple.

*J'ai **choisi** les fruits les plus murs.*

(Le mot *choisi* est le participe passé du verbe *choisir* conjugué au passé composé.
On peut remplacer le verbe *ai choisi* par le verbe *choisir* au futur simple, par exemple.)

*Je **choisirai** les fruits les plus murs.*

Ce qui n'est pas possible avec le GAdj complément du nom ou attribut du sujet.

* *Voici un recueil de poèmes **choisiront**.*

* *Elle **choisira** à l'unanimité.*

- attribut du complément direct

*Je trouve ses excuses **inacceptables**.*

Comment distinguer le GAdj complément du nom et le GAdj attribut du complément direct?

Observons les exemples suivants.

*Anne a un comportement **imprévisible**.*	*Je trouve Anne **imprévisible**.*
(L'adjectif *imprévisible* est complément du nom *comportement*.)	(L'adjectif *imprévisible* est attribut du CD *Anne*.)
*Voulez-vous une bière **belge**?*	*Je veux cette bière bien **froide**.*
(L'adjectif *belge* est complément du nom *bière*.)	(L'adjectif *froide* est attribut du CD *bière*.)

Que peut-on déduire de ces exemples?

Dans le cas de l'adjectif complément du nom, on se rend compte que l'adjectif complète le nom directement, sans intermédiaire.

Dans le cas de l'adjectif attribut du CD, on voit que l'adjectif complète aussi le nom, mais par l'intermédiaire d'un verbe (*trouve*, *veux*), comme c'est le cas pour l'adjectif attribut du sujet.

Il n'est pas toujours facile de faire cette distinction. Cependant, une manipulation syntaxique toute simple permet de reconnaitre facilement les deux fonctions: la pronominalisation du CD de la phrase. Si on peut pronominaliser le CD, c'est qu'il s'agit d'un attribut du CD. Sinon, il s'agit d'un adjectif complément de nom.

*Je trouve **Anne** imprévisible.*	*Anne a un **comportement** imprévisible.*
*Je **la** trouve imprévisible.*	** Anne **l'**a imprévisible.*
*Je veux **cette bière** bien froide.*	*Voulez-vous **une bière** belge?*
*Je **la** veux bien froide.*	** **La** voulez-vous belge?*

EXERCICE 2.14

Complétez le tableau de la page suivante en fournissant les informations suivantes.

1) **Dites si les adjectifs contenus dans les GAdj en gras sont qualifiants (Q) ou classifiants (C).**
2) **Si l'adjectif a une ou des expansions, indiquez-en la sorte.**
3) **Donnez la fonction du GAdj.**

 J'ai été **très surprise de sa visite**.

 Je suis **étonné qu'il ait accepté ce poste**.

 Nous espérons être **capables de vous communiquer d'autres informations d'ici peu**.

 Pourrais-tu être **plus précis**?

 Au Québec, les bières **artisanales** connaissent une popularité **grandissante**.

 J'ai eu une **assez bonne** note. J'**en** suis **plutôt satisfaite**.

 Je préfère ma bière **bien froide**.

 Il préfère les bières **importées**.

9 Je la trouve **un peu amère**.

10 Celle-ci est **très appréciée pour son gout fruité et aigrelet**.

Adjectif	Type		Expansion				Fonction du GAdj		
	Q	C	GAdv	Sub.	GPrép	Pron.	Compl. du nom	Attribut du sujet	Attribut du CD
surprise	✓			✓	✓			✓	
étonné	✓			✓	✓			✓	
capables	✓				✓			✓	
précis	✓		✓					✓	
artisanales	✓	✓					✓		
grandissante	✓						✓		
bonne	✓		✓				✓	✓	
satisfaite	✓		✓		✓	✓		✓	
froide	✓		✓				✓		✓
importées		✓					✓		
amère	✓		✓					✓	✓
appréciée	✓		✓			✓		✓	
fruité	✓							✓	
aigrelet	✓							✓	

2.6.4 Le groupe prépositionnel (GPrép)

Le noyau du GPrép

Le noyau du GPrép est une **préposition**. La préposition est un mot invariable qui permet de former des compléments.

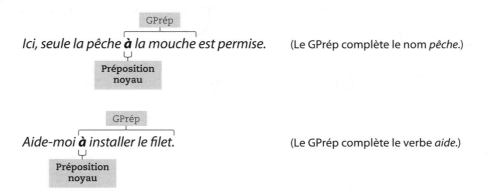

Ici, seule la pêche **à** la mouche est permise.   (Le GPrép complète le nom *pêche*.)

Aide-moi **à** installer le filet.   (Le GPrép complète le verbe *aide*.)

GPrép

*François est fier **de** son lancer.*　　　　(Le GPrép complète l'adjectif *fier*.)

Préposition
noyau

À NOTER

Le mot *de* n'est pas toujours une préposition et n'est pas nécessairement le noyau d'un GPrép. Il est déterminant indéfini et fait partie d'un GN lorsqu'il détermine un nom dans une phrase négative ou lorsque le nom est précédé d'un adjectif au pluriel.

- Dans une phrase négative

  *J'ai apporté **un** canif.*　　／　　*Je **n'**ai **pas** apporté **de** canif.*

- Nom précédé d'un adjectif au pluriel

  *Il a **des raisons sérieuses**　　=　　Il a **de sérieuses raisons** pour démissionner.*　　　　*pour démissionner.*

EXERCICE 2.15

Soulignez les 24 prépositions ou locutions prépositives contenues dans l'extrait suivant.

Mais très vite elle se reprit à penser au monde au-dessus d'elle; elle ne pouvait oublier le beau prince ni son propre chagrin de ne pas avoir comme lui une âme immortelle. C'est pourquoi elle se glissa hors du château de son père et, tandis que là tout était chants et gaieté, elle s'assit, désespérée, dans son petit jardin. Soudain elle entendit le son d'un cor venant vers elle à travers l'eau.

Elle était devant le palais de son père. Les lumières étaient éteintes dans la grande salle de bal, tout le monde dormait surement, et elle n'osa pas aller auprès des siens maintenant qu'elle était muette et allait les quitter pour toujours. Il lui sembla que son cœur se brisait de chagrin.

Alors la petite sirène sortit de son jardin et nagea vers les tourbillons mugissants derrière lesquels habitait la sorcière. Elle n'avait jamais été de ce côté où ne poussait aucune fleur, aucune herbe marine, il n'y avait là rien qu'un fond de sable gris et nu s'étendant jusqu'au gouffre.

(La petite sirène, *Hans Christian Andersen*)

Les expansions dans le GPrép

Les expansions dans le GPrép sont obligatoires. La préposition ne peut, à elle seule, former un GPrép. Les expansions de la préposition peuvent être :

- un GN

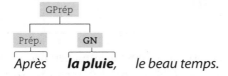

- un pronom

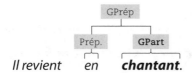

- un GInf

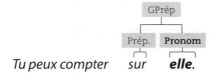

- un GPart

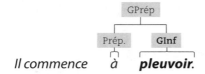

- un GAdv

EXERCICE 2.16

Décomposez les GPrép contenus dans les phrases suivantes.

Il souffre d'une vilaine grippe.

d'une vilaine grippe : d' *(prép.)* + une vilaine grippe *(GN)*

1 Il écoute la radio en clavardant.

prep + g part

2 Michel est revenu enchanté de son voyage.

prep + g nom   *gond*

3 Vous avez tout ce qu'il faut pour réussir.

prep + g inf

4 Je sais que tu es déjà passé par là.

prep + adv

5 J'espère qu'on vous reverra avant Noël !

prep + nom

Les fonctions du GPrép

Le GPrép peut avoir les fonctions suivantes :

- complément du nom

GPrép
complément du nom
chambre

La chambre **de mon frère** est en désordre.

- complément du pronom

GPrép
complément du pronom
celui

Le succès du livre est indéniable, mais celui **du film** n'est pas encore confirmé.

- complément de l'adjectif

GPrép
complément de l'adjectif
réfractaire

Le public s'est montré réfractaire **aux modifications apportées par le réalisateur.**

- complément de phrase

P

GPrép
CP

Sujet de P

Prédicat de P

Vers trois heures,   nous   ferons une pause.

- complément indirect du verbe (CI)

*Les fugitifs aboutissent **dans un mystérieux tunnel**.*

À NOTER

Le complément indirect du verbe est généralement introduit par une préposition. Dans certains cas, par exemple lorsque le complément a été pronominalisé, on ne voit pas la préposition.

> *Je **lui** ai parlé ce matin. (**lui** = à lui, à elle)*
>
> *Nous **leur** demanderons de revenir. (**leur** = à elles, à eux)*

Contrairement au complément de phrase, le complément indirect du verbe ne peut généralement pas être déplacé. Il ne peut être supprimé sans que le sens de la phrase en soit affecté.

> ** Dans un mystérieux tunnel, les fugitifs aboutissent.*
>
> ** Les fugitifs aboutissent Ø .*

- attribut du sujet

*Le réalisateur était **en colère**.*

- attribut du complément direct

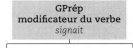

*Il traitait les autres **d'imbéciles**.*

- modificateur du verbe

*L'auteur signait les autographes **avec empressement**.*

Voici un tableau récapitulatif des fonctions du GPrép.

Les fonctions du GPrép		
Complément du nom	C'est le livre **de Pierre**.	Le GPrép *de Pierre* est complément du nom *livre*.
Complément du pronom	C'est celui **de Pierre**.	Le GPrép *de Pierre* est complément du pronom *celui*.
Complément de l'adjectif	Ils sont fiers **de Pierre**.	Le GPrép *de Pierre* est complément de l'adjectif *fiers*.
Complément de phrase	**Selon Pierre**, le livre est intéressant.	Le GPrép *Selon Pierre* est complément de P.
Complément indirect du verbe (CI)	J'ai prêté mon livre **à Pierre**.	Le GPrép *à Pierre* est complément indirect du verbe *ai prêté*.
Attribut du sujet	Ce livre est **en retard**.	Le GPrép *en retard* est attribut du sujet *livre*.
Attribut du complément direct	J'ai trouvé ce livre **sans intérêt**. Je l'ai trouvé **sans intérêt**.	Le GPrép *sans intérêt* est attribut du CD *ce livre*. Le GPrép *sans intérêt* est attribut du CD *l'*.
Modificateur du verbe	Pierre a lu ce livre **avec passion**.	Le GPrép *avec passion* modifie le verbe *a lu*.

EXERCICE 2.17

Donnez la fonction des GPrép contenus dans les phrases suivantes.

1 Je suis maintenant prête à déménager.

à déménager : *Complément du verbe adj*

2 Ma ligne téléphonique sera en service dès demain matin.

en service : *Sujet*

dès demain matin : *phrase*

3 Passe au bureau de poste pour faire ton changement d'adresse.

au bureau de poste : *CI phrase*

de poste : *Nom*

pour faire ton changement d'adresse : *modif phrase*

d'adresse : *Nom*

4 La réservation du camion est au nom de Nancy.

du camion : *nom*

au nom de Nancy : *sujet*

de Nancy : *Nom*

5 Il vaudrait mieux passer par l'arrière.

par l'arrière : *Modificateur verbe CI*

6 Prends celui du milieu.

du milieu : *pronom*

7 J'ai offert mon congélateur à Nicolas.

à Nicolas : *sa CIC*

8 Manipule le vaisselier avec précaution.

avec précaution : *Modificateur verbe GAdv B*

9 On pourrait qualifier son comportement de délinquant.

de délinquant : *Nom CD*

10 Laquelle de ces boites doit-on apporter ?

de ces boites : *pronom*

2.6.5   Le groupe adverbial (GAdv)

Le noyau du GAdv

Le noyau du GAdv est un **adverbe** et il est invariable.

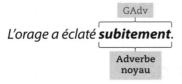

GAdv

*L'orage a éclaté **subitement**.*

Adverbe
noyau

L'expansion dans le GAdv

Un adverbe peut être l'expansion d'un autre adverbe.

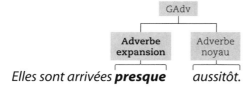

Elles sont arrivées **presque** aussitôt.

Les fonctions et rôles du GAdv

Les fonctions et rôles du GAdv sont très diversifiés. Parmi les nombreuses sortes d'adverbes, on trouve :

• les adverbes modificateurs

Dans certains cas, l'adverbe modifie un mot ou un groupe de mots. Il agit un peu comme un adjectif, en ce sens qu'il apporte une précision complémentaire qui n'est pas obligatoire sur le plan syntaxique.

Le plus souvent, l'adverbe modifie :

– un verbe

Lorsque l'adverbe modifie un verbe, il précise, la plupart du temps, la manière dont se déroule l'évènement exprimé par le verbe.

Nos réserves s'épuisent **rapidement**.

Elle travaille **dur** ces temps-ci.

– un adjectif ou un autre adverbe

Lorsque l'adverbe modifie un adjectif ou un autre adverbe, il marque généralement le degré.

Vous touchez là une corde **très** sensible.

Il est **un peu** fâché.

Nos réserves s'épuisent **trop** rapidement.

Elle travaille **extrêmement** dur ces temps-ci.

À NOTER

L'adverbe peut aussi modifier :

• un déterminant

Environ deux-cents personnes se sont présentées.

• un pronom

Presque tous ont accepté notre invitation.

• une préposition

Sa maison est **tout** près de la rivière.

● les adverbes compléments de phrase

Les adverbes compléments de phrase peuvent être, comme tous les compléments de phrase, effacés ; on peut en outre les déplacer. Ils peuvent marquer :

– le temps

> ***Bientôt****, nous ferons la tournée des antiquaires.*
>
> *Nous ferons, **bientôt**, la tournée des antiquaires.*
>
> *Nous ferons la tournée des antiquaires **bientôt**.*
>
> *Ø Nous ferons la tournée des antiquaires.*

– le lieu

> ***Là-bas****, il ne fait pratiquement jamais soleil.*
>
> *Il ne fait, **là-bas**, pratiquement jamais soleil.*
>
> *Il ne fait pratiquement jamais soleil **là-bas**.*
>
> *Ø Il ne fait pratiquement jamais soleil.*

● les adverbes compléments de verbe

Contrairement aux adverbes compléments de phrase, les adverbes compléments de verbe sont une expansion obligatoire du verbe. Ils ne peuvent être effacés ni déplacés. Ce sont des adverbes de lieu.

> ```
>              CI
>          ┌────────┐
> ```
> *Il retourne **là-bas**. (Il retourne **à** un endroit.)*

> ```
>          CI
>       ┌────────┐
> ```
> *Il est **partout**. (Ici, le verbe* être *n'est pas un verbe attributif comme dans* Il est malade ; *il a le sens de « vivre, exister ».)*

D'autres adverbes n'ont pas de fonction syntaxique. Ce sont :

● les adverbes modaux

L'adverbe modal porte sur le verbe et ses compléments et sert à nier un fait ou à se prononcer sur son éventualité, son degré de réalisation et sa fréquence. Il peut marquer :

– la négation

> *Il **n'a pas** dit de bêtises.*
>
> *Il **ne** dit **jamais** de bêtises.*

– le degré de réalisation

> *Elle a **presque** terminé.*
>
> *Il a **entièrement** raison.*

– la fréquence

> *Il dit **souvent** des bêtises.*
>
> *Il dit **toujours** des bêtises.*

– l'éventualité

> *Il est **peut-être** venu.*
>
> *Elle viendra **certainement**.*

- les adverbes coordonnants

> *Il est entré, **puis** il s'est fait couler un bain.*

- les adverbes marqueurs interrogatifs ou exclamatifs

> ***Pourquoi** est-il fâché ?*
>
> ***Comme** elle a changé !*

- les adverbes permettant au rédacteur d'exprimer son opinion à l'égard de l'énoncé

> ***Heureusement**, aucun locataire n'était présent lorsque l'incendie a éclaté.*
>
> *Les manifestants, **assez bizarrement**, se sont calmés après l'arrivée des policiers.*

- les adverbes organisateurs textuels

Ces adverbes ont comme fonction de faire le lien logique entre une phrase et ce qui la précède ou la suit. Ils peuvent marquer, entre autres rapports logiques, l'opposition, la cause, la conséquence, l'affirmation, la conclusion, etc., ou fournir des points de repère concernant l'ordre logique ou chronologique du déroulement de l'action. Certains grammairiens appellent ces adverbes **mots liens** ou encore **marqueurs de relation**. Comme les adverbes compléments de phrase, on trouve très souvent les adverbes coordonnants en tête de phrase ou après le verbe.

> ***Oui**, il est vrai que ces résultats sont incomplets.*
>
> ***Cependant**, nous pouvons déjà avancer quelques hypothèses.*
>
> *Voyons **d'abord** ce qu'en pensent les spécialistes.*

 Pour connaitre la liste des principaux adverbes et locutions adverbiales, voir le tableau « Adverbe » dans le *Multi*.

Voici un tableau récapitulatif des fonctions et rôles du GAdv.

Les fonctions et rôles du GAdv	
Modificateur :	
• **du verbe**	*Il mange **bruyamment**.*
• **de l'adjectif**	*Il est **très** encouragé.*
• **de l'adverbe**	*Il s'est relu **trop** vite.*
Complément de phrase	***Demain**, j'irai au cinéma.*
Complément de verbe	*J'habite **ici**. (CI)*
Adverbe modal	*Il va **souvent** au cinéma. (Indique la fréquence.)*
	*Il ira **peut-être** au cinéma. (Indique l'éventualité.)*

Coordonnant	*Je rentre,* **puis** *je me repose.*
Marqueur exclamatif	**Comme** *il a grandi !*
Marqueur interrogatif	**Quand** *iras-tu au cinéma ?*
Adverbe d'opinion ou de point de vue	**Décidément**, *ce film est un navet.*
Organisateur textuel	**Premièrement**, *les acteurs sont mauvais.*

EXERCICE 2.18

Soulignez les adverbes contenus dans les phrases ou paragraphes suivants, puis donnez leur fonction (ou leur rôle) en précisant, s'il y a lieu, leur sens.

EXEMPLE

Nos bureaux fermeront désormais à 17 h.

Adverbe complément de phrase exprimant le temps.

1. Finalement, la menace qui plane sur tout le territoire, c'est la destruction de la faune des forêts anciennes.

   Complément de phrase   Coordonnant

2. Vous entendez ensuite le premier appel de la grive à collier, puis d'autres oiseaux chanteurs se joignent au concert. Et les couleurs, des verts, des rouges et des jaunes, prennent vie lentement.

   a) *Coordonnant loup*
   b) *Coordonnant*
   c) *Modificateur*

3. La sauvegarde des espèces menacées d'extinction est une bataille qui se livre partout.

   Complément indirect lieu

4. Malheureusement, les efforts déployés n'ont pas porté leurs fruits et l'environnement s'est progressivement dégradé.

   a) *Adverbe d'opinion*
   b) *Modal négation*
   c) *modifie*

Où sont passés les compléments d'objet et les compléments circonstanciels ?

Les notions de *complément d'objet* et de *complément circonstanciel* associées à la grammaire traditionnelle ne se retrouvent pas dans la terminologie de la nouvelle grammaire. Parce qu'elle se fonde sur la structure de la phrase et de ses constituants, c'est-à-dire essentiellement sur la construction de cette dernière, la nouvelle grammaire a en effet éliminé ces notions qui faisaient appel au sens. On se rappelle par exemple les listes interminables d'espèces de compléments circonstanciels que les grammaires répertoriaient : de temps, de lieu, d'accompagnement, de prix, de poids, de propos, etc. Ces précisions ne sont pas pertinentes dans une analyse de la construction de la phrase. Voici donc un tableau qui répertorie les principales modifications terminologiques concernant certaines **fonctions syntaxiques**, et auxquelles les « traditionnels » doivent s'initier s'ils veulent s'y retrouver dans les grammaires modernes.

La terminologie de quelques fonctions syntaxiques		
Selon la grammaire traditionnelle	**Exemples**	**Selon la nouvelle grammaire**
Apposition	*Dany, **engourdie par le froid**, m'attendait patiemment.*	Complément du nom
Épithète	*Jean m'a demandé de garder son **petit** chien saucisse.*	Complément du nom
Complément d'objet direct/indirect	*Josée a prêté **mon parapluie à Louise**.*	Complément direct du verbe (CD)/complément indirect du verbe (CI)
Complément d'agent	*Cette table a été fabriquée **par mon grand-père**.*	Complément de l'adjectif
Complément circonstanciel	*Je vais le conduire au travail **tous les matins**.*	Complément de phrase (peut être déplacé)
	*Je vais **à la piscine**.*	Complément indirect (ne peut être déplacé ni supprimé)
	*Il chante **mal**.*	Modificateur

Vous trouverez aux pages suivantes deux tableaux récapitulatifs sur les **fonctions syntaxiques** et les groupes de mots ou subordonnées qui peuvent remplir ces fonctions. En effet, une subordonnée se comporte comme un groupe et elle remplit une fonction dans la phrase où elle est insérée.

Les fonctions syntaxiques		
Groupes de mots ou subordonnées qui peuvent remplir la fonction	**Fonctions**	**Exemples**
GN	Sujet de P	*Le voleur* s'est enfui.
	CP	*Lundi*, un vol a été commis ici.
	CD	On recherche *des témoins*.
	Compl. du nom	Le propriétaire, *Martin Roy*, était absent.
	Attribut du sujet	Luc Trudel est *le gérant*.
	Attribut du CD	On a désigné le policier Turcotte *responsable du dossier*.
GV	Prédicat de P	Nous *ferons une enquête*.
GInf	Sujet	*Trouver le coupable* n'est pas une mince affaire.
	CD	Nous espérons *trouver rapidement les coupables*.
GPart	CP	*Advenant d'autres révélations*, vous en serez informés.
	Compl. du nom	Vous entendrez un témoignage *inculpant le gérant*.
GAdj	Compl. du nom	J'ai vu un homme *cagoulé* traverser la rue.
	Attribut du sujet	Son témoignage est *crédible*.
	Attribut du CD	Nous avons trouvé le témoin *tout à fait crédible*.
GPrép	CP	Il s'est contredit *lors de son témoignage*.
	Compl. du nom	Des éclats *de verre* jonchaient le sol.
	Compl. de l'adjectif	Ils ont été heureux *de voir les policiers*.
	CI	Les policiers ont tenu *à les rassurer*.
	Attribut du sujet	Deux des témoins étaient encore *sous le choc*.
	Attribut du CD	On les a traités *de menteurs*.
	Modificateur du verbe	Il a réagi *avec calme*.
GAdv	CP	*Hier*, un vol a été commis.
	Modificateur du verbe	Cela s'est déroulé *rapidement*.
	Modificateur de l'adjectif	Le gérant a été *très* alerte.
	Modificateur de l'adverbe	Il a sonné l'alarme *presque* aussitôt.
	CI	Le propriétaire n'habite pas *ici*.
Sub. relative	Compl. du nom	La fille *à qui j'ai parlé* avait vu toute la scène.

Sub. complétive	Sujet	**Qu'elle soit ébranlée** est normal.
	CD	Je comprends **que vous soyez ébranlée**.
	CI	Je m'étonne même **que vous ne soyez pas plus ébranlée**.
	Compl. du nom	Le fait **que les policiers sont arrivés tout de suite** m'a rassurée.
	Compl. de l'adjectif	Je suis surprise **qu'ils n'aient rien remarqué**.
Sub. circonstancielle	CP	**Quand les policiers sont arrivés**, l'alarme sonnait encore.
Sub. corrélative	Modificateur du verbe	Elle s'affolait **tellement qu'elle parlait sans arrêt**.
	Modificateur de l'adjectif	Elle était **si** nerveuse **qu'elle ne pouvait s'empêcher de bégayer**.
	Modificateur de l'adverbe	Les policiers sont arrivés **tellement** rapidement **que l'alarme sonnait encore**.

Les fonctions syntaxiques		
Fonctions	**Groupes de mots ou subordonnées qui peuvent remplir la fonction**	**Exemples**
Sujet	GN	**Le voleur** s'est enfui.
	Sub. complétive	**Qu'elle soit ébranlée** est normal.
	GInf	**Trouver le coupable** n'est pas une mince affaire.
Prédicat de P	GV	Nous **ferons une enquête**.
CD	GN	On recherche **des témoins**.
	GInf	Nous espérons **trouver rapidement les coupables**.
	Sub. complétive	Je comprends **que vous soyez ébranlée**.
CI	GPrép	Les policiers ont tenu **à les rassurer**.
	GAdv	Le propriétaire n'habite pas **ici**.
	Sub. complétive	Je m'étonne même **que vous ne soyez pas plus ébranlée**.
CP	GN	**Lundi**, un vol a été commis ici.
	GPart	**Advenant d'autres révélations**, vous en serez informés.
	GPrép	Il s'est contredit **lors de son témoignage**.
	GAdv	**Hier**, un vol a été commis.
	Sub. circonstancielle	**Quand les policiers sont arrivés**, l'alarme sonnait encore.

Attribut du sujet	GN	*Luc Trudel est **le gérant**.*
	GAdj	*Son témoignage est **crédible**.*
	GPrép	*Deux des témoins étaient encore **sous le choc**.*
Attribut du CD	GN	*On a désigné le policier Turcotte **responsable du dossier**.*
	GAdj	*Nous avons trouvé le témoin **tout à fait crédible**.*
	GPrép	*On les a traités **de menteurs**.*
Modificateur du verbe	GPrép	*Il a réagi **avec calme**.*
	GAdv	*Cela s'est déroulé **rapidement**.*
	Sub. corrélative	*Elle s'affolait **tellement qu'elle parlait sans arrêt**.*
Modificateur de l'adjectif	GAdv	*Le gérant a été **très** alerte.*
	Sub. corrélative	*Elle était **si** nerveuse **qu'elle ne pouvait s'empêcher de bégayer**.*
Modificateur de l'adverbe	GAdv	*Il a sonné l'alarme **presque** aussitôt.*
	Sub. corrélative	*Les policiers sont arrivés **tellement** rapidement **que l'alarme sonnait encore**.*
Complément du nom	GN	*Le propriétaire, **Martin Roy**, était absent.*
	GPrép	*Des éclats **de verre** jonchaient le sol.*
	GPart	*Vous entendrez un témoignage **inculpant le gérant**.*
	GAdj	*J'ai vu un homme **cagoulé** traverser la rue.*
	Sub. relative	*La fille **à qui j'ai parlé** avait vu toute la scène.*
	Sub. complétive	*Le fait **que les policiers sont arrivés tout de suite** m'a rassurée.*
Complément de l'adjectif	Sub. complétive	*Je suis surprise **qu'ils n'aient rien remarqué**.*
	GPrép	*Ils ont été heureux **de voir les policiers**.*

2.7 LES MANIPULATIONS SYNTAXIQUES

Les **manipulations syntaxiques** sont des opérations effectuées sur des mots, des groupes de mots, des phrases subordonnées et des P pour en faire l'analyse. Elles permettent de comprendre la structure de la phrase en facilitant l'identification de la classe des mots, la délimitation des groupes de mots, et la reconnaissance de leurs fonctions.

Il y a cinq manipulations syntaxiques: l'effacement, le déplacement, le remplacement, l'encadrement et l'addition.

Les manipulations syntaxiques peuvent servir à :

- identifier la classe des mots, les groupes de mots et leur fonction ;
- repérer les constituants de la phrase (P) ;
- vérifier la bonne construction des phrases ;
- vérifier les accords dans les groupes ;
- enrichir les phrases ou les transformer.

En tant qu'outils d'analyse de la phrase, les manipulations syntaxiques utilisées en nouvelle grammaire remplacent les questions de la grammaire traditionnelle (*Qui est-ce qui fait l'action ?* pour trouver le sujet du verbe, par exemple), questions qui font le plus souvent appel au sens. En effet, en nouvelle grammaire, c'est plutôt par des opérations syntaxiques sur les mots et les groupes que l'on analyse une phrase. Ainsi, le remplacement par un pronom ou l'encadrement par *C'est... qui* permettent de trouver le sujet de P, alors que l'effacement et le déplacement permettent de distinguer un complément indirect du verbe (CI) d'un complément de phrase (CP).

Voici un tableau présentant les manipulations syntaxiques et leurs différents emplois.

Les manipulations syntaxiques
L'effacement

L'**effacement** consiste à supprimer un mot ou un groupe de mots à l'intérieur d'une phrase.

Emplois	Exemples
Repérer les constituants obligatoires et les constituants facultatifs de la phrase Les constituants obligatoires, soit le sujet de P et le prédicat ne peuvent être supprimés ; mais le complément de phrase, qui est un constituant facultatif, peut être effacé.	*Mes collègues ont pris l'avion hier matin.* *Mes collègues ont pris l'avion Ø .* * Ø ont pris l'avion hier matin. **Mes collègues Ø hier matin.* (On peut effacer le groupe *hier matin*, qui est un complément de phrase. Mais on ne peut pas effacer le sujet de P, *Mes collègues*, ni le prédicat *ont pris l'avion*.)
Repérer le noyau d'un groupe de mots pour faire certains accords Par exemple, effacer les expansions du noyau du GN sujet permet de s'assurer que le verbe est bien accordé.	*Le taux de participation des jeunes atteint à peine 20 %.* **Le taux** Ø *atteint à peine 20 %.* (On peut effacer le groupe de mots *de participation des jeunes* dans le GN sujet de P, ce qui permet d'isoler le noyau **Le taux** et de vérifier que le verbe est bien accordé.)

Repérer diverses fonctions dans la phrase, dont celles des expansions du noyau dans les groupes de mots

Dans une phrase, il y a des groupes fonctionnels qu'on ne peut généralement pas effacer (le sujet de P, le CD, le CI, l'attribut du sujet) et d'autres qui peuvent l'être.

Groupes fonctionnels qui peuvent être effacés :

- le complément de phrase
  *Olivier va à Cuba **tous les hivers**.*
  Olivier va à Cuba.

- le complément du nom
  *Ils attendent une réponse **à leur demande**.*
  Ils attendent une réponse.

- le complément de l'adjectif
  *Ils sont heureux **du résultat**.*
  Ils sont heureux.

Le déplacement

Le **déplacement** consiste à déplacer un mot ou un groupe de mots dans une phrase.

Emplois	Exemples
Délimiter les frontières d'un groupe de mots On ne peut déplacer une partie de groupe, c'est tout le groupe qu'il faut déplacer.	*Les universités québécoises organisent le premier colloque sur le plagiat.* * *Sur le plagiat, les universités québécoises organisent le premier colloque.* (Le GN *le premier colloque sur le plagiat* est le CD du verbe et il forme un tout.) *Vivre dans un quartier où habitent de jeunes familles est très agréable.* * *Vivre dans un quartier est très agréable où habitent de jeunes familles.* (Le GInf *Vivre dans un quartier où habitent de jeunes familles* est le sujet de P et il forme un tout.)
Distinguer le complément indirect (CI) du complément de phrase (CP) De façon générale, la place d'un groupe dans une phrase dépend de sa fonction. Le CI ne peut généralement pas être déplacé, alors que le CP peut l'être.	*Elle travaille sur ce projet depuis plusieurs jours.* * *Sur ce projet, elle travaille depuis plusieurs jours.* *Depuis plusieurs jours, elle travaille sur ce projet.* (On ne peut pas déplacer le GPrép *sur ce projet* : c'est donc un CI. Par contre, on peut déplacer le GPrép *depuis plusieurs jours*, ce qui indique que c'est un CP.)

Le remplacement

Le **remplacement** consiste à remplacer un mot ou un groupe de mots dans une phrase.
On appelle **pronominalisation** le remplacement d'un mot ou d'un groupe de mots par un pronom.

Emplois	Exemples
Déterminer la classe d'un mot ou d'un groupe de mots On peut déterminer la classe d'un mot en le remplaçant par un mot de la même classe.	***Cent** étudiants ont réussi le test.* ***Ces** étudiants ont réussi le test.* ***Plusieurs** étudiants ont réussi le test.* (*Cent* est un déterminant puisqu'on peut le remplacer par d'autres déterminants.)

**Repérer les groupes et les subordonnées
qui sont compléments du nom dans le GN**

Lorsque les remplacements sont possibles, les groupes de mots utilisés comme remplaçants ont la même fonction syntaxique : complément du nom.

*Certains produits **locaux** coutent cher.*
*Certains produits **qui proviennent de la Floride** coutent cher.*
*Certains produits **provenant de la Floride** coutent cher.*
*Certains produits **d'importation** coutent cher.*
(Les groupes de mots en caractère gras ont tous la même fonction syntaxique : complément du nom.)

**Trouver la fonction d'un groupe de mots
dans la phrase**

Le **sujet** peut être pronominalisé par *il, ils, elle, elles, cela, ça, ce, c'*.

***Certaines personnes hypersensibles** ressentent fortement les humeurs et les sentiments des autres.*
***Elles** ressentent fortement les humeurs et les sentiments des autres.*

L'**attribut du sujet** peut être pronominalisé par *le* ou *l'*.

*Elle est **très prévoyante**.*
*Elle **l'**est plus que moi.*

Le **complément direct** du verbe peut être pronominalisé par *le, l', la, les, en, cela, ça*.

*Certaines personnes hypersensibles ressentent fortement **les humeurs et les sentiments des autres**.*
*Certaines personnes hypersensibles **les** ressentent fortement.*

*Il voudrait **de l'aide**.*
*Il **en** voudrait.*

*Il aime **le ski**.*
*Il aime **ça**.*

Le **complément indirect** du verbe peut être pronominalisé par *lui, leur, en, y*.

*Je parle **aux étudiants**.*
*Je **leur** parle.*

*Il se moque **de votre opinion**.*
*Il s'**en** moque.*

**Déterminer la personne et le nombre d'un GN sujet
formé de plusieurs GN ou de pronoms coordonnés
pour vérifier l'accord du verbe**

On remplacera le groupe par l'un des pronoms suivants : *ils, elles, nous, vous*.

***Les enfants de Marie et tous leurs amis** sont allés cueillir des pommes.*
***Ils** sont allés cueillir des pommes.*

***Les enfants de Marie et moi** sommes allés cueillir des pommes.*
***Nous** sommes allés cueillir des pommes.*

***Les enfants de Marie et vous** êtes allés cueillir des pommes.*
***Vous** êtes allés cueillir des pommes.*

L'encadrement

L'**encadrement** consiste à encadrer un groupe de mots par l'expression *c'est (ce sont)... qui* ou *c'est (ce sont)... que*. Cette manipulation est parfois appelée procédé emphatique, car elle permet de construire des phrases emphatiques en mettant en évidence un groupe de mots en particulier.

Emplois	Exemples
Trouver le groupe nominal sujet (encadrement avec *c'est... qui, ce sont... qui*)	*Les nouveaux amis de Mélissa lui ont préparé une fête.* ***Ce sont** les nouveaux amis de Mélissa **qui** lui ont préparé une fête.* * *Les nouveaux amis **c'est** de Mélissa **qui** lui ont préparé une fête.*
Repérer un groupe complément du verbe (encadrement avec *c'est... que, ce sont... que*)	*Je mange des fraises bien mures.* ***Ce sont** des fraises bien mures **que** je mange.* * ***Ce sont** des fraises **que** je mange bien mures.*

L'addition

L'**addition** consiste à ajouter un mot ou un groupe de mots à une phrase.

Emplois	Exemples
Repérer le verbe par l'ajout de la locution *ne... pas*	*Les logiciels antiplagiat séduisent les universités québécoises.* *Les logiciels antiplagiat **ne** séduisent **pas** les universités québécoises.* (Le verbe de la phrase est *séduisent*.)
Distinguer l'adjectif classifiant de l'adjectif qualifiant On peut ajouter un adverbe devant un adjectif qualifiant, mais pas devant un adjectif classifiant.	*Un étudiant intelligent* *Un étudiant **très** intelligent* (L'adjectif *intelligent* est qualifiant.) *L'équipe locale* * *L'équipe **très** locale* (L'adjectif *locale* est classifiant.)
Distinguer le CP du complément du nom dans certaines phrases Certains compléments du nom peuvent, comme le CP, être déplacés. Si on peut insérer le groupe dans une subordonnée relative, c'est un complément de nom ; sinon, c'est un CP.	*Mes amis, heureux de cette nouvelle, veulent organiser une fête.* *Mes amis, **qui sont** heureux de cette nouvelle, veulent organiser une fête.* (Le groupe de mots *heureux de cette nouvelle* est complément du nom *amis*.)
Transformer la phrase de base	*Tu parles bien.* ***Que** tu parles bien !* (Phrase exclamative) *Vous aimez la musique.* ***Est-ce que** vous aimez la musique ?* (Phrase interrogative) *L'équipe participera à ce tournoi.* *L'équipe **ne** participera **pas** à ce tournoi.* (Phrase négative)

La liaison des phrases

Les procédés syntaxiques qui permettent de lier des phrases sont la coordination, la subordination et l'insertion.

3.1 LA COORDINATION

La coordination consiste à établir une relation entre des éléments qui ont la même fonction.

Ce lien peut être implicite – on parle alors de **juxtaposition** – et les éléments sont liés par un signe de ponctuation.

$$\overbrace{\text{L'orage approchait,}}^{P_1} \overbrace{\text{il fallait rentrer.}}^{P_2}$$

On dit que le lien est explicite quand il est exprimé par une conjonction de coordination ou un adverbe de liaison, qu'on appelle **coordonnant**.

$$\overbrace{\text{Il vente}}^{P_1} \textbf{et} \overbrace{\text{il pleut.}}^{P_2}$$

Certains coordonnants sont précédés d'un signe de ponctuation.

$$\overbrace{\text{Il fallait rentrer,}}^{P_1} \textbf{car} \overbrace{\text{l'orage approchait.}}^{P_2}$$

$$\overbrace{\text{Je pense,}}^{P_1} \textbf{donc} \overbrace{\text{je suis.}}^{P_2}$$

Rappelons que la jonction de phrases par coordination ne peut se faire que si les éléments coordonnés ont la même fonction. Par exemple, dans la phrase P suivante, la conjonction *ou* relie deux phrases subordonnées remplissant la fonction de complément de phrase.

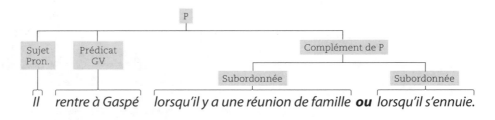

```
                              P
        ┌──────────┬──────────────────────────────────────┐
     Sujet      Prédicat              Complément de P
     Pron.        GV           ┌──────────────────┬──────────────────┐
                          Subordonnée                      Subordonnée

      Il      rentre à Gaspé   lorsqu'il y a une réunion de famille **ou** lorsqu'il s'ennuie.
```

 Pour connaitre les conjonctions et adverbes de liaison, voir le tableau « Conjonction de coordination » dans le *Multi*.

3.2 LA SUBORDINATION

La subordination est le procédé qui consiste à lier deux phrases dont l'une, la phrase enchâssée, qu'on appelle **subordonnée**, dépend syntaxiquement de l'autre, la phrase enchâssante, qu'on appelait traditionnellement la « principale ». L'ensemble de ces deux phrases constitue la **phrase matrice**. La phrase subordonnée est insérée dans la phrase matrice à l'aide d'un **subordonnant**.

Phrase matrice : *J'espère que Laurent arrivera à l'heure.*

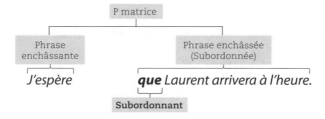

```
                    P matrice
        ┌──────────────────┬──────────────────┐
      Phrase                      Phrase enchâssée
    enchâssante                     (Subordonnée)

    *J'espère*                *que Laurent arrivera à l'heure.*
                                └──┘
                           Subordonnant
```

3.2.1 La subordonnée relative

Le pronom relatif possède une double nature. Comme pronom, il représente dans la subordonnée un nom ou un pronom de la phrase enchâssante qu'on appelle **antécédent**. Comme subordonnant, il sert à joindre à cet antécédent une subordonnée qui l'explique ou le caractérise. La subordonnée relative est toujours **complément du nom** ou **du pronom**.

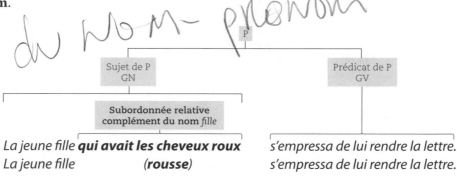

```
                              P
        ┌──────────────────────────────────┬──────────────────┐
     Sujet de P                              Prédicat de P
        GN                                       GV
        │
  Subordonnée relative
  complément du nom *fille*

  La jeune fille **qui avait les cheveux roux**    s'empressa de lui rendre la lettre.
  La jeune fille              **(rousse)**          s'empressa de lui rendre la lettre.
```

Parmi les formes du pronom relatif, on distingue des **formes simples** et des **formes composées**. Les formes simples du pronom relatif sont *qui, que, quoi, dont* et *où*. Les formes composées du pronom relatif sont *lequel, laquelle* et leurs dérivés. Le choix du pronom relatif dépend de la fonction qu'il a dans la subordonnée relative.

Les formes du pronom relatif selon la fonction qu'il remplit dans la subordonnée relative sont les suivantes :

• Le pronom *qui*, utilisé sans préposition, est sujet du verbe de la subordonnée.

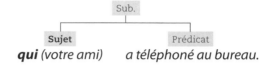

Vous donnerez ces informations à votre ami **qui** a téléphoné au bureau.

	Sub.	
Sujet		Prédicat
qui (votre ami)		a téléphoné au bureau.

• Introduit par une préposition, le pronom *qui* est complément indirect du verbe.

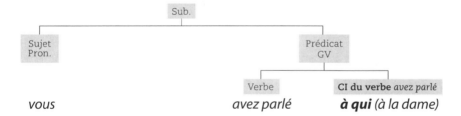

Je connais bien la dame **à qui** vous avez parlé.

• Si l'antécédent est inanimé ou si c'est un animal, on emploie *lequel*, précédé d'une préposition.

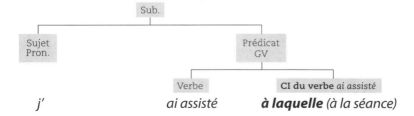

La séance **à laquelle** j'ai assisté n'a guère été convaincante.

• Le pronom *que* est complément direct du verbe.

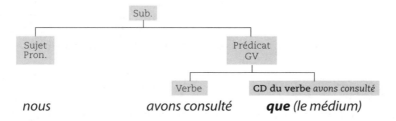

Le médium **que** *nous avons consulté avait un accent scandinave.*

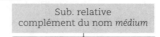

• Le pronom *dont* peut remplir les fonctions suivantes :

– complément indirect d'un verbe qui se construit avec la préposition *de* (*du, des*)

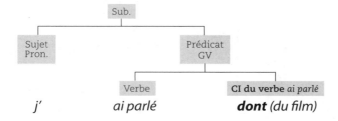

Le film **dont** *j'ai parlé est présentement à l'affiche.*

– complément d'un nom qui remplace un GPrép construit avec *de* (*du, des*)

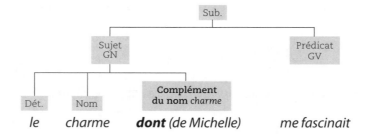

Michelle, **dont** *le charme me fascinait, venait tous les soirs à la piscine.*

– complément d'un adjectif

C'est une élève **dont** *on est fiers.*

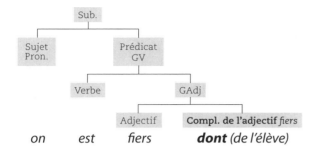

```
                    Sub.
         ┌───────────┴───────────┐
      Sujet                   Prédicat
      Pron.                      GV
                        ┌─────────┴─────────┐
                      Verbe               GAdj
                               ┌────────────┴────────────┐
                           Adjectif        Compl. de l'adjectif fiers
       on        est        fiers          dont (de l'élève)
```

- Le pronom relatif *où* est généralement un complément du verbe ou de phrase exprimant le lieu ou le temps.

```
              Sub. relative
          complément du nom ville
```

*Voilà la petite ville **où** j'habitais.*

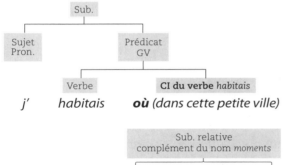

```
                    Sub.
         ┌───────────┴───────────┐
      Sujet                   Prédicat
      Pron.                      GV
                        ┌─────────┴─────────┐
                      Verbe          CI du verbe habitais
       j'         habitais      où (dans cette petite ville)
```

```
                Sub. relative
          complément du nom moments
```

*Il y a des moments **où** il vaut mieux se taire.*

```
                         Sub.
         ┌────────────────┼────────────────────┐
      Sujet            Prédicat        Compl. de P (de la sub. relative)
      Pron.              GV
       il        vaut mieux se taire   où (à certains moments)
```

3.2.2 La subordonnée complétive

La subordonnée complétive remplit, dans la très grande majorité des cas, la fonction de **complément direct** ou de **complément indirect** du verbe de la phrase enchâssante.

La subordonnée complétive complément direct

La subordonnée complétive complément direct est généralement introduite par le subordonnant *que*.

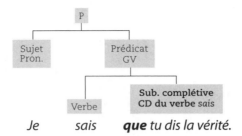

Je   sais   **que** tu dis la vérité.

Le verbe *savoir* se construit sans préposition : *je sais quelque chose (Je sais quoi ? que tu dis la vérité)*. La complétive est donc complément direct du verbe principal *sais*.

La subordonnée complétive complément indirect

La subordonnée complétive complément indirect est généralement introduite par le subordonnant *à ce que* ou *de ce que*, et parfois par le subordonnant *que*.

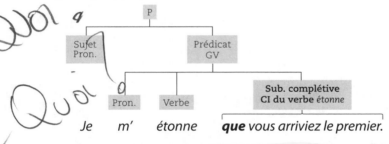

Je   m'   étonne   **que** vous arriviez le premier.

Le verbe *s'étonner* se construit avec une préposition : *je m'étonne **de** quelque chose*. La complétive est donc complément indirect du verbe principal *étonne*.

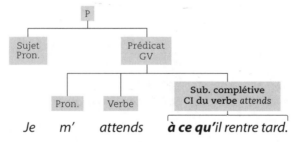

Je   m'   attends   **à ce qu'**il rentre tard.

Le verbe *s'attendre* se construit avec une préposition : *je m'attends **à** quelque chose*. La complétive est donc complément indirect du verbe principal *attends*.

À NOTER

La subordonnée complétive peut également être introduite par un subordonnant inter-rogatif ou exclamatif.

Je me demande **pourquoi** il est en retard .

Regarde **comme** il est mignon !

La subordonnée complétive peut aussi remplir les fonctions suivantes :

- sujet du verbe principal

    Qu'il soit intéressé par cette affaire n'est pas étonnant.

- complément de l'adjectif

    Je suis heureux **que** *vous soyez venu*.

- complément du nom

    Le fait **qu'il soit là** *prouve son intérêt*.

EXERCICE 3.1

Bravo !

Soulignez les propositions complétives, donnez le subordonnant et la fonction de la complétive (CD ou CI) par rapport au verbe principal.

EXEMPLE

Je ne sais <u>comment vous remercier</u>. comment ; *CD*

1 Certains grincheux prétendent que <u>le sport nuit à la santé.</u> que CD

2 Est-ce qu'on t'a dit que <u>Pierre travaille maintenant en région</u> ? que CD

3 Je sais bien <u>que vous avez</u> raison. que CD

4 Je suppose <u>que tout cela est normal.</u> qu CD

5 Je m'attends à ce <u>qu'il neige encore demain.</u> ce que CI

6 François se plaint de ce <u>que vous faites trop de bruit.</u> de ce que CI

7 Je l'ai prévenu <u>que cette situation me dérange énormément.</u> que CI

8 N'oublions pas <u>que les écrits restent.</u> que CD

9 Je me doute <u>qu'elle annoncera la grande nouvelle ce soir.</u> qu' CI

10 Tout le monde me demande <u>pourquoi je suis revenue à Québec.</u> pourquoi CD

EXERCICE 3.2

Dites si le subordonnant *que (qu')* dans les phrases suivantes est conjonction de subordination (introduisant une subordonnée complétive) ou pronom relatif (introduisant une subordonnée relative).

EXEMPLE

La traduction qu'il en a faite est d'une grande fidélité. *Pronom relatif*

1. Samuel croit que Pauline lui en veut. *complét* (manuscrit)
2. Le manteau qu'elle porte est démodé. *relatif* (manuscrit)
3. Son professeur craint qu'elle ne se décourage. *sub* (manuscrit)
4. Ton père prétend que tu parles couramment l'allemand. *sub* (manuscrit)
5. Trouves-tu que le jeu en vaut la chandelle ? *sub* (manuscrit)
6. Nicolas a perdu la boucle d'oreille que je lui avais donnée. *relatif* (manuscrit)
7. J'imagine qu'il a voulu plaisanter. *sub* (manuscrit)
8. C'est incroyable le nombre de plaisanteries qu'il a imaginées ! *rel* (manuscrit)
9. Je ne tolèrerai plus que tu me parles sur ce ton ! *sub* (manuscrit)
10. Le ton qu'il utilise est intolérable. *rel* (manuscrit)

3.2.3 La subordonnée circonstancielle

La subordonnée circonstancielle remplit la fonction de **complément de P**.

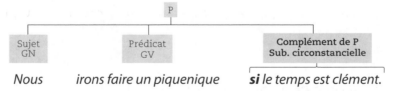

Elle possède donc les caractéristiques des groupes qui ont cette fonction. Elle est généralement mobile et on peut l'effacer sans nuire à la grammaticalité de la phrase.

Si le temps est clément, nous irons faire un piquenique.

Nous irons faire un piquenique si le temps est clément.

Ø   Nous irons faire un piquenique.

Les subordonnées circonstancielles compléments de P expriment différents rapports, soit le temps, l'opposition, la cause, la concession, la conséquence, etc., et ces rapports sont marqués par le choix du subordonnant. On peut par ailleurs exprimer ou nuancer un même rapport sémantique par l'emploi de subordonnants différents.

> **Lorsque** *nous sommes arrivés au sommet de la colline* , *l'orage a éclaté.*
>
> **Quand** *nous sommes arrivés au sommet de la colline* , *l'orage a éclaté.*
>
> **Comme** *nous arrivions au sommet de la colline* , *l'orage a éclaté.*

À l'inverse, un même subordonnant peut marquer des rapports sémantiques différents.

> *Les enfants se sont réveillés* **comme** *j'allais partir* . (Temps)
>
> **Comme** *la gardienne était malade* , *j'ai dû annuler mon rendez-vous.* (Cause)
>
> **Comme** *on fait son lit* , *on se couche.* (Comparaison)

Les subordonnées circonstancielles remplissant la fonction de complément de P peuvent souvent être remplacées par un GPrép ou un GPart, notamment lorsque le sujet de la subordonnée et celui du verbe principal représentent la même chose ou la même personne.

> *Quand* **j'aurai fait ma sieste** , **j'***irai me promener avec toi.*
>
> *Après avoir fait ma sieste* , *j'irai me promener avec toi.*
>
> *Après ma sieste* , *j'irai me promener avec toi.*
>
> *Comme* **il** *courait* , **il** *s'est foulé la cheville.*
>
> *En courant* , *il s'est foulé la cheville.*
>
> *Comme* **il** *s'absentait trop souvent* , **il** *a perdu son emploi.*
>
> *S'absentant trop souvent* , *il a perdu son emploi.*

Pour connaitre les différentes conjonctions de subordination et leur signification, voir le tableau « Conjonction de subordination » dans le *Multi*.

EXERCICE 3.3

Soulignez les subordonnées circonstancielles et précisez le rapport sémantique qu'elles expriment par rapport au GV principal.

EXEMPLE

Je vous invite à souper <u>parce que vous le méritez bien</u>. *cause*

1   <u>Lorsqu'il mourut</u>, tout le petit village prit le deuil.   *temps*

2 Le coq ne chante même pas <u>quand le jour se lève</u>. *temps*

3 <u>Avant qu'il nous raconte le roman</u>, il faudrait se renseigner sur l'auteur. *temps*

4 Elle m'a dit qu'on lui avait volé sa montre <u>sans qu'elle s'en rende compte</u>. *Manière*

5 Je le répète <u>afin que vous me compreniez bien</u>. *Raison but*

6 J'accepte, <u>bien que la proposition ne m'enchante guère</u>. *concession*

7 Je veux bien rester, <u>à condition que la réunion débute bientôt</u>. *concession*

8 Les deux fillettes, qui grelotaient <u>parce qu'elles avaient de la fièvre</u>, s'étaient serrées l'une contre l'autre. *Raison cause*

9 Elle n'est pas malhonnête, <u>puisqu'elle ne t'avait rien promis</u>. *justification*

10 <u>Comme j'étais grippée</u>, j'ai pris quelques jours de repos. *cause*

3.2.4 La subordonnée corrélative

La subordonnée corrélative est liée à un adverbe **modificateur** et est enchâssée dans un groupe de mots à l'aide du subordonnant *que*. Cette subordonnée est <u>toujours</u> placée à la fin du groupe de mots dont elle fait partie.

La subordonnée corrélative peut s'insérer dans les groupes de mots suivants :

- un GAdj

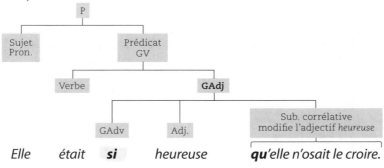

Elle était **si** heureuse *qu'elle n'osait le croire.*

- un GN

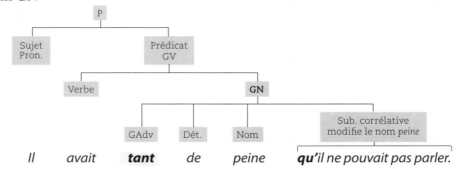

Il avait **tant** de peine *qu'il ne pouvait pas parler.*

- un GAdv

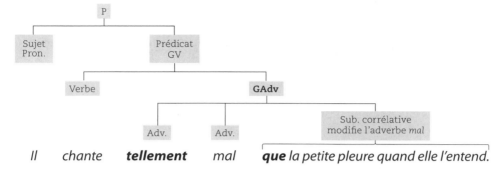

Il chante **tellement** *mal* **que** *la petite pleure quand elle l'entend.*

- un GV

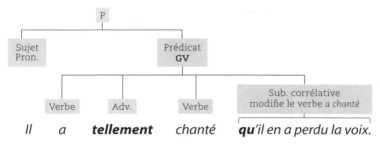

Il a **tellement** *chanté* **qu'***il en a perdu la voix.*

À NOTER

Dans les subordonnées corrélatives qui marquent la comparaison (avec les adverbes *plus, moins, autant, aussi*), les termes communs à la phrase enchâssante et à la phrase enchâssée sont souvent effacés.

Les éléments effacés peuvent être :

- le sujet et le prédicat

> *J'ai fait plus de confitures aux fraises que* ***j'ai fait*** *de confitures aux framboises.*
> *J'ai fait plus de confitures aux fraises que* Ø *de confitures aux framboises.*

- le prédicat

> *J'ai fait plus de confitures que Nicole* ***en a fait****.*
> *J'ai fait plus de confitures que Nicole* Ø .

Les corrélatives liées aux adverbes *assez* et *trop* sont introduites par le subordonnant *pour que* au lieu du subordonnant *que*, et le verbe de la subordonnée se met au subjonctif.

> *Pierre est* **trop** *indiscipliné* **pour qu'***on l'admette dans l'équipe* .

De plus, si le sujet de la subordonnée et celui du verbe principal désignent la même chose ou la même personne, on peut réduire la subordonnée à un GPrép contenant un GInf.

> *Pierre est* **trop** *indiscipliné* pour réussir ses études.

EXERCICE 3.4

Soulignez les adverbes corrélatifs et les subordonnées corrélatives qui leur sont liées dans les phrases suivantes et dites si les subordonnées font partie d'un GAdj, d'un GN, d'un GAdv ou d'un GV.

EXEMPLE

La pluie est arrivée <u>si</u> rapidement <u>que nous nous sommes fait complètement mouiller.</u>
GAdv

1. Il a <u>tellement</u> plu <u>que la piscine a débordé.</u>   *gV*

2. Il a <u>tant</u> de charme <u>que tout le monde l'adore.</u>   *g ~~dj~~ gn*

3. Il est <u>si</u> drôle <u>que tout le monde l'adore.</u>   *gAdj*

4. Luce a nagé <u>plus</u> longtemps <u>que Louis.</u>   *gAdv*

→ 5. Il parle <u>si</u> vite <u>que personne ne le comprend.</u>   *gAdv*

   vite adv qui modifie le verbe

6. Il est <u>trop</u> entêté <u>pour que je l'accepte dans mon équipe.</u>   *g adj*

7. Il a écrit <u>plus</u> de contes <u>que de nouvelles.</u>   *gN*

→ 8. Mon cerf-volant est monté <u>si</u> haut <u>que je l'ai perdu de vue.</u>   *g adv*

3.3 L'INSERTION

L'insertion consiste à insérer une phrase entre deux virgules dans une autre, appelée phrase enchâssante. Il y a deux types de phrases insérées : les **incises** et les **incidentes**.

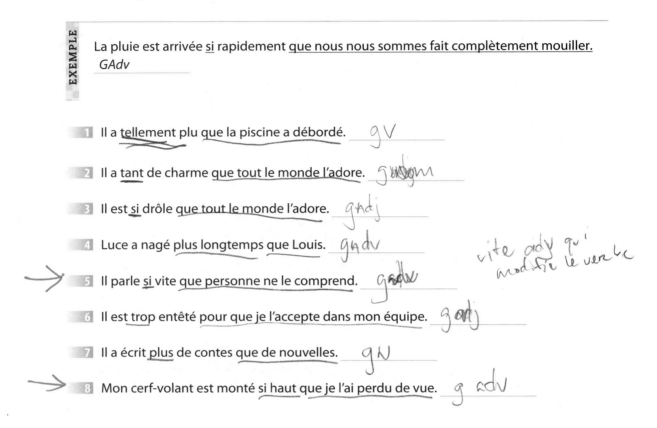

P₁ (phrase enchâssante)

P₂ (phrase insérée)

D'accord,   *dit-elle,*   *je reviens.*

3.3.1 La phrase incise

La phrase incise est insérée entre deux virgules dans une phrase enchâssante pour signaler un discours rapporté directement.

Lorsque la phrase incise est en fin de phrase, la deuxième virgule se confond avec le point. Quand la phrase incise est précédée d'un point d'exclamation ou d'interrogation, la première virgule se confond avec ce point.

Rapporté

> Très bien, s'empressa-t-elle d'ajouter, monsieur a raison.
> Très bien, monsieur a raison, s'empressa-t-elle d'ajouter.
> Très bien ! s'empressa-t-elle d'ajouter, monsieur a raison.

3.3.2 La phrase incidente

personnel

La phrase incidente est insérée à l'aide de virgules ou de tirets dans une phrase enchâssante pour signaler un commentaire du scripteur ou du locuteur à propos de ce qui est dit dans la phrase enchâssante.

> La richesse du territoire est attribuable, comme on s'en doute, au grand nombre de rivières poissonneuses.

EXERCICE 3.5

Soulignez les subordonnées contenues dans les phrases suivantes et indiquez leur type. Mettez les phrases incises entre parenthèses et les phrases incidentes entre crochets.

1. Je vous préviendrai quand il arrivera. *circonstancielle*

2. Est-ce que vous vous attendiez à ce qu'il arrive à l'heure ? *complétive*

3. Je serai là assurément (m'a-t-il pourtant dit.) *incise*

4. Pourtant, il m'a dit qu'il serait là. *complétive*

5. Bien qu'il ne soit pas là, il nous faut commencer. *circonstancielle*

6. Je ne sais pas si on peut commencer sans lui. *complétive*

7. En l'attendant, ceux qui le veulent peuvent faire une pause. *corrélative relative*

8   Le café a tellement refroidi qu'il est amer. _____ *Corrélative*

9   Ce café, que j'ai ramené du Brésil, n'est pas amer, il est âcre. _____ *Relative*

10   Il aura eu, [j'en ai bien peur,] un accident. _____

Chapitre 4

Problèmes de syntaxe

Il n'est pas toujours facile de détecter avec précision les erreurs de syntaxe et de les corriger. La syntaxe du français est en effet contraignante et rigide, il faut le reconnaitre, et c'est d'ailleurs pourquoi écrire est une tâche difficile, exigeant vigilance et souci du détail. Ces problèmes, ces hésitations viennent généralement du fait qu'à l'oral, dans la conversation courante, on privilégie les phrases simples, voire les « bouts de phrase » : *Combien ça coûte ?* ou *Tu prends quoi ?*

Un bon rédacteur doit également se soucier de varier la structure de ses phrases, notamment pour éviter la monotonie, ce qui suppose qu'il connait et maitrise les règles de la syntaxe.

Dans ce chapitre, nous allons passer en revue les différents points qui peuvent poser problème dans la rédaction de la phrase tout en révisant les principes de base qui régissent la construction des phrases et le maniement de certaines tournures syntaxiques d'emploi plus difficile. Nous présenterons les règles de façon aussi simple et claire que possible, en mettant l'accent sur la correction des erreurs les plus courantes.

4.1 LA PHRASE INTERROGATIVE

4.1.1 La structure de l'interrogative directe

Les procédés de construction de la phrase interrogative à l'écrit sont les suivants :

- l'emploi du point d'interrogation à la fin de la phrase
- l'emploi de la locution interrogative *est-ce que* (ou *qu'est-ce qui, qui est-ce qui, qu'est-ce que, qui est-ce que*)

    Est-ce que vous connaissez la date de naissance de Darwin ?

- le déplacement du pronom sujet à la droite du verbe

    *Connaissez-**vous** la date de naissance de Darwin ?*

◆ l'emploi d'un mot interrogatif

> ***Combien*** *vaut cette automobile ?*

Dans ce cas, le GN sujet peut toujours être repris par un pronom personnel.

> ***Combien*** *cette automobile vaut-**elle** ?*

La reprise est obligatoire avec le mot interrogatif *pourquoi* et lorsque le verbe a un complément direct.

> ***Pourquoi*** *les étudiants doivent-**ils** payer leur passage d'autobus ?*
>
> ***Combien*** *les étudiants paient-**ils** <u>leur passage d'autobus</u> ?*

4.1.2 Erreurs de construction dans l'interrogative directe

La double interrogation

Il faut faire attention de ne pas doubler les constructions interrogatives. Une suffit !

* ***Est-ce que*** *ton ami **est-il** venu ?*	*Ton ami **est-il** venu ?* ***Est-ce que*** *ton ami est venu ?*

L'emploi erroné de *que*

On prendra garde également de ne pas ajouter un *que* inutile après des mots interrogatifs tels que *comment, combien, où, quand, qui*, etc.

* ***Combien que*** *ça coute ?*	***Combien est-ce que*** *ça coute ?* ***Combien*** *ça coute ?* ***Combien*** *cela coute-**t-il** ?*
* ***Comment que*** *l'appareil fonctionne ?*	***Comment*** *l'appareil fonctionne-**t-il** ?* ***Comment est-ce que*** *l'appareil fonctionne ?*

 Voir le tableau « Que, pronom » dans le *Multi*.

Emploi erroné de la subordonnée interrogative après une préposition

On n'emploie pas de subordonnée interrogative après une préposition. On pourra remplacer le mot interrogatif par un GN.

| *Ne t'inquiète pas **de** comment ça se passera. | Ne t'inquiète pas **de** la façon (la manière) dont ça se passera. |
| *On l'a interrogé **sur** pourquoi il n'avait rien dit. | On l'a interrogé **sur** les raisons (les causes, les motifs) de son silence. |

On pourra aussi réécrire la phrase de façon à faire disparaitre la préposition.

> *On lui a demandé pourquoi il n'avait rien dit.*

4.1.3 La structure de l'interrogation indirecte

Dans l'**interrogation directe**, on rapporte intégralement les termes d'une question.

> *Quelle est la date de notre prochaine réunion ?*

On parle d'**interrogation indirecte** lorsque l'interrogation est contenue dans une phrase subordonnée complément d'un verbe comme *se demander, savoir,* etc.

> *Je **me demande** quelle est la date de notre prochaine réunion.*
>
> *Je veux **savoir** quelle est la date de notre prochaine réunion.*

On ne met pas de point d'interrogation à la fin d'une interrogation indirecte, à moins que la phrase enchâssante ne soit de type interrogatif.

> ***Savez-vous** quelle est la date de notre prochaine réunion **?***

4.1.4 Erreurs de construction dans l'interrogation indirecte

Emploi erroné des locutions interrogatives dans l'interrogation indirecte

Les locutions *est-ce que, qui est-ce qui/que* et *qu'est-ce qui/que* s'emploient dans l'interrogation directe, mais pas dans l'interrogation indirecte.

| *Je lui ai demandé **qu'est-ce qu'**il voulait. | Je lui ai demandé **ce qu'**il voulait. |
| *Gaëlle se demande **est-ce que** vous viendrez souper ? | Gaëlle se demande **si** vous viendrez souper. |

Ajout erroné d'un pronom qui reprend le sujet

La reprise du GN sujet par le pronom *il/elle* et l'emploi du point d'interrogation sont tous deux des caractéristiques de l'interrogation directe, mais pas de l'interrogation indirecte.

| *Il faut d'abord chercher à savoir où ce phénomène **prend-il** naissance **?** | Il faut d'abord chercher à savoir où ce phénomène **prend** naissance. |

EXERCICE 4.1

Vérifiez si les phrases interrogatives suivantes sont bien ponctuées et bien construites, et faites les corrections nécessaires.

1. Pourquoi la réaction du public devant la nudité au cinéma n'est pas la même qu'au théâtre ?

2. Comment est-ce qu'une banale déception amoureuse peut mener des adolescents au suicide ?

3. Les chercheurs se demandent depuis belle lurette comment le corps régule la circulation du sang dans les tissus.

4. Commençons par nous demander est-ce vrai que le français se dégrade au Québec ?

5. À chaque rentrée scolaire, des étudiants se demandent comment réussiront-ils à s'intégrer au groupe.

6. Vous rendez-vous compte du nombre d'étudiants qui souffrent d'anxiété ?

7. Pourquoi qu'une partie des étudiants ne se donnent-ils pas la peine d'apprendre une langue seconde ?

8. Il faudrait d'abord connaitre les conditions de travail des infirmières et savoir pourquoi se plaignent-elles ?

9. Pourquoi la plupart des femmes ne le croient-elles pas quand on leur dit qu'elles font de l'ostéoporose ?

10. Des directeurs d'élection européens se sont informés sur comment on peut utiliser efficacement les « machines à voter ».

4.2 LA PHRASE NÉGATIVE

4.2.1 La structure de la phrase négative

Une phrase négative est une phrase où l'on nie une affirmation. La construction de la phrase négative peut être source d'erreurs, le plus souvent dues à l'influence de l'oral. Les erreurs les plus fréquentes sont l'omission ou la présence indue d'une particule négative.

Les marqueurs de négation (et de restriction) comportent habituellement deux termes : *ne* et un élément négatif ou restrictif (*ne... pas, ne... plus, ne... personne, aucun... ne, ne... que*, etc.).

> Il **ne** faut **pas** lui en vouloir.
>
> Les autorités **n'**ont encore **rien** démenti à ce propos.
>
> Je **ne** prendrai **qu'**une soupe.

4.2.2 Erreurs de construction dans la phrase négative

Omission d'une particule négative

Si l'omission de *ne* est naturelle à l'oral, elle constitue une faute de syntaxe à l'écrit.

Bien qu'un ouragan pourra **jamais être qualifié de normal, la population d'Haïti s'y est habituée.*	*Bien qu'un ouragan **ne** pourra **jamais** être qualifié de normal, la population d'Haïti s'y est habituée.*
Il me reste **que deux ou trois dollars.*	*Il **ne** me reste **que** deux ou trois dollars.*

L'omission de *ne* à l'écrit est très fréquente entre le pronom *on* et un verbe commençant par une voyelle parce qu'on ne l'entend pas à l'oral.

On exclut **aucunement les non-membres.*	*On **n'**exclut **aucunement** les non-membres.*

Présence indue d'une particule négative ou de la négation

Il ne faut pas ajouter la particule négative *pas* aux expressions ayant déjà un sens négatif (*ne... personne, ne... aucun, ne... jamais*, etc.).

Le témoin **n'a pas reconnu **personne**.*	*Le témoin **n'a** reconnu **personne**.*

Il faut éviter les pléonasmes *ne... que seulement* ou *ne... que simplement*.

Le témoin **n'a aperçu **qu'**une femme **seulement**.*	*Le témoin **n'a** aperçu **qu'**une femme.*
	*Le témoin a aperçu **seulement** une femme.*

Cependant, les formes *ne pas* + *que* ou *ne pas* + *seulement* sont correctes lorsque *ne pas* nie *que* ou *seulement*.

> L'hypersexualisation **ne** se limite **pas qu'**à l'apparence physique des jeunes filles.

> L'hypersexualisation **ne** se limite **pas seulement** à l'apparence physique des jeunes filles.

EXERCICE 4.2

Corrigez les phrases suivantes, qui contiennent toutes une erreur liée à la négation.

1 La tuerie de l'École polytechnique est une tragédie que l'on oubliera jamais.

_____

2 Dans les faits, il n'y a pas rien qui permet aux autorités de décider ce qui est bien ou ce qui est mal pour un individu.

_____

3 Le Québec ferait preuve d'audace en imposant aucune limite de vitesse sur les autoroutes comme dans certains pays d'Europe.

_____

4 Cet organisme est coupable de pas en faire autant que ses moyens le lui permettraient.

_____

5 Notre parti occupe 50 sièges à la Chambre des communes, alors que le parti de nos adversaires en occupe qu'un seul.

_____

6 Qui dit baisse de production dit perte d'emplois. On a qu'à penser au secteur des véhicules récréatifs pour en obtenir la preuve.

_____

7 Même si ma profession me demande de rester calme dans de telles situations, cette fois-là, je n'en ai été tout simplement incapable.

_____

8 Le patron qui plait à aucun de ses employés devrait revoir sa façon de gérer son entreprise.

9 Il s'est tellement fait flouer dans sa vie que maintenant il ne croit pas personne.

10 Le chat, auquel on associe souvent que malheurs et maléfices, a été, au xxe siècle, un symbole de poésie et d'indépendance.

À NOTER

Emploi de *ni*

On peut utiliser *ni* pour relier des termes coordonnés sur lesquels porte une négation. Il y a deux façons de le faire :

> Ils **n'ont pas** de chat **ni** de chien.

ou

> Ils **n'ont ni** chat **ni** chien.

Il faut noter que quand *ni* est répété, *pas* est exclu. On n'écrira donc pas :

> * *Ils* **n'ont pas ni** *chat* **ni** *chien.*

Ne employé seul

Ne peut s'utiliser **seul** dans certaines circonstances. Il s'agit d'un usage **soutenu** dont voici les principaux cas :

* avant les verbes *pouvoir, savoir, oser, cesser*

> Je **n'ose** le dire. (ou, en langue courante : Je **n'ose pas** le dire.)

> **Remarque :** L'omission de *pas* est **obligatoire** après *savoir que* suivi de l'infinitif.
> Elle **ne** sait que faire pour nous aider.

* dans une subordonnée relative insérée dans une phrase enchâssante négative

> Je **n'ai rien** dit qui **ne** soit vrai.

* après *depuis que, voilà... que, il y a... que*

> Il a beaucoup changé depuis que je **ne** l'ai vu.

> (Usage courant : Il a beaucoup changé depuis que je l'ai vu.
> ou Il a beaucoup changé depuis que je **ne** l'ai **pas** vu.)

> *Il y a bien cinq ans que je **ne** lui avais parlé.*
>
> (Usage courant : *Il y a bien cinq ans que je lui avais parlé.*
> ou *Il y a bien cinq ans que je **ne** lui avais **pas** parlé.*)

- dans certaines expressions plus ou moins figées telles que *ne dire mot, n'avoir de cesse de, n'en déplaise à,* etc.

> *Pierre **ne dit mot** : serait-il d'accord avec nous ?*

Un mot sur le *ne* explétif

L'appellation *explétif* signifie que l'adverbe *ne* n'est pas essentiel au sens de la phrase ; il n'y ajoute rien. C'est pourquoi son emploi est facultatif. Il ne faut pas confondre le *ne* explétif et le *ne pas* qui exprime la négation, car ils s'opposent. Le *ne* explétif est couramment utilisé (mais sans être obligatoire) dans les subordonnées comparatives d'inégalité.

> *Ce travail est plus difficile que je **ne** le pensais.*
>
> *Il est moins malade qu'il **ne** le parait.*

Le *ne* explétif peut également s'utiliser avec des verbes au subjonctif précédés de certains subordonnants tels *avant que, de peur que, de crainte que.*

> *Téléphonez-lui avant qu'il **ne** soit trop tard !*

Le *ne* explétif est aussi d'emploi courant, mais toujours facultatif, après certains verbes employés à la forme affirmative et suivis d'un subjonctif.

> *Je crains qu'il **ne** soit déjà parti.*

4.3 LE PRONOM RELATIF

4.3.1 Les rôles du pronom relatif

Le pronom relatif joue deux rôles dans la phrase : c'est un **pronom de reprise** et un **subordonnant**.

Comme tout **pronom de reprise**, le pronom relatif a un référent dans la phrase, qui peut être une chose, une personne, une idée ou une situation. Dans certains cas, le pronom relatif a les mêmes marques grammaticales de genre, de nombre et de personne que son antécédent (référent).

> *J'ai mangé une <u>banane</u> **qui** m'est restée sur l'estomac.*
>
> *J'ai mangé une <u>banane</u>, **laquelle** m'est restée sur l'estomac.*
>
> *J'ai mangé deux <u>bananes</u>, **lesquelles** me sont restées sur l'estomac.*

Comme **subordonnant**, le pronom relatif permet d'introduire une subordonnée relative complément du nom ou du pronom qu'il représente.

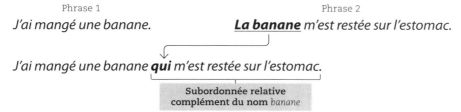

Phrase 1
J'ai mangé une banane.

Phrase 2
__La banane__ m'est restée sur l'estomac.

*J'ai mangé une banane **qui** m'est restée sur l'estomac.*

**Subordonnée relative
complément du nom** *banane*

4.3.2 Le choix du pronom relatif

Le choix du pronom relatif dépend de deux critères : sa fonction syntaxique et le type de son antécédent (animé ou inanimé).

Fonction du pronom relatif (ou du GPrép contenant le pronom relatif)	Formes du pronom relatif		Exemples
	Antécédent animé	**Antécédent inanimé**	
Sujet	qui	qui	*Choisissez un partenaire **qui** a la même force que vous.* *Prends celui **qui** te plaît le plus parmi ces chapeaux.*
	lequel	lequel	*Il a invité Louise, **laquelle** ne s'est pas fait prier.* *Il a fait tomber le vase, **lequel** a volé en éclats.*
CD	que	que	*J'ai rencontré des personnes **que** je connais depuis plusieurs années.* *J'ai choisi le roman **que** tu m'as conseillé.*
CI	dont	dont	*Le chat **dont** elle s'occupe est malade.* *Le film **dont** je t'ai parlé n'est plus à l'affiche.*
	qui	quoi	*Je vais te dire à **qui** j'ai pensé.* *Je vais te dire à **quoi** j'ai pensé.*
	lequel (et dérivés)	lequel (et dérivés)	*C'est une personne pour **laquelle** j'ai beaucoup d'estime.* *C'est un problème **auquel** je ne trouve pas de solution.*
		où	*Le village **où** j'ai grandi est devenu une grande banlieue.*
Compl. du nom	dont	dont	*J'ai confié ce travail à des personnes **dont** je connais les compétences.* *C'est un tableau **dont** je n'aime pas les couleurs.*
Compl. de l'adjectif	dont	dont	*Voilà une étudiante **dont** je suis fière.* *C'est un projet **dont** je suis responsable.*
CP		où	*Il pleuvait le jour **où** j'ai fait la traversée du lac.*
	lequel (et dérivés)	lequel (et dérivés)	*J'ai assisté à des réunions pendant **lesquelles** des téléphones cellulaires sonnaient constamment.* *Je tiens à remercier mes parents, grâce **auxquels** j'ai persévéré.*
Attribut	que	que	*Chanceux **que** vous êtes, les enfants !*

EXERCICE 4.3

Faites une seule phrase à partir des deux phrases en en transformant une des deux en subordonnée relative. Puis refaites le même exercice en transformant l'autre phrase en subordonnée relative.

EXEMPLE

La maison est à vendre depuis six mois. Je te parle de la maison.

Étape 1

Repérer l'élément commun aux deux phrases.

Phrase 1 : **La maison** est à vendre depuis six mois.

Phrase 2 : Je te parle **de la maison**.

Étape 2

Dans chaque phrase, déterminer la fonction de l'élément commun.

Phrase 1 : La maison = sujet

Phrase 2 : de la maison = CI

Réponse :

*Je te parle de la maison **qui est à vendre** depuis six mois.*

*La maison **dont je te parle** est à vendre depuis six mois.*

1 Mes enfants fréquentent une garderie. La garderie devra fermer ses portes.

_____

_____

2 Le tabouret aurait besoin d'être repeint. Tu es assis sur le tabouret.

_____

_____

3 La ville est réputée pour son dynamisme culturel. Il vient d'une ville.

_____

_____

4 J'ai aménagé une rocaille. La rocaille plaira aux amateurs d'horticulture.

_____

_____

5　J'ai acheté des légumes. Tu es friand de ces légumes.

_____

_____

EXERCICE 4.4

Complétez les phrases suivantes en ajoutant le pronom relatif qui convient et, le cas échéant, la préposition qui doit le précéder.

1　La situation _____ nous devons faire face n'est pas simple.

2　La personne à côté de _____ tu es assis est la présidente du syndicat.

3　Malheureux _____ vous êtes ! Cessez de martyriser ce chat.

4　Ce _____ les Québécois doivent prendre conscience, c'est qu'ils détiennent, après les Américains, le record peu glorieux de plus grands consommateurs d'énergie sur la planète.

5　Le projet _____ on a réservé le meilleur accueil est celui des étudiants en informatique.

6　L'article raconte comment les hommes du XIXᵉ siècle imaginaient le XXᵉ siècle :

ce qu'ils avaient prévu et ce _____ nous avons échappé.

7　La commission, au terme de _____ aucune conclusion n'a été tirée, a couté des millions de dollars aux contribuables.

8　Il y a des conducteurs _____ il faut se méfier et _____ on a intérêt à éviter.

9　L'expression chinoise « Creuser un puits au moment _____ on a soif » pourrait bien s'appliquer à notre gouvernement.

10　C'est un très beau quartier au cœur _____ un immense parc fait le bonheur des familles.

4.3.3 Erreurs fréquentes dans l'emploi du pronom relatif

Ajout de *qu'est-ce* à un pronom relatif

Une erreur fréquente consiste à employer la forme interrogative *qu'est-ce* plutôt que le pronom *ce* comme antécédent du pronom relatif *que*.

*Nous aimerions savoir **qu'est-ce** qu'il adviendra de notre ancien équipement.*	*Nous aimerions savoir **ce** qu'il adviendra de notre ancien équipement.*

Redondance *dont* + *de*

Le pronom relatif *dont* remplace toujours un complément introduit par la préposition *de* dans la phrase de base. Il peut s'agir d'un **CI**, d'un **complément du nom** ou d'un **complément de l'adjectif**.

*Ils ont trouvé la maison **dont** ils rêvaient.*

CI de *rêvaient*

*Ils rêvaient **de cette maison**.*

*Nous utilisons plusieurs manuels scolaires **dont** les auteurs sont des femmes.*

Compl. du nom *auteurs*

*Les auteurs **de plusieurs manuels scolaires** sont des femmes.*

*Les patients **dont** il était responsable sont très satisfaits de ses services.*

Compl. de l'adjectif *responsable*

*Il était responsable **des** (de + les) **patients**.*

C'est dans les phrases emphatiques *c'est... que, c'est... qui, c'est... dont*, qu'on risque le plus de répéter la préposition *de* déjà contenue dans le pronom relatif (créant ainsi une redondance).

*Ce n'est pas **de** Mathis **dont** je me plains.*

Comme on l'a vu précédemment, le pronom relatif *dont* contient déjà la préposition *de*. Il y a deux façons d'éviter la redondance *dont* + *de*.

- On peut retirer la préposition redondante *de*.

  Ce n'est pas Mathis dont je me plains.

- On peut remplacer le pronom relatif *dont* par le pronom relatif *que*.

  *Ce n'est pas de Mathis **que** je me plains.*

Double renvoi à l'antécédent

Comme le pronom relatif a déjà un antécédent, il faut éviter d'ajouter un terme qui y renvoie aussi, comme un déterminant possessif ou les pronoms personnels *en* et *y*.

Ce chat **dont vous admirez **sa** couleur est un persan.*	*Ce chat **dont** vous admirez **la** couleur est un persan.*
(Dans cette phrase, *dont* et *sa* renvoient tous les deux à l'antécédent *chat*.)	
Il s'agit d'ateliers **auxquels tout le monde pourra **y** participer.*	*Il s'agit d'ateliers **auxquels** tout le monde pourra participer.*
(Les pronoms *auxquels* et *y* renvoient tous deux à l'antécédent *ateliers*.)	

Concurrence *dont/duquel*

Comparons les deux exemples suivants :

Exemple 1

*Phrase 1 : C'est un <u>appareil</u> **dont** je connais le fonctionnement.*

GN (CD)

Phrase 2 : Je connais le fonctionnement <u>de l'appareil</u>.

Exemple 2

*Phrase 3 : C'est un <u>appareil</u> au fonctionnement **duquel** je m'intéresse.*

GPrép (CI)

Phrase 4 : Je m'intéresse au fonctionnement <u>de l'appareil</u>.

Dans les deux cas, le pronom relatif a pour <u>antécédent</u> le nom *appareil*, et est complément du nom *fonctionnement*.

La différence du point de vue syntaxique entre les deux exemples est que dans la phrase 2 le GPrép contenant l'antécédent *appareil* est complément d'un nom noyau d'un GN dont la fonction est CD (*Je connais **quoi** ? le fonctionnement de l'appareil*), alors que dans la phrase 4 le GPrép contenant l'antécédent *appareil* est complément d'un nom noyau d'un GN qui est inclus dans un GPrép ayant la fonction CI (*Je m'intéresse **à quoi** ? au fonctionnement de l'appareil*).

Dans ce cas, on doit employer le pronom *duquel* plutôt que *dont* (ou un de ses dérivés), ou le pronom *qui* (précédé d'une préposition) lorsque l'antécédent est une personne, puis déplacer le GPrép à côté de l'<u>antécédent</u>.

C'est un <u>appareil</u> **dont je m'intéresse au fonctionnement.*	*C'est un <u>appareil</u> au fonctionnement **duquel** je m'intéresse.*
C'est une <u>élève</u> **dont je m'intéresse au comportement.*	*C'est une <u>élève</u> au comportement **de qui** je m'intéresse.*

EXERCICE 4.5

Relevez les erreurs dans les phrases suivantes, toutes incorrectes, et réécrivez les passages à corriger.

1. C'est une pièce un peu ironique où la plupart des spectateurs pourront s'y reconnaître.

   _____

2. Dans l'état qu'il est, il faut mieux remettre sa soirée d'anniversaire.

   _____

3. C'est de cet enjeu dont il faut débattre.

   _____

4. Si on veut mieux les servir, il est indispensable de savoir ce que les clients veulent et ce qu'ils ont besoin.

   _____

5. La Route des vins permet de découvrir 14 vignobles où est-ce qu'on pourra déguster les meilleurs vins du Québec.

   _____

6. Beaucoup de consommateurs recherchent des ordinateurs dont toute la famille pourra s'en servir.

   _____

7. C'est un homme irrésistible dont il est facile de succomber au charme.

   _____

8. C'est surtout des problèmes de communication dont je traiterai dans cet article.

   _____

9. Les deux femmes, dont on ne craint pas pour la vie, ont été conduites à l'urgence.

   _____

10. Les joueurs de cette nouvelle équipe savent à qui est-ce qu'ils ont affaire.

    _____

11 Il ne faut pas jeter la pierre aux joueurs dont leurs efforts n'ont pas suffi à gagner.

12 Le poulet à la cannette de bière est une mode dont on s'en fatiguera vite.

13 C'est justement de cet article dont j'ai obtenu copie.

14 Nous avons organisé des activités dont nous sommes fiers de présenter à la population ce soir.

15 Le géomètre-expert est un professionnel dont les autres professionnels du domaine de l'aménagement urbain ont souvent recours aux services.

4.4 L'EMPLOI DE LA PRÉPOSITION

4.4.1 Qu'est-ce qu'une préposition ?

La préposition, noyau du GPrép, introduit un complément à un mot ou à un groupe de mots. Les deux éléments ainsi reliés ne sont pas du même niveau syntaxique.

Comparons les exemples suivants :

> Exemple 1
>
> *J'ai rencontré Stella **et** Léon.*

Les GN *Stella* et *Léon* sont reliés par une **conjonction de coordination** et sont tous deux CD du verbe *ai rencontré*.

> Exemple 2
>
> *Stella a emprunté la voiture **de** Léon.*

Le GN *Léon*, introduit par la **préposition** *de*, est inclus dans un GPrép complément du nom *voiture*. Les deux GN ne sont pas du même niveau puisque l'un dépend de l'autre.

La préposition sert à introduire les compléments du nom, les compléments indirects (CI), les compléments de phrase et les compléments de l'adjectif.

CP   Compl. du nom

***Pendant** longtemps, seule la pêche **à** la mouche était permise ici.*

CI

*Prépare-toi **à** affronter les obstacles.*

Compl. de l'adj.

*François est fier **de** son lancer.*

Lorsque la préposition est formée de plusieurs mots, on l'appelle **locution prépositive**.

*Il s'est fait mieux connaitre **lors du** Congrès de l'ACFAS.*

44.2 Erreurs fréquentes dans l'emploi des prépositions

Omission de la préposition

Il est obligatoire de répéter une préposition dans les cas suivants:

- Lorsque les compléments sont introduits par les prépositions *à*, *de* et *en*.

Il est urgent de proposer des moyens **d'éliminer ou, du moins, réduire les actes de violence à l'école.*	*Il est urgent de proposer des moyens **d'**éliminer ou, du moins, **de** réduire les actes de violence à l'école.*
De nos jours, les gens préfèrent emprunter **à des institutions financières ou des agences de crédit avant d'avoir recours à leurs proches.*	*De nos jours, les gens préfèrent emprunter **à** des institutions financières ou **à** des agences de crédit avant d'avoir recours à leurs proches.*
Pour protester contre la longueur des négociations, les employés ont décidé de se présenter au travail **en pyjama et pantoufles.*	*Pour protester contre la longueur des négociations, les employés ont décidé de se présenter au travail **en** pyjama et **en** pantoufles.*

À NOTER

Lorsque les compléments sont introduits par une locution prépositive terminée par *de* ou *à* (par exemple *afin de*), on répète seulement *de* ou *à* (*du, des, au, aux,* s'il y a contraction de la préposition et de l'article).

*Les épreuves de ce matin ont été annulées **afin de** permettre aux athlètes de se reposer et **de** visiter le village.*

***Quant aux** (= à + les) élèves de la maternelle et **aux** élèves de première, ils pourront s'inscrire à des activités pendant la semaine de relâche.*

● Dans une comparaison, après la conjonction *que*.

Il aime s'habiller chic **autant dans sa vie quotidienne **que** ses sorties publiques.*	*Il aime s'habiller chic **autant dans** sa vie quotidienne **que dans** ses sorties publiques.*
Tu te souviens **plus de ses défauts **que** ses qualités.*	*Tu te souviens **plus de** ses défauts **que de** ses qualités.*

À NOTER

Sauf dans le cas de la répétition de la préposition, l'erreur qui consiste à oublier une préposition est plutôt rare et elle relève le plus souvent de la méconnaissance de la construction du verbe et de ses compléments.

Par exemple, la construction du verbe *échouer* exige l'emploi de la préposition *à*.

*Je crains d'échouer cet examen.	*Je crains d'échouer **à** cet examen.*

Ce point est traité plus en détail un peu plus loin dans ce chapitre. La consultation du dictionnaire est le seul moyen de corriger ces emplois fautifs.

Présence indue de la préposition

Le cas le plus fréquent de la présence indue de la préposition est l'ajout de la préposition *de* devant un infinitif ou une construction infinitive.

Il n'est pas rare, dans ce pays, de voir des enfants guerriers **de faire le guet, mitraillette à l'épaule.*	*Il n'est pas rare, dans ce pays, de voir des enfants guerriers **faire** le guet, mitraillette à l'épaule.*
Les parents sont censés **de s'assurer que leurs enfants ne partent pas pour l'école sans avoir déjeuné.*	*Les parents sont censés **s'assurer** que leurs enfants ne partent pas pour l'école sans avoir déjeuné.*

Cas particuliers

● La préposition *de* est superflue dans la locution verbale *avoir besoin* et devant *d'autres*.

Même si les entreprises **ont de besoin de sang neuf, elles **ont** aussi **de besoin** de l'expertise des bébé-boumeurs.*	*Même si les entreprises **ont besoin** de sang neuf, elles **ont** aussi **besoin** de l'expertise des bébé-boumeurs.*
Nous avons tenu compte dans nos conclusions des recommandations **de d'autres spécialistes du milieu.*	*Nous avons tenu compte dans nos conclusions des recommandations **d'autres** spécialistes du milieu.*

- La préposition *pour* après des verbes comme *regarder, attendre, chercher, dépenser,* constitue un anglicisme de syntaxe.

*Nous avons **cherché pour** différentes solutions.*	*Nous avons **cherché** différentes solutions.*

- L'ajout de la préposition *à* devant les expressions *chaque fois, tous les jours,* etc., lorsqu'elles expriment la périodicité.

*Des accidents de motoneige surviennent **à** tous les hivers.*	*Des accidents de motoneige surviennent **tous les hivers**.*
***À** chaque mercredi soir, vous êtes invitée à participer aux réunions du Cercle des fermières.*	***Chaque** mercredi soir, vous êtes invitée à participer aux réunions du Cercle des fermières.*

- Le verbe *pallier* se construit avec un CD et non pas avec un CI même si l'expression *pallier à* cherche à s'introduire dans l'usage.

*Nous cherchons des solutions pour pallier **au** (à + le) manque de médecins de famille.*	*Nous cherchons des solutions pour **pallier le** manque de médecins de famille.*

À NOTER

La présence indue d'une préposition peut se répercuter sur l'emploi du pronom. Par exemple, les pronoms *leur* et *lui*, qui sont toujours CI, indiquent que le verbe est construit avec une préposition :

*Je **lui** remets ton message.* (On remet un message **à** quelqu'un.)

** Arriver toujours en retard ne **lui** gêne pas du tout.*

L'emploi de *lui* signale que le locuteur construit erronément le verbe *gêner* avec la préposition *à* (On ne gêne pas **à** quelqu'un). Le verbe *gêner* se construit avec un CD, d'où l'emploi du pronom *le* :

*Arriver toujours en retard ne **le** gêne pas du tout.*

EXERCICE 4.6

Corrigez les phrases suivantes, toutes incorrectes.

1 La publicité crée des besoins superflus, comme d'avoir le dernier modèle de téléphone cellulaire ou son poêle BBQ de restauration.

2   Je me sentais prête à quitter les bancs de l'école et relever les défis qu'un poste administratif m'offrait.

3   Aujourd'hui, l'information est essentielle pour faire des études supérieures et accéder un emploi intéressant.

4   Avec l'apparition des outils d'aide à la correction, les jeunes d'aujourd'hui n'ont pas de besoin de se casser la tête pour réviser leurs textes et comprendre leurs erreurs.

5   Avec un accès si facile à l'information, on serait censés d'être capables de mieux comprendre ce qui se passe dans le monde.

6   Aux yeux des étudiants venant de d'autres cultures et ayant des rites de passage différents, nos initiations paraissent souvent superficielles.

7   Comme à chaque fois qu'il se passe une tragédie, les gens se sont montrés généreux.

8   Aujourd'hui, d'obtenir un diplôme est primordial pour faire une carrière ou un métier intéressants.

9   Plus les années avancent, plus de femmes ont recours à la chirurgie esthétique.

10 Même s'ils satisfaisaient les exigences du poste, des immigrants n'ont pas été convoqués à l'entrevue.

11 Les dirigeants de plusieurs pays se sont rencontrés afin d'étudier la situation et trouver des solutions communes.

12 Le psychologue doit bien encadrer son patient et de voir à quel moment celui-ci est prêt à être autonome.

13 Il ne faut pas confondre entre la personne qui est seulement apte à travailler et celle qui veut travailler.

14 Certains ne peuvent s'imaginer d'arrêter de travailler avant l'âge de 65 ans.

15 Pour contrer la crise, les travailleurs songent sérieusement à changer, retarder ou même annuler leurs projets.

L'emploi des prépositions *à* et *de*

Les principales erreurs dans l'emploi des prépositions *à* et *de* sont les suivantes :

- l'emploi des prépositions *à* et *de* l'une à la place de l'autre

*La direction a hésité **de** transmettre le rapport annuel aux employés.*	*La direction a hésité **à** transmettre le rapport annuel aux employés.*
*Selon le sondage, le grand public a l'air **à** apprécier la formule des cours donnés dans Internet.*	*Selon le sondage, le grand public a l'air **d'**apprécier la formule des cours donnés dans Internet.*

Lorsqu'on hésite sur le choix de la préposition, il faut consulter le dictionnaire. Ainsi, à l'article *hésiter*, on voit que l'*on hésite **à** faire quelque chose*, et à l'article *air*, que la locution verbale *avoir l'air* demande la préposition ***de***.

- l'emploi d'autres prépositions à la place des prépositions *à* et *de*

*Cette étude consiste à distinguer les crocodiles **par rapport aux** alligators.*	*Cette étude consiste à distinguer les crocodiles **des** alligators.* (On distingue qqch **de** qqch.)
*Il ne suffit pas de conscientiser les jeunes **sur** les problèmes qu'entrainent les comportements violents.*	*Il ne suffit pas de conscientiser les jeunes **aux** problèmes qu'entrainent les comportements violents.* (On conscientise qqn **à** qqch.)
*Pour devenir végétarien, il ne suffit pas de substituer les végétaux **avec** les protéines animales.*	*Pour devenir végétarien, il ne suffit pas de substituer les végétaux **aux** protéines animales.* (On substitue qqch **à** qqch.)

Encore ici, si l'on hésite, il faut recourir au dictionnaire, dans lequel on trouvera des renseignements concernant la construction des verbes qui posent des difficultés et des exemples illustrant l'emploi correct des prépositions.

EXERCICE 4.7

Corrigez les phrases suivantes, toutes incorrectes, en employant la préposition qui convient. Aidez-vous du mot-clé en caractères gras et consultez le dictionnaire pour trouver la bonne réponse.

1. La vitesse à laquelle se déroule l'information dans la **télévision** fait en sorte que les nouvelles ne sont ni commentées ni analysées.

2. De nombreuses femmes, et de plus en plus d'hommes, **s'attendent** de voir leur corps **correspondre** avec celui de vedettes américaines.

3. Il **rêvait** à devenir médaillé d'or en natation.

4 Je me suis donc **inscrit** dans plusieurs programmes sans les mener à terme.

5 Je ne dis pas que ces séances d'initiation ne sont pas **utiles** pour quelques-uns.

6 Mes études collégiales m'ont **permis** à renforcer mon sens de l'observation et mon sens du raisonnement.

7 La sauvegarde du français exige une **sensibilisation** constante auprès des citoyens.

8 Il a fallu une loi pour **obliger** les nouveaux arrivants de s'instruire en français.

9 Ah! si je pouvais **remonter** en 1994, l'année où j'ai abandonné mes études.

10 Quand j'étais étudiante de l'**école** secondaire, mes professeurs m'**ont initiée** sur la recherche.

11 Cette réaction en chaine touchera les contribuables sous plusieurs **niveaux**.

12 Cela **s'applique** aussi dans le domaine de l'informatique et des télécommunications.

13 La chirurgie esthétique encourage la tendance qui est de **préférer** ce qui est artificiel du naturel.

14 La chirurgie est utile dans le cas de gens qui ont été **brulés** jusqu'aux deuxième et troisième degrés.

15 Les progrès constants de la chirurgie esthétique **incitent** les femmes d'y avoir recours pour un rien.

16 Ces dernières années, on a tendance à s'en remettre beaucoup au système législatif pour **se soustraire** de nos responsabilités.

17 Contrairement à leurs parents, la plupart des jeunes **s'efforcent** à préserver leur environnement.

18 Il m'apparait ridicule de **s'opposer** contre ceux qui veulent faire avancer les choses.

19 La plupart des patients qui ont été hospitalisés sont en **accord** pour dire qu'ils ont été soignés avec humanité et efficacité.

20 Une expertise nous permettra de **décider** sur les moyens à prendre pour corriger la situation.

21 Nous croyons qu'il avait été **infidèle** envers sa femme.

_____

_____

22 L'**aspect** négatif à un tel film est qu'il peut décourager les adolescents de se prendre en main.

_____

_____

23 Le projet de loi, dans la réalité, n'offre aucun **soutien** pour l'industrie forestière.

_____

_____

24 Puisque nous sommes dans l'**ère** de l'information, aussi bien en profiter et tenter de comprendre ce qui nous entoure.

_____

_____

25 La protection de la propriété intellectuelle est **indispensable** pour les entreprises qui embauchent des chercheurs.

_____

_____

Les autres prépositions

Pour utiliser correctement les prépositions, il faut d'abord être attentif à leur sens et s'assurer que leur emploi ne crée pas d'incompatibilité sémantique. La plupart des prépositions varient de sens selon les mots ou les groupes de mots avec lesquels elles sont combinées. Le choix de la préposition tient donc au sens de cette dernière et à celui du complément qu'elle introduit. En cas de doute, il faut recourir (encore et toujours!) au dictionnaire.

*_À travers_ ce rapport, vous constaterez les efforts qui ont été consentis dans la modernisation des équipements.	_**Dans**_ ce rapport, vous constaterez les efforts qui ont été consentis dans la modernisation des équipements.
*_Ils seront donc en mesure d'intervenir plus efficacement **devant** les élèves violents._	_Ils seront donc en mesure d'intervenir plus efficacement **auprès des** élèves violents._

Cas particuliers

Avec

La préposition *avec* est une source d'erreurs fréquentes, parfois dues à l'influence de l'anglais. Souvent, on doit reformuler la phrase pour la corriger.

*La montée de la violence à l'école amène les observateurs à faire un lien entre la pratique des jeux vidéo **avec** les comportements violents.	La montée de la violence à l'école amène les observateurs à faire un lien entre la pratique des jeux vidéo **et** les comportements violents.*
*Faut-il chercher des moyens de dissuasion plus radicaux **avec** les élèves présentant des comportements violents ?*	*Faut-il chercher des moyens de dissuasion plus radicaux **en ce qui concerne** les élèves présentant des comportements violents ?*
	*Faut-il chercher des moyens plus radicaux **pour dissuader** les élèves de commettre des actes de violence ?*

Sur

L'influence probable de l'anglais a entrainé un usage abusif de la préposition *sur* en français. On l'emploie fréquemment dans des cas où il faudrait utiliser une autre préposition.

*Siéger **sur** un comité	Siéger **à/dans** un comité*
*Travailler **sur** la construction	Travailler **dans** la construction*
*Être **sur** le téléphone	Être **au** téléphone*
*Traverser **sur** un feu rouge	Traverser **au** feu rouge*
*Lire **sur** le train ou **sur** l'avion	Lire **dans** le train ou **dans** l'avion*
*Jouer **sur** la rue	Jouer **dans** la rue*
*Venir **sur** semaine	Venir **pendant la/en** semaine*

Au niveau de

La locution *au niveau de* signifie *à la hauteur de*.

> *L'eau lui arrive **au niveau de** la taille.* (Sens concret)

> *Votre travail n'est pas **au niveau de** vos compétences.* (Sens figuré)

Au sens figuré, elle exprime aussi l'idée d'une hiérarchie.

> *Ces questions se règlent **au niveau du** vice-rectorat.*

Il faut se méfier des autres emplois de cette locution, qu'on a tendance à utiliser à tout propos de nos jours. On retiendra que *au niveau de* ne peut remplacer les prépositions *de, au sujet de, en ce qui concerne, du point de vue de, dans le domaine de, pour* et *dans*.

*Nous avons recours à des méthodes profitables **au niveau de** la création d'emplois.	Nous avons recours à des méthodes profitables **dans le domaine de** la création d'emplois.
*__Au niveau des__ résultats, le bilan est mitigé.	**En ce qui concerne** les résultats, le bilan est mitigé.

Face à

La locution *face à* est elle aussi mal employée. Dans son sens premier, elle signifie *vis-à-vis de*.

> *Je voudrais une chambre **face à** la mer.*

Au figuré, elle introduit des éléments qui sont négatifs ou représentent un défi.

> *On ne sait comment réagir **face à** une telle agressivité.*

Il ne faut donc pas l'utiliser en lieu et place de prépositions comme *par rapport à, quant à, relativement à, du point de vue de, sur, pour,* etc.

*Nos opinions diffèrent **face à** cette question.	Nos opinions diffèrent **sur/relativement à** cette question.

Suite à

Il faut réserver l'emploi de la locution *suite à* à la correspondance commerciale ou administrative; autrement, on lui préférera des locutions telles que *comme suite à, pour faire suite à, en réponse à, à la suite de, par suite de, en raison de,* etc.

*__Suite à__ la tempête, on a dû fermer l'école.	**En raison de** la tempête, on a dû fermer l'école.
*__Suite à__ la recommandation du comité, on révisera les critères d'admission.	**Comme suite à** la recommandation du comité, on révisera les critères d'admission.

Dû à

Dû à n'existe pas comme locution prépositive: c'est un calque de l'anglais *due to*. Il ne faut donc jamais l'employer au sens de *à cause de, en raison de, étant donné* ou *compte tenu de*.

*__Dû à__ la pluie, le match a été annulé.	**En raison de** la pluie, le match a été annulé.

À NOTER

Notez que la séquence *dû à* existe en français, mais qu'elle résulte de la combinaison du participe passé du verbe *devoir*, utilisé comme adjectif et donc variable, et de la préposition *à* introduisant le complément. Voici des exemples d'emploi corrects:

> *Ses échecs répétés sont **dus à** son inattention.*

> *Cet accident est **dû à** la maladresse de l'autre joueur.*

EXERCICE 4.8

Corrigez les phrases suivantes en remplaçant les prépositions mal choisies. Au besoin, consultez un dictionnaire.

1 Il est souhaitable que les institutions financières changent leur façon de faire avec le crédit.

2 Avec ces conditions, comment une infirmière peut-elle concilier son travail et ses autres responsabilités ?

3 Lors d'une maladie grave, les soins de santé au Québec restent parmi les meilleurs au monde.

4 Lors des dernières années, on a vu péricliter l'industrie du papier journal.

5 Les infirmières doivent faire appel aux médias pour attirer l'attention à leurs conditions de travail.

6 Étant donné le manque de diplômés en soins infirmiers, on peut penser que cette situation durera pour un bon moment.

7 Oui, les politiciens devraient mettre la pauvreté dans leurs priorités.

8 Il est primordial d'aider les gens en besoin.

9 Dès lors, plusieurs ont manifesté un intérêt envers l'application de cette mesure à tous les automobilistes.

10 Si la peine était plus sévère avec ceux qui récidivent, on aurait des chances de voir le nombre d'accidents diminuer.

11 La population québécoise ne fait pas confiance aux partis afin de la représenter sur la scène fédérale.

12 En conclusion, je pense avoir été clair sur mon opinion.

13 Plusieurs reportages ont présenté des femmes ayant subi des interventions chirurgicales avec des complications.

14 Le Québec et le Canada sont étroitement liés avec le marché américain.

15 Cette décision doit être appliquée pour toutes les catégories de véhicules.

16 Il est étonnant qu'un peuple qui a connu tant de tentatives d'assimilation soit encore capable de vivre avec la langue de ses ancêtres.

17 Les initiations sont souvent basées autour d'une tradition.

18 L'initiation aide à s'habituer avec les lieux et les autres.

19 Connaitre sa langue est important, car cela permet une bonne communication envers les autres.

20 L'éducation joue un rôle important dans l'attachement que l'élève développera face à sa langue.

Prépositions et compléments communs

Une préposition peut lier un même complément à plusieurs verbes, noms ou adjectifs.

> Il ne faut pas _rire_ ou _se moquer_ **de** l'entraineur.

La préposition _de_ lie ici le GN _l'entraineur_ à deux verbes différents, mais qui se construisent de la même façon : _rire de, se moquer de._

C'est cette cohérence qu'il faut s'assurer de garder dans les phrases : on ne peut lier au moyen d'une seule préposition un complément à des mots qui ne se construisent pas de la même façon.

> * Il ne faut pas _critiquer_ ou _se moquer_ **de** l'entraineur.

Le verbe _critiquer_ demande un CD et se construit donc sans préposition, alors que le verbe _se moquer_ demande un CI introduit par la préposition _de_. On rétablira la phrase en respectant ces particularités.

* Il ne faut pas _critiquer_ ou _se moquer_ **de** l'entraineur.	Il ne faut pas _critiquer_ l'entraineur ou s'**en** _moquer_.
	(Le pronom _en_ [équivalant à «de lui»] est CI du verbe _se moquer._)
	Il ne faut pas _se moquer_ **de** l'entraineur ou **le** _critiquer_.
	(Le pronom _le_ est CD de _critiquer._)

EXERCICE 4.9

Corrigez les phrases suivantes, toutes incorrectes.

Dans les centres de soins de longue durée, il arrive que les infirmières nouent des liens et exercent une influence positive **sur les patients**.

Dans les centres de soins de longue durée, il arrive que les infirmières nouent des liens **avec les patients** et exercent une influence positive **sur eux**.

1 Le service reçoit, répond, analyse et traite les demandes des clients.

2 L'initiation permet l'intégration au groupe. En effet, il est utile quand vient le temps des travaux d'équipe et des activités socioculturelles d'avoir déjà rencontré et échangé avec ses camarades.

_____

_____

3 Les initiateurs peuvent rassurer et dire à quoi devront s'attendre les nouveaux étudiants.

_____

_____

4 Le cégep donne de la maturité et prépare les étudiants au niveau universitaire.

_____

_____

5 L'information commentée permet d'expliquer et de sensibiliser la population aux grands enjeux de notre époque.

_____

_____

6 Les papas de notre génération aiment et prennent soin de leurs enfants davantage que ne le faisaient les pères d'autrefois.

_____

_____

7 La foule était dense et de nombreux spectateurs étaient installés sur les côtés et devant la scène.

_____

_____

8 Tout le monde est en faveur et fait confiance à l'énergie éolienne, mais personne ne veut d'éoliennes dans sa cour.

_____

_____

9 Il faudrait d'abord préparer et nous engager à fond dans un plan d'action à long terme.

_____

_____

10 Les textes argumentatifs permettent à l'auteur, pour ne pas dire l'obligent, à prendre position.

_____

_____

4.5 L'ANACOLUTHE

Le *Petit Robert* nous apprend que le mot *anacoluthe* tire son origine du grec *anacoluthon* « absence de suite » et désigne une « rupture ou discontinuité dans la construction d'une phrase ». En littérature, si elle est bien utilisée, l'anacoluthe peut produire des effets de style recherchés ; mais dans les écrits courants, elle est rarement bienvenue parce qu'elle nuit à la lisibilité de la phrase.

L'anacoluthe est fréquente dans l'emploi des GPart et des GInf compléments de phrase et dans les cas de compléments du nom en tête de phrase.

4.5.1 Les compléments de phrase

Le sujet du verbe au participe présent ou à l'infinitif est généralement sous-entendu et la règle exige, dans ce cas, que le sujet du verbe au participe présent ou à l'infinitif soit le même que celui du verbe principal de la phrase.

 Voir **Construction** dans le tableau « Participe présent » du *Multi*.

Les phrases suivantes, construites conformément à cette règle, sont correctes.

> En ***finissant***, *je voudrais parler de l'auteur de ce très beau livre.*
>
> (Le sujet implicite du participe présent *finissant* est le pronom *je*, lui-même sujet du verbe principal.)

> En ***cliquant*** *sur les photos, l'utilisateur pourra voir une présentation de la section.*
>
> (Le sujet non exprimé du participe présent est *l'utilisateur*, également sujet du verbe principal.)

Quand le sujet de la phrase diffère de celui du participe présent ou de l'infinitif, cette règle est enfreinte, et il y a anacoluthe.

> ***Aimant*** *le caractère logique des sciences, <u>ce choix de carrière</u> s'imposait à moi.*

Selon la formulation de la phrase qui précède, le choix de carrière est le sujet logique du participe *aimant*. Il faut donc donner au verbe *aimer* un sujet bien à lui ou faire en sorte que le sujet implicite du participe *aimant* soit aussi celui du verbe principal.

> *Comme **j'**aimais le caractère logique des sciences, ce choix de carrière s'imposait à moi.*

ou

> ***Aimant** le caractère logique des sciences, **je** ne pouvais que me lancer dans cette carrière.*

L'anacoluthe nuit particulièrement à la clarté de la phrase lorsque deux GN sont susceptibles d'être sujets. C'est alors au lecteur qu'incombe la tâche de démêler les fils.

> *Avant d'entrer en ondes, le recherchiste s'entretient souvent avec le lecteur de nouvelles.*
>
> (Le lecteur doit déduire ici que c'est le lecteur de nouvelles qui entre en ondes et non pas le recherchiste.)

À NOTER

Il arrive souvent que le sujet logique d'un GInf soit le pronom impersonnel *il* ou le pronom personnel indéfini *on*.

> * ***Afin d'éliminer** la violence verbale dans les écoles, le respect des autres doit être une règle appliquée en tout temps.*

Le verbe *éliminer* n'a pas de sujet dans la phrase. On rétablira la phrase en employant la forme impersonnelle ou le pronom *on*.

> ***Afin d'éliminer** la violence verbale dans les écoles, **il faut/on doit** faire en sorte que le respect des autres soit une règle appliquée en tout temps.*
>
> *Si **on** veut éliminer la violence verbale dans les écoles, **il faut/on doit** faire en sorte que le respect des autres soit une règle appliquée en tout temps.*

4.5.2 Les compléments du nom

Dans le cas du complément du nom, l'anacoluthe consiste à associer à un nom un adjectif qui n'est pas logiquement son complément.

Bien que malade, **sa mère a envoyé Gabrielle à l'école.*	*Bien que **Gabrielle soit malade**, sa mère l'a envoyée à l'école.*

Encore ici, c'est le lecteur qui doit déduire que c'est Gabrielle et non sa mère qui est malade.

L'anacoluthe peut créer des équivoques que le lecteur ne peut élucider sans l'aide du scripteur.

> *Guitariste, saxophoniste, pianiste, Claire apprécie énormément le répertoire de ce musicien.*

> (On devrait comprendre que Claire est guitariste, saxophoniste et pianiste. Est-ce bien cela que le scripteur voulait dire ?)

EXERCICE 4.10

Corrigez les anacoluthes dans les phrases suivantes. Dans la majorité des cas, plusieurs réponses sont possibles.

1. D'une hauteur de 83 mètres, des milliers de touristes affluent chaque été pour admirer la chute Montmorency.

2. Étant infirmière auxiliaire, le règlement ne m'autorise pas à faire des injections.

3. Le dictionnaire peut être consulté à l'écran sans sortir du document.

4. En analysant la société de consommation dans laquelle nous vivons, il est alarmant de constater que l'utilisation du crédit est à ce point banalisée.

5. Ayant peur d'être rejetés par leurs amis, les parents paient des vêtements griffés à leurs enfants.

6. En utilisant la carte de débit, le montant de votre achat est déduit automatiquement de votre compte.

7. Un peu dur d'oreille, Simon a dû répéter trois fois l'adresse à son père.

8 Pour avoir trois ou quatre enfants, les enfants doivent être placés très haut dans les valeurs personnelles des couples.

9 En plus d'y rencontrer leurs nouveaux condisciples et de découvrir les services de l'Université, l'initiation permet aux étudiants étrangers de découvrir la vie hors campus.

10 En aidant le pays à résoudre ce conflit, cela lui permettrait de se développer et de devenir autosuffisant.

4.6 LA COORDINATION

4.6.1 Qu'est-ce que la coordination ?

Comme nous l'avons vu à propos de la liaison des phrases, la **coordination** consiste à établir un lien entre des éléments qui ont la même fonction syntaxique. On dit que le lien est explicite quand il est exprimé par une conjonction de coordination ou un adverbe de liaison, qu'on appelle **coordonnant**.

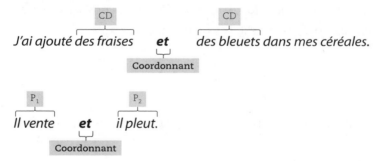

```
         CD                        CD
      ┌──────────┐            ┌──────────────────┐
J'ai ajouté des fraises   et   des bleuets dans mes céréales.
                          └┬┘
                      Coordonnant
```

```
      P₁              P₂
    ┌──────┐       ┌────────┐
  Il vente   et   il pleut.
             └┬┘
        Coordonnant
```

Lorsque les éléments sont liés par un signe de ponctuation, on parle alors de **juxtaposition**.

```
         P₁                    P₂
    ┌────────────┐        ┌──────────────┐
  L'orage approchait,     il fallait rentrer.
```

4.6.2 L'incohérence dans la coordination

Pour que la coordination soit réussie, les éléments joints doivent non seulement avoir la même fonction, mais ils doivent aussi être liés du point de vue du sens en faisant partie d'un même ensemble.

Dans l'exemple ci-dessous, les piétons ne sont pas à proprement parler un facteur de risque pour les automobilistes et ne sont pas un comportement comme le sont l'excès de vitesse, la consommation d'alcool et l'utilisation du téléphone cellulaire.

*Comme **la vitesse**, **les piétons et l'alcool au volant**, l'utilisation du téléphone cellulaire est un facteur de risque d'accidents d'automobile.	Comme **la vitesse et l'alcool au volant**, l'utilisation du téléphone cellulaire est un facteur de risque d'accidents d'automobile.

Sujets ou compléments coordonnés de classes différentes

Généralement, la liaison de sujets ou de compléments de classes différentes relève d'un style lourd et maladroit. Cependant, l'exemple suivant, tiré du *Bon usage*, montre qu'une écrivaine telle que Colette peut se permettre de coordonner deux compléments dont l'un est un GPrép et l'autre, une subordonnée.

> Alain se souvenait **du souffle accéléré de Camille** et **qu'elle avait fait preuve d'une chaude docilité**.

Même si la liaison de sujets ou de compléments de classes différentes ne constitue pas nécessairement une erreur, il vaut mieux l'éviter dans les textes courants. Dans la très grande majorité des cas, il est en effet possible de modifier une phrase pour harmoniser les sujets ou les compléments.

*Le kayak** et **cueillir des champignons** sont mes activités préférées.* (Le sujet est constitué ici d'un GN et d'un GInf, ce qui rend la phrase disgracieuse. On remplacera donc le sujet par deux GN ou deux GInf.)	**Le kayak** et **la cueillette des champignons** sont mes activités préférées. (Sujet = GN + GN) **Faire du kayak** et **cueillir des champignons** sont mes activités préférées. (Sujet = GInf + GInf)
*Parmi les solutions envisagées pour amener les jeunes au théâtre, nous avons choisi **la reprise de pièces à succès** et **faire des tournées dans les écoles**.* (Les deux compléments sont un GN et un GInf, ce qui nuit à l'harmonie de la phrase.)	Parmi les solutions envisagées pour amener les jeunes au théâtre, nous avons choisi **la reprise de pièces à succès** et **des tournées dans les écoles**. (Compléments = GN + GN) Parmi les solutions envisagées pour amener les jeunes au théâtre, nous avons choisi **de reprendre des pièces à succès** et **de faire des tournées dans les écoles**. (Compléments = GInf + GInf)

EXERCICE 4.11

Corrigez les phrases suivantes, qui contiennent toutes une erreur touchant la cohérence des éléments coordonnés.

1 J'ai beaucoup aimé ce roman policier et palpitant de Chrystine Brouillet.

2 Les vacances, c'est fait pour la détente et se ressourcer sur tous les plans.

3 Mes tâches principales étaient la comptabilité et gérer le personnel.

4 La chirurgie esthétique permet de camoufler plusieurs défauts comme les rides ou raccourcir et affiner le nez.

5 Malheureusement, ces gens-là ont besoin de se faire soigner et de leur faire prendre conscience qu'ils sont responsables de leurs actes.

6 Se faire des frites et oublier l'huile sur le feu, ainsi que les fumeurs qui s'endorment cigarette à la main, sont deux causes fréquentes d'incendie.

7 Deux-cents personnes, ainsi que des femmes et des enfants, sont décédées dans cet affrontement.

8 La publicité est partout, voire envahissante.

9 Les gens de ma génération ont beaucoup entendu parler de cette tragédie, mais ils étaient trop jeunes ou n'étaient pas encore nés pour s'en souvenir.

10 Selon cet auteur, la manipulation est l'ennemi de la démocratie et elle consiste à paralyser le jugement.

4.7 L'ORDRE DES MOTS

Dans la phrase de base, l'ordre normal des constituants est celui-ci :

Sujet – Prédicat – Complément de phrase (CP)

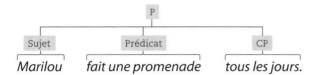

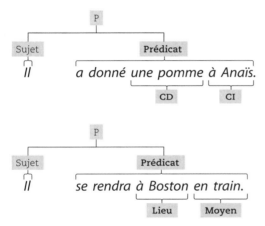

4.7.1 Les compléments directs et indirects

À l'intérieur du prédicat, l'ordre des compléments directs et indirects, quant à lui, dépend de règles particulières : le complément direct précède le complément indirect et les compléments indiquant le lieu précèdent ceux indiquant le moyen.

Toutefois, ces dernières règles sont elles-mêmes subordonnées à des contraintes syntaxiques touchant la complexité et la longueur des compléments et avec lesquelles elles entrent parfois en conflit.

Les principales contraintes syntaxiques relatives à la complexité et à la longueur des compléments du verbe sont les suivantes :

- Les compléments les plus courts devraient précéder les compléments les plus longs.

   *Nous en sommes venus à la conclusion qu'il fallait réclamer **à ce contribuable** (CI) **le montant de deux-mille dollars qu'il avait omis de verser** (CD).*

- Si le CD est une subordonnée, il doit suivre le CI.

   *Elle a dit **à tous les membres de sa famille** (CI) **qu'elle soulignerait cette occasion** (subordonnée complétive).*

4.7.2 Les compléments de phrase

La place des compléments de phrase est variable, mais on doit se soucier de respecter certains principes si on veut s'assurer de l'équilibre de la phrase.

On doit éviter, par exemple, de séparer le sujet du verbe par un trop long CP.

> * *Les membres de la coopérative, **malgré le fait qu'ils soient divisés et incapables de se regrouper derrière un projet commun**, s'entendent fort bien sur ce point.*

Il vaut mieux placer le CP en début de phrase et rapprocher ainsi le sujet du verbe.

> ***Malgré le fait qu'ils soient divisés et incapables de se regrouper derrière un projet commun**, les membres de la coopérative s'entendent fort bien sur ce point.*

4.7.3 La séparation indue de groupes de mots

Normalement, il faut veiller à rapprocher les groupes qui sont liés sur le plan syntaxique. La séparation d'un complément du mot qu'il complète peut entrainer des ambigüités ou rendre la phrase difficile à lire.

> * *Il faut expliquer **l'importance** aux jeunes **de travailler**.*
>
> (Le complément *de travailler* est séparé du nom *importance* qu'il complète.)

> *Il faut expliquer aux jeunes **l'importance de travailler**.*

Cette maladresse peut donner lieu à des janotismes, qui consistent en une ambigüité de sens produisant parfois un effet amusant.

> * *Il est allé chercher un poulet chez **le boucher qu'il a fait cuire en arrivant**.*
>
> (Le complément *qu'il a fait cuire en arrivant* est séparé du nom *poulet* qu'il complète.)

> *Il est allé chercher chez le boucher **un poulet qu'il a fait cuire en arrivant**.*

Dans certains cas, il vaudra mieux placer un complément de phrase en début de phrase plutôt qu'à la fin.

> * *Je pense qu'on devrait reporter à 18 ans l'âge légal pour l'obtention d'un permis de conduire **pour diverses raisons**.*
>
> (Le complément *pour diverses raisons* ne s'applique pas à l'obtention d'un permis de conduire, mais au fait de penser.)

> ***Pour diverses raisons**, je pense qu'on devrait reporter à 18 ans l'âge légal pour l'obtention d'un permis de conduire.*
>
> *Je pense, **pour diverses raisons**, qu'on devrait reporter à 18 ans l'âge légal pour l'obtention d'un permis de conduire.*

EXERCICE 4.12

Corrigez les phrases suivantes, qui contiennent toutes une erreur portant sur l'ordre des mots.

1. Un règlement de l'association oblige à garder le nom des donateurs secret.

2. Lorsque les bébé-boumeurs auront tous pris leur retraite, il y aura encore moins d'infirmières. Celles-ci finiront par elles aussi avoir besoin de soins.

3. Il est arrivé qu'à plusieurs reprises une infirmière qui avait travaillé toute la nuit, doive travailler toute la journée suivante.

4. Pour acquérir de l'expérience, un jeune n'a pas besoin d'occuper un poste dans une entreprise à temps plein.

5. Elle est sortie de cette rude épreuve grandie.

6. Chaque année, il se produit plusieurs accidents mortels ou qui font de nombreux blessés sur cette route.

7. Le retrait du permis définitif devrait s'appliquer aux conducteurs récidivistes.

8. Les malfaiteurs se sont introduits au moyen d'un passepartout dans l'établissement commercial.

9. Dans un article paru le 29 novembre dernier du *Devoir*, Mme Gervais rapporte les prévisions de M. Termote sur la situation des francophones.

10. En ce qui concerne le français, qui saurait dire au Québec s'il est en danger ou non ?

4.7.4 La place des adverbes et des marqueurs de relation

Les règles concernant la position des adverbes dans la phrase varient en fonction des catégories d'adverbes : négation, intensité, manière, organisateur textuel, etc. Cependant, un principe général doit être respecté : il faut rapprocher le plus près possible l'adverbe du mot ou du groupe de mots qu'il modifie.

Retenons également que les GAdv courts sont moins mobiles que les GAdv longs.

*Certains facteurs économiques nous poussent **davantage** à nous ouvrir à l'immigration.	Certains facteurs économiques nous poussent à nous ouvrir **davantage** à l'immigration.
*En limitant l'accès au crédit, les institutions bancaires conscientisent le client en lui évitant des dettes qu'il aura à rembourser toute ou **presque** sa vie.	En limitant l'accès au crédit, les institutions bancaires conscientisent le client en lui évitant des dettes qu'il aura à rembourser **presque** toute sa vie.

À NOTER

En tête de phrase, l'adverbe *aussi* introduit une conséquence et entraine la disparition de la virgule et généralement l'inversion du sujet :

> *Le tumulte était devenu insupportable. **Aussi** avons-nous demandé qu'on lève la séance.*

EXERCICE 4.13

Corrigez les phrases suivantes, qui contiennent toutes une erreur portant sur la place des adverbes dans la phrase.

1. Le gouvernement aurait fait mieux d'imposer la réduction de la charge des camions.

2. Ces camions sont impliqués souvent dans des collisions et font souvent des sorties de route.

3. Également, je crois que le fait de limiter la vitesse ne diminuera pas de beaucoup le nombre d'accidents.

4 Le fait de fumer modérément n'est pas en soi un crime et même dans certains pays, la vente de la marijuana est légale.

5 À cet âge, on peut être encore plus productif que jamais on ne l'a été.

6 Sa réaction a été plutôt de vouloir suspendre les travaux du Parlement et de demander aux citoyens de patienter.

7 Les conditions routières étaient dangereuses. Aussi, nous avons attendu au lendemain pour partir.

8 La profession d'infirmière est une vocation selon moi.

9 Je vais tenter de vous démontrer que le réseau Internet peut nuire à la maitrise du français et que de plus en plus nous devenons minoritaires dans le cyberespace.

10 Dans certains cas, l'information même peut prévenir les accidents, par exemple celles qui concernent les prévisions de la météo.

11 Mes erreurs se font de moins en moins nombreuses. J'aimerais bien arriver au moins à un niveau de français acceptable.

12 L'information est essentielle, mais elle n'a pas été toujours utilisée à bon escient.

13 Avec l'âge, la perte de la beauté est irréversible et donc on peut se demander si les clients de la chirurgie plastique ne vont pas tomber dans la dépression en vieillissant.

14 Si elle n'avait pas eu d'opération, aujourd'hui je suis certaine qu'elle serait cloîtrée chez elle.

---

15 Dans ce pays, l'information est utilisée presque toujours comme outil de manipulation.

4.8   LE PRONOM DÉMONSTRATIF

4.8.1   Le rôle du pronom démonstratif

Comme le pronom personnel, le pronom démonstratif peut être employé comme pronom de reprise, c'est-à-dire qu'il peut renvoyer à un élément déjà évoqué dans le contexte.

> *Pierre a démenti les propos de Paul.* **Celui-ci** *s'en est offusqué.*
>
> (*Celui-ci* reprend le référent *Paul* et son emploi permet de ne pas confondre les deux personnes en cause.)

À l'oral, le référent peut être seulement visuel.

> *Regardez attentivement* **celle-ci**. *Voyez sa couleur différente.*

4.8.2   L'abus dans l'emploi du pronom démonstratif

Contrairement aux autres catégories de pronoms, le démonstratif, comme son nom l'indique, a le sens premier de monstration. Il permet de distinguer un objet parmi d'autres et d'éviter ainsi des équivoques. Cependant, certains scripteurs en abusent et l'emploient comme pronom de reprise là où le pronom personnel ferait très bien l'affaire. Cet emploi abusif du pronom démonstratif (ou de l'expression *ce dernier*) alourdit le style et, dans certains cas, allonge inutilement la phrase.

* *Ce sujet intimide bien des* **parents** ; *par conséquent,* **ceux-ci/ces derniers** *hésitent trop longtemps avant d'aborder la question avec leurs enfants.*	*Ce sujet intimide bien des* **parents** ; *par conséquent,* **ils** *hésitent trop longtemps avant d'aborder la question avec leurs enfants.*
* *Les enseignants ne devraient pas taire les différences entre les enfants, mais* **se servir de celles-ci/de ces dernières** *comme solution à l'atteinte d'un but commun.*	*Les enseignants ne devraient pas taire les différences entre les enfants, mais* **s'en servir** *comme solution à l'atteinte d'un but commun.*

Comme complément du nom, le pronom démonstratif est souvent employé inutilement à la place du déterminant possessif.

*L'enseignant doit parfois faire des tâches qui semblent sortir du cadre du mandat **de celui-ci**.	L'enseignant doit parfois faire des tâches qui semblent sortir du cadre de **son** mandat.

4.8.3 Le pronom démonstratif et son complément

Les pronoms *celui* et *celle(s)* sont des pronoms démonstratifs qui équivalent syntaxiquement à un GN. Comme le nom, ils peuvent avoir un ou plusieurs compléments. Ils ne peuvent, cependant, être complétés par un adjectif employé seul.

*Comme journaliste, il a couvert de nombreuses campagnes électorales dans le monde, surtout **celles américaines**.	Comme journaliste, il a couvert de nombreuses campagnes électorales dans le monde, surtout **les campagnes américaines**.

La phrase est toutefois correcte lorsque l'adjectif est lui-même déterminé par un complément.

J'aime ses chansons, notamment **celles inspirées par son voyage au Japon**.

Il faut s'assurer des meilleures conditions de travail, surtout **celles nécessaires à la concentration**.

EXERCICE 4.14

Corrigez les phrases suivantes, qui contiennent des pronoms démonstratifs superflus ou des erreurs touchant leur complément.

1. Les élèves motivés à l'école ont des résultats supérieurs à ceux qui se disent indifférents à celle-ci.

2. Il est primordial que les futurs enseignants prennent conscience de l'importance de la tâche qui leur est confiée et que ceux-ci trouvent des moyens d'y faire face.

3. L'enseignant doit donner des devoirs et exiger qu'ils soient faits même si ceux-ci ne comptent pas.

4 La tendance est que l'élève doit vouvoyer son enseignant et toujours rester respectueux envers celui-ci.

5 L'environnement scolaire est propice aux relations interpersonnelles qui se développent différemment de celles familiales.

6 La vie des politiciens n'est pas facile. Nous exigeons d'eux la perfection, alors que ces derniers sont avant tout des êtres humains.

7 Le bambou est un arbre dont les pandas raffolent, car les jeunes pousses de celui-ci sont très tendres et même sucrées.

8 Le tournage des scènes du temple a été fastidieux ; on a dû reprendre celles-ci plusieurs fois.

9 Hier, trois jeunes Québécois ont eu la chance de rencontrer le Dalaï-Lama. D'après les commentaires de ceux-ci, le Dalaï-Lama a été très attentif à eux et très simple dans son approche.

10 Il faudra revoir les cours obligatoires et ceux complémentaires. Les cours à option ne feront pas l'objet d'une révision.

4.9 LA CONSTRUCTION DES COMPLÉMENTS DU VERBE

4.9.1 L'omission d'un complément obligatoire

Certains verbes demandent obligatoirement un complément. La meilleure façon de s'assurer de la bonne construction du GV, c'est de consulter un dictionnaire. Par exemple, au verbe *quitter*, le *Petit Robert* répertorie plusieurs emplois du verbe, tous construits avec un CD. En voici quelques-uns.

A SORTIR D'UN LIEU :   *Je dois **quitter ma chambre** à 11 h 45.*

B LAISSER QQN :   *Je dois **vous quitter** à 11 h 45.*

C S'ÉLOIGNER D'UN LIEU :   *Je dois avoir **quitté Paris** à 11 h 45.*

La phrase suivante est donc erronée :

** Je dois **quitter** à 11 h 45.*

** Si on **compare** avec l'énergie nucléaire, on se rend compte que les barrages sont beaucoup plus avantageux.*

(Le verbe *comparer* ne peut s'employer uniquement avec un CI : on compare deux choses ou une chose avec une autre.)

*Si on **compare l'énergie hydraulique** avec l'énergie nucléaire, on se rend compte que les barrages sont beaucoup plus avantageux.*

4.9.2 La présence indue d'un CD

Les verbes qu'on appelle « intransitifs » ne peuvent avoir de CD. Voici un exemple tiré du *Petit Robert*.

---

redémarrer [ʀ(ə)demaʀe] **verbe intransitif**

Faire repartir un véhicule immobilisé ; repartir après s'être arrêté. « *On s'arrête aux arrêts, on redémarre* » (Le Clézio).

** Je dois **redémarrer l'auto** à chaque feu rouge.*

** Nous avons **débuté la soirée** par un toast en l'honneur du nouveau papa.*

(Le verbe *débuter* est un verbe intransitif.)

*Je dois **redémarrer** à chaque feu rouge.*

*La soirée **a débuté par un toast** en l'honneur du nouveau papa.*

4.9.3 Le complément lié à deux verbes de construction différente

On ne peut lier un complément commun à deux verbes de **construction différente**, c'est-à-dire dont l'un demande un complément direct et l'autre, un complément indirect.

*Il est évident que le film peut **choquer, plaire** ou **troubler** les spectateurs.*	Il est évident que le film peut **plaire aux spectateurs**, comme il peut les choquer ou les troubler.
(Contrairement aux verbes *choquer* et *troubler*, le verbe *plaire* se construit avec un CI : on plait **à** quelqu'un. Il faut donc reformuler la phrase pour tenir compte de la construction différente des verbes. *Leur* est un pronom personnel toujours CI du verbe.)	Il est évident que le film peut choquer ou troubler les spectateurs, ou encore **leur plaire**.
*Qui n'a pas déjà **vu** ou **entendu parler du** groupe Green Day ?*	Qui n'a pas déjà **vu** le groupe Green Day ou n'**en** a pas entendu parler ?
(Le verbe *voir* demande un CD ; le verbe *entendre parler*, un CI.)	

4.9.4 Un CI à la place d'un CD

Une erreur fréquente consiste à employer un complément indirect, alors que le verbe demande un complément direct.

*L'utilisation d'un appareil mains libres favorise **à adopter un comportement moins dangereux**.*	L'utilisation d'un appareil mains libres favorise **l'adoption d'un comportement moins dangereux**.

4.9.5 Erreurs liées à la subordonnée complétive

Certains verbes, même s'ils demandent un CD, ne peuvent être complétés par une subordonnée complétive. C'est le cas, par exemple, du verbe *exprimer*. On peut cependant exprimer quelque chose, par exemple son mécontentement. Dans certains cas, comme dans l'exemple suivant, il vaut mieux remplacer le verbe.

*Cette dame **exprimait** qu'elle avait le droit de fumer dans son appartement.*	Cette dame **affirmait/soutenait/disait** qu'elle avait le droit de fumer dans son appartement.

Une autre erreur consiste à ajouter une subordonnée complétive CD à un verbe qui demande un CI.

*Il est important de **tenir compte que** la cigarette est responsable d'un grand nombre de problèmes de santé.*	Il est important de **tenir compte du fait que** la cigarette est responsable d'un grand nombre de problèmes de santé.
(On tient compte **de** quelque chose.)	

*Tout le monde **s'accorde** maintenant **que** c'était un pari gagné.

Tout le monde **s'accorde** maintenant **pour dire que** c'était un pari gagné.

*Il est fréquent aujourd'hui d'entendre **parler que** des parents choisissent d'éduquer leurs enfants à la maison.

Il est fréquent aujourd'hui d'entendre **dire que** des parents choisissent d'éduquer leurs enfants à la maison.

EXERCICE 4.15

Corrigez les phrases suivantes, qui contiennent toutes une erreur liée à la construction du verbe.

1 C'est en poussant et en donnant le gout de lire aux enfants qu'ils apprendront le plus efficacement leur langue.

2 Mes études collégiales en sciences ont développé ma capacité à analyser les problèmes et à apporter des solutions.

3 L'initiation permet de donner un sentiment d'appartenance au groupe qu'il joint.

4 Cette question semble facile à répondre.

5 Débuter un nouveau programme scolaire peut générer une source importante de stress à un étudiant.

6 L'information vient de multiples sources et on ne peut pas toujours avoir confiance.

7 Ma sœur est maintenant députée et je peux vous témoigner que la vie d'un politicien n'est pas si plaisante.

8   Souvent, les parents aident leurs enfants pour payer leurs études, mais pas pour payer leur loyer et leurs dépenses d'épicerie.

9   Le gouvernement aurait dû faire connaitre et expliquer à la population l'objectif de cette mission.

10   Il aurait été plus pertinent de donner cet argent à des associations qui en nécessitent.

11   Cette tragédie ne doit jamais être oubliée. Il faut dénoncer et se dresser contre ces gestes gratuits.

12   Comme j'ai mentionné plus haut, l'âge de la retraite ne devrait pas faire l'objet d'une loi.

13   Comment pouvons-nous leur exiger de se retirer du marché de l'emploi s'ils ont besoin d'argent ou s'ils ont simplement envie de travailler ?

14   Le contexte actuel fait en sorte que nous avons besoin de travailleurs d'expérience pour pallier au manque de ressources.

15   Il faudrait se questionner si on doit punir ou non un athlète qui a fumé de la marijuana.

4.10 LA COMPARAISON ET LE SUPERLATIF

4.10.1 L'absence ou le choix erroné d'un élément dans la comparaison

La majorité des erreurs liées à la comparaison provient de l'absence ou du choix erroné d'un élément de la comparaison. Pour construire une comparaison correcte, il faut quatre éléments :

1. un objet qui est comparé ;

2. un point de comparaison ;

3. une structure comparative ;

4. un second objet auquel est comparé le premier.

Observons la comparaison suivante construite correctement.

> *Les garçons sont plus sages que les filles.*

Dans cette comparaison, on retrouve :

- un objet qui est comparé : *les garçons* ;
- un point de comparaison : *sont sages* ;
- une structure comparative : *plus... que* ;
- un second objet auquel est comparé le premier : *les filles.*

Par contre, dans l'exemple suivant, un des éléments est impropre.

> * *L'habillement des jeunes filles est beaucoup plus osé et provocateur que les garçons de leur âge.*

On y retrouve :

- un objet qui est comparé : *l'habillement des jeunes filles ;*
- un point de comparaison : *est osé et provocateur ;*
- une structure comparative : *beaucoup plus... que ;*
- un second objet auquel est comparé le premier : *les garçons de leur âge.*

Or, on aura compris que les objets comparés devraient être l'habillement des filles et l'habillement des garçons, et non les garçons eux-mêmes.

* *L'habillement des jeunes filles est beaucoup plus osé et provocateur* **que les** *garçons de leur âge.*	*L'habillement des jeunes filles est beaucoup plus osé et provocateur que* **celui** *des garçons de leur âge.* (Le référent du pronom *celui* est l'habillement.)

4.10.2 L'accord du déterminant dans la structure comparative

Les erreurs liées à l'emploi du superlatif portent souvent sur l'accord du déterminant. Généralement, on accorde le déterminant lorsque le superlatif marque une comparaison avec des personnes ou des objets différents.

> *C'est l'étudiante* **la** *plus dynamique de ma classe.*
>
> (On compare l'étudiante avec d'autres étudiants.)

Dans le cas contraire, c'est-à-dire lorsque la comparaison porte sur une seule personne ou un seul objet, le déterminant reste invariable.

*C'est dans la classe de français qu'elle est **le** plus dynamique.*

(On compare l'étudiante avec elle-même.)

EXERCICE 4.16

Corrigez les phrases suivantes, qui comportent toutes une comparaison incorrecte.

1. Les francophones n'ont pas à se plaindre si on compare à l'époque où il fallait être anglophone pour réussir.

2. Le passage à l'université est une étape difficile pour les étudiants qui proviennent d'un système scolaire comme l'Ontario.

3. Les employeurs ont maintenant tendance à favoriser le candidat qui a une expérience de travail intéressante plutôt que seulement des études universitaires.

4. Sur le plan international, le Québec s'implique davantage dans la Francophonie.

5. La charge de travail de l'étudiant n'est pas comparable au cégep et à l'université.

6. Les Québécois sont dans un contexte complètement différent que les francophones du Nouveau-Brunswick.

7. C'est dans ce domaine que l'attitude des parents est la plus influente sur le développement de l'enfant.

8. Les routes du Québec semblent peu entretenues si on les compare aux autres provinces.

9 La retraite ne devrait jamais être obligatoire sauf dans certains emplois comme les pilotes.

10 Je me suis acheté une robe de la même couleur que toi.

LA MISE EN RELIEF

Pour mettre en relief un groupe de mots, on peut recourir à la phrase emphatique, laquelle est issue de l'un des deux procédés syntaxiques suivants :

- l'emploi de **marqueurs emphatiques** comme *c'est... qui, c'est... que, ce qui... c'est, ce que... c'est, ce dont... c'est,* etc.

    Mon frère Jules étudie l'ébénisterie.

    C'est mon frère Jules **qui** étudie l'ébénisterie.

    Je raffole de la moussaka.

    Ce dont je raffole, **c'est** la moussaka.

- le **redoublement** d'un groupe par un pronom

    Les groupes de mots repris peuvent être :

    - un groupe ayant la fonction de sujet

        Mon frère étudie l'ébénisterie.

        Mon frère étudie l'ébénisterie, **lui**.

        Mon frère, **lui**, étudie l'ébénisterie.

    - un groupe ayant la fonction de CD

        On a enfin épinglé *ce voleur*.

        On **l'**a enfin épinglé, ce voleur.

        Ce voleur, on **l'**a enfin épinglé.

    - un groupe ayant la fonction de CI

        Je raffole *de la moussaka*.

        J'**en** raffole, de la moussaka.

        La moussaka, j'**en** raffole.

La plupart des erreurs qui touchent à la mise en relief sont liées au procédé de redoublement. Examinons l'exemple suivant où l'on tente de mettre en relief le sujet.

    * *Pour l'employeur,* **il** *doit effectuer différentes retenues à la source et les remettre au gouvernement.*

L'emploi du GPrép *Pour l'employeur* est incorrect. En effet, un GPrép ne peut jamais avoir la fonction de sujet. On peut corriger la phrase en mettant le sujet en évidence de la façon suivante :

> **L'employeur, lui**, *doit effectuer différentes retenues à la source et les remettre au gouvernement.*

Pour mettre l'accent sur un groupe de mots, on peut aussi employer des expressions comme *quant à* ou *en ce qui concerne*.

> **Quant à l'employeur, il** *doit effectuer différentes retenues à la source et les remettre au gouvernement.*

> **En ce qui concerne l'employeur, il** *doit effectuer différentes retenues à la source et les remettre au gouvernement.*

EXERCICE 4.17

Corrigez les phrases suivantes, qui contiennent toutes une erreur liée à la mise en relief.

1. Chez le bébé nourri au sein, il s'éveillera plus tôt et sera protégé contre différentes maladies.

2. Pour les Américains, ils sont à la fois fiers d'avoir élu un président noir et encore plus un président dont les origines ne sont pas américaines.

3. Selon moi, je suis pour la mise en application d'une telle loi.

4. Concernant les victimes d'incendie et d'accident, elles devraient être les principales patientes des chirurgiens esthétiques.

5. Malgré les efforts faits pour sensibiliser la population, ils ne sont pas encore suffisants.

Chapitre 5

La ponctuation

Avant de commencer l'étude de la ponctuation, il importe de bien faire la distinction entre **phrase syntaxique** et **phrase graphique**.

La phrase syntaxique et la phrase graphique	
Phrase syntaxique	**Phrase graphique**
La phrase syntaxique (P) est un ensemble de mots contenant deux constituants obligatoires, un sujet et un prédicat. P Sujet Prédicat *Marie a accepté notre invitation.*	La phrase graphique est une suite de mots qui commence par une majuscule et se termine par un point, un point d'interrogation, un point d'exclamation ou des points de suspension. *Je suis fatigué, je rentre.* *Non !* *Il paraît qu'il a de bonnes raisons...*

Une phrase graphique peut donc contenir plusieurs phrases syntaxiques.

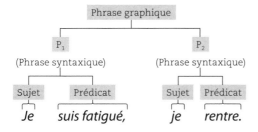

Les signes de ponctuation servent à organiser, à l'intérieur de la phrase graphique, les mots et les groupes de mots. On verra que l'absence ou la présence d'un signe de ponctuation peut modifier radicalement le sens d'un énoncé. Une attention particulière sera prêtée à la virgule parce que c'est le signe de ponctuation le plus fréquent, celui dont l'emploi est le plus complexe.

5.1 LA PONCTUATION À LA FIN DE LA PHRASE GRAPHIQUE

5.1.1 Le point

Le point sert surtout à marquer la fin d'une phrase déclarative ou impérative.

Phrase déclarative	Phrase impérative
Je range mes chaussures dans le placard.	*Range tes chaussures dans le placard.*

Les erreurs relatives à l'emploi du point sont plutôt rares et s'observent presque exclusivement dans les cas suivants :

- les titres et les sous-titres

  On ne met pas de point à la fin du titre d'un manuel, d'un chapitre ou d'un travail écrit (analyse, rapport, synthèse, etc.).

    Le français apprivoisé

    Chapitre 3 – La liaison des phrases

- les abréviations

  L'abréviation consiste à supprimer des lettres d'un mot. Elle se forme en ne gardant que le début d'un mot ou en combinant le début et la fin d'un mot (les dernières lettres étant généralement mises en exposant). Le point abréviatif s'utilise lorsqu'on ne garde que le début d'un mot.

La fin du mot est supprimée.	La fin du mot n'est pas supprimée.
monsieur ⟶ M.	madame ⟶ Mme ou Mme
boulevard ⟶ boul.	boulevard ⟶ Bd, bd ou B^{d}

On ne met pas de point abréviatif aux symboles chimiques ni aux unités de mesure.

  cuivre ⟶ Cu
  heure ⟶ h
  centimètre ⟶ cm

En fin de phrase, le point final se confond avec le point abréviatif.

  C'est une entreprise spécialisée dans la culture de légumes anciens du Québec : le melon de Montréal, le concombre citron, le topinambour, la tomate noire, etc.

 Pour connaitre les différentes façons d'abréger les mots, on peut consulter le tableau « Règles de l'abréviation » dans le *Multi*.

5.1.2 Le point d'interrogation

Le point d'interrogation s'utilise à la fin d'une phrase interrogative directe.

> *Saviez-vous que le melon de Montréal se vendait 1 $ la tranche sur le marché de New York dans les années 1920 ?*

> *Est-ce que vous saviez que le melon de Montréal se vendait 1 $ la tranche sur le marché de New York dans les années 1920 ?*

À NOTER

On ne met pas de point d'interrogation à la fin d'une phrase interrogative indirecte : *Je me demande pourquoi le melon de Montréal se vendait si cher.*

5.1.3 Le point d'exclamation

On utilise le point d'exclamation pour marquer diverses émotions (la surprise, la colère, l'étonnement, etc.).

> *Ces melons sont magnifiques, sucrés et juteux !*

Contrairement au point final, le point d'exclamation peut s'employer dans les titres (comme le point d'interrogation), si le contexte s'y prête.

> *Un incendie fait deux victimes !*

À NOTER

Le point d'exclamation perd de son efficacité si on en abuse ; il donne alors un ton hystérique au texte !!! De plus, il n'est jamais obligatoire.

5.1.4 Les points de suspension

Les points de suspension, toujours au nombre de trois, indiquent que la suite d'une phrase reste volontairement inachevée. On les emploie pour signaler :

- une énumération

> *J'ai tout perdu : mon argent, mes clés, mon passeport, mes papiers importants...*

- une hésitation

> *Laissez-moi deviner...*

- un sous-entendu

    Il m'assure qu'elle ne lui plait pas...

- une interruption dans un dialogue

    – *Je vous répète que...*

    – *Laissez tomber, j'ai compris.*

À l'intérieur de crochets, les points de suspension indiquent qu'on a omis un passage dans une citation, le plus souvent parce que ce passage est superflu ou non pertinent dans l'énoncé où il s'insère.

    On précise à la page 4 du rapport : « Le procès-verbal [...] doit être rédigé par une ou un secrétaire qui n'intervient pas dans le débat. »

À NOTER

La locution latine **et cætera** (etc.) signifie « et les autres choses » ; l'emploi des points de suspension après **etc.** constitue donc une redondance.

EXERCICE 5.1

Ajoutez les signes de ponctuation qui manquent.

1. Vas-y Donne ce que tu as de meilleur Tu en es capable

2. Je ne vois pas comment vous auriez pu vous débrouiller seul J'ai fait
de mon mieux et
Suffit Tentons plutôt de résoudre le problème

3. On se demande jusqu'à quel point les changements climatiques affectent
les personnes atteintes d'asthme

4. Comment va votre mère Toujours en forme
Euh
Elle ne va pas bien

5. Ha, ha Je savais bien que vous mentiez

6. On n'y vend que des instruments à cordes violons, guitares, harpes, etc.

7. Il faudrait que l'on remplace cet ingrédient par Avez-vous une suggestion

8. Le départ est fixé à 9 h Le trajet est d'environ 265 km et nous arriverons
à Wendake aux alentours de midi

9 Je me demande pourquoi elle n'a pas assisté à la réunion .

10 Le film le plus bouleversant que j'ai vu cette année, un film explosif

5.2 LA PONCTUATION À L'INTÉRIEUR DE LA PHRASE GRAPHIQUE

5.2.1 La virgule

La virgule exerce deux fonctions syntaxiques bien distinctes. D'une part, elle sert à coordonner des groupes de mots : on parle alors de **virgule simple** ou **coordonnante** ; d'autre part, elle permet d'insérer ou de déplacer des groupes de mots dans la phrase de base : on parle alors de **virgule double** ou **subordonnante**.

La virgule simple ou coordonnante

La virgule simple sert à coordonner dans une énumération horizontale une suite de mots, de groupes de mots ou de phrases. La dernière virgule est le plus souvent remplacée par une conjonction comme *et* ou *ou*.

Les éléments qui peuvent être coordonnés par une virgule sont les suivants :

Des phrases	*Nous avons observé des larves de mollusques, nous avons dénombré différentes espèces de diatomées, puis nous avons analysé des centaines de sédiments.*
Des sujets	***La revalorisation de la formation professionnelle, l'utilisation de nouvelles technologies, l'encouragement à l'innovation*** *font partie des recommandations de la Commission.*
Des CD	*Nous avons vu **deux lionnes, un kangourou et trois singes**.*
Des CI	*Il a habité **à Liège, à Amsterdam et à Milan**.*
Des CP	***Aujourd'hui, à peine trois ans plus tard,** c'est la catastrophe.*
Des attributs	*Elle est **rapide, efficace et gentille**.*
Des compléments du nom	*Le registre contient des données **économiques, sociales, culturelles et démographiques**.*
Des GV	*Il **se versa un verre, but une gorgée, s'alluma une cigarette, puis éclata en sanglots**.*

La virgule double ou subordonnante

La virgule double, ou subordonnante, qui s'emploie par paire, indique l'**insertion** d'un mot, d'un groupe de mots, d'une phrase (incidente, incise ou subordonnée) dans une phrase. Elle peut aussi indiquer le **déplacement** d'un groupe de mots par rapport à l'ordre habituel des constituants de la phrase de base ou l'**effacement** dans le cas de l'ellipse.

Notons qu'un segment inséré au début ou à la fin d'une phrase n'est pas encadré par deux virgules. En effet, l'une d'entre elles se confond soit avec la majuscule, soit avec le point final, selon le cas. On parle alors de **détachement**.

*H**eureusement,** les touristes continuent d'affluer vers la ville de Québec.*

Les éléments qui peuvent être insérés ou détachés par une virgule double sont les suivants :

Un complément du nom • un GAdj • un GN • une subordonnée relative explicative	*La maison, **aussi austère qu'un couvent,** n'avait pas été repeinte depuis des années.* *La maison, **un ancien couvent,** n'avait pas été repeinte depuis des années.* *Ces lunettes, **qui font appel à des technologies similaires à celles du casque virtuel,** ont l'avantage d'être montées sur un contrebalancier.*
Un complément du pronom	*Elle, **une parfaite inconnue,** est devenue célèbre instantanément.*
Un sujet, un complément ou une phrase mis en évidence	***Moi,** je m'inscris à un cours d'informatique.* (Mise en évidence du sujet) ***Les frais qu'occasionneront ces modifications,** il faudra en rendre compte dans le prochain rapport.* (Mise en évidence du complément) ***Trois nouvelles pistes de 20 à 30 kilomètres ont été balisées,** ce qui nous permettra d'organiser des compétitions tout en conservant l'accès aux anciens parcours.* (Mise en évidence de la phrase)
Une phrase incise	*Votre commentaire, **m'a-t-il fait remarquer,** était intempestif.*
Une phrase incidente	*C'est un véritable langage, **on l'a prouvé,** qui permet aux abeilles de s'orienter en groupe.*
Un complément de phrase • en début de phrase • dans le corps de la phrase	***Lorsque nous sommes arrivés,** toute la maisonnée dormait.* *Les prêts sont remboursés, **dans la majorité des cas,** en moins de 10 ans.*
Un mot mis en apostrophe	***Antoine,** réponds-moi.* *Je t'en supplie, **Antoine,** réponds-moi.*
Un marqueur de relation ou un organisateur textuel en début de phrase ou dans le corps de la phrase	***Par contre,** il est vrai que les performances scolaires des filles sont supérieures à celles des garçons.* *Nous ne pouvons, **par conséquent,** répondre à votre demande.* ***En résumé,** la supériorité des filles sur le plan scolaire s'explique par le fait qu'elles travaillent en moyenne deux fois plus que les garçons.*
Un modalisateur (souvent un adverbe)	***Heureusement,** aucun locataire n'était présent lorsque l'incendie a éclaté.* *Les manifestants, **assez bizarrement,** se sont calmés après l'arrivée des policiers.*
L'expression *et ce*	*Il faut se pencher sur les problèmes occasionnés par le non-remplacement des employés retraités, **et ce,** dans les plus brefs délais.*

adv
de jugement. par bouch...

La virgule double qui indique l'**effacement** est employée exclusivement dans le cas de l'**ellipse**.

> *Lucie était bagarreuse et fonceuse ; Marie, timide et mélancolique.*

(Effacement du verbe *était*)

Par ailleurs, on **ne met pas** de virgule dans les cas suivants :

- entre le sujet et le prédicat

Parfois, le choix de la virgule, du point ou du point-virgule, relève de l'intention du locuteur.	*Parfois, le choix de la virgule, du point ou du point-virgule relève de l'intention du locuteur.*
Les recherches effectuées de 1965 jusqu'au début des années 1980, ont permis de concevoir des fibres optiques de qualité remarquable.	*Les recherches effectuées de 1965 jusqu'au début des années 1980 ont permis de concevoir des fibres optiques de qualité remarquable.*

- entre le GV et son complément

Les membres de l'Union des producteurs agricoles (UPA) rejettent en bloc le projet sur le commerce intérieur et soutiennent, que cet accord menace la spécificité de l'agroalimentaire québécois.	*Les membres de l'Union des producteurs agricoles (UPA) rejettent en bloc le projet sur le commerce intérieur et soutiennent que cet accord menace la spécificité de l'agroalimentaire québécois.*

- devant le CP lorsqu'il est en fin de phrase

Les spécialistes en réadaptation utilisent des générateurs d'impulsion, pour stimuler les muscles non sollicités et empêcher qu'ils ne s'atrophient.	*Les spécialistes en réadaptation utilisent des générateurs d'impulsion pour stimuler les muscles non sollicités et empêcher qu'ils ne s'atrophient.*

- devant la conjonction *que* dans une phrase corrélative

Les deux enfants me faisaient pénétrer avec tellement de spontanéité dans leur univers, que j'avais l'impression d'être un personnage essentiel aux nombreux scénarios qu'ils improvisaient.	*Les deux enfants me faisaient pénétrer avec tellement de spontanéité dans leur univers que j'avais l'impression d'être un personnage essentiel aux nombreux scénarios qu'ils improvisaient.*

- avant *et, ou* et *ni* dans une énumération

Les travaux de Stephen Hanessian sur les antibiotiques, les agents antiviraux, et les antileucémiques lui ont valu six brevets.	*Les travaux de Stephen Hanessian sur les antibiotiques, les agents antiviraux et les antileucémiques lui ont valu six brevets.*

À NOTER

On peut cependant mettre une virgule avant la conjonction *et* qui introduit le dernier élément de l'énumération dans les cas suivants :

- Lorsqu'on veut mettre en évidence le dernier élément.

  Il a remercié sa famille, ses amis, et tous ceux qui l'ont soutenu pendant cette épreuve.

- Lorsque le dernier élément de l'énumération n'appartient pas, du point de vue du sens, à la même catégorie que les éléments précédents.

  Ce matin, j'ai lu Le Soleil *et* L'actualité*, et j'ai regardé les nouvelles à la télé.*

- pour encadrer un complément du nom déterminatif (nom ou subordonnée relative déterminative)

* *L'auteure, Arlette Cousture, a connu la renommée en 1985 avec la parution du premier tome de sa trilogie* Les filles de Caleb.	*L'auteure Arlette Cousture a connu la renommée en 1985 avec la parution du premier tome de sa trilogie* Les filles de Caleb.
* *Seuls les candidats, qui habitent la région de Québec, seront convoqués en entrevue.*	*Seuls les candidats qui habitent la région de Québec seront convoqués en entrevue.*

À NOTER

Comment distinguer la relative explicative (encadrée de deux virgules) de la relative déterminative ?

Comparons les deux exemples suivants :

*L'océan Pacifique, **dont la superficie dépasse les 180 millions de kilomètres carrés,** constitue la plus grande étendue d'eau du monde.*
(Subordonnée relative **explicative**)

*Seuls les candidats **qui habitent la région de Québec** seront convoqués en entrevue.*
(Subordonnée relative **déterminative**)

Dans le premier exemple, la subordonnée relative *dont la superficie dépasse les 180 millions de kilomètres carrés* ne fait qu'ajouter une information complémentaire à propos du sujet de la phrase, *L'océan Pacifique*. On appelle cette subordonnée relative **explicative** et on l'encadre d'une paire de virgules.

— ⟶ explicative, ajoute une info non essentiel

Dans le second exemple, la relative *qui habitent la région de Québec* est essentielle. En effet, ce ne sont pas tous les candidats qui seront convoqués en entrevue, mais seulement ceux « qui habitent la région de Québec ». Si on supprimait la relative, le sens de la phrase s'en trouverait alors modifié. Cette subordonnée, appelée relative **déterminative,** ne doit pas être entre virgules.

EXERCICE 5.2

Dites si les virgules numérotées dans les phrases suivantes sont simples (coordonnantes) ou doubles (subordonnantes). Dans le cas de la virgule double, précisez son emploi.

1. Chemises, (1) souliers, (2) chaussettes, (3) tout était sens dessus dessous.

2. Une pluie torrentielle, (1) capable d'inonder le jardin en quelques heures, (2) s'abattit brusquement.

3. Mon grand-père avait fabriqué une horloge qui, (1) à notre grand désespoir, (2) déclenchait une sonnerie infernale.

4. Par ailleurs, (1) j'aimerais attirer votre attention sur le fait que votre taux d'absentéisme est très élevé.

5. Son frère, (1) lui, (2) était un maniaque des jeux vidéo.

6. Le vent soufflait, (1) les vagues nous léchaient le visage, (2) mais le voilier refusait toujours d'avancer dans la bonne direction.

7. C'est pour moi, (1) fit-il remarquer, (2) une question d'honneur.

8 Nous avons dégusté des calmars qui venaient d'être pêchés. Puis, (1) ivres de bon vin, (2) nous avons décidé d'aller nous promener sur la plage.   *D   D*

9 Tout à coup, (1) près de l'arbre, (2) apparurent trois chatons.   *D   D D*

10 Nous transmettons votre message à la responsable du secteur, (1) Mme Julie Pedneault.   *D*

EXERCICE 5.3

Les phrases suivantes contiennent toutes une subordonnée relative. Dites si ces subordonnées sont déterminatives ou explicatives et ajoutez les virgules dans le cas des subordonnées explicatives.

1 Les élèves qui se sont montrés intéressés pourront participer à la fête.
det

2 Les élèves de 3e qui ont beaucoup d'imagination, ont monté un spectacle pour la Sainte-Catherine.
exp

3 Le premier ministre a déclaré que tout serait mis en œuvre pour que l'on dédommage dans les plus brefs délais les riverains qui ont perdu une partie de leurs biens.
det

4 Nous avons dégusté des calmars qui venaient d'être pêchés, puis nous avons décidé d'aller nous promener sur la plage.
det

5 Mon père, qui habite en Suisse, vient nous rendre visite tous les ans.
exp — un seul père

6 Mon frère, qui habite en Suisse, vient nous rendre visite tous les ans.
exp ou det

→6
Voir corrigé — si c'est de det determinera le frère qui reste en Suisse

7 Le groupe gagnant, dont font partie deux de mes meilleurs amis, fait la preuve qu'un concept original peut mener droit au succès.

exp — non essentiel

8 Nous avons fait un échange de maisons avec des Français, lesquels sont très sympathiques.

exp —

9 Le chalet que nous avons loué cet été ne sera pas disponible l'an prochain.

det

10 La Toscane, où nous avons passé nos dernières vacances, restera l'une de mes destinations préférées.

exp

5.2.2 Le point-virgule

Le point-virgule s'emploie pour séparer deux phrases distinctes, mais étroitement liées par le sens. Il peut marquer la succession des évènements évoqués dans les phrases qu'il lie ou encore, montrer en quoi elles s'opposent. Dans ces deux emplois, le point-virgule peut toujours être remplacé par un point, auquel cas la deuxième phrase doit commencer par une majuscule ; lorsqu'on veut plutôt resserrer le lien entre les phrases, on peut remplacer le point-virgule par une simple virgule.

> *Le vent s'était levé ; l'orage menaçait ; il fallait rentrer.*
>
> *Des baigneurs profitaient de la vague ; d'autres tentaient de nager malgré tout.*

On utilise parfois le point-virgule à la place d'une virgule pour séparer les éléments d'une longue énumération ou lorsque, dans une énumération, la virgule sert déjà à différencier des sousw-groupes.

> *Nous avons réuni des représentants de tous les secteurs : professeurs, chargés de cours, auxiliaires d'enseignement ; employés de soutien, préposés à l'entretien et au service à la clientèle ; étudiants et auditeurs libres.*

5.2.3 Le deux-points

Le deux-points se distingue fortement des autres signes de ponctuation : il ne lie pas, ne sépare pas ou n'encadre pas des groupes de mots ou des phrases ; il les introduit. Habituellement, la minuscule suit le deux-points, sauf si on introduit une citation ou un nom propre ou encore, si le texte introduit fait partie d'une remarque ou d'une note.

On emploie le deux-points pour introduire les éléments suivants :

Une énumération • horizontale (dans le corps de la phrase) • verticale (sous forme de liste)	*J'ai perdu toutes mes cartes : carte de crédit, carte d'assurance maladie, carte d'assurance sociale, carte de l'université, etc.* *Seuls les cartes ou documents suivants sont acceptés :* *– carte d'assurance maladie,* *– carte d'assurance sociale,* *– permis de conduire.*
Une explication, une cause	*Il a démissionné : la situation devenait insupportable.*
Une conséquence	*La situation devenait insupportable : j'ai démissionné.*
Une conclusion	*Le vocabulaire est imprécis, la syntaxe boiteuse, la présentation négligée : c'est un travail bâclé.*
Une citation	*Il se tut quelques instants, puis me demanda : « Quel âge avez-vous ? »*

À NOTER

On n'utilise pas le deux-points pour introduire une énumération complément d'un verbe.

> **Dans sa jeunesse, il a fait : du vélo, de la natation, du ski et de l'escalade.*

On écrira plutôt :

> *Dans sa jeunesse, il a fait du vélo, de la natation, du ski et de l'escalade.*

ou encore :

> *Dans sa jeunesse, il a pratiqué plusieurs sports : le vélo, la natation, le ski et l'escalade.*

EXERCICE 5.4

Justifiez l'emploi des virgules, des points-virgules et des deux-points dans les phrases suivantes.

1. On le soupçonne depuis quelque temps déjà : (1) une carence en vitamines peut nuire au bon fonctionnement du cerveau.

   introduit une explication

2. Le Dr John Stein, (1) neurophysiologiste à l'Université d'Oxford, (2) va plus loin. Selon lui, (3) une saine alimentation pourrait améliorer notre comportement.

   encadrement CN
   encadre CP

3 Il n'y a pas que les fruits et les légumes qui contiennent des antioxydants ; (1) le thé et le chocolat noir en renferment encore plus.

~~juxtaposition~~ les deux phrases

4 L'examen de certification comprend plusieurs volets : (1) la compréhension de l'écrit, l'expression écrite ; (2) la compréhension de l'oral, l'expression orale ; (3) la maitrise des compétences liées au domaine du candidat.

5 Il existe deux systèmes pour recueillir la sève d'érable : (1) la chaudière et la tubulure.

6 Après Marrakech, (1) nous mettons le cap vers le sud, (2) où commence le vrai désert, (3) celui des oueds sableux et des montagnes multicolores.

7 Voici un exemple du contenu de nos paniers bios de la fin juin à la mi-juillet : (1) des haricots, des petits pois, des pois mangetouts, des bettes à cardes, des ognons verts, différentes laitues, des radis, (2) et de délicieuses recettes !

8 Le lycopène de la tomate ou les caroténoïdes des carottes sont mieux assimilés lorsque la tomate ou la carotte sont cuites avec un peu de matières grasses : (1) est-ce pour cela que les cuisines du pourtour méditerranéen sont souvent riches en légumes préparés à l'huile d'olive ?

9 Les fruits et les légumes : (1) les meilleurs antioxydants.

10 Léo adore les fruits et les légumes ; (1) Simone les déteste.

5.2.4 Les guillemets

Les emplois des guillemets sont variés. Les guillemets servent généralement à encadrer une citation ou des mots ou des expressions que l'on ne veut pas prendre à son compte. Toutefois, depuis l'apparition des logiciels de traitement de textes, l'italique fait de plus en plus concurrence aux guillemets.

Les emplois des guillemets sont les suivants :

Rapporter les paroles intégrales de quelqu'un ou encadrer une citation de moins de cinq lignes. Si l'on mentionne la référence de la citation, on doit le faire après les guillemets fermants et la mettre entre parenthèses.	*« Quand un philosophe vous répond, on ne comprend même plus ce qu'on lui avait demandé. » (André Gide)*
Souligner les mots qui viennent après des verbes ou des adjectifs comme *appeler, qualifié de, nommer,* etc., et les mots qui renvoient à eux-mêmes.	*La culture du maïs, qu'on appelle traditionnellement « blé d'Inde » au Québec, demande beaucoup d'engrais.* *Le pronom personnel « leur » est toujours complément.*
Marquer une certaine distance par rapport à la définition habituellement donnée à un terme. Les guillemets peuvent ainsi traduire le doute, la perplexité, voire l'ironie d'un auteur.	*Quand il y a doute, il suffit de consulter ces autorités pour connaitre ce qu'on appelle encore, à tort ou à raison, le « bon usage », c'est-à-dire l'usage des « bons écrivains ».* *Que veut dire l'expression « minorité visible » ? Est-ce le contraire de « majorité invisible » ?*
Indiquer que l'on n'ignore pas qu'un mot ou une expression appartient à une autre langue, au langage familier, populaire ou vulgaire, ou qu'il n'existe tout simplement pas.	*Autrefois, les Québécois se « balancinaient » au lieu de se balancer.* *C'est un patron plutôt « cool ».*

À NOTER

Les guillemets français ont la forme « ». Pour mettre entre guillemets un mot ou une expression à l'intérieur d'une phrase ou d'un paragraphe déjà encadrés par des guillemets français, on emploie les guillemets anglais (" ").

5.2.5 Les parenthèses

Les parenthèses s'emploient pour encadrer une information qu'on ne juge pas essentielle à la compréhension du texte. On évitera de surcharger le texte de parenthèses, car les segments insérés risquent d'en briser la continuité.

Les éléments insérés peuvent être les suivants :

Un commentaire ou une explication	*J'ai mis l'étudiante à la porte pour plusieurs raisons. D'abord, elle est arrivée en retard* **(comme toujours)**. *Puis elle s'est mise à répondre à ses courriels* **(les étudiants ont droit à leur ordinateur)**. *Enfin, elle s'est endormie sur son bureau.*
Un exemple, une précision ou un chiffre	*De même, le Français qui s'adressera à des francophones d'ici aura peut-être du mal à se faire comprendre s'il parle de carte grise* **(carte d'immatriculation d'un véhicule)**, *de gendarmerie* **(poste de police)**, *de lycée* **(école secondaire)** *[. . .]. (E. Poisson, Écrire son français)* *Nous avons reçu cinq-cent-vingt-trois* **(523)** *nouvelles demandes d'inscription.*
Une référence	*Dans une entrevue récente* **(Le Soleil, 21 novembre 2010)**, *la ministre a soutenu que. . .*

5.2.6 Les crochets

Les emplois des crochets sont les suivants :

Indiquer que l'on a modifié ou omis un passage dans une citation.	*Comme l'affirme l'auteur d'un article paru en 1982 dans* Meta, *« [la poésie] ne se situe ni au-delà ni en marge, mais en plein cœur de la langue ».*
Éviter des parenthèses doubles, c'est-à-dire des parenthèses à l'intérieur de parenthèses.	*(Les étudiants devront présenter leur carte d'identité [aut. 2011].)*

5.2.7 Les tirets

Les emplois des tirets sont les suivants :

Encadrer un commentaire ou une précision que l'on juge utile à la compréhension du texte. Dans ce cas, les tirets font concurrence aux parenthèses.	*De plus, parmi les pays où les armes sont étroitement contrôlées, certains –* **comme le Mexique, la Jamaïque ou la Suède** *– sont plus violents que d'autres.*
Annoncer un changement d'interlocuteur dans un dialogue.	– *Avez-vous déjeuné ?* – *Pas encore.* – *Puis-je vous inviter ?* – *Avec plaisir.*
Détacher, sous forme de liste, les termes d'une énumération verticale.	*Les principaux genres d'écrits journalistiques sont :* – *la brochure,* – *l'article,* – *la chronique,* – *l'éditorial,* – *la lettre publique.*

EXERCICE 5.5

Ponctuez correctement les phrases suivantes. Pour vous aider à faire cet exercice, consultez la *Banque de dépannage linguistique* de l'Office québécois de la langue française dans l'Index thématique, à « La ponctuation », sous « Les signes de ponctuation », puis « Guillemets et citation ».
(http://www.olf.gouv.qc.ca/ressources/bdl.html)

1. Le bleuet sauvage a des qualités que n'a pas le bleuet de culture. Il est plus sucré donc idéal pour la confiture, contient moins d'eau et possède beaucoup plus d'antioxydants, affirme Daniel Simard du Syndicat des producteurs de bleuets du Québec.

2. Vos responsabilités incluront également la collaboration avec les vérificateurs financiers internes et externes, le suivi du processus de vérification, et la représentation de la compagnie auprès des concurrents.

3. Le circuit La route des oasis et aventure saharienne est un de nos circuits les plus appréciés.

4. La cabane à sucre est un lieu où les acériculteurs recueillent l'eau d'érable, la sève brute et non la sève élaborée, et en font la transformation

5. L'éducation développe les facultés mais ne les crée pas (Voltaire)

6. Les Français appellent bleuet une petite fleur bleue.

7. Les bleuets cueillis en forêt (30 % de la production québécoise) de bleuets sont certifiés bios puisqu'ils sont exempts de pesticides et d'accélérateurs

8. Ce monsieur peut-il prendre la parole, demanda-t-il Il ne porte pas son badge d'identification

9. Jeune, il avait un comportement de looser, aujourd'hui, c'est tout le contraire

10. Pour résoudre ce problème il faudra déterminer à quel mot se rapporte tout s'il se rapporte au nom il sera adjectif et s'accordera s'il se rapporte à l'adjectif il sera adverbe et invariable

Chapitre 6

La morphologie

La **morphologie** est l'étude de la variation de la forme des mots. En français, les noms, les pronoms, les adjectifs, les participes passés et les déterminants sont marqués en genre et en nombre; quant aux verbes, ils varient en fonction de la personne grammaticale du sujet et selon le temps et le mode auxquels ils sont employés. Ces particularités orthographiques font l'objet du présent chapitre.

À NOTER

Les règles énoncées dans ce chapitre tiennent compte des rectifications orthographiques de 1990 proposées par le Conseil supérieur de la langue française et recommandées en 2004 par l'Office québécois de la langue française.

6.1 LE VERBE ET LES CONJUGAISONS

Le verbe français possède une morphologie très riche (ou très compliquée, selon le point de vue!). Les variations tiennent en premier lieu à la **terminaison** du verbe, en fonction de la **personne**, du **temps** et du **mode**. À certains temps (présent et passé simple de l'indicatif, présent de l'impératif, imparfait du subjonctif), la terminaison peut également varier en fonction de celle de l'infinitif du verbe.

*Il li**e** facilement amitié.*
verbe li**er**

*Il li**t** énormément.*
verbe li**re**

*Il fond**a** Québec.*
verbe fond**er**

*Il fond**it** en larmes.*
verbe fond**re**

*Mang**e**.*
verbe mang**er**

*Fini**s** ta soupe.*
verbe fin**ir**

*Il ne croyait pas que la fée Carabine tir**ât** si bien.*
verbe tir**er**

*Il ne croyait pas qu'elle p**ût** si bien tirer.*
verbe pouv**oir**

Pour le reste, les terminaisons sont constantes pour tous les verbes à un temps donné, à quelques exceptions près, que l'on connait bien (par exemple -*es* plutôt que -*ez* pour quelques verbes au présent de l'indicatif : *vous faites, vous dites…*). C'est donc sur ces constantes que l'on porte ses premiers efforts de mémorisation durant l'enfance.

En second lieu, les variations dans les conjugaisons tiennent au **radical**, c'est-à-dire à la base lexicale du verbe sans sa terminaison. C'est là en particulier qu'on « s'emmêle les pinceaux » : *je filète* ou *je filette*? *je céderai* ou *je cèderai*? À l'ordinateur, le correcteur nous dit qu'on *filète*, qu'on *cèdera* (*cédera* dans la graphie traditionnelle).

Les rectifications de l'orthographe de 1990 ont introduit plusieurs simplifications dans les règles orthographiques des conjugaisons. Nous en rendrons compte dans cette section, tout en présentant un survol du système. La maitrise des conjugaisons passe en effet par la connaissance du système : connaitre d'abord les noms des temps et des modes pour mieux distinguer les formes ; connaitre les valeurs de chacun pour éviter les confusions entre formes proches (futur et conditionnel, par exemple) ; connaitre les changements de radical ainsi que les terminaisons de chaque temps même si on écrit à l'ordinateur, les correcteurs ne pouvant pas toujours déterminer la forme désirée.

Le monde francophone a sans doute produit assez d'exercices de conjugaison pour permettre aux passionnés de la chose d'en faire jusqu'à leur centième anniversaire, et même au-delà. Essayons plutôt de vous outiller pour que vous n'ayez plus à en faire.

6.1.1 Les personnes

La terminaison du verbe change selon la personne du sujet. Il y a, en français, trois personnes grammaticales, qui varient en nombre. Tous les groupes nominaux sujets sont de la 3e personne.

Les pronoms personnels selon la personne grammaticale		
Personne	**Singulier**	**Pluriel**
1re	*je*	*nous*
2e	*tu*	*vous*
3e	*il, elle*	*ils, elles*

Seuls les pronoms de la 3e personne varient selon le genre (masculin ou féminin : *il/elle, ils/elles*). Le genre caractérise néanmoins aussi les pronoms des 1re et 2e personnes, comme en témoigne l'accord du participe passé (des verbes conjugués avec *être*) et de l'adjectif attribut.

> *Je suis deven**u** séri**eux**. (Je = Julien)*
>
> *Tu es deven**ue** séri**euse**. (Tu = Juliette)*

Il ne faut pas non plus oublier que *vous* peut désigner une personne unique (lorsqu'il s'agit d'une personne que l'on vouvoie), et donc commander des accords au singulier.

> *Cher directeur, vous êtes très apprécié de tous vos collègues.*
> (*vous* = Cher directeur)

Même *nous* peut occasionnellement prendre une valeur singulière et commander des accords au singulier.

> *Nous, roi de France, sommes attristé de la famine qui sévit.* (*nous* de majesté)
> *Nous sommes partie de l'hypothèse suivante.* (*nous* d'auteur, dit aussi de modestie)

À ces pronoms s'ajoute le pronom *on* qui, grammaticalement, est de la 3ᵉ personne du **singulier** et appelle, dans sa valeur indéfinie, un accord au masculin singulier pour le participe passé ou l'adjectif attribut.

> ***On** n'est jamais si bien servi que par soi-même.*

Utilisé dans le sens de *nous*, cependant, il commande un accord au pluriel (mais le verbe ou l'auxiliaire reste, bien sûr, à la 3ᵉ personne du singulier).

> *Julie et moi* (= Julien), ***on** est allés au cinéma.*
> *Julie et moi* (= Juliette), ***on** est allées au cinéma.*

EXERCICE 6.1

Déterminez le genre et le nombre du référent désigné par le pronom en gras sur la base de l'accord qu'il commande pour le participe passé ou l'adjectif.

1. **Vous** n'êtes pas encore parti ?

2. Dans la population, **on** commence à être fatigué de tous ces scandales.

3. **Je** me suis trompée.

4. Après examen du dossier, **nous** sommes arrivée à la conclusion qu'un recours collectif était la meilleure voie.

5. Si **on** est absents, la clé sera chez le voisin.

6.1.2 **Les modes et les temps**

On distingue les modes **personnels** et les modes **impersonnels**. Les modes personnels sont l'indicatif, le subjonctif et l'impératif. Les modes impersonnels sont l'infinitif et le participe. Comme leur nom l'indique, les modes impersonnels ne varient pas en personne.

- L'**infinitif** exprime strictement le contenu lexical du verbe. L'infinitif comporte une forme simple (infinitif présent) et une forme composée (infinitif passé).

    *Il veut **finir** ce soir.* (Infinitif présent)

    *Il veut **avoir fini** ce soir.* (Infinitif passé)

L'infinitif passé n'a aucune valeur temporelle : l'action n'est pas vue comme passée (dans le second exemple ci-dessus, elle appartient même au futur), mais comme « accomplie ». Cette valeur est dite **aspectuelle**. L'aspect accompli caractérise en fait tous les temps composés.

- Le mode **participe** comprend le participe présent et le participe passé.
    - Le **participe présent** se présente sous une forme simple (participe présent) ou sous une forme composée (participe présent composé).

        *Il est reparti en **courant**.* (Participe présent)

        ***Ayant remercié** mes hôtes, je pris congé.* (Participe présent composé)

        ***Étant arrivé** le premier, je pris la meilleure place.* (Participe présent composé)

    - Le **participe passé** sert en particulier à former les temps composés du verbe.

        *J'aurai tout **essayé** !* (Participe passé employé avec l'auxiliaire *avoir* dans un futur antérieur de l'indicatif)

        *Je suis **arrivée** à temps.* (Participe passé employé avec l'auxiliaire *être* dans un passé composé de l'indicatif)

- L'**indicatif** compte 10 temps, répartis en formes simples et composées.
    - Formes simples :

        *Il **chante** bien.* (Présent)

        *Il **chantait** bien lorsqu'il était jeune.* (Imparfait)

        *Il **chanta** un air connu.* (Passé simple)

        *Il **chantera** à l'Opéra demain soir.* (Futur simple, aussi appelé simplement futur)

        *Je ne croyais pas qu'il **chanterait** si bien.* (Conditionnel présent)

    - Formes composées :

        *Il **a** bien **chanté**.* (Passé composé)

        *Il **avait** bien **chanté** ce soir-là.* (Plus-que-parfait)

        *Après qu'il **eut chanté**, tout le monde applaudit.* (Passé antérieur)

        *Après qu'il **aura chanté**, nous pourrons l'interviewer.* (Futur antérieur)

        *Il **aurait (eût)** mieux **chanté** s'il avait réchauffé sa voix.* (Conditionnel passé)

L'indicatif est le seul mode qui situe réellement les évènements dans le temps, c'est-à-dire dans le passé, dans le présent ou dans l'avenir. C'est en fait le seul mode proprement temporel.

- Le **subjonctif** est le mode de la dépendance : il ne s'utilise que dans les subordonnées, sauf à la 3e personne, où il peut exprimer un ordre ou un vœu à la manière d'un impératif.

    *Qu'il **aille** à l'école.* (Comparer à : *Va à l'école.*)

    *Qu'ils en **soient remerciés**.* (Comparer à : *Soyez-en remerciés.*)

Le subjonctif compte quatre temps, répartis en formes simples et composées.

- – Formes simples :

    *Il faut qu'il **parte**.* (Subjonctif présent)

    *Il fallait toujours qu'elle **eût** le dernier mot.* (Subjonctif imparfait)

- – Formes composées :

    *Je ne crois pas qu'il **soit parti**.* (Subjonctif passé)

    *La maladie l'emporta avant qu'il **eût terminé** son livre.* (Subjonctif plus-que-parfait)

Le subjonctif imparfait et plus-que-parfait ne s'emploient que dans la langue littéraire (par concordance) et ne sont en aucun cas obligatoires. Le subjonctif passé et le subjonctif plus-que-parfait marquent l'aspect accompli, comme tous les temps composés.

- L'**impératif**, qui ne se conjugue qu'à trois personnes (2e du singulier et 1re et 2e du pluriel), exprime différentes modalités : ordre, conseil, prière. Il compte une forme simple (impératif présent) et une forme composée (impératif passé).

    ***Mange** ta soupe !* (Impératif présent, 2e personne du sing.)

    ***Mangeons** vite !* (Impératif présent, 1re personne du plur.)

    Mangez (impératif présent, 2e personne du plur.), *mes pauvres enfants,*
    *mais **soyez partis*** (impératif passé, 2e personne du plur.) *avant que l'ogre ne rentre.*

Comme le montre le dernier exemple, l'impératif « passé » est strictement aspectuel : il s'emploie à propos d'actions futures par rapport à un autre moment, considéré comme présent (« Mangez »).

EXERCICE 6.2

En vous aidant au besoin d'un tableau de conjugaison du verbe *être*,
indiquez à quel mode et à quel temps sont les verbes en caractères gras.

1 Il **fut** (_____) impossible de s'entendre.

2 Je ne croyais pas qu'il **fût** (_____) possible
   de s'entendre.

3 Je **suis** (_____) contente qu'il **ait été**

(_____) possible de s'entendre.

4 Il **avait été** (_____) déçu qu'elle ne **soit**

(_____) pas là.

5 J'**aurais été** (_____) déçue que vous ne

fussiez (_____) pas là.

6 Déçue qu'il ne **fût** (_____) pas là, elle s'en **fut**

(_____) chez elle.

7 N'en **soyez** (_____) pas si certain.

8 Après **avoir été** (_____) longuement malade,

elle n'**était** (_____) pas en mesure de passer

ses examens.

9 **Ayant été** (_____) longuement malade, elle

n'**a** pas **été** (_____) en mesure de passer ses

examens.

10 La récession **aura été** (_____)

particulièrement difficile pour les gens les plus démunis.

6.1.3 Les verbes réguliers et irréguliers

Du point de vue de la conjugaison, les verbes du français se répartissent en verbes réguliers et irréguliers. Les verbes réguliers sont les verbes en *-er* et les verbes en *-ir* comme
finir, qui font *-issons* à la 1er personne du pluriel du présent. Les autres verbes en *-ir*, les
verbes en *-re* et les verbes en *-oir* sont irrégulier*s*.

Les verbes en *-er* sont de loin les plus nombreux. La quasi-totalité des nouveaux verbes
qui apparaissent dans la langue française sont d'ailleurs des verbes en *-er* : *solutionner,
finaliser, bloguer...* Mis à part le verbe *aller*, qui est totalement irrégulier, les verbes en
-er ne souffrent aucune exception dans leurs terminaisons. Les difficultés que présente la
conjugaison des verbes du premier groupe touchent en fait des modifications du **radical**
(la partie du début qui porte le sens lexical du verbe) ; ces modifications sont cependant
toutes liées à des règles phonétiques et sont donc faciles à retenir.

Les verbes en *-ir* qui se conjuguent comme *finir* (ceux qui font *-issons* à la 1re personne du pluriel du présent) ne connaissent aucune modification de radical et leur conjugaison est donc totalement régulière.

Les autres verbes en *-ir* ainsi que ceux en *-re* ou en *-oir* sont irréguliers : ils connaissent de nombreuses modifications dans leur radical et des exceptions dans leurs terminaisons.

Les erreurs dans l'orthographe du verbe sont particulièrement fréquentes lorsque la terminaison n'est pas sonore, ce qui amène parfois à confondre deux modèles de conjugaison.

> *La décision de l'arbitre li**e** les deux parties.* (Li**er**)
>
> *La ministre li**t** tous les rapports.* (Li**re**)

La présence d'un *e* muet dans le radical de certaines formes verbales peut aussi prêter à confusion.

> *Nous distribu**erons** des dépliants.* (Distribu**er**)
>
> *Nous conclu**rons** cette entente dès que possible.* (Conclu**re**)

Pour conjuguer correctement un verbe, il faut remonter à l'infinitif et appliquer le modèle de conjugaison approprié.

De façon plus générale, il faut, lorsqu'on écrit, avoir en tête que la conjugaison écrite a beaucoup plus de formes que la conjugaison orale : *aime*, *aimes* et *aiment* se prononcent de la même façon, mais ont des terminaisons différentes, tout comme *voyais*, *voyait* et *voyaient*, *crois* et *croie*, etc.

EXERCICE 6.3

Donnez l'infinitif des verbes en caractères gras et indiquez s'ils sont réguliers ou irréguliers.

1. Le cabinet de la jeune dentiste ne **désemplit** (_____) pas.

2. Il **fuit** (_____) son passé.

3. Le comité **fondera** (_____) sa décision sur des principes d'équité.

4. La neige **fondra** (_____) bientôt.

5. Nous n'**inclurons** (_____) pas ce document dans le rapport.

EXERCICE 6.4

Pour éviter les confusions (assez fréquentes) entre les terminaisons des verbes en -er et celles des autres verbes, il faut remonter à la forme infinitive. Donnez l'infinitif des verbes en caractères gras puis récrivez les phrases à la personne correspondante du singulier.

1 Nous **publions** 10 livres par mois.

_____

2 Nous **vérifions** toutes nos informations avant de les publier.

_____

3 Nous **parions** que le ministre démissionnera.

_____

4 **Créez**-vous des logiciels personnalisés ?

_____

5 Ils **essaient** de bien comprendre.

_____

6.1.4 Les conjugaisons aux différents temps et aux différents modes

Afin d'éliminer certaines complexités inutiles dans l'orthographe ainsi que certaines anomalies graphiques, les rectifications de l'orthographe de 1990 ont, entre autres choses, recommandé les simplifications suivantes : élimination de l'accent circonflexe sur les voyelles *i* et *u* lorsqu'il ne sert pas à distinguer deux mots (ce qu'il fait pour des paires comme *jeune/jeûne, du/dû*, etc.) ; modification de certains accents pour que la graphie corresponde à la prononciation (par exemple, en ce qui concerne les verbes, *asséner* plutôt qu'*assener, règlementer* plutôt que *réglementer*) ; élimination d'un certain nombre d'aberrations ou d'irrégularités dans l'emploi de la double consonne dont celle touchant les verbes en -*eler* et en -*eter*).

Pour les conjugaisons, les rectifications orthographiques entrainent les changements suivants :

Rectifications	Exemples	Graphies traditionnelles
1. Suppression de l'accent circonflexe sur le i lorsqu'il n'a pas pour fonction de distinguer des formes verbales. **Notes :** Le passé simple conserve son accent circonflexe à la 1re et à la 2e pers. du plur. : *nous vîmes, nous reçûmes, vous aimâtes*. Le subjonctif imparfait conserve également le circonflexe à la 3e pers. du sing. : *qu'il vît, qu'il reçût, qu'il aimât*.	*connaitre, paraitre*, etc. *il connait* *je connaitrai/connaitrais…* Mais : *il croît* (verbe *croitre*) en opposition à *il croit* (verbe *croire*). **Formes touchées** • Infinitif • Présent de l'indicatif à la 3e pers. du sing. • Futur et conditionnel aux 3 personnes du sing. et du plur.	*connaître, paraître*, etc. *il connaît* *je connaîtrai…* *je connaîtrais…*
2. Remplacement de l'accent aigu par l'accent grave au futur et au conditionnel des verbes du type de *céder* pour que l'accent reflète la prononciation.	*je cèderai…* *je considèrerais…* **Formes touchées** • Futur et conditionnel de l'indicatif à toutes les personnes	*je céderai* *je considérerais*
3. Uniformisation de l'orthographe des verbes en *-eler* et *-eter* (sauf *appeler, jeter* et leurs dérivés) **avec un accent grave et un seul *l* ou un seul *t*, sur les modèles de *peler* et d'*acheter*.** **Note :** Les verbes *appeler* et *jeter* ainsi que leurs dérivés conservent l'alternance avec la double consonne parce que nous sommes trop habitués à les voir écrits avec cette alternance pour la changer.	*j'étiquète* *tu renouvèleras* *il ruissèlerait* *elles pellèteraient* *que je ficèle* *volète, petit papillon* **Formes touchées** • Présent, futur et conditionnel de l'indicatif aux 3 personnes du sing. et à la 3e pers. du plur. • Impératif présent à la 2e pers. du sing.	*j'étiquette* *tu renouvelleras* *il ruissellerait* *elles pelletteraient* *que je ficelle* *volette, petit papillon*

Comme il a été mentionné dans le chapitre 1, « Les outils d'aide à la rédaction », tous les ouvrages n'ont pas également incorporé les rectifications. Parmi les outils électroniques, *Microsoft Office 2007* (ou la version 2003, avec le *service pack 2*) et *Antidote* permettent de choisir entre les graphies rectifiées et les graphies traditionnelles. Le *Petit Robert (PR) 2009* montre les deux formes *céderai/cèderai* pour tous les verbes se conjuguant sur ce modèle, mais rejette les deux autres rectifications touchant les verbes. La 5e édition (2009) du *Multidictionnaire (Multi)* mentionne en note la graphie rectifiée des verbes. En date de 2009, la *Banque de dépannage linguistique (BDL)* conserve encore la graphie traditionnelle en ce qui concerne les trois rectifications touchant les conjugaisons dans ses modèles. Comme les outils changent régulièrement, à vous de vérifier ce qu'il en est dans vos ouvrages de référence préférés. Par exemple, *L'art de conjuguer* de Bescherelle, grand favori des élèves, a intégré les rectifications depuis 2006 en les présentant comme des variantes à part entière.

Même s'ils n'intègrent pas totalement les nouvelles formes (somme toute peu nombreuses), n'hésitez pas à consulter vos ouvrages de référence habituels pour les conjugaisons. Ces ouvrages ne sont-ils pas déjà ouverts, devant vous, sur votre table ou à l'ordinateur, pendant que vous rédigez ? Rappelons ici que la version électronique du *Petit Robert* donne la conjugaison complète de chaque verbe à partir de l'article même (avec au bas de chaque tableau généré un rappel des principales difficultés orthographiques touchant la catégorie du verbe en cause) ; dans la version imprimée, chaque verbe est suivi d'un numéro renvoyant à son modèle de conjugaison (en annexe). Pour sa part, le *Multidictionnaire* (*Multi*) présente 76 tableaux de conjugaison de verbes modèles, qui apparaissent à l'ordre alphabétique des verbes en cause ; pour tous les autres verbes, le *Multi* indique le modèle à suivre, tout en signalant les particularités de formes s'il s'agit d'un verbe irrégulier.

La plupart d'entre nous sont encore habitués à voir le verbe *connaître* avec un circonflexe, à regarder l'eau qui *ruisselle* ou les jeunes qui *pellettent* la neige devant la maison. Pour autant, nous ne donnerons, dans les corrigés des exercices, que les graphies rectifiées, qui se pratiquent de plus en plus dans les écoles. Bien sûr, les formes traditionnelles demeurent tout aussi bonnes et acceptables.

Les temps simples de l'indicatif

En soi, les terminaisons des verbes aux différents temps sont simples.

Le présent

Les terminaisons régulières des verbes au présent de l'indicatif				
Personne	Verbes en *-er*		Verbes en *-ir*, en *-oir* et en *-re*	
	Singulier	Pluriel	Singulier	Pluriel
1re	-e	-ons	-s	-ons
2e	-es	-ez	-s	-ez
3e	-e	-ent	-t	-ent

Les terminaisons particulières des verbes au présent de l'indicatif		
Verbes	Terminaisons particulières	Remarques
	Terminaison en *d*	
Verbes en *-dre* (sauf ceux en *-indre* et en *-soudre*)	3e pers. du sing. il fen**d**, elle cou**d**, il enten**d**, elle répon**d**	Mais : *il joint, elle peint, il résout, elle dissout.* Voir les verbes en *-indre* et en *-soudre* dans le tableau des changements dans le radical.

Verbes *couvrir* et *cueillir* (et leurs dérivés) ainsi que *assaillir, défaillir, offrir, ouvrir, souffrir* et *tressaillir*	**Terminaison en *e* comme les verbes en -*er***	
	1re, 2e et 3e pers. du sing. *je couvre, tu cueilles, il assaille, elle offre*	
Verbes *pouvoir, valoir* et *vouloir*	**Terminaison en *x***	Mais 3e pers. du sing. en *t* selon le modèle général pour les verbes en -*ir*, en -*oir* et en -*re* : *il peut, il vaut, il veut*.
	1re et 2e pers. du sing. *je peux, je vaux, je veux* *tu peux, tu vaux, tu veux*	
Verbes *dire* et *faire*	**Terminaison en -*es* (et non -*ez*)**	Sauf *redire*, les dérivés de *dire* prennent -*ez* à la 2e pers. du plur. : *vous contredisez, vous prédisez*.
	2e pers. du plur. *vous dites, vous faites*	
Verbes *vaincre* et *convaincre*	**Terminaison en *c***	Mais radical *vainc-* → *vainqu-* aux 3 pers. du plur. : *nous vainquons, elles convainquent*.
	3e pers. du sing. *il vainc, elle convainc*	

Le présent de l'indicatif comporte de nombreux changements dans le radical, qui se produisent avec une grande régularité : ils touchent souvent les mêmes personnes grammaticales (les trois personnes du singulier et la 3e personne du pluriel, par exemple) et reviennent généralement à d'autres temps ou à d'autres modes. **Une fois qu'on a retenu les transformations morphologiques du présent, on peut donc les appliquer facilement aux autres temps ou modes concernés.**

Les changements dans le radical au présent de l'indicatif		
Verbes	**Changements dans le radical**	**Remarques**
Verbes en -*yer*	**y → i**	La chute de la dernière syllabe rend le *y* inutile. Les verbes en -*ayer* peuvent toutefois garder le *y* : *j'essaye, tu égayes, elle bégaye, ils déblayent*.
	1re, 2e, 3e pers. du sing. et 3e pers. du plur. *je paie, tu envoies, elle essuie, ils balaient*	
Verbes en -*ger*	**g → ge**	Pour être prononcée [ʒ], la lettre *g* doit être suivie d'un *e* devant *a, o* et *u* (comme dans le prénom *Georges*).
	1re pers. du plur. *nous changeons*	
Verbes en -*cer*	**c → ç**	Pour être prononcée [s], la lettre *c* doit porter la cédille devant *a, o* et *u*.
	1re pers. du plur. *nous avançons*	

Verbes ayant un *e* muet à l'avant-dernière syllabe de l'infinitif	**$e \longrightarrow è$** 1re, 2e, 3e pers. du sing. et 3e pers. du plur. *je lève, tu congèles, il achète, elles amènent*	Mais : *nous levons, vous congelez*, à cause de la finale sonore.
Verbes *appeler*, *jeter* et leurs dérivés	**$l \longrightarrow ll$ et $t \longrightarrow tt$** 1re, 2e, 3e pers. du sing. et 3e pers. du plur. *j'appelle, tu jettes, il interpelle, ils rejettent*	Mais : *nous appelons, vous jetez*, à cause de la finale sonore. Si l'on applique les rectifications, tous les autres verbes en -*eler* et en -*eter* suivent l'alternance entre *e* et *è* (modèles : *peler* et *acheter*).
Verbes ayant un *e* fermé à l'avant-dernière syllabe de l'infinitif	**$é \longrightarrow è$** 1re, 2e, 3e pers. du sing. et 3e pers. du plur. *je possède, tu cèdes, il révèle, elles préfèrent*	Mais : *nous possédons, vous cédez*, à cause de la finale sonore.
Verbes en -*ir* réguliers	**$i \longrightarrow iss$** 1re, 2e et 3e pers. du plur. *nous finissons, vous grandissez, ils rougissent*	
Verbe *haïr*	**$ï \longrightarrow i$** 1re, 2e et 3e pers. du sing. *je hais, tu hais, elle hait*	Mais : *nous haïssons, vous haïssez, ils haïssent.*
Certains verbes en -*ir* irréguliers	**Chute de la consonne précédant la terminaison de l'infinitif** 1re, 2e et 3e pers. du sing. *je dors, tu pars, il sert*	Mais : *je vêts, tu cours, elle encourt.*
Verbes *fuir* et *s'enfuir*	**$i \longrightarrow y$** 1re et 2e pers. du plur. *nous fuyons, vous fuyez*	
Verbes *tenir* et *venir* (et leurs dérivés)	**Radical $\longrightarrow$ *tien(n)-* et *vien(n)-*** 1re, 2e, 3e pers. du sing. et 3e pers. du plur. *je tiens, tu viens, elle retient, ils surviennent*	
Verbes *acquérir* et autres dérivés de *quérir*	**Radical $\longrightarrow$ *acquier-*** 1re, 2e et 3e pers. du sing. *j'acquiers, tu conquiers, il s'enquiert, elle requiert*	Mais : *nous acquérons, vous conquérez.*
	Radical $\longrightarrow$ *acquièr-* 3e pers. du plur. *ils acquièrent, elles conquièrent*	Le verbe *quérir* est pour sa part complètement défectif et ne s'emploie qu'à l'infinitif.

Verbe *bouillir*	**Radical $\longrightarrow$ bou-**	
	1re, 2e et 3e pers. du sing. *je b**ou**s, tu b**ou**s, il b**out***	
Verbe *mourir*	**Radical $\longrightarrow$ meur-**	
	1re, 2e, 3e pers. du sing. et 3e pers. du plur. *je **meur**s, tu **meur**s, il **meur**t, elles **meur**ent*	
Verbes en *-indre* et en *-soudre*	**Chute du *d***	
	1re, 2e et 3e pers. du sing. *je join**s**, tu pein**s**, il réso**ut***	La chute du *d* à la 3e pers. du sing. permet la terminaison *t*, normale pour les verbes en *-ir*, en *-oir* et en *-re*.
Verbes en *-indre*	***nd* $\longrightarrow$ *gn***	
	1re, 2e et 3e pers. du plur. *nous joi**gn**ons, vous pei**gn**ez, elles joi**gn**ent*	Voir les verbes en *-dre* dans le tableau des terminaisons particulières.
Verbes en *-ttre*	**Un *t* au sing., deux *t* au plur.**	
	*je met**s**, nous ba**tt**ons*	
Verbes *aller, avoir, être* et autres verbes irréguliers	**Multiples changements**	
		Voir les tableaux du *PR*, du *Multi*, d'*Antidote*, du *Bescherelle* ou de tout autre guide.

EXERCICE 6.5

Écrivez les verbes entre parenthèses au présent de l'indicatif.

À NOTER

Au besoin, reportez-vous, aux tableaux précédents sur les terminaisons particulières et les changements dans le radical.

1. Moi aussi, cela m'(ennuyer) _____ prodigieusement.

2. Ce contrat me (lier) _____ à vous.

3. Tous les matins, elle (lire) _____ son journal.

4 Nous (créer) _____ une nouvelle pièce tous les ans.

5 Je ne (répondre) _____ pas de lui.

6 Nous (se distraire) _____ comme nous (pouvoir)

_____ .

7 Les deux équipes (se relayer) _____ toutes les quatre heures.

8 Nous (rejoindre) _____ notre régiment dès demain.

9 Nous (placer) _____ notre confiance en vous.

10 Nous (se contraindre) _____ à faire des conjugaisons tous les jours.

11 Je (protéger) _____ vos intérêts.

12 Il (se fourvoyer) _____ complètement.

13 Je (rejeter) _____ votre demande.

14 La neige (s'amonceler) _____ .

15 Cela n'en (valoir) _____ pas la peine.

16 Il (se souvenir) _____ de tout.

17 Pendant que vous (être) _____ ici, vous (acquérir)

_____ de l'expérience.

18 Vous (faire) _____ honneur à vos parents.

19 Je (soutenir) _____ votre candidature.

20 Une véritable foule (accourir) _____ sur les lieux.

21 Il (falloir) _____ partir immédiatement.

22 Il (pleuvoir) _____ depuis ce matin.

23 Attention ! La voleuse (s'enfuir) _____ .

24 Le vieux policier (maugréer) _____ sans cesse.

25 Quand on (vouloir) _____ on (pouvoir) _____ , dit le proverbe.

26 Nous vous (rappeler) _____ vos obligations contractuelles.

27 Il (haïr) _____ la mayonnaise et toutes les sauces bien grasses.

28 Cet argument ne me (convaincre) _____ pas.

29 Détenir trop longtemps le pouvoir (corrompre) _____ .

30 Assez des conjugaisons : je (défaillir) _____ !

L'imparfait

Les terminaisons des verbes à l'imparfait de l'indicatif		
Personne	**Singulier**	**Pluriel**
1re	-ais	-ions
2e	-ais	-iez
3e	-ait	-aient

Difficultés et erreurs courantes de conjugaison à l'imparfait de l'indicatif		
Difficultés et erreurs	**Exemples/Formes correctes**	**Remarques**
Oubli du *i* dans la terminaison des 1re et 2e personnes du pluriel lorsqu'on ne l'entend pas. C'est le cas, en particulier, après une voyelle, un double *l* (*ll*), la séquence *gn* ou un *y*.	*nous crions* *nous travaillions* *vous gagniez* *vous essuyiez*	Sans le *i*, la terminaison est celle du présent (*nous crions, nous travaillons, vous gagnez, vous essuyez*).
Erreur quant au radical auquel s'ajoute la terminaison. L'imparfait de **tous les verbes** (sauf *être*) peut se former **en ajoutant la terminaison appropriée au radical de la 1re personne du pluriel du présent de l'indicatif.**	*je payais* (cf. *nous payons*) *tu finissais* (cf. *nous finissons*) *il fuyait* (cf. *nous fuyons*) *vous craigniez* (cf. *nous craignons*) *elles acquéraient* (cf. *nous acquérons*)	La maitrise des variations de radical au présent est très utile pour l'ensemble des conjugaisons.

EXERCICE 6.6

Écrivez les verbes entre parenthèses à l'imparfait.

À NOTER

- Formez bien l'imparfait sur le radical de la 1re personne du pluriel du présent de l'indicatif (sans oublier les *i* qu'on n'entend pas!).

- Reportez-vous au tableau des changements dans le radical au présent de l'indicatif pour les alternances : les règles phonétiques sont les mêmes (les personnes grammaticales touchées peuvent changer cependant).

1. Je (placer) _____ beaucoup d'espoir en elle.

2. Il faisait chaud et nous (suer) _____ à grosses gouttes.

3. Il (répartir) _____ son temps entre ses deux emplois.

4. Les adversaires (se jauger) _____ en silence.

5. Je ne (se rappeler) _____ pas vous avoir dit ça.

6. Leur savoir (sidérer) _____ le professeur.

7. Elle lui (extraire) _____ tous ses secrets.

8. Nous ne (croire) _____ pas qu'elle partirait.

9. Plus rien ne l'(atteindre) _____ .

10. Tous ne (souscrire) _____ pas à la thèse de l'imminence d'un danger.

Le passé simple

Le passé simple s'utilise surtout à l'écrit, dans les textes narratifs (romans, biographies, etc.), et surtout à la 3e personne. À l'oral et, de façon générale, dans les textes courants, on emploie le passé composé.

Les terminaisons des verbes au passé simple de l'indicatif								
Personne	**Verbes en -*er***		**Verbes en -*ir* réguliers et irréguliers (sauf *courir* et *mourir*)**		**Verbes en -*re* et en -*oir* (plus *courir* et *mourir*)**			
	Sing.	**Plur.**	**Sing.**	**Plur.**	**Sing.**	**Plur.**	**Sing.**	**Plur.**
1re	-ai	-âmes	-is	-îmes	-is	-îmes	-us	-ûmes
2^e	-as	-âtes	-is	-îtes	-is	-îtes	-us	-ûtes
3^e	-a	-èrent	-it	-irent	-it	-irent	-ut	-urent

Difficultés et erreurs courantes de conjugaison au passé simple de l'indicatif		
Difficultés et erreurs	**Exemples/Formes correctes**	**Remarques**
Terminaison en *i* ou en *u* ? Terminaison en *u* seulement pour les verbes suivants : • *courir* et *mourir* • les verbes en -*oir* (sauf *voir*, *assoir*, *sursoir*) • les 15 verbes en -*re* (et leurs dérivés) suivants : *boire, conclure, connaitre, croire, croitre, être, exclure, lire, moudre, paraitre, plaire, repaitre, résoudre, taire, vivre*	En *i* : *je vis, je m'assis,* comme *je finis, je servis, je rendis, j'entendis, je naquis…* En *u* : *il aperçut, il reçut, il connut, il comparut, il résolut, il vécut, il mourut…*	Pour les verbes en -*ir* se conjuguant comme *finir,* le passé simple et le présent ont les mêmes formes aux 3 pers. du sing. (*je finis, tu finis, il finit*).
Emploi de l'accent circonflexe : seulement aux **1re et 2e personnes du pluriel**	*nous fûmes, vous fûtes* *nous fîmes, vous fîtes*	C'est au **subjonctif imparfait** qu'on emploie le circonflexe à la 3e pers. du sing. : *Je ne croyais pas qu'il fût* (subj. imp.) *si tard.*

EXERCICE 6.7

Écrivez les verbes entre parenthèses au passé simple. Assurez-vous de bien choisir la bonne terminaison (en *i* ou en *u*) pour les verbes irréguliers.

1 Poète, archiviste, diplomate, Simone Routier (naitre) _____

à Québec en 1901 et (faire) _____ ses études chez

les Ursulines et à l'Université Laval. Elle (publier) _____

son premier recueil de poésie, *L'immortel adolescent*, en 1928. Pendant dix ans,

Simone Routier (vivre) _____ à Paris, où elle (devenir) _____ membre de la Société des poètes français et (travailler) _____ pour les Archives canadiennes. De retour au Canada, elle (séjourner) _____ quelque temps chez les moniales dominicaines, à Berthierville. À la suite de cette expérience, elle (écrire) _____ *Les psaumes du jardin clos*. Archiviste adjointe à Ottawa pendant plusieurs années, Simone Routier (occuper) _____ ensuite diverses fonctions dans la diplomatie canadienne. Elle (entrer) _____ à l'Académie canadienne-française en 1947.

2 Gilles (se baisser) _____ pour ramasser sous le lit une petite souris grise, dont il (brancher) _____ la très longue queue à une prise située à l'arrière de l'ordinateur. Puis, il (prendre) _____ place sur sa chaise à tablette, face à l'impressionnant appareil. À l'aide de la pédale de gauche, il (mettre) _____ d'abord en marche le double disque dur – un ronron de félin (s'échapper) _____ des entrailles du monstre. Ensuite, après avoir écarté les rideaux, il (éclairer) _____ le moniteur à l'aide de la pédale de droite – une lumière bleutée, laiteuse (se propager) _____ sur l'écran. Il (laisser) _____ alors la petite souris trotter sur la tablette de la chaise et, la caressant dextrement, il (faire) _____ jaillir, blanc sur bleu, une myriade de signes cabalistiques, qu'en Champollion de l'informatique il n'(avoir) _____ aucun mal à dégyptianiser, à manipuler et, enfin, à ordonner en deux colonnes à bas-relief d'égale longueur.

Satisfait, il (repartir) _____ alors à la bibliothèque finir son service nocturne.

En rentrant, vers minuit, devant l'écran un moment éclairé, Gilles (sourire) _____ . Puis, *nictant* des paupières sous l'effet du sommeil, il (convenir) _____ avec quelque sagesse que se coucher

tard nuit, et il (se mettre) _____ au lit sans plus attendre.

(TATILON, Claude. *Les Portugaises ensablées*, coll. Le beau mentir,
Toronto, Éditions du Gref, 2001, p. 92.)

Le futur et le conditionnel présent

Les terminaisons du futur et du conditionnel présent se ressemblent et le radical est le même pour les deux temps. Pour ces deux raisons, nous avons regroupé les terminaisons du futur et du conditionnel présent dans un seul tableau.

Les terminaisons des verbes au futur et au conditionnel présent				
Personne	**Futur**		**Conditionnel présent**	
	Singulier	**Pluriel**	**Singulier**	**Pluriel**
1re	-rai	-rons	-rais	-rions
2e	-ras	-rez	-rais	-riez
3e	-ra	-ront	-rait	-raient

Difficultés et erreurs courantes de conjugaison au futur et au conditionnel présent		
Difficultés et erreurs	**Exemples/Formes correctes**	**Remarques**
À quel radical greffer la terminaison ? Pas de difficulté pour les verbes réguliers en *-ir* (comme *finir*). Ajout d'un *e* au radical avant la terminaison pour les verbes à un seul radical en *-er* (comme *aimer*). Erreur de radical pour certains verbes en *-re*.	*rempli-* ⟶ *je rempli**rai**/rempli**rais*** *pens-* ⟶ *je pens**e**rai/pens**e**rais* *conclu-* ⟶ *je conclu**rai**/conclu**rais***	Pour tous les autres verbes, il faut être vigilant. Il ne faut pas ajouter de *e* avant la terminaison.
Nombreux changements de radical au futur et au conditionnel présent	*envoyer* ⟶ *enver-* *pouvoir* ⟶ *pour-* *voir* ⟶ *ver-* *tenir* ⟶ *tiend-* *savoir* ⟶ *sau-* Etc.	On connaît ces radicaux pour les verbes courants. Pour les autres, il peut être sage de vérifier.
Confusion avec l'imparfait pour les verbes *courir*, *mourir* et les dérivés de *quérir* ⟶ **deux *r* au futur et au conditionnel présent**	*je cou**rr**ai/cou**rr**ais* *il mou**rr**a/mou**rr**ait* *nous acque**rr**ons/acque**rr**ions*	Un seul *r* à l'imparfait : *je courais, il mourait, nous acquérions…*

EXERCICE 6.8

Écrivez les verbes entre parenthèses au futur.

1 Ils (accourir) _____ dès qu'ils (apprendre)

_____ la nouvelle.

2 Plusieurs pays (essayer) _____ de faire pression

sur le Canada à Copenhague.

3 Je ne (moisir) _____ pas ici.

4 (Renchérir) _____ -t-il ?

5 L'État (subvenir) _____ aux besoins des sinistrés.

6 L'État (pourvoir) _____ aux besoins des sinistrés.

7 Nous (maintenir) _____ l'embargo.

8 Nous n'(inclure) _____ pas cette dépense.

9 Vous (prévoir) _____ un repas pour 10 personnes.

10 Nous (créer) _____ un nouveau site Web pour la compagnie.

EXERCICE 6.9

Écrivez les verbes entre parenthèses au conditionnel présent.

1 Je ne croyais pas que la rivière (geler) _____ si rapidement.

2 Je n'aurais jamais cru que vous (rejeter) _____ la faute sur lui.

3 Si les élections avaient lieu aujourd'hui, le parti au pouvoir ne (recueillir)

_____ que 30 % des voix.

4 Nous vous (accueillir) _____ avec plaisir si nous le pouvions.

5 Ne (souffrir) _____ -t-il pas de paranoïa ?

L'impératif présent

Les terminaisons des verbes à l'impératif présent		
Personne	**Verbes en -er**	**Verbes en -ir, en-oir et en-re**
2ᵉ du singulier	-e	-s
1ʳᵉ du pluriel	-ons	-ons
2ᵉ du pluriel	-ez	-ez

Difficultés et erreurs courantes de conjugaison à l'impératif présent		
Difficultés et erreurs	**Exemples/Formes correctes**	**Remarques**
Confusion entre la terminaison des verbes en -er et celle des autres verbes pour la 2ᵉ pers. du sing.	*Ferme les yeux et dors !*	L'impératif présent se modelant sur l'indicatif présent, on oublie parfois qu'il n'y a pas de s à la 2ᵉ personne du singulier de l'impératif présent des verbes en -er.
Emploi du trait d'union entre le verbe à l'impératif et les pronoms compléments (un ou deux) qui le suivent.	*Écoute-la !* *Parlons-lui !* *Allez-y !* *Explique-les-lui.*	Trait d'union également pour le pronom du verbe pronominal : *Tais-toi !* *Promenons-nous.* *Servez-vous !*
Emploi du s euphonique à la 2ᵉ pers. du sing. des verbes en -er suivis des pronoms en et y pour éviter un hiatus	*Parle donc de ton problème.* ⟶ *Parles-en donc.* *Va à l'école !* ⟶ *Vas-y !*	Ni s ni trait d'union : • Si en est complément d'un **autre verbe**. *Va acheter des timbres.* ⟶ *Va en acheter.* (Le pronom en est complément de acheter.) • Si en est une préposition. *Voyage en paix.*
Ordre des pronoms compléments : • CD en premier, puis CI. • Les pronoms en ou y viennent toujours en dernier (même quand l'autre complément est aussi CI).	*Donne-le-moi.* *Donne-lui-en.* *Conduis-nous-y.* *Parle-lui-en.*	À l'oral, l'ordre est souvent inversé.
Élision des pronoms compléments *moi* et *toi* devant en ou y La marque de l'élision est l'apostrophe.	*Parle-moi de ton voyage.* ⟶ *Parle-m'en.* *Inquiète-toi de ton avenir.* ⟶ *Inquiète-t'en.* *Méfie-toi du chien.* ⟶ *Méfie-t'en.* *Mets-toi tout de suite au travail.* ⟶ *Mets-t'y tout de suite.* (Style très soutenu)	Le pronom toi élidé ne doit pas être confondu avec le t euphonique de la forme interrogative : *Va-t'en.* (s'en aller, 2ᵉ pers., impér. prés.) *S'en va-t-il ?* (s'en aller, 3ᵉ pers., indic. prés., forme interr.)

EXERCICE 6.10

Écrivez les verbes entre parenthèses à la 2ᵉ personne du singulier de l'impératif présent.

1 (Parler) _____ .

2 (Parler) _____ -lui.

3 (Parler) _____ -lui-en.

4 (Parler) _____ -en au ministre.

5 (Penser) _____ à ton avenir.

6 (Penser) _____ -y.

7 (Aller) _____ à l'imprimerie voir ce qui se passe.

8 (Aller) _____ -y !

9 (S'en aller) _____ .

10 (Aviser) _____ -en le syndicat.

EXERCICE 6.11

Écrivez les verbes entre parenthèses à l'impératif présent.

À la 2ᵉ personne du singulier

1 (Être) _____ prêt à 5 heures.

2 N'(avoir) _____ pas peur.

3 (Savoir) _____ bien que c'est impossible.

4 (Étudier) _____ -en une partie ce soir.

5 (Garder) _____ -toi de lui en parler.

À la 2ᵉ personne du pluriel

6 (Se souvenir) _____ de ce que j'avais dit.

7 Ne (se tromper) _____ pas !

8 Ne (être) _____ pas si pessimistes.

9 (Vouloir) _____ agréer mes salutations distinguées.

10 (Résoudre) _____ ce problème comme vous voulez,

mais (résoudre) _____ -le.

EXERCICE 6.12

Récrivez les phrases suivantes en utilisant un pronom pour remplacer le complément en caractères gras.

1 Donnes-en **à ta sœur**.

_____

2 Livrez-moi **cette marchandise** dès demain.

_____

3 Livrez-moi trois douzaines **de ces sacs à main**.

_____

4 Ne te sers pas **de l'imprimante au laser**.

_____

5 Souviens-toi **de ce que tu avais dit**.

_____

6 Charge-toi **de ce travail** toi-même.

_____

7 Chargez-vous **de l'appeler**.

---

8 Apportez-nous **des échantillons** dès demain.

Le subjonctif

Le subjonctif présent

Les terminaisons des verbes au subjonctif présent		
Personne	**Singulier**	**Pluriel**
1ʳᵉ	-e	-ions
2ᵉ	-es	-iez
3ᵉ	-e	-ent

Difficultés et erreurs courantes de conjugaison au subjonctif présent		
Difficultés et erreurs	**Exemples/Formes correctes**	**Remarques**
Toujours un *e* dans les terminaisons du sing. **sauf** dans *être* et *avoir*	*qu'il croie, qu'il voie*, tout comme *qu'il mange* et *qu'il dorme*	Pas de *e* aux trois pers. du sing. pour *être* : *que je sois, que tu sois, qu'il soit.* Pas de *e* à la 3ᵉ pers. du sing. pour *avoir* : *qu'il ait.* Il faut bien distinguer l'indicatif du subjonctif présent en cas d'homophonie (même prononciation) : *Il **voit** (indic. prés.) mieux avec ses lunettes. On lui a acheté des lunettes pour qu'il **voie** (subj. prés.) mieux.*
Comme à l'imparfait, toujours un *i* dans la terminaison des 1ʳᵉ et 2ᵉ pers. du plur., même quand on ne l'entend pas après : • une voyelle • *y* • *ll* • *gn*	*que nous étudiions* *que nous payions* *que vous brilliez* *que vous craigniez*	**Sauf** dans *être* et *avoir* : *que nous soyons/ayons* *que vous soyez/ayez*
Pour les verbes irréguliers, on trouve très souvent le même radical au subjonctif présent qu'à la 3ᵉ pers. du plur. du présent de l'indicatif	*que j'**acquièr**e*, comme *ils **acquièr**ent* *que j'**aperçoiv**e*, comme *ils **aperçoiv**ent* *que je **résolv**e*, comme *ils **résolv**ent*	Quelques verbes courants ont un radical propre au subjonctif : *que je fasse, que j'aille, que je puisse…*

EXERCICE 6.13

Écrivez les verbes entre parenthèses au subjonctif présent.

À NOTER

Les différents contextes d'emploi du subjonctif vous sont rappelés au fil de l'exercice.

Le subjonctif s'emploie :

- **après de nombreux verbes de sentiment (parfois des noms ou des adjectifs)**

1 Je veux qu'il (s'abstenir) _____ de voter.

2 Nous craignons qu'il ne (venir) _____ trop tard.

3 Nous sommes contents qu'il (aller) _____ à Montréal.

4 Nous regrettons que vous (essuyer) _____ de telles pertes.

5 La Belgique le garde en prison parce qu'elle a peur qu'il ne (s'enfuir) _____ .

- **après certains verbes d'opinion dans des phrases négatives, interrogatives ou ayant un verbe au conditionnel**

6 Je ne crois pas que cela en (valoir) _____ la peine.

7 Pensez-vous qu'il (falloir) _____ conclure à un échec ?

8 Voudrait-elle que nous la (croire) _____ ?

- **après de nombreuses locutions impersonnelles**

9 Il est impossible que je (faire) _____ ce travail aujourd'hui.

10 Il ne faut pas que tu (conclure) _____ trop rapidement.

11 Il vaut mieux que tu (disparaitre) _____ immédiatement.

- **dans des subordonnées relatives, après un superlatif ou les adjectifs *seul, dernier, unique***

12 C'est la meilleure voiture qui (se vendre) _____ en ce moment.

13 C'est le seul magazine que je (recevoir) _____ actuellement.

14 C'est le plus petit modèle que nous (avoir) _____ en stock actuellement.

- **dans les subordonnées introduites par *quoi que***

15 Quoi que tu (croire) _____ , tu te trompes.

- **dans les subordonnées introduites par certaines conjonctions**

16 Puis-je vous parler avant que vous ne (prendre) _____ une décision ?

17 Je vous écris afin que vous (savoir) _____ la vérité.

18 Prenez les mesures nécessaires pour que cela ne (se reproduire)

_____ pas.

19 J'accepte, bien que rien ne m'y (contraindre) _____ .

20 Quoique vous ne (être) _____ pas très expérimenté, vous êtes tout de même le meilleur candidat.

21 D'aussi loin que je (se souvenir) _____ , nous avons toujours procédé ainsi.

22 Pourvu qu'il (faire) _____ beau !

23 Tout s'est fait sans que je (pouvoir) _____ intervenir.

- **dans des subordonnées sujets**

24 Qu'il (faire) _____ beau si longtemps est un miracle !

25 Qu'on ne (savoir) _____ jamais la vérité est fort possible.

Le subjonctif imparfait

	Les terminaisons des verbes au subjonctif imparfait							
Personne	**Verbes en -er**		**Verbes en -ir réguliers et irréguliers (sauf courir et mourir)**		**Verbes en -re et en -oir (plus courir et mourir)**			
	Sing.	**Plur.**	**Sing.**	**Plur.**	**Sing.**	**Plur.**	**Sing.**	**Plur.**
1re	-asse	-assions	-isse	-issions	-isse	-issions	-usse	-ussions
2e	-asses	-assiez	-isses	-issiez	-isses	-issiez	-usses	-ussiez
3e	-ât	-assent	-ît	-issent	-ît	-issent	-ût	-ussent

Difficultés et erreurs courantes de conjugaison au subjonctif imparfait		
Difficultés et erreurs	**Exemples/Formes correctes**	**Remarques**
Toujours un **accent circonflexe** et un *t* à la 3e pers. du sing.	*qu'il fût, qu'il eût, qu'il dût, qu'il pensât, qu'il finît...*	Le subjonctif imparfait est surtout un temps littéraire. Seule la 3e pers. du sing. est d'un emploi relativement courant.
Dans les concessions figées construites avec subj. imp. et inversion, accent grave ajouté pour l'euphonie à la 1re pers. du sing.	*Je ne renoncerai pas, **dussè-je** le regretter plus tard.*	Dans la graphie traditionnelle, l'accent est aigu (*dussé-je*). Cet emploi concessif avec inversion se rencontre surtout (quoique l'emploi soit tout de même rare) à la 3e pers. du sing. : *Il regretta aussitôt ses pensées peu charitables envers son prochain, **fût-il le dernier des imbéciles.***

EXERCICE 6.14

Écrivez les verbes entre parenthèses au subjonctif imparfait.

1. Qu'une prison (ressembler) _____ si peu à une taule chamboulait mon système de valeurs.

2. Un automobiliste qui nous aurait croisés avec un peu d'attention aurait peut-être trouvé amusant qu'une noce aussi tonitruante (trimbaler) _____ dans ses bagnoles enrubannées une telle collection de gueules d'enterrement.

3. Ainsi flottante et silencieuse, la mariée parcourut les couloirs, gravit des colimaçons, hanta des galeries, jusqu'à ce qu'enfin la porte qui était le but de ce voyage (se dresser) _____ devant elle et qu'un vieux gardien aux yeux rougis, aux mains tremblantes, (tenter) _____ de l'arrêter.

4 Quoi qu'il en (être) _____, les choses ne s'étaient gâtées qu'avec l'arrivée de l'inspecteur Berthelot, cet abruti qui […].

5 Je n'osais pas espérer que l'humanité (être) _____ si belle. Que Chabotte lui-même, l'inventeur de la ratonneuse-batteuse, (pouvoir) _____ apprécier ce revirement […].

(PENNAC, Daniel. *La petite marchande de prose.*
© Éditions Gallimard.)

Les temps composés

À chaque temps simple correspond un temps composé, formé de l'auxiliaire *avoir* ou *être* au temps simple correspondant et du participe passé du verbe. La plupart des verbes se conjuguent avec l'auxiliaire *avoir* aux temps composés. L'auxiliaire *être* est utilisé pour un certain nombre de verbes de déplacement et quelques verbes attributifs (*devenir, demeurer, rester…*). Les verbes pronominaux se conjuguent toujours avec l'auxiliaire *être*.

Les temps composés indiquent essentiellement l'antériorité et l'aspect accompli. Certains peuvent aussi prendre des valeurs modales (voir le chapitre 13, « La cohérence du texte »).

<table>
<tr><td rowspan="2">Modes</td><td></td><td colspan="2">Les temps simples</td><td colspan="2">Les temps composés</td></tr>
<tr><td rowspan="13">personnels</td><td colspan="4">Indicatif</td></tr>
<tr><td>Présent</td><td>tu chantes</td><td>Passé composé</td><td>tu as chanté</td></tr>
<tr><td>Imparfait</td><td>tu chantais</td><td>Plus-que-parfait</td><td>tu avais chanté</td></tr>
<tr><td>Passé simple</td><td>tu chantas</td><td>Passé antérieur</td><td>tu eus chanté</td></tr>
<tr><td>Futur simple</td><td>tu chanteras</td><td>Futur antérieur</td><td>tu auras chanté</td></tr>
<tr><td>Conditionnel présent</td><td>tu chanterais</td><td>Conditionnel passé</td><td>tu aurais chanté</td></tr>
<tr><td colspan="4">Impératif</td></tr>
<tr><td>Présent</td><td>chante</td><td>Passé</td><td>aie chanté</td></tr>
<tr><td colspan="4">Subjonctif</td></tr>
<tr><td>Présent</td><td>que tu chantes</td><td>Passé</td><td>que tu aies chanté</td></tr>
<tr><td>Imparfait</td><td>qu'il chantât</td><td>Plus-que-parfait</td><td>qu'il eût chanté</td></tr>
<tr><td rowspan="5">impersonnels</td><td colspan="4">Infinitif</td></tr>
<tr><td>Présent</td><td>chanter</td><td>Passé</td><td>avoir chanté</td></tr>
<tr><td colspan="4">Participe</td></tr>
<tr><td>Présent</td><td>chantant</td><td>Présent composé</td><td>ayant chanté</td></tr>
<tr><td>Passé</td><td>chanté</td><td>–</td><td>–</td></tr>
</table>

EXERCICE 6.15

Mettez les verbes entre parenthèses au temps composé demandé.

À NOTER

Voir l'accord du participe passé au point 7.2.2 dans la section sur l'accord dans le groupe verbal au chapitre 7.

a) Passé composé

1. J'(lire) _____ toute la soirée.

2. Tu (être) _____ absent longtemps !

3. Elle (avoir) _____ une mauvaise surprise.

4. Nous (arriver) _____ les premiers.

5. Ils (subir) _____ de nombreuses blessures.

b) Plus-que-parfait

6. Si j'(savoir) _____ , je ne serais pas venu.

7. Il (terminer) _____ le travail quand je suis arrivé.

8. Quand il (finir) _____ un chapitre, il s'accordait un moment de repos.

9. J'(venir) _____ seule.

10. Si j'(être) _____ plus tenace, j'aurais peut-être eu gain de cause. Et si j'(avoir) _____ gain de cause, je vous l'aurais dit.

c) Passé antérieur

11. Dès qu'elle (succéder) _____ à son père, elle restructura la compagnie.

12. Après que leurs parents (partir) _____ , les enfants montèrent le volume.

13 Quand elle (finir) _____ , elle poussa un grand soupir de soulagement.

14 Dès qu'il (devenir) _____ chef du gouvernement, il oublia ses promesses.

15 Une fois qu'ils (s'endormir) _____ , la mère de l'ogre redescendit.

d) Futur antérieur

16 Dès que tu (terminer) _____ , téléphone-nous.

17 Il (partir) _____ quand vous arriverez.

18 Ce n'est pas qu'ils n'(essayer) _____ pas _____ .

19 Sans doute qu'elle (se croire) _____ obligée d'accepter.

20 Bientôt, nous (revoir) _____ toutes les conjugaisons.

e) Conditionnel passé

21 On n'(croire) _____ jamais _____ une telle chose possible.

22 Les deux parties (signer) _____ finalement _____ une entente.

23 Si le paquet n'était pas arrivé aujourd'hui, il (falloir) _____ tout recommencer.

24 (courir) _____ -il _____ un tel risque si l'argent avait été à lui ?

25 Pour elle, il (se fendre) _____ en quatre.

f) Impératif passé

26 (Revenir) _____ avant le dernier coup de minuit, Cendrillon.

27 (Apprendre, 2ᵉ pers. du plur.) _____ tout _____ pour demain.

g) Subjonctif passé

28 Il est venu sans que nous le lui (demander) _____.

29 Je craignais qu'il ne (s'en apercevoir) _____.

30 C'est la seule lettre que j'(recevoir) _____ de lui.

31 Je ne crois pas que tu (avoir) _____ raison d'agir ainsi.

32 La décision a été prise sans qu'il (être) _____ possible d'intervenir.

33 Crois-tu qu'il (réussir) _____ ?

h) Subjonctif plus-que-parfait

34 Il avait tout fait sans qu'on le lui (demander) _____.

35 Je craignais qu'il ne (s'en apercevoir) _____.

i) Infinitif passé

36 Après (chanter) _____, la cigale fut invitée à danser.

j) Participe présent composé

37 La cigale (chanter) _____ tout l'été se trouva fort dépourvue quand la bise fut venue.

6.1.5 La conjugaison à la forme interrogative

La forme interrogative soulève deux difficultés orthographiques.

L'inversion du sujet et le trait d'union

Comme il a été vu dans le chapitre 2, « La phrase », chaque fois que le pronom personnel sujet est placé après le verbe (c'est-à-dire dans les phrases de type interrogatif), il y est joint par un trait d'union. Si l'on construit l'interrogation avec *est-ce que*, il ne faut pas oublier le trait d'union entre *est* et *ce*, qui est également un sujet postposé.

> *Est-ce que tu viens ?*   *Venez-**vous** avec moi ?*   *Irons-**nous** ensemble ?*

Le *t* euphonique

Comme les verbes du 1er groupe se terminent par un *e* à la 3e personne du singulier du présent de l'indicatif, il se créerait un hiatus, à la forme interrogative, entre le verbe et les pronoms *il, elle* ou *on* en inversion. Pour aider à l'enchaînement sonore, on intercale donc un *t*, précédé et suivi d'un trait d'union, entre le verbe et le pronom. Il en va de même pour les verbes *aller* et *avoir* à la 3e personne du singulier et pour les verbes en *-ir* ayant une terminaison en *e*.

> *Parle-**t**-il… ?   Parle-**t**-on… ?   Va-**t**-il… ?   A-**t**-elle… ?   Souffre-**t**-elle ?*

Le futur et le passé simple de l'indicatif demandent aussi ce *t* euphonique.

> *Chantera-**t**-il ?   Chanta-**t**-elle… ?*

EXERCICE 6.16

Changez la construction interrogative pour une interrogation par inversion.

1 Est-ce qu'il chante juste ?

_____

2 Est-ce qu'on a tout fini ?

_____

3 Est-ce qu'elle termine aujourd'hui ?

_____

4 Est-ce qu'il entend me convaincre ainsi ?

_____

5 Est-ce que cet argument te convainc ?

_____

6.2 LE NOM

Cette section porte sur le genre et le nombre des noms et leur variation orthographique. Sont également regroupés ici quelques points qui touchent indirectement l'orthographe des noms, soit l'emploi des majuscules et des minuscules, les abréviations et les symboles.

6.2.1 Le genre du nom

Le nom possède son genre en lui-même. Il est soit masculin, soit féminin.

> **un** *clavier*
>
> **une** *autoroute*

Toutefois, les noms désignant des êtres animés peuvent varier en genre.

> *un ami, une amie*
>
> *un chat, une chatte*

Les autres noms se répartissent arbitrairement entre les genres masculin et féminin ; ils n'ont pas toujours le genre qu'on croit et la forme du nom ne donne pas toujours un indice de son genre. La présence d'un *e* à la fin du nom, par exemple, ne signifie pas nécessairement que ce nom est féminin.

> **une** *idée,* **une** *arrivée,* mais aussi **un** *trophée* et **un** *musée*

Cependant, les noms de qualité finissant par le son « té » ([te] en transcription phonétique) sont tous féminins et s'écrivent tous sans *e*.

> *beauté, honnêteté, sagacité, vivacité*

 Il vaut mieux prendre l'habitude de consulter le dictionnaire au moindre doute quant au genre d'un nom. Pour une vue d'ensemble, voir le tableau « Genre » dans le *Multi* et la section « Genre des noms » dans la *BDL*.

À NOTER

Les erreurs les plus fréquentes de genre portent sur les noms commençant par une voyelle et cette erreur se répercute bien souvent sur le déterminant ou l'adjectif.

> * *un**e** autobus articulé**e*** ⟶ **un** *autobus articulé*
>
> * *un**e** imperméable vert**e*** ⟶ **un** *imperméable vert*

EXERCICE 6.17

Faites les accords qui s'imposent en consultant au besoin votre dictionnaire, le *Multi* ou la *BDL* pour vérifier le genre des noms.

1 On a eu (un, une) _____ (bel, belle) _____ été, mais

(un, une) _____ automne (pluvieux, pluvieuse) _____ .

2 On parle de construire (un, une) _____ (nouvel, nouvelle)

_____ autoroute.

3 Pourquoi l'autobus a-t-(il, elle) _____ tant de retard ce matin ? J'attends

(le, la) _____ 801 depuis 15 minutes.

4 (Un, une) _____ gang de malfaiteurs sévit dans le quartier.

5 Aujourd'hui, j'ai diné d'(un, une) _____ sandwich et d'un café.

6 (Grands, grandes) _____ soldes dans tous nos magasins!

7 L'ascenseur est (plein, pleine) _____ .

8 L'algèbre de Boole est (un, une) _____ algèbre qui s'applique à l'étude des relations logiques.

9 As-tu reçu (le, la) _____ circulaire du patron?

10 J'ai profité des soldes pour acheter (un, une) _____ (nouveau, nouvelle) _____ radio.

La formation du féminin des noms d'êtres animés

Le féminin des noms désignant un être animé se forme généralement en ajoutant un *e* à la fin du mot (avec ou sans dédoublement de la dernière consonne).

> *un Anglais, une Anglais**e***
> *un pharmacien, une pharmacien**ne***

Cependant, plusieurs noms varient en fonction de règles particulières.

> *un amoureux, une amoureu**se***
> *un vieux, une vie**ille***
> *un Turc, une Tur**que***
> *un hôte, une hôte**sse***
> *un rédacteur, une rédact**rice***

Parfois, surtout dans le cas des noms qui désignent des liens familiaux ou certaines espèces d'animaux, les formes féminines et masculines du nom sont totalement différentes.

Liens familiaux	Animaux
Un mari, une femme	*Un mâle, une femelle*
Un père, une mère	*Un cheval, une jument*
Un frère, une sœur	*Un bœuf, une vache*
Un oncle, une tante	*Un cerf, une biche*

Enfin, parfois le genre n'est pas marqué et seuls le déterminant ou l'adjectif portent la marque du masculin ou du féminin. On appelle ces mots « épicènes ».

> ***un** enfant, **une** enfant*
> ***un bon** propriétaire, **une bonne** propriétaire*
> ***un** juge, **une** juge*

EXERCICE 6.18

Complétez les phrases suivantes avec les noms entre parenthèses formés au féminin.

1. C'est une (Japonais) _____ qui a été nommée à la tête de l'entreprise.

2. C'est une (Grec) _____ qui tient ce restaurant italien.

3. Est-ce une (Italien) _____ qui vous enseigne l'italien ?

4. Il paraît que le Canadien veut embaucher une (gardien) _____ de but.

5. Trois petites (vieux) _____ faisaient la queue devant le magasin.

6. Ce livre a été écrit par une (Métis) _____ du Manitoba.

7. La (demandeur) _____ voudrait faire entendre deux témoins.

8. C'est Marie qui est l'(ainé) _____ de leurs enfants.

9. Le Musée a une nouvelle (directeur) _____ .

10. Une seule femme a été (ambassadeur) _____ du Canada aux Nations Unies.

Le féminin des noms désignant un titre ou une profession

Il n'y a pas si longtemps, les noms désignant des professions exercées surtout par des hommes avaient rarement une forme féminine. On palliait ces lacunes par des périphrases.

> *une femme professeur*
> *une femme écrivain*

En remontant un tout petit peu plus dans le temps, une *mairesse*, une *générale*, une *ambassadrice* étaient respectivement l'épouse d'un *maire*, d'un *général*, d'un *ambassadeur*; une femme *présidente* était probablement présidente d'un club féminin ou d'une société de protection des animaux; certainement pas d'un conseil d'administration ou d'un pays.

Les dernières décennies du xxᵉ siècle ont vu une féminisation générale des appellations de personnes. Si le Québec a été un des chefs de file du mouvement de féminisation linguistique, l'emploi de formes féminines pour les noms désignant titres et professions se répand de plus en plus dans la francophonie. Certes, on rencontre encore peu de pompières et de plombières, mais les mots ne suscitent plus guère de débats enflammés ; professeures, auteures, procureures ont acquis droit de cité.

Il reste que la féminisation de certains titres de fonction soulève des questions morphologiques : par exemple, les noms et adjectifs en *-teur* font généralement leur féminin en *-trice*, parfois en *-teuse*, mais l'usage a résisté aux « autrices » comme aux « auteuses ». Le féminin en *-euse* des noms et adjectifs en *-eur* rencontre de la résistance, notamment en raison de son association courante avec des comportements plutôt que des occupations : *menteur/menteuse*, *voleur/voleuse*, ou des métiers peu prestigieux : *masseur/masseuse*, *vendeur/vendeuse* – quand le féminin n'est pas réservé à une machine : *laveuse, ponceuse, pelleteuse*.

La féminisation des noms de métiers n'est donc pas toujours simple : une femme est-elle *députée* ou *député, chercheuse* ou *chercheure* ? Même pour les noms qu'on a féminisés en utilisant la forme épicène, l'usage hésite : une *parent d'élève* ou une *parente d'élève* ? À défaut d'étudier à fond les règles de formation du féminin des noms désignant des êtres animés, à défaut également d'enquêter longuement sur les usages, on doit se fier à ses outils : les dictionnaires rendent compte des féminins attestés ; le *Multi* et la *BDL* proposent de substantiels répertoires des féminins des titres et des fonctions.

EXERCICE 6.19

Complétez les phrases suivantes avec la forme appropriée en vous aidant de votre dictionnaire ainsi que d'un répertoire des féminins des titres et des fonctions.

1   Madame Côté est (professeur, professeure) _____ à l'université.

2   Marguerite Yourcenar a été la première femme à entrer à l'Académie française.

   Elle est l'(auteur, auteure) _____ , entre autres, des *Mémoires d'Hadrien* et de *L'œuvre au noir*.

3   (Le, La) _____ ministre est-elle favorable aux PPP ?

4   (Le, La) _____ (gouverneur général, gouverneure générale)

   _____ est ce qui se rapproche le plus d'une (ambassadeur,

   ambassadrice, ambassadeure) _____ de la mode au pays.

5 (Le, La) _____ (maire, mairesse) _____ a-t-elle

été réélue ?

6 Notre (député, députée) _____ s'est débattue

pour empêcher que l'usine ferme.

7 En 2008, les femmes (ingénieurs, ingénieures) _____

ne représentaient que 9,5 % de l'effectif de la profession au Canada.

8 J'ai un rendez-vous avec Johanne, (mon, ma) _____

(médecin, femme médecin) _____ de famille.

9 Depuis son adolescence, elle veut devenir (maçon, maçonne) _____ .

10 Notre (entraineur, entraineuse) _____ est enceinte.

6.2.2 Le pluriel des noms

Le nom varie en nombre selon le contexte. Il se met au pluriel quand il désigne plus de deux êtres ou objets.

> *Il a couru 10 kilomètres. La surface est de 1,5 kilomètre.*

Règle générale de formation du pluriel

La règle générale de la formation du pluriel des noms consiste à ajouter un *s* au nom singulier.

> *une fleur, des fleur**s***

Règles particulières

Les noms en *-al* forment leur pluriel en *-aux*, sauf *bal, carnaval, festival, récital* et *régal*.	*J'ai recyclé tous les journ**aux** de la semaine dernière.* *Les petites bouchées de Suzanne sont de véritables rég**als**.*
Les noms en *-ail* font *-ails* au pluriel, sauf *bail, corail, émail, soupirail, travail* et *vitrail*.	*Les port**ails** nord et sud du palais seront rénovés.* *Les cor**aux** sont de petits animaux pluricellulaires primitifs.*
Les noms en *-ou* font *-ous* au pluriel, sauf *bijou, caillou, chou, genou, hibou, joujou* et *pou*.	*À quoi sert de faire autant de rem**ous** autour de cette affaire ?* *J'ai mal aux gen**oux**.*
Les noms en *-au, -eau* et *-eu* font *-aux, -eaux* et *-eux* au pluriel, sauf *landau, sarrau, bleu* et *pneu*.	*Il possède plusieurs bat**eaux**.* *Il est couvert de bleu**s**.*

À NOTER

• La formation du pluriel de quelques mots varie en fonction de leur sens. C'est le cas notamment de *ciel*.

Le « royaume des **cieux** *», est-ce l'équivalent du paradis ?*

Les **ciels** *du Grand Nord sont à couper le souffle.*

• Le mot *vacance/vacances* a un sens différent selon son nombre. Au singulier, il désigne un poste vacant. Au pluriel, il désigne une période de congé.

La **vacance** *du poste dure depuis trop longtemps.*

Les écoliers sont maintenant en **vacances**.

• Certains mots ne s'emploient qu'au singulier, c'est le cas du mot *argent*, ainsi que du mot *énergie* au sens figuré.

* **Des argents** *seront débloqués*   → *Des sommes* **d'argent** *seront débloquées.*
                                             → *De l'argent* *sera débloqué.*

* *J'y ai mis* **toutes mes énergies**.   → *J'y ai mis* **toute mon énergie**.
(Mais : *L'industrie des énergies renouvelables est en pleine croissance.*)

EXERCICE 6.20

Corrigez, s'il y a lieu, les erreurs dans la forme ou l'emploi du pluriel des noms.

1 L'hiver vous semble interminable ? Pourquoi ne pas prendre une petite vacance ?

2 Il a donné plusieurs récitals au Canada.

3 Il y a toutes sortes de festivals l'été.

4 Une lunette gratuite à l'achat de lentilles cornéennes.

5 Au Québec, les baux se renouvèlent surtout au mois de juillet.

6 Il a déployé toutes ses énergies pour que nous obtenions cette subvention.

7 Le gouvernement a mis des argents à notre disposition.

8 Il y a une vacance au département. Vous devriez poser votre candidature.

9 Les cieux des peintres hollandais ont souvent une lumière un peu jaune.

10 Combien y a-t-il de versions de la chanson *Savez-vous planter des chous* ?

11 Naguère, les ouvriers français portaient, pour travailler, des bleus de travail.

12 Y a-t-il deux Canadas ou n'y en a-t-il qu'un ?

13 Grands soldes dans les clous de tapisserie.

14 Nous sommes encore à cent lieux de la réussite.

15 Le gouvernement entend investir des argents neufs dans les hôpitaux.

Erreurs fréquentes dans la détermination du nombre d'un nom

On hésite souvent à déterminer le nombre d'un nom en l'absence de déterminant marqué morphologiquement, par exemple *le* ou *les*, *un* ou *des*, etc., ou quand le nom est précédé d'une préposition (*du jus de pamplemousse* ou *de pamplemousses* ?). On peut généralement se fier au sens, mais la répartition entre le singulier et le pluriel n'est pas toujours d'une logique parfaite, comme en témoignent les exemples suivants tirés du *Petit Robert* :

jus de citron (toujours singulier)

jus de betteraves (toujours pluriel)

jus de fruits (toujours pluriel)

jus de tomate (toujours singulier)

jus de carottes (toujours pluriel)

jus de pomme ou *de pommes*

jus de raisin (toujours singulier)

Voici des cas fréquents d'erreurs dans la détermination du nombre d'un nom :

- dans certaines expressions figées

  Il est tentant de mettre les mots *main* et *pied* au pluriel dans les expressions suivantes :

    *Le gouvernement n'a pas la situation **en main**.*

    *Le patient sera **sur pied** dans trois jours.*

  Pourtant, dans ces expressions, les mots *main* et *pied* s'emploient au singulier ! Dans le doute, on trouvera la réponse dans le dictionnaire à l'entrée du mot principal de l'expression soit, dans ce cas-ci, à *main* et à *pied*.

- après le déterminant *de*

  Généralement, le déterminant *de* remplace le déterminant *des* lorsque l'adjectif précède le nom. Le nom est alors toujours au pluriel.

    *Vincent, ne prends pas **de** si **grosses** bouchée**s** !*

    *Je me réserve **de longues** vacance**s** pour Noël.*

  Le déterminant *de* s'emploie également dans une phrase négative ; le nombre du nom varie alors selon le contexte.

    Il n'a pas de femme.

    *Il n'a pas d'enfant**s**.*

- après une expression de quantité ou un nom collectif

  Avec une expression de quantité, comme *beaucoup de, trop de*, etc., le nombre du nom varie selon qu'il a le trait comptable ou non comptable.

  – Lorsque le nom est comptable, il prend la marque du pluriel.

    *Beaucoup de valeur**s** sont transmises par l'éducation parentale.*

    *Beaucoup de touriste**s** préfèrent venir durant l'hiver.*

    *Tu as pris trop de risque**s**.*

  – Lorsque le nom est non comptable, il s'emploie au singulier.

    *Notre maison a pris beaucoup de **valeur** ces dernières années.*

    *Tu as eu beaucoup de **chance**.*

    *Il y avait plein d'**eau** dans la cave.*

  – Lorsque le nom est complément d'un nom collectif, il prend généralement la marque du pluriel.

    *un groupe de touriste**s**, un tas de feuille**s**, une multitude d'oiseau**x***

◆ après une préposition

Lorsque le nom est précédé d'une préposition, on peut souvent se fier au sens pour en déterminer le nombre.

> *un livre de **cuisine*** (Pour faire la cuisine.)
>
> *un livre de **recettes*** (Il y a plus d'une recette dans le livre.)
>
> *une maison sans **fenêtres*** (Une maison a généralement plusieurs fenêtres.)
>
> *Elle est partie sans laisser d'**adresse**.* (Habituellement, on a une seule adresse.)
>
> *Mon manteau est couvert de **poils**.* (Il y a de nombreux poils sur mon manteau.)
>
> *Gloria est débordante d'**enthousiasme**.* (Le nom *enthousiasme* a le trait non comptable.)

Dans certains cas, il est difficile de savoir si le nom doit s'employer au singulier ou au pluriel.

> *un négociant en **vin*** (ou *en **vins** ?*)

Comme dans le cas des expressions figées, en cas de doute, on doit recourir à un dictionnaire.

Le pluriel des noms composés

Selon les rectifications orthographiques de 1990, la règle de formation du pluriel des noms composés d'un verbe et d'un nom, comptable ou non, ou d'une préposition et d'un nom, suit celle des noms simples. Ainsi, au singulier, tous les éléments d'un nom composé restent au singulier et, au pluriel, seul le dernier élément prend la marque du pluriel.

Orthographe traditionnelle	Orthographe rectifiée
*Un ramasse-miette**s***	*Un ramasse-miette*
Des hache-viande	*Des hache-viande**s***
Des après-midi	*Des après-midi**s***

À NOTER

Les mots dont le dernier élément est précédé d'un déterminant et les séquences nom + préposition + nom ne sont pas touchés par la nouvelle règle de l'orthographe rectifiée.

> *un hors-**la**-loi, des hors-**la**-loi*
>
> *un tête-à-tête, des tête-à-tête*

Le fait de souder de plus en plus les éléments des noms composés contribue aussi à la simplification de leur pluriel : les *passe-partout* et les *porte-monnaie* cèdent tranquillement la place aux *passepartouts* et aux *portemonnaies*.

Pour connaitre les subtilités de la règle traditionnelle, consultez le tableau «Noms composés» dans le *Multi* ou la page «Pluriel des noms composés» dans la *BDL*.

EXERCICE 6.21

Mettez les noms en caractères gras au pluriel.

1. Les histoires de **revenant** _____ vous épouvantent-elles?

2. Notre ville n'aura jamais eu autant de **sans-abri** _____, malgré les efforts fournis par les organismes humanitaires.

3. Son ambition est sans **limite** _____.

4. Pouvez-vous me suggérer quelques livres de **référence** _____ sur ce sujet?

5. Elle est devenue une femme d'**affaire** _____ influente.

6. L'achat de nouveaux **chasse-neige** _____ permettra de déneiger les rues plus rapidement.

7. Il a acquis beaucoup d'**expérience** _____ depuis quelques années.

8. Il a fait beaucoup d'**expérience** _____ sur les animaux de laboratoire.

9. Bourrée de **talent** _____ comme elle l'est, elle fera son chemin dans la vie.

10. Elle a beaucoup de **talent** _____ pour la musique.

6.2.3 L'emploi de la majuscule

Tout scripteur francophone sait qu'on doit mettre la majuscule à un nom propre ou au début d'une phrase graphique, mais rares sont ceux qui maitrisent toutes les règles relatives à l'emploi de la majuscule, tant elles sont nombreuses (noms de fêtes, noms de rues, noms de langues ou de nationalités, noms d'organismes gouvernementaux ou privés, noms d'établissements scolaires, etc.). L'exercice qui suit permettra de faire un survol des principales règles liées à l'emploi de la majuscule.

EXERCICE 6.22

Ajoutez les majuscules nécessaires dans les phrases suivantes en vous aidant du tableau « Majuscules et minuscules » dans le _Multi_ ou des nombreuses pages de la _BDL_ qui traitent de l'emploi de la majuscule. Si le cas que vous recherchez n'est pas traité, allez directement à l'entrée du mot dans le _Multi_. Vous pouvez aussi trouver la réponse dans le site Internet de certains organismes.

EXEMPLE

Le site internet de l'office québécois de la langue française est facile à consulter.

Le site Internet de l'Office québécois de la langue française est facile à consulter.

Pour _Internet_, on trouve la réponse à l'entrée « Internet » du _Multi_ ; pour _Office québécois de la langue française,_ dans le tableau « Majuscules et minuscules » du _Multi_ ou sur le site de l'Office.

1. J'ai fait mes études primaires à l'école saint-sacrement.

2. J'ai fréquenté ensuite le cégep limoilou.

3. Puis, j'ai terminé mes études à l'université de sherbrooke.

4. Le soleil tourne autour de la terre.

5. Tant qu'il y aura des hommes sur la terre, il y aura des guerres et des massacres.

6. Qui a dit : « De tous les peuples de la gaule, les belges sont les plus braves » ?

7. J'ai plus de facilité à comprendre l'anglais d'angleterre que l'anglais américain.

8. L'état français offre des bourses aux québécois qui veulent étudier en france.

9. Nous aurons bientôt un congé pour la fête du travail.

10. J'en profiterai pour aller au musée de la civilisation et visiter la place royale.

11. L'office québécois de la langue française recommande l'adoption des rectifications orthographiques.

12. Ma sœur travaille au ministère de la culture, des communications et de la condition féminine.

13. Le bouddhisme attire de plus en plus de fidèles occidentaux.

14. En juin dernier, j'ai vu la pièce _le petit prince_.

15 Vous trouverez, dans la nouvelle édition du français au bureau, toutes les règles concernant l'emploi des majuscules et des minuscules.

16 Dans les dernières années, de nombreux commerces et restaurants ont ouvert dans la rue saint-joseph est.

17 La rue cartier se trouve un peu à l'est de la rue bourlamaque.

18 J'habite à sainte-brigitte-de-laval, petit village bordé par la rivière montmorency.

19 On se croirait dans le grand nord.

20 La cérémonie aura lieu à l'église sainte-thérèse-de-lisieux.

6.2.4 Les abréviations

En français, il existe trois modes de formation des abréviations.

- On coupe AVANT la voyelle de la deuxième syllabe.

    ap - par - te - ment → app.
    (La deuxième syllabe est *par*. On coupe avant le *a* et on indique la troncation par un point.)

  Il faut veiller à ne pas oublier le point. C'est lui qui indique qu'il y a abréviation.

    a - ve - nue → av.

    bou - le - vard → boul.

    té - lé - phone → tél.

- On retient la première lettre du mot et on lui adjoint la dernière lettre du mot, que l'on place en exposant.

    numéro → n°

    Maitre → M^e

  Parfois, on met en exposant plus d'une lettre, mais ce sont toujours les dernières lettres du mot

    Madame → Mme

  Vous aurez remarqué que les abréviations formées selon ce deuxième mode ne sont pas suivies d'un point. En effet, la présence de la dernière lettre du mot rend inutile le point abréviatif.

- On retient la lettre initiale et on la fait suivre d'un point.

    Monsieur → M.

    page → p.

Au Québec, et dans la francophonie canadienne en général, on forme presque toujours les abréviations selon le premier mode (coupure avant la voyelle de la deuxième syllabe). Seule une poignée d'abréviations formées suivant le second mode sont utilisées ; aux quatre mots déjà donnés en exemples, ajoutons les abréviations des numéraux ordinaux :

1er, 1re, 2e, 3e, 20e, 100e, 1 000e, etc.

Voir les tableaux « Abréviation, règles de l' » et « Abréviations courantes » dans le *Multi* ou la section « Les abréviations » dans la *BDL*.

Voir aussi au chapitre 5, portant sur la ponctuation, l'emploi du point abréviatif.

6.2.5 Les symboles des unités de mesure

Comme les grandeurs mesurables sont multiples (espace, temps, poids, force, température, etc.) et que leur échelle est infinie, les désignations des unités de mesure sont souvent des noms composés de plusieurs éléments.

un gramme	*un mètre*
un centigramme	*un centimètre*
un kilogramme	*un kilomètre*

Les abréviations des unités de mesure suivent deux règles :

1. On retient en général la première lettre de chaque élément.
2. On ne fait JAMAIS suivre l'abréviation d'une unité de mesure par un point.

un gramme	→	*1 g*
un centigramme	→	*1 cg*
un kilogramme	→	*1 kg*
un mètre	→	*1 m*
un centimètre	→	*1 cm*
un kilomètre	→	*1 km*

Souvent, les unités de mesure sont désignées par le nom de leur inventeur. Si la majuscule du nom propre disparait généralement dans l'unité de mesure, elle réapparait presque toujours dans son abréviation.

un volt	→	*1 V*
un ampère	→	*1 A*
un watt	→	*1 W*
un joule	→	*1 J*

Voir le tableau «Symbole» dans le *Multi* ou la section «Les symboles» dans la *BDL*.

EXERCICE 6.23

Donnez les abréviations des mots suivants.

1 paragraphe

2 page

3 numéro

4 téléphone

5 Messieurs

6 Mesdames

7 pavillon

8 premier

9 première

10 cinquantième

EXERCICE 6.24

Donnez les symboles des unités de mesure suivantes. Vous trouverez la réponse à l'entrée du mot dans n'importe quel dictionnaire.

1 heure

2 mètre

3 minute

4 seconde

5 gramme

6   litre   ....

7   kilogramme   ....

8   kilomètre   ....

9   kilowatt   ....

10   kilowattheure ....

EXERCICE 6.25

Corrigez les fautes contenues dans les phrases suivantes.

1   La réunion aura lieu à 3 hrs 30.

_____

2   Il a parcouru les 20 kilomètres en 1 h 20 min 30 s.

_____

3   Monsieur Laframboise
    36, blvd. du Verger, # 15
    Rougemont (Québec) G1V 1X1

_____

4   Num. de tél.: 514 525-0000

_____

5   Les 1ère et 2e médailles vont à l'équipe des Petits-Loups.

_____

6.3 L'ADJECTIF

6.3.1 La formation du féminin des adjectifs

Les adjectifs qui se terminent par un *e* gardent la même forme au féminin.

un fondement solide, une amitié solide

Les adjectifs qui se terminent par une voyelle autre que *e* ou par une consonne forment généralement leur féminin par addition d'un *e*.

> *un vent fort, une mer fort**e***
>
> *un ciel bleu, une lumière bleu**e***
>
> *un ami loyal, une personne loyal**e***

À NOTER

On doit veiller à ne pas oublier le *e*, même quand il ne s'entend pas, comme dans *une lumière bleue* ou *une personne loyale*.

Les grammaires et les ouvrages de difficultés recensent les féminins particuliers, c'est-à-dire les cas où la formation du féminin s'accompagne d'une modification du radical. Reportez-vous à la *BLD* ou au *Multi* pour l'exercice suivant ; vous aurez ainsi une vue d'ensemble des variations morphologiques liées à la formation du féminin. Ultérieurement, quand vous chercherez le féminin d'un adjectif en particulier, vous préfèrerez sans doute utiliser le dictionnaire, qui est d'une consultation plus rapide. (N'oubliez pas que les dictionnaires électroniques donnent toutes les formes des mots, donc pour les adjectifs, le féminin et le pluriel.)

EXERCICE 6.26

Mettez les adjectifs entre parenthèses au féminin.

1. Pourriez-vous me trouver une chemise (pareil) _____ à celle-ci ?

2. Il semble éprouver une joie (malin) _____ à semer des embuches sur notre chemin.

3. Elle semble très (éprouvé) _____ par la mort (subit) _____ de son canari.

4. Il n'y a aucune (commun) _____ mesure entre ces deux évènements.

5. C'est une (beau) _____ fripouille !

6. Nous pensions acheter une (nouveau) _____ cafetière.

7. C'était une (fou) _____ entreprise.

8 Il portait toujours la même (vieux) _____ casquette.

9 C'est une personne bien (secret) _____ .

10 Ne pourrions-nous pas éviter qu'une (tiers) _____ personne soit mise au courant ?

11 Sa réponse était un tantinet (naïf) _____ .

12 La température est un peu (frais) _____ , mais le temps reste beau.

13 Il a donné une réponse très (ambigu) _____ .

14 N'en faisons pas une affaire (public) _____ ; c'est une affaire (personnel) _____ .

15 Elle est ma chanteuse (favori) _____ .

6.3.2 La formation du pluriel des adjectifs

En règle générale, on forme le pluriel d'un adjectif en ajoutant un *s* à la forme du singulier de l'adjectif.

> *un plat élaboré → des plats élaboré**s***
> *une entreprise ardue → des entreprises ardue**s***

Règles particulières

- Les adjectifs se terminant par *-eau* au singulier prennent un *x* au pluriel.

  > *un nouv**eau** film → de nouv**eaux** films*
  > *un frère jum**eau** → des frères jum**eaux***

- Les adjectifs se terminant en *-al* forment leur pluriel en *-aux*.

  > *un évènement spéci**al** → des évènements spéci**aux***
  > *un logiciel convivi**al** → des logiciels convivi**aux***

  Exceptions :
  > *banal → banal**s***
  > *bancal → bancal**s***
  > *natal → natal**s***
  > *naval → naval**s***
  > *fatal → fatal**s***

Grammaires, dictionnaires et dictionnaires de difficultés recensent les pluriels particuliers des adjectifs. Au besoin, reportez-vous à l'un ou à l'autre pour faire l'exercice suivant.

EXERCICE 6.27

Mettez les adjectifs entre parenthèses au pluriel.

1 Nous avons établi les objectifs (général) _____ de la mission.

2 Les examens (final) _____ auront lieu en juillet.

3 Nous avons acheté deux lits (jumeau) _____ pour les filles.

4 Il faisait de grands gestes (théâtral) _____ .

5 Partout dans le monde, les chantiers (naval) _____ connaissent des difficultés.

6.4 LE DÉTERMINANT

6.4.1 Généralités

La plupart des déterminants varient en genre et en nombre.

Masculin singulier	Féminin singulier	Masculin/féminin pluriel
Le vent	*La* pluie	*Les* orages
Un collège	*Une* université	*Des* écoles
Ce film	*Cette* pièce	*Ces* spectacles
Son livre	*Sa* calculatrice	*Ses* crayons
Quel homme !	*Quelle* femme !	*Quels* enfants !/*Quelles* filles !
Quel numéro ?	*Quelle* adresse ?	*Quels* problèmes ?/*Quelles* questions ?

Seul le déterminant possessif varie aussi selon la personne grammaticale.

Personne	Singulier	Pluriel
1re	*Mon* livre	*Nos* livres
2^{e}	*Ton* livre	*Vos* livres
3^{e}	*Son* livre	*Leurs* livres

Toutes les grammaires comportent des tableaux recensant les différentes formes des déterminants.

6.4.2   Le déterminant contracté

Le déterminant contracté résulte de la fusion de la préposition *à* ou *de* et du déterminant défini *le/les*.

à + le = au	Je vais **au** marché.	de + le = du	Je reviens **du** marché.
à + les = aux	Il va **aux** États-Unis.	de + les = des	Il revient **des** États-Unis.

À NOTER

Des : déterminant contracté ou déterminant indéfini ?

Il ne faut pas confondre le déterminant contracté *des* avec le déterminant indéfini *des*, forme du pluriel du déterminant indéfini *un* ou *une*.

> Il y a **une** cerise dans ce chocolat. → Il y a **des** cerises dans ces chocolats.

Le déterminant indéfini *des* peut être remplacé par un autre déterminant.

> Je vais acheter **des** cerises. → Je vais acheter **ces** cerises.

Le déterminant contracté *des*, quant à lui, ne peut pas être remplacé par un autre déterminant.

> Cela dépend **des** conditions météorologiques.
> * Cela dépend **ces** conditions météorologiques.

6.4.3   Le déterminant partitif

Le déterminant partitif s'emploie devant un nom qui, dans le contexte donné, est non comptable. Il est toujours singulier.

> Je vous souhaite **du** plaisir.
> Je vous souhaite **de la** chance.
> Je veux boire **de l'**eau.

À NOTER

Du : déterminant contracté ou déterminant partitif ?

Le mot *du* peut être un déterminant contracté résultant de la fusion de la préposition *de* et du déterminant *le*. Dans ce cas, il ne peut pas être remplacé par un autre déterminant.

> Je reviens **du** Maroc.
> * Je reviens **le** Maroc.

Le mot *du* peut aussi être un déterminant partitif. Comme partitif, il s'emploie devant un nom non comptable. Son féminin est *de la*. On peut le remplacer par un autre déterminant.

> Nous apporterons **du** vin et **de la** bière. → Nous apporterons **le** vin et **la** bière.

EXERCICE 6.28

Donnez le type (contracté, partitif ou indéfini) des déterminants en caractères gras dans les phrases suivantes.

1. Ils nous ont parlé **du** Pakistan. _____

2. C'est de la part **des** jeunes que nous avons reçu le plus de commentaires. _____

3. Ce ne sont que **des** paroles. _____

4. N'oublie pas d'acheter **du** beurre. _____

5. Je ne me souviens plus **du** titre de la chanson. _____

6.4.4 Le déterminant numéral

L'écriture des déterminants numéraux a fait l'objet de rectifications orthographiques. Tous les éléments des déterminants numéraux composés, y compris les noms *million* et *milliard,* doivent être liés par un trait d'union. (Exception : on peut écrire *un-million* ou *un million*.)

> *dix-sept*
>
> *trente-et-un*
>
> *deux-cent-quarante-trois*
>
> *dix-millions*

Pour connaitre les règles traditionnelles concernant les déterminants numéraux, voir le tableau « Nombres » dans le *Multi* ou les différentes pages sur les nombres dans la *BDL*.

Pour connaître les règles d'accord des déterminants numéraux selon l'orthographe rectifiée, voir « Le déterminant numéral » au point 7.3.2 du chapitre 7.

EXERCICE 6.29

Transcrivez les nombres suivants en lettres.

1. 21 _____

2. 122 _____

3 300

4 3 000

5 3 000 000

6.5 LE PRONOM

Le **pronom de reprise** varie selon le nombre, le genre et la personne de son <u>antécédent</u> et selon la fonction qu'il remplit dans la phrase.

> *Je vais donner mon adresse à <u>Julien</u>.* → *Je vais **lui** donner mon adresse.*

Lui : pronom personnel qui reprend l'antécédent *Julien*, 3ᵉ personne, masculin singulier ; il remplit la fonction de CI.

> *Je vais donner <u>mon adresse</u> à Julien.* → *Je vais **la** donner à Julien.*

La : pronom personnel qui reprend l'antécédent *mon adresse*, 3ᵉ personne, féminin singulier ; il remplit la fonction de CD.

> *Je ne me souviens plus de l'<u>adresse</u> **que** Pierre m'a transmise.*

Que : pronom relatif qui reprend l'antécédent *adresse*, 3ᵉ personne, féminin singulier ; il remplit la fonction de CD.

> *Je vais rappeler <u>les personnes</u> **qui** ont laissé un message pendant mon absence.*

Qui : pronom relatif qui reprend l'antécédent *les personnes*, 3ᵉ personne, féminin pluriel ; il remplit la fonction de sujet.

Certains pronoms sont simples (*nous, dont*), d'autres composés (*les siens, celui-ci*) ou contractés (*auquel, duquel*).

Plusieurs des pronoms qu'on appelle **nominaux** ne reprennent pas d'antécédent et sont invariables.

> ***Rien** n'est comparable à la tarte au sucre de ma grand-mère.*
> ***Personne** ne souhaite un échange de cadeaux.*

À NOTER

Le pronom personnel *leur* (toujours CI du verbe) est de la 3ᵉ personne du pluriel, mais ne prend jamais de *s*.

> *Il a dit **à Luc et à Léo** de ne pas s'inquiéter.* → *Il **leur** a dit de ne pas s'inquiéter.*

Il faut donc le distinguer du pronom possessif *les leurs* qui en prend un et du déterminant possessif *leur,* qui s'accorde avec le nom qu'il introduit.

> *Ces cadeaux ? Ce sont **les leurs**.*
>
> *Ils ont organisé une fête pour **leur tante**.*
>
> *Ils ont organisé une fête pour **leurs parents**.*

On trouvera, dans la section « Les pronoms » de la *BDL* ainsi que dans le tableau « Pronom » du *Multi,* les différentes formes que peuvent prendre les pronoms selon leur sens et les caractéristiques de leur antécédent.

Voir aussi le tableau « Le choix du pronom relatif » au point 4.3.2 du chapitre 4.

EXERCICE 6.30

Remplacez les groupes de mots en caractères gras par le pronom approprié en modifiant, le cas échéant, l'ordre des mots.

1 Nous avons apporté nos raquettes. Je me demande si Louis a apporté **ses raquettes**.

_____

2 Le lac est à environ deux kilomètres d'ici. On pourrait se rendre **au lac** en raquettes.

_____

3 Luc et Anaïs sont en voyage. On se demande si on verra **Luc et Anaïs** à Noël.

_____

4 Mathieu et Sophie n'ont pas été invités. Il faudrait téléphoner **à Mathieu et à Sophie**.

_____

5 Il y a du gâteau au chocolat. Voulez-vous **du gâteau au chocolat** ?

_____

Chapitre 7

Les accords

Dans ce chapitre, vous réviserez les principales règles d'accord dans le GV et dans le GN. Mais revoyons d'abord les principes généraux qui sous-tendent le système des accords en français.

7.1 LES PRINCIPES GÉNÉRAUX

7.1.1 Les classes de mots

Comme on peut le voir au chapitre 2, les mots se répartissent en deux grandes catégories : les classes de mots invariables et les classes de mots variables, c'est-à-dire les mots dont la forme peut varier en genre et en nombre et, dans le cas des verbes, en personne.

Les classes de mots invariables sont les **adverbes**, les **prépositions** et les **conjonctions**.

Les classes de mots variables comprennent les **noms**, les **pronoms**, les **déterminants**, les **adjectifs** et les **verbes** (y compris, dans les temps composés, les verbes auxiliaires et les participes passés).

7.1.2 Les traits grammaticaux et les marques grammaticales

Les **traits grammaticaux** sont les caractéristiques de personne, de genre et de nombre des mots appartenant à une classe variable. Le pronom *il*, par exemple, a trois traits grammaticaux : 3ᵉ personne, masculin, singulier.

Les **marques grammaticales** font référence aux variations dans la forme d'un mot selon ses traits grammaticaux : par exemple, le *-e* est souvent la marque du féminin, le *-t* la marque de la 3ᵉ personne du singulier et le *-s* la marque du pluriel.

Il faut savoir que les marques grammaticales, perceptibles à l'écrit, « ne s'entendent pas » toujours à l'oral, ce qui est la cause d'erreurs d'accord fréquentes. Comparez :

> *Il est poli.*   *Elle est polie.*   *Elles sont polies.*

L'adjectif *poli*, auquel on ajoute les marques du féminin et du pluriel se prononce toujours de la même façon. Il ne faut donc pas se fier à ce que l'on entend quand il s'agit de faire des accords.

7.1.3 Les notions de donneur et de receveur d'accord

Le **donneur** (D) est un mot d'une classe variable qui donne ses traits grammaticaux à un mot d'une autre classe variable qui les reçoit, devenant ainsi le **receveur** (R). Les donneurs sont le **nom** et le **pronom**. Les receveurs sont le **verbe** (y compris le verbe auxiliaire dans les formes composées), l'**adjectif**, le **participe passé** et le **déterminant**.

Tout le système des accords se fonde sur la relation syntaxique étroite qui s'établit entre le donneur et le receveur, le premier donnant ses traits grammaticaux (personne, genre ou nombre) au second. On dit qu'il y a accord lorsqu'un mot variable (le **receveur**) reçoit d'un autre mot (le **donneur**) ses marques de genre, de nombre ou de personne.

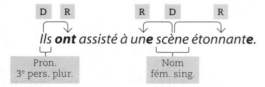

Dans cette phrase, le pronom *Ils* donne au verbe auxiliaire *ont* ses traits grammaticaux de personne et de nombre (3ᵉ personne du pluriel), et le nom *scène* donne au déterminant *une* et à l'adjectif *étonnante* ses traits grammaticaux de genre et de nombre (féminin, singulier).

7.1.4 L'importance et l'utilité des accords

L'orthographe grammaticale décrit les règles d'accord des mots dits de classe variable. Il est important de respecter ces règles, car les accords renseignent le lecteur sur les rapports syntaxiques s'établissant entre les mots dans la phrase et favorisent de ce fait une bonne compréhension de la phrase lue. Comparez, par exemple, les deux phrases suivantes :

> *On lui a remis un horaire de cours **adapté** à sa situation.*
>
> *On lui a remis un horaire de cours **adaptés** à sa situation.*

Dans la première phrase, l'accord de l'adjectif *adapté* montre clairement que l'adjectif est en relation syntaxique avec le nom *horaire*, qui lui a donné ses traits grammaticaux de genre (masculin) et de nombre (singulier). Dans la deuxième phrase, le même adjectif est en relation syntaxique avec, cette fois, le nom *cours*, qui lui a donné ses traits grammaticaux de genre (masculin) et de nombre (pluriel), ce qui se traduit par l'ajout de la marque grammaticale du pluriel -*s*. On comprend donc, en lisant la première phrase, que c'est l'horaire qui est adapté à la situation, alors qu'en lisant la deuxième phrase, on comprend que ce sont les cours qui sont adaptés à la situation.

7.1.5 Les règles d'accord

La présentation des règles d'accord est intimement liée au travail d'analyse de la phrase : une fois que les groupes formant le sujet et le prédicat de la phrase sont isolés, on peut en analyser la composition et découvrir quels sont les donneurs et les receveurs d'accord dans la phrase. Dès lors, l'accord des mots n'obéit plus à une longue série de règles mais à un nombre très limité de règles générales fondées sur la relation entre le donneur et le receveur d'accord : en effet, une règle d'accord ne fait que préciser quels traits grammaticaux un donneur d'accord transmet au receveur. Et ces règles, on peut les appliquer dans tous les contextes où il y a un ou des accords à faire.

Les règles d'accord se répartissent en deux groupes principaux : les accords dans le GV (qui peuvent être régis par le sujet ou par le CD) et les accords dans le GN.

7.2 LES ACCORDS DANS LE GV

7.2.1 L'accord du verbe avec le sujet

Dans la nouvelle grammaire, la règle de l'accord du verbe est la suivante : le verbe (ou l'auxiliaire du verbe à un temps composé) reçoit le nombre et la personne du pronom sujet ou du noyau du GN sujet. Le verbe est donc le receveur d'accord, et le noyau du GN sujet, ou le pronom sujet, qui donne ses traits grammaticaux de nombre et de personne au verbe avec lequel il est en relation syntaxique, est le donneur d'accord.

Ils *parl**ent**.*

Donneur : *Ils*, 3ᵉ pers. du plur. ; receveur : *parlent.*

Plusieurs **enfants** *de l'école* **ont** *attrapé la grippe.*

Donneur : *enfants*, 3ᵉ pers. du plur. ; receveur : *ont.*

À NOTER

Un GInf ou une subordonnée relative ou complétive sont de la 3ᵉ personne du singulier ; ils peuvent donc donner leurs traits grammaticaux au verbe avec lequel ils sont en relation, qui s'écrira à la 3ᵉ personne du singulier.

> **Construire** <u>peut</u> être le fruit d'un travail long et ardu. **Détruire** <u>peut</u> être l'œuvre d'une seule journée. (Winston Churchill)

> **Qui trébuche et ne tombe pas** <u>ajoute</u> à son pas. (Miguel de Cervantès)

> **Que le taux de réussite au test de français dépasse à peine les 40 %** <u>est</u> préoccupant.

La reconnaissance du sujet

Le verbe s'accorde en personne et en nombre avec le pronom sujet ou avec le noyau du GN sujet. Il faudra donc, avant tout, savoir reconnaitre le sujet.

Dans la grammaire traditionnelle, on suggère de poser la question *Qui est-ce qui ?* ou *Qu'est-ce qui ?* devant le verbe pour repérer le sujet.

> **Les enfants du voisin** *viennent souvent jouer chez nous.*
> **(Qui est-ce qui** *viennent ?* **Les enfants du voisin**.)

En nouvelle grammaire, on a recours à d'autres moyens pour trouver le sujet. Ainsi, pour identifier le sujet, on peut essayer de le remplacer par un pronom ayant toujours la fonction de sujet, soit *il*, *ils* ou *ce* (*c'*). Le remplacement par un pronom est une manipulation syntaxique relativement simple et très utile pour repérer le sujet avec certitude. Par exemple, dans la phrase ci-dessus, on remplacera par le pronom *ils* les mots dont on pense qu'ils constituent le sujet jusqu'à ce qu'on obtienne une phrase grammaticale.

> *Les enfants du voisin viennent souvent jouer chez nous.*
> * **Ils** *du voisin viennent souvent jouer chez nous.* (Phrase agrammaticale)
> **Ils** *viennent souvent jouer chez nous.* (Phrase grammaticale)

La manipulation de remplacement par un pronom permet donc de repérer le sujet de la phrase : *les enfants du voisin.*

Voici un autre exemple :

> **Que vous soyez présent à la réunion** *est très important.*
> **C'**est très important.*

On peut remplacer *Que vous soyez présent à la réunion* par le pronom *c'*, pronom de la 3e personne du singulier. Le sujet de la phrase est donc la subordonnée *Que vous soyez présent à la réunion.*

La manipulation d'encadrement avec *c'est… qui* ou *ce sont… qui* permet aussi de délimiter le groupe sujet avec précision.

> **Les étudiants que nous avons reçus cette année** *seront nos hôtes l'année prochaine.*
> **Ce sont** *les étudiants que nous avons reçus cette année* **qui** *seront nos hôtes l'année prochaine.*

Dans un GN sujet, il est important de reconnaitre le **noyau** du groupe, car c'est lui qui régit l'accord du verbe.

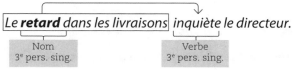

Le **retard** dans les livraisons *inquiète le directeur.*

Nom
3e pers. sing.

Verbe
3e pers. sing.

Voir le tableau « Sujet » dans le *Multi*.

Les difficultés de repérage du sujet

Dans certaines situations, cependant, le repérage du noyau du GN sujet ou du pronom sujet peut s'avérer plus difficile. Examinons quelques cas.

- Il y a un écran entre le sujet et le verbe.

  Le mot qui précède immédiatement le verbe n'est pas forcément son sujet. En effet, des mots qu'on appelle **mots écrans** peuvent, comme leur nom l'indique, faire « écran » entre le pronom ou le nom noyau du GN sujet et le verbe, ce qui peut rendre son repérage plus difficile. Examinons la phrase suivante, qui contient une erreur d'accord :

  > ** Les **athlètes** qui veulent participer au marathon de Boston s'entraine toute l'année.*

  Dans cette phrase, le verbe doit s'accorder avec le noyau du GN sujet, *athlètes* (3ᵉ personne du pluriel). Il aurait donc fallu écrire *s'entrainent*. L'éloignement du sujet est probablement la cause de l'erreur, l'auteur de la phrase ayant peut-être « oublié » le sujet de sa phrase ou ayant tout simplement accordé le verbe avec le nom *marathon*, placé plus près.

  Les mots (ou groupes de mots) qui peuvent s'intercaler ainsi entre le verbe et le noyau du GN sujet sont :

  - un ou des pronoms personnels compléments du verbe

    > *Je **les** mange.*
    >
    > *Ils te **le** donnent.*
    >
    > *Je **vous** téléphonerai demain.*

    En effet, il ne faut pas se laisser tromper par les pronoms *les*, *le* et *vous*, qui sont des écrans, et écrire **Je **les** mangent. *Ils **te** le donne. *Je **vous** téléphonerez demain.*

  - un complément de phrase (CP)

    > *Les enfants, **pendant ce temps**, achetaient des bonbons.*
    >
    > *Ces skis, **malgré leur prix prohibitif**, me tentent beaucoup.*

  - un complément du nom ou du pronom

    > *Les matous **du quartier** font peur aux enfants.*
    >
    > *Nous, **les étudiants**, n'accepterons pas cette hausse injustifiée des droits de scolarité.*

    Encore là, les manipulations syntaxiques peuvent aider à contourner ces difficultés. On peut non seulement pronominaliser le sujet, mais aussi effacer le mot ou le groupe qui fait écran entre le verbe et son sujet, ce qui montre bien que l'écran n'est pas le sujet.

    > *Je mange.*
    >
    > *Ils donnent.*

Je téléphonerai demain.

Les enfants achetaient des bonbons.

Ces skis me tentent beaucoup.

Les matous font peur aux enfants.

Nous n'accepterons pas cette hausse injustifiée des droits de scolarité.

- ◆ Le sujet est inversé, c'est-à-dire placé après le verbe.

Précisons enfin que le sujet n'est pas toujours placé avant le verbe, car les phrases ne correspondent pas toutes au modèle de base. Il y a des cas où le sujet est placé après le groupe verbal (GV) ou après l'auxiliaire.

*Les achètes-**tu** ?   Les as-**tu** achetés ?*

*Devant lui surgirent **deux chiens à l'allure inquiétante**.*

Pour faciliter le repérage du sujet dans de telles phrases, on peut retrouver les phrases de base correspondantes.

***Tu** les achètes.   **Tu** les as achetés.*

***Deux chiens à l'allure inquiétante** surgirent devant lui.*

Le sujet est aussi placé après le verbe dans certaines subordonnées.

*Les problèmes que vous caus**e** cet enfant sont dus à ses difficultés scolaires.*

Dans de tels cas, on peut essayer de reformuler la phrase pour placer le sujet avant le verbe et en faciliter la recherche.

*Les problèmes **que vous cause cet enfant** sont dus à ses difficultés scolaires.*
*→ **Cet enfant** vous cause des problèmes qui sont dus à ses difficultés scolaires.*

***Il** vous cause des problèmes…* (Manipulation de remplacement)
***C'est** cet enfant **qui** vous cause des problèmes…* (Manipulation d'encadrement)

EXERCICE 7.1

Soulignez le sujet (GN, pronom, GInf ou subordonnée) des verbes en caractères gras. Pour identifier le sujet plus facilement, retrouvez au besoin la phrase de base correspondante et utilisez les manipulations de pronominalisation ou d'encadrement.

1. Les **crois**-tu ?

2. Où l'**as**-tu **mis**, ce marteau ?

3. Malgré ce que vous en dites, tout **peut** encore arriver.

4. Je te les **apporte**, c'est promis.

5 **Écoute** Paul qui est en train de jouer du piano.

6 Sur les rives du Rhin, **s'élèvent** de magnifiques châteaux et de très nombreuses usines.

7 Ils ne nous **écouteront** que si nous sommes bien préparés.

8 Quelles bêtises **ont** encore **faites** les enfants ?

9 **Envoyez**-les-moi dès que vous aurez terminé.

10 Des jardins **montaient** mille-et-un parfums.

11 Vous avez fait ces exercices trop rapidement ; aussi les **referez**-vous ce soir.

12 **Laissez**-nous vos enfants pour la fin de semaine ; nous les **garderons** avec plaisir.

13 Que ce soit vous le coupable ne **fait** aucun doute.

14 À qui **revient** cet argent ?

15 Manger trop de carottes **donne** un teint jaune.

La personne grammaticale du sujet

Précisons tout de suite que les GN sujets sont tous de la 3e personne. En fait, la quasi-totalité des sujets sont de la 3e personne, à l'exception des pronoms personnels des 1re et 2e personnes ou des GN contenant un ou des pronoms personnels de 1re ou 2e personne. Dans ce cas, l'accord du verbe se fait selon la règle suivante : la 1re personne l'emporte sur la 2e et la 3e, et la 2e personne l'emporte sur la 3e.

Claire (3e) *et moi* (1re) ***avons*** (1re) *réussi notre examen.*

Claire (3e) *et toi* (2e) ***devriez*** (2e) *sortir.*

- Voici des sujets de la 1re personne :

    Je travaille.

    Nous travaillons.

    Marie (elle) et moi (je) travaillons ensemble.

    Toi (tu) et moi (je) travaillons trop fort.

- Voici des sujets de la 2e personne :

    Tu travailles.

    Vous travaillez.

    Ma sœur (elle) et toi (tu) êtes du même âge.

    Ma sœur (elle) et vous êtes du même âge.

- Les autres sujets sont de la 3ᵉ personne :
  - noyau des groupes du nom (GN)

    Pierre *est parti pour la fin de semaine.*

    *Les **listes** des étudiants inscrits* *seront affichées en face du secrétariat.*

  - pronoms personnels

    Il *travaille tous les soirs.*   ***Elles*** *travaillent souvent ensemble.*

  - pronoms démonstratifs

    Cela *se saura.*   ***Ceux-ci*** *sont meilleur marché que ceux-là.*

  - pronoms possessifs

    Le vôtre *est peut-être plus beau, mais **le mien** fonctionne mieux.*

    *Vos enfants sont de véritables pestes ; **les nôtres** n'auraient jamais fait ça.*

  - pronoms indéfinis

    Rien *ne me sourit.*   ***Tout*** *te réussit.*

    D'aucuns *pensent qu'elle*   ***D'autres*** *disent qu'elle*
    a eu tort d'agir ainsi.   *a eu raison.*

    Personne *n'est venu à la soirée.*   ***Tous*** *ne sont pas d'accord.*

  - pronoms interrogatifs

    Qui *frappe ?*   ***Lesquels*** *sont les meilleurs ?*

  - pronoms relatifs sujets

    *Les soupçons **qui** pèsent sur lui ne sont pas fondés.*

    *(Mais : Est-ce toi qui **as** obtenu le contrat ? L'antécédent est de la 2ᵉ personne du singulier.)*

  - verbes à l'infinitif (GInf) et subordonnées

    Rire *fait du bien.*

    Qui a bu *boira.*

    Que sa nomination n'ait pas plu à tout le monde *ne fait aucun doute.*

À NOTER

Quand le GN sujet est formé de deux GInf coordonnés et que le verbe a un attribut, le verbe se met au singulier si l'attribut est singulier, et au pluriel si l'attribut est pluriel.

*Faire de l'exercice et boire beaucoup d'eau **est** bon pour la santé.*
(Attribut : bon pour la santé)

*Faire de l'exercice et boire beaucoup d'eau **sont** de bonnes habitudes.*
(Attribut : de bonnes habitudes)

EXERCICE 7.2

Dans les phrases suivantes, remplacez le sujet par le pronom pluriel correspondant. Donnez ensuite la personne et le nombre du sujet.

1 Moi et mes amis avons décidé de rebrousser chemin.

_____

2 Toi et moi partirons les premiers.

_____

3 Toi et tes frères me rejoindrez au coin de la rue.

_____

4 Lui et ma mère sont de vieux amis.

_____

5 Vous et moi savons cela depuis longtemps.

_____

6 Lui et moi sommes devenus de véritables complices.

_____

À NOTER

Dans le cas de verbes à l'impératif associés à une apostrophe, comme dans les phrases suivantes, la personne du verbe dépend du nombre de personnes concernées par l'apostrophe et de l'inclusion ou non de la personne qui parle.

> **_Dors_**, _mon petit enfant._ (2ᵉ pers. du singulier)

> **_Venez_**, _mes petits._ (2ᵉ pers. du pluriel)

> **_Partons_**, _mes amis._ (1ʳᵉ pers. du pluriel, inclut la personne qui parle.)

EXERCICE 7.3

Donnez la personne et le nombre des verbes à l'impératif dans les phrases suivantes.

1 Les enfants, écoutez-moi bien.

_____

2 Les jeunes, retenez bien ceci. _____

3 Viens ici, mon petit. _____

4 Mes amis, ne perdons pas de temps. _____

5 Sébastien, rappelle-moi ce soir. _____

EXERCICE 7.4

Soulignez les GN sujets ou les pronoms sujets et mettez les verbes entre parenthèses au temps demandé.

1 De derrière la maison (**surgir**, passé simple) _____ soudain trois chiens menaçants.

2 Ils nous (**écouter**, futur) _____ .

3 Pierre les (**écouter**, conditionnel présent) _____ davantage s'ils lui (**parler**, indicatif imparfait) _____ sur un autre ton.

4 (**S'ajouter**, indicatif présent) _____ à cette somme les frais de séjour.

5 Nous possédons plusieurs salles où (**se rencontrer**, indicatif présent) _____ les membres du personnel.

6 Je ne comprends pas ce que te (**demander**, indicatif présent) _____ tes supérieurs.

7 Le bruit des machines m'(**étourdir**, indicatif imparfait) _____ .

8 Tout t'(**effrayer**, indicatif présent) _____ !

9 Pourquoi mon refus te (**surprendre**, indicatif présent) _____ -il ?

10 Ce travail me (**plaire**, indicatif présent) _____ beaucoup.

11 Un mur d'une hauteur de six mètres (**entourer**, indicatif présent) _____ la nouvelle prison.

12 Je regretterai les avantages que me (**procurer**, indicatif imparfait) _____
cette situation.

13 Nous ne pouvons assumer les frais qu'(**entrainer**, conditionnel présent) _____
_____ cette transformation.

14 Tout au bout du bâtiment (**se trouver**, indicatif présent) _____
les dortoirs.

15 Puis (**venir**, indicatif imparfait) _____ les représentants
des différents pays.

L'accord des formes composées du verbe

Dans les formes composées du verbe, l'auxiliaire de conjugaison s'accorde en personne et en nombre avec le sujet, en suivant les terminaisons des temps simples correspondants.

j'**ai** mangé	nous **aurons** mangé
tu **avais** mangé	vous **auriez** mangé
il **eut** mangé	qu'ils **aient** mangé

Les règles de l'accord du participe passé sont présentées plus loin dans ce chapitre.

À NOTER

Rappelons ici que l'auxiliaire *être* s'emploie dans trois cas.

- Certains verbes (comme *mourir, naitre, tomber, devenir, venir, partir, arriver, aller,* etc.) demandent toujours l'auxiliaire *être*.

  *Elle **est née** à Tombouctou, au Mali.*

  *Elles **sont devenues** riches en gagnant à la loterie.*

- D'autres verbes prennent tantôt *avoir*, tantôt *être*, selon qu'ils sont transitifs ou intransitifs.

  *Elle **a descendu** les pommes de terre à la cave.*

  *Elle **est descendue** de la voiture avec une grâce infinie.*

- Enfin, les verbes pronominaux se construisent également avec *être*.

  *À son entrée, le silence **s'est fait**.*

EXERCICE 7.5

Ajoutez l'auxiliaire de conjugaison nécessaire pour mettre le verbe entre parenthèses au temps demandé et accordez-le.

1. Les triplés (**naitre**, passé composé) _____ nés à Trois-Rivières.

2. Toutes ses craintes (**s'évanouir**, passé composé) _____ évanouies comme par magie.

3. Le texte (**paraitre**, passé composé) _____ paru dans tous les journaux.

4. Elles (**se dire**, passé composé) _____ dit qu'elles auraient surement l'occasion de se revoir.

5. Mélissa et Ulysse (**se rencontrer**, conditionnel passé) _____ rencontrés dans la vallée de l'Okanagan.

Le pronom *il* sujet impersonnel

Prenons l'exemple suivant :

> *Il tombe des clous.*

Dans cette phrase, le pronom *Il* est le sujet grammatical et *des clous*, le sujet réel, ou sujet sémantique. L'accord se fait avec le sujet grammatical, *il*, et non avec le sujet sémantique, *des clous*. Voilà l'analyse qu'on fait de cette phrase dans les grammaires traditionnelles. La nouvelle grammaire propose une analyse plus simple : le pronom *il* est le sujet de cette phrase impersonnelle, et le GN *des clous* est complément du verbe impersonnel. Il n'y a donc plus de confusion possible : le verbe ne peut que s'accorder avec le pronom *il*, car c'est son « seul » sujet.

EXERCICE 7.6

Mettez les verbes impersonnels entre parenthèses au temps demandé.

1. Il (**manquer**, présent) _____ encore deux élèves.

2. Il (**se passer**, imparfait) _____ de drôles de choses dans cette maison.

3 Chaque jour, il (**arriver**, imparfait) _____ des centaines de lettres.

4 Il n'y (**avoir**, imparfait) _____ que des célébrités.

5 Il leur (**sembler**, imparfait) _____ bien que leur tour était venu.

Le pronom *on* sujet

Le pronom *on* est de la 3ᵉ personne du singulier. Le verbe ou le verbe auxiliaire ayant pour sujet le pronom *on* sera donc à la 3ᵉ personne du singulier.

> *Au ministère, **on semble** s'étonner des réactions de la population.*

Le pronom *on* a normalement une valeur indéfinie : il renvoie à une personne ou, plus souvent, à un groupe de personnes dont on tait l'identité soit parce qu'on l'ignore, soit parce qu'on ne la juge pas pertinente. Le pronom *on* a souvent une valeur totalement neutre comme dans la phrase précédente (on tait, on ignore), ou encore il peut renvoyer à l'humanité en général, par exemple dans les sentences et les proverbes.

> ***On n'est*** *jamais si bien servi que par soi-même.*

Dans la conversation, *on* est le plus souvent employé dans le sens de « nous », mais le verbe ou l'auxiliaire restent au singulier.

> *Est-ce qu'**on va** au cinéma ?*
>
> *Pierre et moi, **on va** au cinéma.*

EXERCICE 7.7

Mettez les verbes entre parenthèses au temps demandé. Précisez si le pronom *on* est employé dans son sens indéfini (I) ou dans le sens de « nous » (N).

1 Au ministère de l'Environnement, on (**sembler**, présent) _____ tout ignorer de cette histoire.

2 Est-ce qu'on (**pouvoir**, présent) _____ prendre votre commande ?

3 On (**pouvoir**, conditionnel présent) _____ se donner un délai de réflexion.

4 De cette façon, on (**résoudre**, conditionnel présent) _____ tous les problèmes d'un seul coup.

5 Si on (**pouvoir**, plus-que-parfait) _____ prévoir ce

qui allait arriver, on (**prendre**, conditionnel passé) _____

les mesures nécessaires pour que ça n'arrive pas.

Le GN sujet est formé de plusieurs GN

Le GN sujet est formé de GN coordonnés par *et*

Le verbe dont le GN sujet est formé de plusieurs GN coordonnés par *et* se met évidemment au pluriel.

> *La loi et les règlements **seront** appliqués de façon souple.*

Le GN sujet est formé de GN juxtaposés

Dans le GN sujet, l'addition des GN est parfois faite par juxtaposition. Dans de tels cas, le verbe se met au pluriel.

> *L'or, l'argent, le platine **sont** des métaux précieux.*

Dans le GN sujet, il faut prendre garde de ne pas confondre le GN complément du nom avec un GN juxtaposé à un autre GN. Prenons l'exemple suivant :

> *L'essentiel de son œuvre, poèmes et chansons, **sera** réédité.*

Dans cette phrase, il faut voir que *poèmes et chansons* est un complément du nom (appelé « apposition » dans les grammaires traditionnelles) et non un GN juxtaposé au GN *L'essentiel de son œuvre*. Le sujet, *L'essentiel de son œuvre, poèmes et chansons*, ayant pour noyau le nom *essentiel* (singulier), il ne faut donc pas mettre le verbe au pluriel.

À NOTER

Si le sujet est formé d'une énumération de GN juxtaposés se terminant par un pronom singulier qui les résume, le verbe s'accorde avec ce pronom.

> *Les sushis, les tapas, les raviolis japonais, les rouleaux impériaux,*
> ***tout** est délicieux dans ce restaurant.*

Le GN sujet est formé de GN synonymes ou exprimant une gradation

Lorsque le GN sujet est composé de plusieurs GN qui expriment de façons différentes la même idée ou les divers degrés d'une même qualité, le verbe s'accorde avec le GN le plus rapproché.

> *Un vent doux, une brise de printemps, un souffle chaud **caressait** ma joue.*
> *Son amabilité, sa gentillesse, sa bonté la **rendait** sotte à mes yeux.*

Le GN sujet est formé de GN coordonnés par *ou*

Lorsque le GN sujet est composé de plusieurs GN unis par le coordonnant *ou*, le verbe se met au pluriel si les deux GN peuvent faire l'action exprimée par le verbe, c'est-à-dire si *ou* exprime l'addition, ayant ainsi un sens voisin de celui de *et*.

> *Le moindre choc physique ou une mauvaise nouvelle **peuvent** le terrasser.*

Si l'un des deux GN formant le GN sujet exclut l'autre, le verbe se met au singulier.

> *Le directeur ou le sous-directeur **présidera** l'assemblée.*

Le GN sujet est formé de GN coordonnés par *ni*

En règle générale, l'accord du verbe est arbitraire lorsque les sujets sont unis par *ni*.

> *Ni la natation ni le tennis ne l'**intéresse** (ou ne l'**intéressent**).*

Mais, comme pour *ou*, si l'action ne peut être attribuée aux deux sujets à la fois, le singulier est de rigueur.

> *Ni Jacques ni son cousin n'**est** le père de Manon.*

Le GN sujet est formé de GN unis par une conjonction de comparaison ou d'addition

Lorsque les conjonctions *ainsi que, comme, de même que, non moins que,* etc., gardent leur valeur de comparaison, elles introduisent un complément de phrase plutôt qu'un second GN sujet. Le complément de phrase, mobile et facultatif, est placé entre virgules et le verbe conserve le singulier.

> *Mon père, comme beaucoup d'hommes, **réclamait** une autorité qu'il ne savait imposer.*
> (= *Comme beaucoup d'hommes, mon père **réclamait** une autorité qu'il ne savait imposer.*)

> *L'enfant, ainsi qu'un petit animal sauvage, ne nous **approcha** pas.*
> (= *Ainsi qu'un petit animal sauvage, l'enfant ne nous **approcha** pas.*)

À l'idée de comparaison peut se substituer celle d'addition. On a alors véritablement un GN sujet composé de deux GN coordonnés. Dans de tels cas, on peut remplacer la conjonction par *et*. Le verbe se met au pluriel et le GN coordonné n'est pas encadré de virgules.

> *Votre argent ainsi que votre passeport **doivent** toujours être en lieu sûr.*
> (= *Votre argent **et** votre passeport **doivent** toujours être en lieu sûr.*)

> *La sociologie comme la philosophie **sont** en voie de disparition.*
> (= *La sociologie **et** la philosophie **sont** en voie de disparition.*)

EXERCICE 7.8

Mettez les verbes entre parenthèses au temps demandé.

1. Né en 1873, mort en 1939, Élie Faure est un autodidacte dans toute la force
que ce terme peut prendre lorsque la passion de savoir et l'intelligence (**assimiler**,
indicatif présent) _____ et (**dépasser**, indicatif présent)
_____ les découvertes des spécialistes et des érudits.

2. L'anglo-américain, langue de masse, (**exposer**, indicatif présent, forme passive)
_____ aux États-Unis mêmes, à toutes les évolutions,
à tous les avatars qui furent ceux du latin dans les derniers siècles de l'Empire.

3. Si la santé et l'énergie du cinéma québécois (**se mesurer**, indicatif présent)
_____ au nombre de prix accordés, nul doute que
tous nos réalisateurs (**pouvoir**, conditionnel présent) _____
gravir l'Everest sans oxygène demain matin.

4. Les enfants et vous (**devoir**, conditionnel présent) _____
essayer de vous entendre.

5. Ni lui ni moi ne (**être**, indicatif présent) _____ en mesure
de vous répondre.

6. M. Dubé ou Mme Tremblay vous (**appeler**, futur) _____ .

7. Votre suggestion ainsi que celle de M. Tremblay (**retenir**, passé composé)
_____ l'attention du comité.

8. Le service comptable de même que le service des abonnements (**subir**, futur)
_____ d'importants réaménagements.

9. Son dynamisme, sa fougue, son audace (**être**, indicatif présent) _____
remarquable.

10. Le directeur, pas plus que son adjoint, ne (**pouvoir**, indicatif présent)
_____ vous recevoir.

Le sujet est le pronom relatif *qui*

Le pronom relatif *qui* est un pronom sujet s'il n'est pas précédé d'une préposition. Le verbe de la subordonnée relative s'accorde donc avec lui. Comme tous les pronoms de reprise, il remplace un GN ou un pronom. Le pronom relatif *qui* est donc de la même personne et du même nombre que son antécédent, c'est-à-dire le noyau du GN ou le pronom qu'il remplace.

> *C'est **moi qui** irai.* (1re personne du singulier)
>
> *C'est **toi qui** iras.* (2e personne du singulier)
>
> *C'est **l'étudiant qui** a remporté le prix.* (3e personne du singulier)
>
> *C'est **nous qui** l'avons emprunté.* (1re personne du pluriel)

Mais il arrive que les choses se compliquent. Dans certains cas, par exemple, le pronom relatif a la possibilité de représenter deux personnes grammaticales.

> ***Je*** (1re pers.) *suis **un étudiant*** (3e pers.) *qui…*

La règle veut que l'on accorde le verbe avec l'attribut du sujet (ici *étudiant*) si cet attribut est précédé d'un déterminant défini (*le, la, les*) ou d'un déterminant démonstratif (*ce, cet, cette*).

> *Je suis **l'**étudiant qui **voulait** vous rencontrer.*
>
> *Je suis **cet** étudiant qui **voulait** vous rencontrer.*

Si le déterminant qui précède l'attribut est indéfini (*un, une, des*), on a le choix d'accorder le verbe avec le sujet ou avec l'attribut.

> *Je suis **un** étudiant qui **veux** apprendre.*

ou

> *Je suis **un** étudiant qui **veut** apprendre.*

Même liberté lorsque l'attribut est *le seul, le premier* ou *le dernier*.

> *Vous êtes **le seul** qui m'**ayez remis** mon argent.*

ou

> *Vous êtes **le seul** qui m'**ait remis** mon argent.*

Lorsque le pronom *qui* représente *un des…, une des…*, ou *un de…, une de…*, c'est le sens qui détermine l'accord.

> *À l'un des policiers qui l'**interrogeait**…* (Un seul policier l'interrogeait.)
>
> *À l'un des policiers qui l'**interrogeaient**…* (Tous les policiers l'interrogeaient.)

EXERCICE 7.9

Mettez les verbes entre parenthèses au temps demandé.

1. Comme d'habitude, c'est encore Claire ou Judith qui (**décrocher**, futur)

   _____ le premier prix.

2. Est-ce vous qui (**téléphoner**, passé composé) _____ ?

3. Vous êtes la seule qui ne m'(**demander**, subjonctif passé) _____
   pas _____ d'argent.

4. Vous êtes le seul qui (**accepter**, subjonctif passé) _____
   mon invitation.

5. Ce n'est pas moi qui (**avoir**, conditionnel présent) _____
   une chance pareille.

6. Ce n'est pas à moi qu'on (**faire**, conditionnel passé) _____
   une offre pareille.

7. Je cherche une personne qui (**savoir**, subjonctif présent) _____
   écrire sans fautes.

8. Le téléroman se classe parmi les émissions de télévision qui (**captiver**, présent)

   _____ le plus les auditeurs.

9. Pas un qui (**savoir**, subjonctif présent) _____ me répondre.

10. C'est toi qui (**devoir**, conditionnel présent) _____ être nommé.

11. Est-ce toi qui (**prononcer**, futur) _____ l'allocution
    d'ouverture ?

12. La liste des invités vous (**parvenir**, futur) _____ la semaine
    prochaine.

13. (**Oublier**, impératif) _____ un peu les faillites qui

    te (**menacer**, présent) _____ .

14. Le bruit des machines qui (**gronder**, présent) _____ m'étourdit.

15 Le bruit des machines, qui n'(**arrêter**, présent) _____ pas
une seconde, m'étourdit.

16 C'est Claire et toi qui (**ouvrir**, futur) _____ la séance.

17 Ce n'est ni Pierre ni son cousin qui (**être**, présent) _____
le parrain de Jacques.

18 Les personnes qui (**désirer**, présent) _____ avoir
de la documentation peuvent nous écrire.

19 Est-ce vous qui (**faire**, passé composé) _____ cette requête ?

20 Tu es un crédule qui (**croire**, présent) _____ n'importe quoi.

Le GN sujet du verbe *être* est le pronom démonstratif *ce*

Devant les pronoms des 1re et 2e personnes du pluriel, le verbe *être* s'écrit au singulier.

> ***C'est nous*** *qui prenons…*
>
> ***C'est vous*** *qui prenez…*

Mais devant la 3e personne du pluriel, le verbe *être* s'écrit au pluriel.

> ***Ce sont eux*** *qui…*
>
> ***Ce sont les employés*** *qui…*

Dans la langue parlée, on ne respecte pas toujours cette règle ; mais dans la langue écrite, il faut l'appliquer de façon rigoureuse. Cependant, si le verbe *être* est suivi de plusieurs noms dont le premier est singulier, il s'écrit généralement au singulier.

> ***C'est Jean Gagnon et Martin Côté*** *qui ont remporté les deux premiers prix.*

De même, si le pronom ou le nom pluriel est précédé d'une préposition, le verbe *être* s'écrit au singulier.

> ***C'est à*** *des employés surnuméraires de faire ce travail.*

Comme vous le savez, *aux* est un déterminant contracté, c'est-à-dire qu'il équivaut à la préposition *à* plus le déterminant défini *les*. Pour sa part, *des* peut être un déterminant contracté, équivalant à *de les*. Ces déterminants contractés sont parfois employés avec la structure d'encadrement *c'est… que*. Lorsqu'il est suivi de ces déterminants contractés, le verbe *être* s'écrit au singulier.

> ***C'est aux*** (à les) *employés surnuméraires de faire ce travail.*
>
> ***C'est aux*** (à les) *employés* ***que*** *revient la décision.*
>
> ***C'est des*** (de les) *employés* ***que*** *la plainte est venue.*

Toutefois, lorsque *des* est un déterminant indéfini, le verbe *être* se met au pluriel.

> **Ce sont des** employés fiables.

> **Ce sont des** jeux vidéo **que** vos enfants ont demandés pour Noël.

Lorsque le déterminant indéfini *des* est précédé du présentatif *ce sont*, on peut remplacer *ce sont* par *voici*.

> **Ce sont des** employés fiables.
> (= **Voici des** employés fiables)

À NOTER

Voici un moyen pour vous aider à différencier *des*, déterminant contracté, de *des*, déterminant indéfini. Vous pouvez essayer de mettre le déterminant au singulier. La préposition « réapparaitra » dans le cas d'un déterminant contracté.

> Ce sont **des** individus fort aimables.

> C'est **un** individu fort aimable.
> (Le mot *des* est un déterminant indéfini.)

> C'est **des** vaches que vient le lait.

> C'est **de la** vache que vient le lait.
> (Le mot *des* est un déterminant contracté.)

EXERCICE 7.10

Mettez le verbe *être* (précédé de *ce/c'* ou *ce ne/n'*) au singulier ou au pluriel, et au temps demandé entre parenthèses.

1 (**Ce** + **ne** + **être**, présent) _____ pas des risques à prendre.

2 (**Ce** + **être**, présent) _____ des décisions difficiles à prendre.

3 (**Ce** + **être**, présent) _____ de grosses décisions à prendre.

4 (**Ce** + **être**, présent) _____ des mesures qui profiteront à tout le monde.

5 (**Ce** + **être**, présent) _____ des agriculteurs eux-mêmes que nous vient cette requête.

6 (**Ce** + **être**, présent) _____ des problèmes que nous devrons résoudre rapidement.

7 (**Ce** + **être**, futur) _____ à vous de faire la demande.

8 (**Ce** + **être**, présent) _____ des erreurs que l'on apprend
le mieux.

9 (**Ce** + **être**, présent) _____ aux Antilles que j'aimerais aller.

10 (**Ce** + **être**, présent) _____ principalement
des considérations d'ordre personnel qui sont déterminantes dans sa décision.

11 (**Ce** + **être**, présent) _____ des lieux où l'on éduque,
où l'on construit.

12 (**Ce** + **être**, futur) _____ les employés qui décident.

13 (**Ce** + **être**, présent) _____ des contraires que résulte
l'harmonie.

14 (**Ce** + **être**, imparfait) _____ de drôles de gens.

15 Je me demande bien qui peut avoir fait cela, si (**ce** + **ne** + **être**, présent)
_____ eux.

Le GN sujet est un nom collectif

Le nom collectif est un nom qui désigne un ensemble d'objets ou de personnes : *tas*, *foule*,
série, *partie*, etc. Lorsqu'un nom collectif (au singulier) est employé sans complément ou
que son complément est au singulier, le verbe se met au singulier.

> *La foule **attendait** impatiemment l'ouverture des portes.*
>
> *La majorité de l'auditoire **était** composée de jeunes filles.*

Lorsque le nom collectif a un complément, on est libre d'accorder le verbe avec le nom
collectif ou avec son complément.

> *Une foule d'étudiants **attendait** devant la porte.*
>
> *Une foule d'étudiants **attendaient** devant la porte.*

Le sens du verbe et le contexte déterminent parfois l'accord. Prenons l'exemple suivant :

> *Le cercle d'enfants **se referma**.*

Dans cette phrase, c'est le cercle formé par les enfants qui fait l'action de *se refermer*. À
l'inverse, de la phrase suivante :

> *Un groupe d'enfants **criaient** à tue-tête.*

Ici, il nous vient plus naturellement à l'esprit l'image d'enfants qui crient que celle d'un
groupe qui crie. Le pluriel est donc préférable.

Avec la locution *la plupart*, le verbe s'accorde toujours avec le complément, qu'il soit exprimé ou non.

> *La plupart **pensent** que…*
>
> *La plupart des gens **pensent** que…*

Le GN sujet *tout le monde* demande le singulier.

> *Tout le monde **est** bien content.*

De même, le GN sujet *beaucoup de monde* exige lui aussi le singulier.

> *Beaucoup de monde **est** venu.*

Quand le collectif a un sens numéral et exprime une quantité précise, le singulier est de rigueur. S'il s'agit d'un nombre approximatif, l'accord est libre. N'oubliez pas d'accorder aussi les attributs.

> *Une douzaine d'huitres **coute** 5 $.*
>
> *Une quinzaine de jours **sera/seront** nécessaire(s).*

Notez cependant que si le complément du collectif désigne des personnes, le pluriel est plus fréquent.

> *Une quinzaine d'étudiants **sont** absents ce matin.*

 Voir le tableau « Collectif » dans le *Multi*.

À NOTER

Fractions et pourcentages : accord fluctuant !

Si le GN sujet contient un nom de fraction ou un pourcentage, le verbe se met au singulier ou au pluriel, selon le sens ou l'intention de l'auteur. En fait, on met le verbe au singulier ou au pluriel selon que l'on veut insister sur l'ensemble, représenté par le complément, ou sur la fraction ou le pourcentage.

> *Le quart des répondants **est** en faveur du changement proposé.*
> (On insiste sur une fraction précise.)
>
> *Le quart des répondants **sont** en faveur du changement proposé.*
> (On met l'accent sur le complément, qui est pluriel.)
>
> *La moitié des étudiants québécois **ont** obtenu la note de passage.*
>
> *La moitié **a** essuyé un échec.*
>
> *La moitié **ont** essuyé un échec.* (Un complément pluriel est sous-entendu.)
>
> *Quelque 20 % des étudiants **pensent** que la règle est claire ; 40 % **croient** qu'elle est trop sévère.*
>
> *Environ 80 % de son temps **est** consacré au travail !*

Cependant, si le nom de fraction ou le pourcentage sont précédés d'un déterminant pluriel, le verbe se met au pluriel.

> Les deux tiers **ont** obtenu d'excellents résultats.
>
> Les 30 % qui **restent** devront suivre des cours d'appoint.

De même, on met le verbe au pluriel quand il a un attribut pluriel.

> Soixante pour cent du personnel des écoles **sont** des femmes.
> (Le GN *des femmes* est attribut.)

EXERCICE 7.11

Complétez les phrases suivantes en mettant les verbes entre parenthèses au temps demandé.

1. Un tas de papiers (**trainer**, imparfait) _____ sur son bureau.

2. Une bande de pigeons (**élire**, passé composé) _____ domicile dans l'entrepôt désaffecté.

3. Une bande de voyous (**sévir**, présent) _____ dans le quartier du port.

4. La plupart des arguments invoqués ne m'(**convaincre**, passé composé) _____ pas _____ .

5. Une partie des lots n'(**attribuer**, passé composé, forme passive) _____ pas _____ .

6. Une douzaine d'œufs (**couter**, présent) _____ entre deux et trois dollars.

7. Une douzaine de personnes (**venir**, passé composé) _____ se plaindre.

8. La foule des curieux (**couper**, passé simple, forme passive) _____ en deux par le service d'ordre.

9. Une foule de gens (**considérer**, présent) _____ que cette mesure est nécessaire.

10 Une grande majorité de gens (**désirer**, présent) _____
que des élections aient lieu au printemps.

11 La majorité des étudiants (**être**, présent) _____ contre
la hausse des droits de scolarité.

12 C'est la majorité qui (**voter**, passé composé) _____ en faveur
de ce changement.

13 Une nuée de sauterelles (**dévaster**, passé composé) _____
son champ.

14 Une nuée de touristes (**envahir**, passé composé) _____
les plages.

15 Une partie des infirmières (**vouloir**, présent) _____
poursuivre la grève.

16 La plupart (**être**, présent) _____ en faveur d'un retour
au travail.

17 Le nombre de mécontents (**grossir**, présent) _____
chaque jour.

18 La demi-douzaine d'escargots d'hier soir m'(**indisposer**, passé composé)
_____ .

19 Le tiers des voix (**aller**, passé composé) _____ au parti
d'opposition.

20 Presque un tiers des infirmières (**reprendre**, passé composé) _____
le travail.

Le GN sujet est une expression de quantité

Un certain nombre d'expressions de quantité prennent parfois une valeur nominale ; ce sont alors des pronoms indéfinis, et ils peuvent par conséquent occuper la fonction sujet de P (3ᵉ personne du pluriel).

> ***Beaucoup*** *sont venus.*

> ***Combien*** *s'en sont plaints !*

Plus d'un défie la logique et demande le singulier parce que le verbe s'accorde avec le complément *un*.

> ***Plus d'un*** *marin* ***périt*** *au cours de ce voyage.*

Mais, on écrira :

Plus d'un marin, plus d'un capitaine ne **revinrent** jamais.

La raison en est qu'il y a dans cette phrase deux sujets juxtaposés.

Moins de deux, défiant toute logique lui aussi, demande le pluriel parce que le verbe s'accorde avec le complément *deux*.

Moins de deux heures **suffiront** pour terminer ce travail.

EXERCICE 7.12

Complétez les phrases suivantes en mettant les verbes entre parenthèses au temps demandé.

1 Tant d'efforts (**anéantir**, participe passé) _____ !

2 Bien des contretemps (**pouvoir**, conditionnel passé) _____
être évités.

3 Quantité d'Afghans (**partir**, passé composé) _____
au Pakistan.

4 Nombre de gens (**connaitre**, présent) _____ mal
la géographie.

5 Peu de subventions (**accorder**, passé composé, forme passive) _____
cette année.

6 Trop d'informations (**nuire**, présent) _____ parfois à la clarté
d'une explication.

7 Trop (**être**, présent) _____ encore analphabètes.

8 Beaucoup d'inexactitudes (**relever**, passé composé, forme passive) _____
dans son rapport.

9 Plus d'une personne (**contester**, futur simple) _____
cette décision.

10 Combien (**vouloir**, présent) _____ me suivre ?

Voici un tableau récapitulatif sur l'accord du verbe.

L'accord du verbe avec le sujet (règle générale)

Le verbe (ou le verbe auxiliaire dans les formes composées) s'accorde en nombre et en personne avec le pronom sujet ou avec le noyau du GN sujet.

*Les commentaires du ministre de la Santé et des Services sociaux **ont fait** bondir les infirmières.*

Notons que le verbe est à la 3e personne du singulier lorsque le sujet est :

• le pronom *on*	*On **pense** qu'ils ont raison.*
• le pronom *il* impersonnel	*Il **semblerait** qu'ils aient réussi.*
• *plus d'un*	*Plus d'un étudiant **a** demandé à me rencontrer.*
• une subordonnée ou un GInf	*Qu'il y ait autant d'enfants affamés **est** révoltant.* *Prendre des médicaments pour un rien **est** mauvais pour la santé.*
• le pronom *ce* suivi de *nous*, de *vous*, ou d'une préposition	***C'est** vous qui le savez. **C'est** nous qui le savons.* ***C'est** d'eux que je tiens ce renseignement.*

L'accord du verbe avec le sujet (cas particuliers)

1. Le sujet est composé de deux (ou plus) groupes juxtaposés ou coordonnés

Le verbe se met au singulier	Le verbe se met au pluriel
• Lorsque *ainsi que, comme, de même que* exprimant la comparaison servent à former un complément de phrase. Le complément de phrase est alors entre virgules. *Vincent, comme son père, **adore** la pêche.*	• Lorsque *ainsi que, comme, de même que* exprimant l'addition coordonnent deux groupes. *Vincent et ses enfants **sont** là.* *Vincent comme son père **adorent** la pêche.*
• Lorsque *ni* et *ou* coordonnent deux groupes sujets (ou plus) et dont un seul est susceptible de faire l'action. *C'est Vincent ou son père qui **conduira** la voiture.*	• Lorsque *ni* et *ou* coordonnent deux groupes sujets (ou plus) qui sont tous susceptibles de faire l'action. *Ni Antoine ni Vincent n'**ont** marqué de buts pendant le tournoi.*
• Lorsqu'une suite de plusieurs groupes synonymes au singulier exprime une gradation. *Une odeur parfumée, une senteur divine, un parfum sublime nous **parvenait** aux narines.*	• Lorsque le GN sujet est composé de deux (ou plusieurs) personnes grammaticales différentes. *Toi, moi et Pierre **serons** au rendez-vous.* (La 1re personne l'emporte sur les autres.)

2. Le sujet est le pronom relatif *qui*

Le verbe s'accorde avec l'antécédent du pronom *qui*.

*Ce sont les **premières** qui **sont** les meilleures.*

*Ce sont **des étudiants** qui **savent** ce qu'ils veulent.*

*C'est **moi** qui **suis** arrivée la première.*

3. Le sujet est un mot de sens collectif		
Le verbe se met au singulier	**Le verbe se met au pluriel**	**Le verbe se met au singulier ou au pluriel**
• Lorsque le nom collectif sujet est employé seul. *La file **s'allongeait** d'heure en heure aux portes du centre de vaccination.* • Lorsque le nom collectif sujet a un complément singulier. *La majorité de la population **a été** vaccinée.*	• Lorsque le sujet est *la plupart*, un déterminant ou un pronom quantitatif (*beaucoup, combien*, etc.) sans complément. *La plupart **sont** d'accord.* *Beaucoup **pensent** le contraire.*	• Lorsque le nom collectif sujet est précédé d'un déterminant indéfini et qu'il a un complément pluriel. *Une majorité des médicaments **est/sont** remboursée/remboursés.* Mais : *Une file d'étudiants **s'étirait** sur la place.* (Ce ne sont pas les étudiants qui s'étirent !)

EXERCICE 7.13   Récapitulation

Complétez les phrases suivantes en mettant le verbe entre parenthèses au temps demandé.

1. (**Ce** + **être**, présent) _____ à vous de prendre les mesures nécessaires.

2. Il nous (**manquer**, présent) _____ encore deux rapports.

3. Un air vicié, un nuage de fumée vous (**assaillir**, présent) _____ dès que vous ouvrez la porte.

4. Albert et moi (**venir**, futur) _____ , c'est promis.

5. Ni Albert ni moi ne (**pouvoir**, futur) _____ venir.

6. Ni l'un ni l'autre n'(**répondre**, passé composé) _____ .

7. Vingt pour cent des étudiants de la Faculté des lettres (**être**, présent) _____ des non-francophones.

8. C'est moi qui (**aller**, futur) _____ le rencontrer.

9. Le manque de ressources humaines non moins que le manque d'argent (**commencer**, présent) _____ à nous inquiéter.

10 Cette façon de procéder, qui est une insulte à l'intelligence des gens, ne (**devoir**, futur)

_____ plus se produire.

11 (**Ce** + **être**, présent) _____ de drôles d'arguments
    que vous m'objectez là.

12 La plupart (**s'opposer**, présent) _____ à cette mesure.

13 C'est un autre ministère qui (**avoir**, futur) _____
    la responsabilité de ce dossier.

14 Claire et moi (**aller**, présent) _____ passer un mois
    dans les Cyclades.

15 Je suis cette personne qui vous (**téléphoner**, passé composé) _____
    la semaine dernière.

16 Un groupe de manifestants (**passer**, passé composé) _____
    la matinée devant le Parlement.

17 Dans cette histoire, tout le monde (**avoir tort**, présent) _____ .

18 Trop de risques (**subsister**, présent) _____ pour que notre

    groupe de pression (**se dissoudre**, subjonctif présent) _____ .

19 Une partie des fonds (**aller**, futur) _____ à l'amélioration
    du matériel.

20 Plus d'un accident (**pouvoir**, conditionnel) _____ être évité.

EXERCICE 7.14   Récapitulation

**Voici cinq phrases dans lesquelles des verbes ont été mal accordés.
Corrigez les verbes fautifs et justifiez votre correction.**

1 Le chômage, comme le montre les statistiques, augmentent de façon croissante.

_____

_____

_____

2 Manger des aliments variés, toujours selon les nutritionnistes, constitueraient une excellente façon de prévenir certaines maladies.

3 À une de ses élèves qui lui demandaient à quoi pouvait bien servir le français et la philosophie, il a répondu : « À mieux vivre. »

4 C'est ce à quoi, nous, les scientifiques, consacreront tous nos efforts.

5 Nous nous demandons bien ce que nous rapporterons tous nos efforts.

7.2.2 L'accord du participe passé

Alors que l'accord du verbe et celui du verbe auxiliaire sont régis par le sujet du verbe, l'accord du participe passé est régi, selon le cas, par le sujet ou par le complément direct du verbe. Le participe passé est donc receveur du genre et du nombre du donneur sujet ou complément direct. Le participe passé s'emploie avec les auxiliaires *être* ou *avoir* et sert à former les temps composés des verbes.

C'est l'auxiliaire utilisé avec le participe passé qui détermine quelle règle d'accord s'applique. Pour bien accorder les participes passés, il faut bien sûr connaitre les règles, mais aussi être capable d'analyser la phrase pour repérer le sujet ou le complément direct du verbe, selon la règle qui s'applique. Dites-vous bien que la maitrise des accords grammaticaux s'acquiert par la pratique et est affaire d'habitude.

La formation des participes passés

Avant d'aborder l'accord proprement dit des participes passés, voyons comment former le participe passé des verbes.

Verbes réguliers se terminant en -*er* à l'infinitif présent

La formation des participes passés de ces verbes ne présente aucune difficulté. Les participes passés de ces verbes se terminent par :

-*é* au masculin singulier	-*és* au masculin pluriel
-*ée* au féminin singulier	-*ées* au féminin pluriel

Verbes réguliers se terminant en -*ir* à l'infinitif présent et en -*issant* au participe présent

Les participes passés de ces verbes se forment eux aussi tous de la même façon. Ils se terminent par :

-*i* au masculin singulier	-*is* au masculin pluriel
-*ie* au féminin singulier	-*ies* au féminin pluriel

Verbes irréguliers

Les participes passés de ces verbes sont irréguliers et parfois difficiles à former. Ils peuvent en effet se terminer, au masculin singulier, par :

i : par*ti*, suf*fi*	*s* : repri*s*, acqui*s*
u ou *û* : reç*u*, d*û*	*t* : écri*t*, pein*t*

Rappelez-vous que la lettre finale des participes passés qui se terminent par *s* ou *t* ne se prononce pas au masculin, mais s'entend au féminin singulier. Pour s'assurer de l'orthographe d'un participe passé, il suffit donc de le mettre au féminin.

ven*u* ⟶ ven*ue*

acqui*s* ⟶ acqui*se*

attein*t* ⟶ attein*te*

Avant l'avènement des rectifications de l'orthographe, il y avait deux exceptions à la règle précédente. Les verbes *absoudre* et *dissoudre* formaient leur participe passé de la façon suivante : *absous* et *dissous* au masculin singulier ; *absoute* et *dissoute* au féminin singulier. On peut désormais écrire *absout* et *dissout* au masculin singulier.

Au moindre doute sur la forme d'un participe passé, n'hésitez pas à consulter un dictionnaire ou une grammaire.

EXERCICE 7.15

Écrivez le participe passé masculin singulier des verbes suivants.

1   Vêtir ....

2   Découvrir ....

3   Secourir ....

4   Apercevoir ....

5   Devoir ....

6   Émouvoir ....

7   Rompre ....

8   Émettre ....

9   Peindre ....

10   Feindre ....

11   Joindre ....

12   Coudre ....

13   Moudre ....

14   Vivre ....

15   Conclure ....

16   Exclure ....

17   Croire ....

18   Croitre ....

19   Résoudre ....

20   (S')enfuir ....

Le participe passé employé avec l'auxiliaire *être*

Le participe passé employé avec l'auxiliaire *être* s'accorde **toujours** avec le **sujet du verbe** : il reçoit le genre (masculin ou féminin) et le nombre (singulier ou pluriel) du pronom sujet ou du nom noyau du GN sujet.

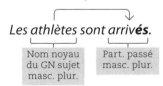

Les athlètes sont arrivés.

Nom noyau du GN sujet masc. plur.   Part. passé masc. plur.

À NOTER

Avec le pronom sujet *on*, l'accord dépend de la valeur du pronom : s'il s'agit d'un *on* indéfini, le participe passé se met au singulier, mais le pluriel est de rigueur si *on* est employé dans le sens familier de « nous ».

> *On est restés chez eux pour la nuit.* (On = nous : masculin pluriel)

> *On est restées bonnes amies.* (On = nous : féminin pluriel)

EXERCICE 7.16

Soulignez le sujet des verbes auxiliaires en caractères gras, puis écrivez les participes passés des verbes entre parenthèses et accordez-les s'il y a lieu.

1 Il prétend que les choses ne **sont** pas (aller) _____ aussi loin que l'affirment ses collègues.

2 **Sont**-elles (parvenir) _____ à leurs fins ?

3 Je suis sortie avec mon mari hier soir. La gardienne n'était pas contente parce qu'on **est** (revenir) _____ plus tôt que prévu.

4 Je suis allée voir l'exposition hier avec Marie. On **est** (arriver) _____ à l'ouverture du musée, mais il y avait déjà un monde fou.

5 Les premières chansons en format MP3 **sont** (apparaitre) _____ au milieu des années 1990, quand la vague Internet a commencé à déferler.

Le participe passé employé avec l'auxiliaire *avoir*

Le participe passé employé avec l'auxiliaire *avoir* s'accorde avec le complément direct (CD) s'il y en a un et que ce complément est placé avant le verbe. C'est donc le pronom complément direct ou le nom noyau du GN complément direct placé devant le verbe qui donne son genre et son nombre au participe passé employé avec l'auxiliaire *avoir*.

Le participe passé employé avec l'auxiliaire *avoir* ne s'accorde **jamais** avec le sujet du verbe.

Étant donné cette règle, on retiendra qu'il y a deux situations où le participe passé employé avec *avoir* ne s'accorde pas :

• Le verbe n'a pas de complément direct.

*Tous ses effets personnels ont **brulé** dans ce terrible incendie.* (Il n'y a pas de CD.)

*Ils ne nous ont **parlé** de rien.* (Il n'y a pas de CD.)

• Le complément direct suit le participe passé.

*Elle a **fini** tous ses travaux.*

(Le GN complément direct *tous ses travaux* est placé après le participe passé *fini*.)

Comment reconnaitre le CD placé avant le verbe ?

Le CD est placé devant le verbe dans les situations suivantes :

• Dans une subordonnée relative introduite par le pronom relatif *que*.

*J'ai lu <u>tous les romans</u> **que** vous m'avez suggérés.*

• Dans une phrase interrogative ou exclamative.

> *Quelle note avez-vous obtenue pour ce travail ?*
>
> *Quelle belle surprise tu nous as faite !*

• Quand le CD est l'un des pronoms personnels *le, la, l', les* ou *en*.

> <u>Ces dictionnaires</u>, je **les** ai acheté**s** l'an dernier.

• Dans une phrase où le CD est encadré par *c'est… que*.

> *C'est <u>sa mère et sa sœur</u> que Lydia a accompagné**ées** à la clinique.*

Pour trouver le complément direct (CD) placé avant le verbe, on peut poser la question suivante :

Sujet + **verbe** + *qui* ou *quoi* ?

> *Finalement, **quels livres de cuisine** as-tu emprunté**s** ?*
>
> (*Tu as emprunté quoi ? Les livres de cuisine.* Le participe passé *emprunté**s*** s'accorde avec *livres*, le nom noyau du GN complément direct qui précède le verbe.)

> *Elles **nous** ont prévenu**s** qu'elles seraient en retard.*
>
> (*Elles ont prévenu qui ? Nous.* Le pronom CD *nous* donne son genre et son nombre au participe passé : *prévenu**s***.)

> *Les raisons que certaines entreprises ont invoqu**ées** sont d'ordre financier.*
>
> (*Certaines entreprises ont invoqué quoi ? Que*, pronom relatif ayant pour antécédent *raisons*, féminin pluriel. Le participe passé *invoqu**ées*** reçoit le genre et le nombre de ce CD.)

On peut aussi identifier le CD en utilisant différentes manipulations. Le tableau suivant les rappelle.

Manipulation	Exemples
Pronominalisation par *le, la, les, l', en, cela* ou *ça*	*Antoine a essayé une nouvelle recette.* *Antoine **l'**a essayée.* (CD : *une nouvelle recette*) *Elle n'a jamais aimé aller dans le Sud.* *Elle n'a jamais aimé **cela**.* (CD : *aller dans le Sud*)
Remplacement par *quelque chose* ou *quelqu'un*	*Il m'a demandé de le rejoindre au cinéma.* *Il m'a demandé **quelque chose**.* (CD : *de le rejoindre au cinéma*) *Les lettres que je vous ai demandé de traduire sont sur votre bureau.* *Je vous ai demandé **quelque chose**.* (CD : *de traduire que [que = les lettres]*)
Encadrement avec *c'est que…* ou *ce sont… que*	*Elles nous ont prévenus qu'elles seraient en retard.* *C'est nous **qu'**elles ont prévenu**s** qu'elles seraient en retard.* (CD : *nous*)
Déplacement (Le déplacement du CD en début de phrase est impossible.)	*Olivier a suivi des cours de conduite.* ** Des cours de conduite Olivier a suivi.* (CD : *des cours de conduite*)
Effacement (On ne peut généralement pas effacer le CD.)	*Les pirates ont capturé des otages.* ** Les pirates ont capturé.* (CD : *des otages*)

EXERCICE 7.17

Écrivez le participe passé des verbes entre parenthèses. Si ce verbe a un CD, indiquez-le et écrivez son antécédent entre parenthèses s'il en a un. Si ce verbe n'a pas de CD, cochez la case correspondante. S'il y a lieu, accordez le participe passé.

1 Depuis quelques années, les prix ont beaucoup (augmenter) _____ .

Le CD est _____ . Ce verbe n'a pas de CD. ☐

2 Est-ce qu'il te l'aurait (prêter) _____ , sa bicyclette ?

Le CD est _____ . Ce verbe n'a pas de CD. ☐

3 Ces musiciens que les mélomanes de toutes les grandes capitales ont (acclamer)

_____ ont (trouver) _____

ici un accueil enthousiaste.

(acclamer) Le CD est _____ . Ce verbe n'a pas de CD. ☐

(trouver) Le CD est _____ . Ce verbe n'a pas de CD. ☐

4 Je vous répète les paroles exactes qu'a (dire) _____ Pierre.

Le CD est _____ . Ce verbe n'a pas de CD. ☐

5 Tous les gens qu'elle a (consulter) _____ l'ont (avertir)

_____ des dangers qu'elle courait en se lançant dans

cette entreprise.

(consulter) Le CD est _____ . Ce verbe n'a pas de CD. ☐

(avertir) Le CD est _____ . Ce verbe n'a pas de CD. ☐

6 Elles ont (choisir) _____ de se taire.

Le CD est _____ . Ce verbe n'a pas de CD. ☐

7 L'as-tu (écrire) _____ , ta lettre de demande d'emploi ?

Le CD est _____ . Ce verbe n'a pas de CD. ☐

8 Laquelle des trois candidatures avez-vous (retenir) _____ ?

Le CD est _____ . Ce verbe n'a pas de CD. ☐

9 Les pluies abondantes ont (nuire) _____ aux récoltes.

Le CD est _____ . Ce verbe n'a pas de CD. ☐

10 Nous avons (suivre) _____ la route que tu nous

avais (indiquer) _____ , mais elle nous a (conduire)

_____ à un cul-de-sac.

(suivre) Le CD est _____ . Ce verbe n'a pas de CD. ☐

(indiquer) Le CD est _____ . Ce verbe n'a pas de CD. ☐

(conduire) Le CD est _____ . Ce verbe n'a pas de CD. ☐

Le pronom personnel l' neutre

Quand le complément direct est le pronom neutre *l'* représentant une phrase (subordonnée), le participe passé reste toujours invariable.

> *La sole n'était pas aussi bonne que je l'avais cru.*
>
> (*J'avais cru quoi ? Que la sole était bonne.* Le CD *l'* représente une subordonnée, et une subordonnée n'a ni genre ni nombre. Le participe passé reste donc invariable : *cru*.)
>
> *La toile n'était pas aussi belle que je l'avais pensé.*
>
> (*l' = que la toile était belle*.)

Si le pronom *l'* ne représente pas une phrase ou une subordonnée mais une personne ou une chose, on accorde le participe passé en conséquence, avec le nom noyau du GN que le pronom remplace.

> *Je l'ai déjà vue quelque part, cette fille.*
>
> (*l' = cette fille*)

EXERCICE 7.18

Écrivez le participe passé des verbes entre parenthèses et accordez-le s'il y a lieu. Justifiez votre réponse.

1 La grammaire est-elle aussi rebutante que vous l'aviez (imaginer) _____ ?

Justification : _____

2 Les gens qui l'ont bien (connaitre) _____ s'entendent tous pour dire qu'elle avait un remarquable sens des affaires.

Justification : _____

3 La guerre, ils ne l'avaient pas (croire) _____ si proche ;

ils jurent ne pas l'avoir (vouloir) _____ .

Justification : _____

_____

_____

_____

4 Ces soldes sont moins intéressants que nous ne l'avions (penser) _____ .

Justification : _____

_____

5 Cette tâche est moins difficile que je ne l'aurais (croire) _____ .

Justification : _____

_____

6 Cette grippe qui court, l'avez-vous (avoir) _____ vous aussi ?

Justification : _____

_____

7 Comment cette erreur a-t-elle pu être commise ? Je ne l'ai jamais (comprendre)

_____ .

Justification : _____

_____

8 Je l'ai à peine (sentir) _____ , la piqure ; la douleur était

beaucoup moins forte que je ne l'avais (craindre) _____ .

Justification : _____

_____

_____

_____

Le pronom *en* complément direct

Quand le complément direct (CD) du verbe est le pronom *en*, le participe passé est invariable.

> *Des problèmes, il **en** a e**u** plus souvent qu'à son tour !*
>
> *Des romans policiers, combien **en** avez-vous l**u** ?*
>
> *Des romans policiers ? J'**en** ai l**u** beaucoup.*

Le pronom *en* n'est pas toujours complément direct. Le participe passé précédé d'un pronom *en* équivalant à *de lui, d'elle(s), de cela, d'eux* reste invariable, car dans ce cas *en* est complément indirect du verbe ou complément d'un nom.

> *Elle **en** a bien profit**é**, de ses vacances !*
>
> (en = de ses vacances : CI)
>
> *Cette pièce a connu un grand succès ; les représentations qu'on **en** a donn**ées** sont innombrables.*
>
> (L'accord du participe passé se fait avec *qu'*, CD du verbe et dont l'antécédent est *représentations*. Notez que *en* est ici complément du nom *représentations*. On a donné des représentations de quoi ? De en, qui remplace *pièce*.)

EXERCICE 7.19

Dites si les participes passés en caractères gras dans les phrases suivantes sont bien accordés et justifiez votre réponse.

1. Quels gâteaux exquis ! En avez-vous **mangés** ?

    L'accord est correct. ☐   L'accord est incorrect. ☐

    Justification :

2. Ce sont les seuls souvenirs que j'en ai **gardé**, de mon enfance.

    L'accord est correct. ☐   L'accord est incorrect. ☐

    Justification :

3. Il avait des yeux bleus comme je n'en ai jamais **vu**.

    L'accord est correct. ☐   L'accord est incorrect. ☐

    Justification :

4 Quel bon placement! Les profits que nous en avons **retirés** dépassent toutes nos prévisions.

L'accord est correct. ☐   L'accord est incorrect. ☐

Justification : _____

_____

5 Des reproches, j'en ai **reçus** de tout le monde.

L'accord est correct. ☐   L'accord est incorrect. ☐

Justification : _____

_____

6 J'ai étudié la philosophie pendant deux ans. Les quelques notions que j'en ai **retenu** me sont précieuses.

L'accord est correct. ☐   L'accord est incorrect. ☐

Justification : _____

_____

7 En as-tu **achetées**, des carottes ?

L'accord est correct. ☐   L'accord est incorrect. ☐

Justification : _____

_____

8 Sa proposition, vous en avez **pensé** plus de mal que de bien, n'est-ce pas ?

L'accord est correct. ☐   L'accord est incorrect. ☐

Justification : _____

_____

9 Vous avez analysé ce problème. Quelle conclusion en avez-vous **tirées** ?

L'accord est correct. ☐   L'accord est incorrect. ☐

Justification : _____

_____

10 Des romans, j'en ai **lu** de toutes sortes dans ma vie.

L'accord est correct. ☐   L'accord est incorrect. ☐

Justification :

Le participe passé des verbes impersonnels et du présentatif *il y a*

Rappelons que les verbes essentiellement impersonnels sont ceux qui s'emploient uniquement avec le pronom *il* impersonnel ; ils ne se conjuguent qu'à la 3ᵉ personne du singulier. Les verbes occasionnellement impersonnels peuvent être conjugués à toutes les personnes, mais peuvent aussi avoir un emploi impersonnel. Le participe passé de ces verbes est toujours invariable.

> *Les deux jours qu'il a neigé en février étaient mémorables.*
> (Verbe essentiellement impersonnel)

> *Les chaleurs qu'il a fait l'été dernier étaient presque insupportables par moments.*
> (Verbe occasionnellement impersonnel)

> *Les tempêtes qu'il y a eu l'hiver dernier ont paralysé certaines grandes villes américaines.*
> (Présentatif *il y a*)

EXERCICE 7.20

Écrivez les participes passés des verbes entre parenthèses et accordez-les s'il y a lieu.

1 La tempête qu'il y a (avoir) _____ a complètement paralysé la circulation.

2 Les ennuis qu'il a (avoir) _____ avec le propriétaire étaient-ils

(devoir) _____ à son manque de diplomatie ?

3 Pensez aux années d'efforts qu'il leur a (falloir) _____ pour arriver à leur but ?

4 Il faut ranger Gaston Miron au nombre des plus grands poètes québécois qu'il y ait

jamais (avoir) _____ .

5 Il devra corriger les erreurs qu'il a (commettre) _____ .

6 Les froids qu'il a (faire) _____ cet hiver n'ont pas (empêcher)

_____ les gens de s'adonner aux sports d'hiver.

7 L'image qu'il nous a (laisser) _____ est celle d'un homme

intègre.

8 Le courage et la persévérance qu'il lui a (manquer) _____

pour terminer ses études, personne ne peut les lui donner.

Le participe passé des verbes *courir, couter, dormir, durer, marcher, peser, valoir, vivre,* etc.

Quand le verbe est construit avec un complément exprimant la mesure, la durée, le prix, le poids ou la distance, le participe passé reste invariable. Des compléments de ce type ne sont en effet pas de véritables compléments directs ; on peut d'ailleurs les reconnaitre facilement, car la transformation passive de la phrase est impossible avec ces compléments.

> *Les trente dollars qu'a cout**é** ce livre...* (Prix)
> * *Les trente dollars **ont été coutés**.*

> *Les douze heures qu'il a dorm**i** l'ont remis d'aplomb.* (Durée)
> * *Les douze heures **ont été dormies**.*

Si le complément n'exprime pas une mesure, la transformation passive de la phrase est généralement possible. On a alors affaire à un véritable complément direct, et le participe passé s'accorde avec ce CD s'il précède le verbe.

> *Le douanier a ouvert les valises que l'employé avait pes**ées**.*
> *Les valises avaient été pesées.*
> (Le CD *que*, mis pour *les valises*, n'exprime pas une mesure.)

> *Je n'oublierai pas les dangers que nous avons cour**us**.*
> *Les dangers ont été courus.*
> (Le CD *que*, mis pour *les dangers*, n'exprime pas une mesure.)

Notez cependant que même si le complément n'exprime pas une mesure, il arrive que la transformation passive soit impossible. Le participe passé s'accorde néanmoins avec le CD qui le précède.

> *Je n'oublierai pas les efforts que cette victoire nous a cout**és**.*
> * *Les efforts **ont été coutés**.*
> (Le CD *que*, mis pour *les efforts*, n'exprime pas une mesure.)

EXERCICE 7.21

Accordez, s'il y a lieu, les participes passés en caractères gras dans les phrases suivantes. Dites si la transformation passive est possible et si le complément exprime la mesure ou non.

1. Je suis restée clouée à mon siège pendant les trois heures qu'a **duré** _____ ce film.

2. Nous avons dû emprunter les mille dollars que nous a **couté** _____ notre déménagement.

3. Il a beaucoup maigri ; il est loin des quatre-vingt-dix kilos qu'il a déjà **pesé** _____ .

4. Les terrains qu'il a **mesuré** _____ étaient de dimensions équivalentes.

5. Ces paroles que vous avez prononcées, les aviez-vous bien **pesé** _____ ?

6. Pendant les 10 ans que ce député a **siégé** _____ , plusieurs lois importantes ont été adoptées.

7. Tu mérites bien tous les éloges que ton travail t'a **valu** _____ .

8. Que de nuits blanches ma thèse m'a **couté** _____ !

Le participe passé suivi d'un verbe à l'infinitif

Le participe passé conjugué avec l'auxiliaire *avoir* et suivi d'un verbe à l'infinitif reçoit le genre et le nombre du pronom complément direct si ce pronom est le complément direct du verbe conjugué à un temps composé. Autrement dit, le participe passé s'accorde avec le complément direct placé avant lui si ce complément est bien CD du verbe conjugué (et non de l'infinitif). De plus, le CD du verbe conjugué doit faire l'action exprimée par l'infinitif. On peut le vérifier en remplaçant le pronom relatif *que* par son antécédent.

> *Les enfants que j'ai **vus** monter dans l'autobus étaient tous souriants.*
>
> *(J'ai vu **les enfants** monter dans l'autobus.)*

Le fait que l'on puisse remplacer *que* par *les enfants* montre que *les enfants* est le CD de *ai vus* et le sujet de *monter*. On peut d'ailleurs le confirmer à l'aide des manipulations d'encadrement du CD et du sujet : ***ce sont** les enfants **que** j'ai vus*, et ***ce sont** les enfants **qui** montaient dans l'autobus*. Le participe passé s'accorde avec le CD *que*, dont l'antécédent est *les enfants*.

Si ces deux conditions ne sont pas réunies, le participe passé reste invariable.

> *Ces arbres que j'ai **vu** abattre étaient centenaires.*
>
> * *J'ai vu **ces arbres** abattre.*

Le fait que l'on ne puisse pas remplacer *que* par *ces arbres* montre que *ces arbres* n'est pas le CD de *ai vu* ni le sujet de *abattre*. Le participe passé reste donc invariable.

À NOTER

On peut également vérifier que le pronom est complément direct du verbe conjugué en le remplaçant par un autre pronom complément direct. Si le pronom de remplacement apparait devant le verbe à un temps composé, le pronom est bien le CD du verbe conjugué. Si le pronom de remplacement apparait plutôt devant l'infinitif, le pronom est CD du verbe à l'infinitif.

> *Les enfants que j'ai **vus** jouer…*
>
> (⟶ *Je **les** ai vus jouer* : *que* est CD de *ai vus*, le participe *vu* s'accorde.)
>
> *Les enfants que j'ai **cru** voir…*
>
> (⟶ *J'ai cru **les** voir* : *que* est CD de *voir*, le participe *vu* ne s'accorde pas.)

Les participes passés *fait* et *laissé* suivis d'un infinitif sont toujours invariables.

> *Nous les avons **fait** imprimer hier, ces documents.*
>
> *Pourquoi les as-tu **laissé** tomber ?*

Les participes passés *pu, cru, dit, su, voulu* et *dû* sont invariables quand ils sont suivis d'un infinitif (GInf) ou si cet infinitif est sous-entendu, car cet infinitif est le CD du verbe. Ils restent aussi invariables si on peut sous-entendre qu'ils sont suivis d'une subordonnée.

> *Elle a fait tous les efforts qu'elle a **pu** (faire).*
>
> *Il a fait plus froid qu'elle avait **cru** (qu'il ferait).*

Quand les participes passés *donné, eu* et *laissé* sont suivis de la préposition *à* et d'un verbe à l'infinitif, vous avez le choix entre l'accord et l'invariabilité.

> *Les exercices qu'on vous a donné(s) à faire vous aideront à bien assimiler les règles.*
>
> *Les impôts que j'ai eu(s) à payer cette année ont grevé mon budget.*

EXERCICE 7.22

Accordez, s'il y a lieu, les participes passés en caractères gras dans les phrases suivantes.

1. Les équipes de hockey que nous avons **vu** _____ jouer venaient de la Suisse et de la République tchèque.

2. Les pommiers que j'ai **vu** _____ planter par mon père, je ne les ai vu _____ donner des fruits que cinq ans plus tard.

3. Je vous rapporte cette montre que j'ai **fait** _____ réparer il y a 10 jours.

4. La somme qu'il nous a **fallu** _____ payer était dérisoire.

5. Ces enfants, les as-tu **vu** _____ traverser la rue sans faire attention ?

6. Le directeur les a **fait** _____ appeler et les a **laissé** _____ s'expliquer.

7. Il a réussi tous les examens qu'il a **eu** _____ à subir pour être admis au doctorat.

8. J'ai fait toutes les petites courses que vous m'aviez **demandé** _____ de faire.

9. Ces hirondelles, je les ai **vu** _____ bâtir leur nid.

10. Les voisins, tout l'immeuble les a **entendu** _____ rentrer à 4 heures du matin !

11. Nous avons **dû** _____ pelleter l'entrée deux fois, ce matin.

12. Les problèmes que tu m'as **donné** _____ à résoudre n'étaient pas simples !

Autres règles

- Quand le complément direct du verbe contient un nom collectif et qu'il précède le verbe, on accorde le participe passé avec le nom collectif ou avec le complément de ce nom, suivant l'idée sur laquelle on veut insister ou le sens de la phrase.

  *Le nombre de **personnes** que j'ai connu**es** à l'université…*

  *La boite de **livres** que vous m'avez envoy**ée**…*

- Quand le participe passé est précédé d'une expression de quantité suivie d'un complément, le participe passé s'accorde avec le complément de l'expression de quantité.

  *Combien de **disques** avez-vous achet**és** ?*

  Toutefois, si le complément de l'expression de quantité est placé après le participe passé, celui-ci reste invariable.

  *Combien a-t-il fai**t** de **fautes** ?*

- Avec l'expression adverbiale *le peu*, on fait l'accord avec le complément ou avec *le peu* (singulier), selon l'idée sur laquelle on veut insister.

  *Le peu de noix que vous m'avez donn**é(es)**…*

  *Le peu d'**encouragements** que j'ai reç**us** ne m'ont pas empêché de continuer.*
  (Le pluriel exprime ici une quantité restreinte, mais réelle, positive.)

  ***Le peu** d'encouragements que j'ai reç**u** m'a déçu.*
  (Le singulier marque l'amertume, l'insuffisance.)

- Si le pronom relatif *que*, complément direct, représente *l'un des…* ou *l'une des…*, on peut accorder le participe passé soit avec le pronom *l'un* ou *l'une*, soit avec le nom inclus dans le complément de ce pronom.

  *C'est **l'une des** personnes les plus sympathiques que j'ai rencontr**ée(s)**.*

  *C'est **l'un des** meilleurs professeurs que j'ai e**u(s)**.*

EXERCICE 7.23

Accordez, s'il y a lieu, les participes passés en caractères gras dans les phrases suivantes.

1. Cet échec s'explique par le peu d'attention que vous avez **apporté** .... à ce travail.

2. C'est surement l'un des meilleurs films que j'ai **vu** ....

3. Combien d'heures t'a-t-il **fallu** .... consacrer à la rédaction de cette lettre ?

4. Beaucoup des observations que vous m'avez **fait** .... étaient justes.

5 La quantité de comptes que j'ai **payé** _____ ce mois-ci ont épuisé mes économies.

6 Le peu d'efforts que vous avez **fourni** _____ vous a empêché de réussir.

7 Que d'inquiétudes m'ont **occasionné** _____ ces enfants !

8 La majorité des étudiants que j'ai **rencontré** _____ étaient bilingues.

9 Il a **échappé** _____ la douzaine d'œufs qu'il avait **acheté** _____ .

10 Le peu de notes que j'ai **pris** _____ m'ont été très utiles.

EXERCICE 7.24   Récapitulation

Accordez, s'il y a lieu, les participes passés en caractères gras dans les phrases suivantes. Justifiez votre réponse.

1 Elles ont **chanté** _____ toute la journée.

Justification : _____

_____

2 Les chemins que j'ai **suivi** _____ étaient bien entretenus.

Justification : _____

_____

3 La troupe de comédiens que j'ai **vu** _____ jouer est épatante.

Justification : _____

_____

4 Combien a-t-elle **commis** _____ de gaffes cette semaine ?

Justification : _____

_____

5 Je les ai **cherché** _____ pendant plus d'une heure, ces deux lettres.

Justification : _____

_____

6 Voici la liste des travaux que j'ai **exécuté** _____ cette semaine.

Justification : _____

_____

7 Vous avez **fait** _____ tout ce que vous avez **pu** _____ .

Justification : _____

_____

_____

8 Ce jardin n'a pas **donné** _____ la récolte que j'en avais **espéré** _____ .

Justification : _____

_____

_____

9 Tous mes amis m'ont **offert** _____ des services, mais aucun ne m'en

a **rendu** _____ .

Justification : _____

_____

_____

_____

10 On est facilement **déçu** _____ par les personnes dont on a trop

attendu _____ .

Justification : _____

_____

_____

_____

11 On les a **puni** _____ parce qu'ils avaient **menti** _____ .

Justification : _____

_____

12 Les 75 millimètres de pluie qu'il est **tombé** _____ hier ont **fait**

_____ beaucoup de dommages.

Justification : _____

_____

_____

13 La planche n'était pas très solide : nous l'avons **senti** _____ céder sous
nos pieds.

Justification : _____

_____

14 Ils nous ont **regardé** _____ travailler sans dire un mot.

Justification : _____

_____

15 Je lui ai **rendu** _____ tous les services que j'ai **pu** _____ .

Justification : _____

_____

_____

_____

16 Les quatre heures que ce récital a **duré** _____ m'ont **paru** _____ courtes.

Justification : _____

_____

_____

_____

17 As-tu **reconnu** _____ la personne que tu as **vu** _____ passer ?

Justification : _____

_____

18 Je suis en droit de considérer que vous aviez **accepté** _____ le mode de paiement et l'échéance que vous avait **indiqué** _____ le vendeur.

Justification : _____

_____

_____

19 Les orages qu'il a **fait** _____ cet été ont **nui** _____ aux agriculteurs.

Justification : _____

_____

_____

20 Les nouvelles qu'il avait **appris** _____ l'avaient **surpris** _____ .

Justification : _____

_____

_____

EXERCICE 7.25   Récapitulation

Parmi les participes passés en caractères gras dans les phrases suivantes, 10 sont mal accordés. Dans le tableau qui suit l'exercice, notez le numéro des phrases contenant une erreur d'accord. Proposez une correction et justifiez-la.

1 Appelle les personnes que nous avons **invitées** pour ce soir.

2 Ma mère a **dû** renoncer à ce voyage.

3 Cette entreprise n'a pas **réussie** comme nous l'avions **espéré**.

4 Cette histoire, il en a **inventée** une bonne partie.

5   La chose était plus sérieuse que nous ne l'avions **pensé**.

6   Les nouvelles que j'ai **entendues** raconter à leur sujet n'étaient pas bien gaies.

7   Les enfants, je les ai **laissés** s'amuser dans la cour.

8   La truite, je l'avais **sentie** s'agiter au bout de la ligne.

9   J'ai **emprunté** les dix-mille dollars que cette voiture m'a **coutés**.

10 Nous espérons que vous en avez **connu**, des réussites.

11 Cette explication nous a **convaincus** de votre bonne foi.

12 Ces jouets, je les avais **cru** solides.

13 Voici les honneurs que son courage lui a **valu**.

14 Vu que vous étiez absente, nous avons **dû** remettre l'élection à plus tard.

15 Le peu de pratique que j'ai **eu** à l'université m'aidera néanmoins plus tard dans l'exercice de ma profession.

16 Vous la leur avez **prêtée** ?

17 Que d'efforts il a **faits** pour réussir !

18 Je les ai **faits** venir par la poste, ces livres.

19 Cette sonate, l'avez-vous déjà **entendue** jouer ?

20 De la limonade, j'en ai **bu** beaucoup dans mon enfance.

Phrase (nº)	Correction	Justification

Le participe passé des verbes pronominaux

Le participe passé des verbes pronominaux s'accorde tantôt avec le sujet du verbe, tantôt avec le complément direct, si le complément précède le verbe.

Rappelez-vous que le verbe pronominal est un verbe accompagné d'un pronom conjoint (*se laver, se fâcher, se repentir*). Dans la conjugaison, le sujet du verbe pronominal est toujours – sauf à l'impératif – accompagné d'un pronom personnel conjoint *(me, te, se, nous, vous)* représentant la même personne que le sujet, ce qui donne, quand le sujet est un pronom personnel, les séquences *je me* ; *tu te* ; *il (elle* ou *on) se* ; *nous nous* ; *vous vous* ; *ils* (ou *elles) se.*

Je me souviens	**tu te** laves	**Pierre se** demande	**on se** téléphone
Marie et moi nous arrêtons	**vous vous** trompez	**elles se** parlent	

Rappelez-vous également que les temps composés des verbes pronominaux se construisent **toujours** avec l'auxiliaire *être.*

> *Ils se **sont** tromp**és.***
>
> *Elles se **sont** félicit**ées** de leur décision.*
>
> *Ils s'**étaient** téléphon**é** la veille.*
>
> *Nous nous **sommes** vite rend**u** compte de notre erreur.*

Dans les exemples précédents, vous aurez observé que même si le participe passé des verbes pronominaux se construit avec *être*, on ne l'accorde pas nécessairement avec le sujet du verbe. Si c'était le cas, on aurait écrit **Ils s'étaient téléphonés* et **Nous nous sommes vite rendus compte.* Nous aurions alors commis deux erreurs, car ces participes passés restent invariables. C'est la difficulté que pose l'accord des participes passés des verbes pronominaux : ces participes passés s'accordent **souvent** avec le sujet du verbe, mais **pas toujours**. Il faut connaitre les particularités de l'accord de ces participes passés et se méfier des pièges qu'il pose.

Pour accorder les participes passés des verbes pronominaux, vous l'avez compris, on applique tantôt la règle d'accord des participes passés conjugués avec *avoir* (accord avec le CD s'il est placé devant le verbe), tantôt la règle d'accord des participes passés conjugués avec *être* (accord avec le sujet). Tout dépend du type de verbe pronominal auquel on a affaire. On dénombre en effet deux grandes catégories de verbes pronominaux : les verbes essentiellement pronominaux et les verbes occasionnellement pronominaux. Voyons quelles règles s'appliquent selon la catégorie.

Les verbes essentiellement pronominaux

Les verbes essentiellement pronominaux sont des verbes qui ne s'emploient qu'à la forme pronominale : le pronom *se* est indissociable du verbe, il en fait partie intégrante. Par exemple, les verbes *se méfier, se souvenir* et *s'absenter* ne peuvent être employés qu'avec le pronom *se*, donc en construction pronominale. Il n'existe pas de verbe **méfier, *souvenir* ou **absenter.*

* Je méfie de lui.	*Je **me méfie** de lui.*
* Il absente souvent.	*Il **s'absente** souvent.*

Pour accorder les participes passés de ces verbes, on suit la règle d'accord des participes passés employés avec l'auxiliaire *être*. C'est donc le pronom sujet ou le nom noyau du GN sujet qui donne son genre et son nombre au participe passé.

> ***Elle*** *s'est évanouie en apercevant ses idoles.*
>
> ***Les enfants*** *se sont toujours méfiés de lui.*

Voici une liste des principaux verbes essentiellement pronominaux.

> *S'absenter, s'abstenir (de), s'accroupir, s'adonner (à), s'affairer (à), s'agenouiller, s'en aller, s'attabler, s'avachir, se bagarrer, se balader, se blottir, se cabrer, se contorsionner, se décarcasser, se démener, se désister, s'ébattre, s'ébrouer, s'écrier, s'écrouler, s'efforcer (de), s'égosiller, s'embourgeoiser, s'emparer (de), s'empresser (de), s'enfuir, s'ennuager, s'enquérir (de), s'ensuivre, s'entraider, s'entredéchirer, s'entredévorer, s'entre-nuire, s'entretuer, s'évanouir, s'envoler, s'éprendre (de), s'esclaffer, s'évader, s'évanouir, s'évertuer (à), s'exclamer, s'extasier, se formaliser, se gargariser, s'immiscer, se méfier (de), se parjurer, se pavaner, se prélasser, se prosterner, se raviser, se rebeller, se rebiffer, se recroqueviller, se réfugier, se remplumer, se renfrogner, se repentir, se soucier (de), se souvenir (de), se suicider…*

Les verbes occasionnellement pronominaux

On appelle verbe « occasionnellement pronominal » un verbe non pronominal qui s'utilise aussi dans la construction pronominale. Les verbes non pronominaux *laver*, *parler* et *regarder*, par exemple, s'utilisent également dans les constructions pronominales *se laver*, *se parler* et *se regarder*. Comparez :

> *Il **a lavé** la voiture.* ⟶ *Il **s'est lavé** les mains.*
>
> *Elle **a parlé** à son amoureux.* ⟶ *Ils **se sont parlé**.*
>
> *Ils **ont regardé** le spectacle.* ⟶ *Ils **se sont regardés** dans les yeux.*

Les verbes occasionnellement pronominaux sont des verbes transitifs, c'est-à-dire qu'ils peuvent se construire avec des compléments directs et indirects. On dit qu'un verbe occasionnellement pronominal est réfléchi lorsque l'action « revient », donc se réfléchit, sur le sujet ; le pronom conjoint est alors complément direct ou indirect du verbe.

> *Marie **s'est lavée**.* (On lave quelqu'un ; *s'* = CD.)
>
> *Marie s'est **nui** en répétant cette histoire.* (On nuit **à** quelqu'un ; *s'* = CI.)

On le dit réfléchi et réciproque lorsque les sujets agissent les uns sur les autres ; le pronom conjoint est aussi complément d'objet direct ou indirect.

> *Ils **se** sont **regardés**.* (On regarde quelqu'un ; *se* = CD.)
>
> *Ils se sont **souri**.* (On sourit **à** quelqu'un ; *se* = CI.)

Le participe passé des verbes occasionnellement pronominaux s'accorde avec le complément direct du verbe si ce CD le précède : il reçoit le genre et le nombre du pronom CD ou du nom noyau du CD qui le précède. Il faut donc appliquer la même règle que celle qu'on utilise pour accorder le participe passé employé avec l'auxiliaire *avoir* et se poser les mêmes questions : Y a-t-il un complément direct ? Ce complément est-il placé devant le verbe ? Soit les exemples suivants :

*Elle **s'est coupée**.*
(Elle a coupé elle-même (*s'*) ; *s'* = CD placé **devant** le verbe : on accorde le participe passé.)

*Elle **s'est coupé** le doigt.*
(Elle a coupé le doigt ; *le doigt* = CD placé **après** le verbe : le participe passé reste invariable.)

*Elle **s'est coupée** au doigt.*
(Elle a coupé elle-même (*s'*) au doigt ; *s'* = CD placé **devant** le verbe, on accorde le participe passé.)

*Les messages **qu'**ils <u>se</u> sont **envoyés** sur Facebook sont publics.*
(Ils ont envoyé les messages **à** eux-mêmes (*se*) : *se* = CI ; *qu'* = CD placé **devant** le verbe ; le participe passé reçoit le genre masculin et le nombre pluriel du pronom CD *qu'*, qui remplace *les messages*.)

Vous aurez compris que le participe passé des verbes occasionnellement pronominaux reste invariable si le verbe n'a pas de CD ou si le CD est placé après le verbe.

*Ils se sont **menti**.* (Il n'y a pas de CD : le participe passé est invariable.)
*Ils se sont **acheté** <u>une maison</u>.* (Le CD *une maison* est placé après le verbe : le participe passé est invariable.)

À NOTER

Verbes occasionnellement pronominaux dont le sens est différent de celui du verbe non pronominal correspondant

Certains verbes ont un sens différent en construction pronominale et en construction non pronominale. Un cas extrême est le verbe *se douter*, qui a un sens presque diamétralement opposé à celui du verbe *douter*.

*Elle **a douté** de sa réussite.* (Elle n'y croyait pas.)
*Elle **s'est doutée** qu'elle réussirait.* (Elle croyait bien réussir.)

La différence de sens entre le verbe *apercevoir* et le verbe *s'apercevoir* est aussi claire.

*Elle **s'est aperçue** de son erreur.* (Elle **s'est rendu compte** de son erreur.)
*Elle **a aperçu** sa sœur dans la foule.* (Elle **a vu** sa sœur dans la foule.)

Souvent la différence de sens n'est pas aussi évidente – elle est parfois même très mince –, mais ce qui est constant, c'est que le pronom conjoint dans ces verbes n'a jamais de valeur réelle ou de fonction logique dans la phrase. Ces verbes s'apparentent aux verbes essentiellement pronominaux dont le pronom n'a souvent pas de valeur précise et ils s'accordent aussi avec le sujet.

***Elle** s'est dout**ée** qu'elle réussirait.*
***Ils** ne se sont dout**és** de rien.*

Voici la liste des principaux verbes pronominaux dont le pronom conjoint n'a pas de fonction logique.

> *S'adresser (à), s'apercevoir (de), s'attaquer (à), s'attendre (à), s'aviser (de), s'échapper (de), se douter (de), se jouer (de), s'ennuyer (de), s'entendre (avec), se passer (de), se plaindre (de), se prévaloir (de), se saisir (de), se servir (de), se taire, se tromper (de).*

EXERCICE 7.26

Indiquez dans les parenthèses si le verbe en caractères gras est occasionnellement (O) ou essentiellement (E) pronominal et faites les accords qui s'imposent.

1. Elle **s'est absenté** _____ (_____) pendant une heure.

2. Ils **se sont moqué** _____ (_____) de leur petit frère.

3. Elles **se sont blessé** _____ (_____) au bras.

4. Elles **se sont** subitement **levé** _____ (_____).

5. Les prisonniers **se sont évadé** _____ (_____).

6. Ils **se sont donné** _____ (_____) la peine de réfléchir.

7. Mes tantes **s'étaient décidé** _____ (_____) à venir.

8. Elle **s'est emparé** _____ (_____) de la fortune de son frère.

9. Elle **s'est souvenu** _____ (_____) qu'elle avait un devoir à terminer.

10. Elle **s'est foulé** _____ (_____) la cheville.

EXERCICE 7.27

Indiquez dans les parenthèses la fonction (CD ou CI) du pronom conjoint des verbes occasionnellement pronominaux en caractères gras et accordez le participe passé s'il y a lieu.

1. Elles **se** (_____) **sont croisé** _____ dans la rue.

2. Ils **se** (_____) **sont raconté** _____ tous leurs malheurs.

3   Elle **s'(** _____ **) est lavé** _____ les cheveux.

4   Elles **se (** _____ **) sont couvert** _____ d'honneurs aux Jeux olympiques.

5   Ils ont attrapé la grippe parce qu'ils ne **s'(** _____ **) étaient** pas **couvert** _____ la tête.

6   Elles **se (** _____ **) sont promis** _____ de s'écrire souvent.

7   Je n'ai pas eu le choix de les inviter : ils **se (** _____ **) sont imposé** _____ .

8   Les sacrifices qu'ils **se (** _____ **) sont imposé** _____ n'auront donc servi à rien ?

9   Elles **se (** _____ **) sont demandé** _____ longtemps si elles avaient bien fait.

10   Ils **se (** _____ **) sont rencontré** _____ à l'université et **se (** _____ **) sont parlé** _____ plusieurs fois depuis.

EXERCICE 7.28

Accordez, s'il y a lieu, les participes passés en caractères gras. Selon le cas, soulignez le sujet ou le CD qui régit l'accord du participe passé.

1   Ils **se sont juré** _____ fidélité.

2   Elle **s'est habillé** _____ en vitesse.

3   Les étudiants **se sont succédé** _____ chez le directeur du programme.

4   Nous **nous sommes entassé** _____ dans sa petite voiture.

5   Elle ne **s'est pas empêché** _____ de dire ce qu'elle en pensait !

6   Pierre et Julie **se sont enfui** _____ au Mexique.

7   Ils **se sont fait** _____ un bon café avant de se mettre au travail.

8   Ils **se sont nui** _____ beaucoup plus qu'ils ne **se sont aidé** _____ .

9   Ce sont les objectifs que je **me suis donné** _____ pour cette année.

10   Elle **s'est imaginé** _____ qu'Eugène ne l'aimait plus.

Les verbes pronominaux à valeur passive

La forme pronominale peut servir à donner une valeur passive à un verbe transitif direct. On emploie cette forme surtout lorsqu'il n'y a pas d'agent identifié.

> *On **a vendu** tous les billets.*
>
> *Les billets **ont** tous **été vendus**.* (Passif ordinaire)
>
> *Les billets **se sont** tous **vendus**.* (Passif de construction pronominale)

Le pronom conjoint n'assume aucune fonction syntaxique dans la phrase, et les participes passés de ces verbes s'accordent avec le sujet du verbe.

> ***Les billets** se sont vend**us** comme des petits pains chauds.*
>
> ***La classe** s'est vid**ée** en un clin d'œil.*

EXERCICE 7.29

Accordez le participe passé des verbes pronominaux en caractères gras, s'il y a lieu ; si le verbe pronominal a un sens passif, indiquez-le en inscrivant un P à droite dans la parenthèse.

1. Ces tableaux **se sont vendu** _____ (_____) très chers à l'encan.

2. La séance **s'est ouvert** _____ (_____) à seize heures précises.

3. Ils **se sont tu** _____ (_____) quand la présidente est entrée.

4. Ils **se sont trompé** _____ (_____) de jour et ils **s'en sont avisé** _____ (_____) plus tard.

5. Les enfants **se sont ennuyé** _____ (_____) de leurs parents au camp de vacances.

6. Des villes comme Londres ou Paris **ne se sont** pas **bâti** _____ (_____) en un jour.

7. Les militaires **se sont passé** _____ (_____) de bière pendant quelques mois.

8. La langue gauloise **s'est parlé** _____ (_____) en Gaule pendant plusieurs siècles avant la conquête romaine.

9. Elles **se sont attaqué** _____ (_____) à la thèse de leur collègue.

10. Ils ne **se sont** jamais **entendu** _____ (_____).

Si le participe passé du verbe pronominal à valeur passive est suivi d'un verbe à l'infinitif, il faut faire la même analyse que pour le participe passé employé avec *avoir* et suivi d'un infinitif. Cependant, les participes passés *fait* et *laissé* suivis d'un infinitif sont toujours invariables et le participe passé *vu* suivi d'un infinitif reste généralement invariable.

> *Ils se sont **fait** couper les cheveux.*
>
> *Elles se sont facilement **laissé** convaincre.*
>
> *Elles se sont **vu** imposer une lourde amende.*

L'accord du participe passé des verbes pronominaux : méthode simplifiée

Nous vous proposons maintenant une méthode simplifiée pour réussir tous les accords des participes passés des verbes pronominaux. Si vous maitrisez bien l'accord du participe passé employé avec *avoir* et celui du participe passé employé avec *être* et que vous savez bien faire la différence entre le sujet, le complément direct et le complément indirect, vous trouverez sans doute le maniement de cette règle simplifiée plus aisé que celui de la règle « traditionnelle ».

Voici les étapes à suivre :

1ʳᵉ étape : Il faut d'abord vérifier si le verbe a un complément direct (CD), en ayant recours, au besoin, aux manipulations syntaxiques.

- Si le verbe a un complément direct qui le précède, le participe passé s'accorde avec ce complément direct ; si le complément direct est placé après le verbe, le participe passé reste invariable.
- S'il n'y a pas de CD, passez à la deuxième étape.

2ᵉ étape : Il faut maintenant vérifier si le pronom personnel conjoint est un complément indirect (CI) introduit par la préposition *à*. Si tel est le cas, le participe passé reste invariable. Sinon, il faut l'accorder avec le sujet.

Les verbes pronominaux dont le pronom conjoint exerce la fonction de complément indirect (CI) sont peu nombreux. En voici quelques-uns : *se parler, se mentir, se nuire, se sourire, se téléphoner, se succéder, se plaire, se déplaire.*

Il reste trois exceptions qui défient toutes les règles, la traditionnelle comme la simplifiée : *se rire, se plaire à* et *se complaire*, dont le participe passé est toujours invariable.

> *Elles se sont **ri** des difficultés.*
>
> *Elles se sont p**lu** à faire ce travail.*
>
> *Elle s'est comp**lu** à parler de son dernier succès.*

Appliquons maintenant cette méthode simplifiée à quelques exemples.

Elles se sont fait… une limonade.

1re étape : *Elles se sont fait **quelque chose**. Elles se **la** sont faite.*

Il y a un CD (*une limonade*), mais il est placé après le verbe. Le participe passé reste donc invariable.

    *Elles se sont fai**t** une limonade.*

La voiture que Paul s'est offert… lui a couté une petite fortune.

1re étape : *Paul s'est offert **quelque chose**. Paul se **l'**est offerte.*

Il y a un complément direct dans la phrase (*que*, qui remplace *la voiture*) et ce CD précède le verbe. Il faut donc accorder le participe passé avec ce complément direct (*que = voiture*, féminin singulier).

    *La voiture que Paul s'est offert**e** lui a couté une petite fortune.*

Pierre et Julie se sont téléphoné… hier soir.

1re étape : **Pierre et Julie se sont téléphoné **quelque chose** ou **quelqu'un**. *Pierre et Julie se **les** sont téléphoné.*

Ces phrases sont agrammaticales. Il n'y a donc pas de CD dans la phrase. Il faut passer à la deuxième étape.

2e étape : Le pronom conjoint *se* est-il un complément indirect introduit par la préposition *à* ? Est-ce qu'on téléphone **à** quelqu'un ? Oui. Le participe passé reste donc invariable.

    *Pierre et Julie se sont téléphon**é** hier soir.*

Elle s'est déclaré… satisfaite de ta réponse.

** Elle s'est déclaré **quelque chose** ou **quelqu'un**. *Elle se **l'**est déclaré.*

1re étape : Ces phrases sont agrammaticales. Il n'y a pas de CD après le verbe. L'adjectif *satisfaite* est **attribut** et non complément direct : rappelez-vous qu'un adjectif ne peut en aucun cas être complément direct !

2e étape : Peut-on dire *Elle a déclaré **à** se (elle)* ? Non, car ce n'est pas à elle-même qu'elle a fait la déclaration, mais à d'autres personnes extérieures au sujet. Il faut donc accorder le participe passé avec le pronom sujet *elle*.

    *Elle s'est déclaré**e** satisfaite de ta réponse.*

Pierre et Julie se sont succédé… à la présidence du syndicat.

1re étape : **Pierre et Julie se sont succédé **quelque chose** ou **quelqu'un**. *Pierre et Julie se **les** sont succédé.*

Ces phrases sont agrammaticales. Il n'y a donc pas de CD dans la phrase. Il faut passer à la deuxième étape.

2e étape : Le pronom conjoint *se* est-il un complément indirect introduit par la préposition *à* ? Est-ce qu'on succède **à** quelqu'un ? Oui. Le participe passé reste donc invariable.

    *Pierre et Julie se sont succéd**é** à la présidence du syndicat.*

Elles se sont aperçu… de son absence.

1re étape : **Elles se sont aperçu **quelque chose** ou **quelqu'un**. *Elles se **les** sont aperçu.*

Ces phrases sont agrammaticales. Il n'y a donc pas de CD dans la phrase. Il faut passer à la deuxième étape.

2e étape : Le pronom conjoint *se* est-il un complément indirect introduit par la préposition *à* ? Est-ce qu'on aperçoit **à** quelqu'un ? Non. Il faut donc accorder le participe passé avec le pronom sujet *Elles*.

    *Elles se sont aperçu**es** de son absence.*

Ils se sont douté… de la supercherie.

1re étape : **Ils se sont douté **quelque chose** ou **quelqu'un**. *Ils se **les** sont douté.*

Ces phrases sont agrammaticales. Il n'y a donc pas de CD dans la phrase. Il faut passer à la deuxième étape.

2e étape : Le pronom conjoint *se* est-il un complément indirect introduit par la préposition *à* ? Est-ce qu'on doute **à** quelqu'un ? Non. Il faut donc accorder le participe passé avec le pronom sujet *Ils*.

    *Ils se sont dout**és** de la supercherie.*

Voici un résumé de la méthode simplifiée de l'accord du participe passé des verbes pronominaux.

L'accord du participe passé des verbes pronominaux : méthode simplifiée

En bref, le participe passé des verbes pronominaux s'accorde généralement avec le **sujet** du verbe, sauf dans les deux cas suivants :

1. Le verbe a un complément direct autre que le pronom personnel conjoint : dans ce cas, on fait l'accord avec ce **CD s'il précède le verbe**, mais le participe passé reste invariable si le complément direct suit le verbe ;

2. Le verbe n'a pas de complément direct, mais le pronom personnel conjoint est complément indirect : dans ce cas, le participe passé du verbe pronominal reste **invariable**.

EXERCICE 7.30

Écrivez les participes passés des verbes pronominaux entre parenthèses et accordez-les s'il y a lieu. Utilisez la méthode simplifiée pour justifier votre réponse.

EXEMPLE

Ils ne se sont même pas (apercevoir) _aperçus_ que tu étais arrivé.

Justification : *Il n'y a pas de CD et le pronom conjoint* se *n'est pas un CI introduit par la préposition* à. *Il faut accorder le participe passé avec le sujet* ils : aperçu**s**.

1. La pluie s'est (s'abattre) _____ sur nous.

   Justification : _____

2. Ils se sont (s'abstenir) _____ de voter.

   Justification : _____

3. La hausse des prix s'est (s'accentuer) _____ cette année.

   Justification : _____

4. Elle s'est (s'accommoder) _____ de ses conditions de travail.

   Justification : _____

5 Les bagues qu'il s'est (s'acheter) _____ sont extravagantes.

Justification : _____

_____

6 Les dettes dont elle s'est (s'acquitter) _____ étaient lourdes.

Justification : _____

_____

7 Elles se sont (parler) _____ à cœur ouvert.

Justification : _____

_____

8 Elles se sont (s'affronter) _____ en pleine rue.

Justification : _____

_____

9 Elle s'est (s'apercevoir) _____ qu'elle l'ennuyait.

Justification : _____

_____

10 Elle s'est (s'assurer) _____ de son bienêtre.

Justification : _____

_____

11 Ils se sont (se serrer) _____ la main.

Justification : _____

_____

12 L'affaire s'est (se compliquer) _____ depuis hier.

Justification : _____

_____

13 Elle s'est (se boucher) _____ les oreilles.

Justification : _____

_____

14 Nos lettres se sont (se croiser) _____ dans le courrier.

Justification : _____

_____

15 Ils se sont (se construire) _____ une maison.

Justification : _____

_____

EXERCICE 7.31

Parmi les participes passés en caractères gras dans les phrases suivantes, 15 sont mal accordés. Dans le tableau qui suit l'exercice, notez le numéro des phrases contenant une erreur d'accord. Proposez une correction et justifiez-la.

1 Ils se sont **serré** la main.

2 Elle s'est **promise** de ne plus recommencer.

3 Nous nous sommes **mentis** trop longtemps.

4 Toutes ces rumeurs se sont **tues**.

5 Elles se sont **dites** adieu.

6 Vos parents se sont **imposé** des sacrifices.

7 Elles se sont **demandées** à la fin si elles ne s'étaient pas **mêlées** de quelque chose qui ne les regardait pas.

8 Les combattants s'étaient **juré** de vaincre.

9 Ne quittez pas la voie que vous vous êtes **tracés**.

10 Je n'aime pas les moyens dont la police s'est **servie** dans cette affaire.

11 Elle s'était **imaginée** qu'elle deviendrait riche.

12 Les malfaiteurs se sont **emparés** de leur butin.

13 Ils se sont **parlé** durant deux heures.

14 C'est une joie qu'il s'est **offerte** avant de mourir.

15 Elle s'était **proposée** de partir tôt.

16 Elle s'est **ennuyée** toute la fin de semaine.

17 Les ministres se sont **renvoyés** la balle.

18 Vos frères se sont **fâchés** pour rien ; ils ne se sont pas **aidé**, ils se sont **nui**.

19 La secrétaire s'était trop **fiée** à sa mémoire.

20 La petite fille s'est **précipitée** vers moi.

21 Ils se sont **téléphonés** et se sont **répété** les mêmes injures.

22 La présidente s'est **prévalue** de son droit de vote.

23 La blague qu'elle s'est **permise** de faire n'a fait rire personne.

24 Ces jeunes filles se sont inconsidérément **privées** de manger.

25 Nos adversaires ne se sont **doutés** de rien.

26 Les chevaux se sont **cabrés**.

27 Elles se sont **racontées** leurs aventures.

28 Votre mère s'est trop **soucié** de votre santé.

29 Ils se sont **rendus** compte de leur erreur, mais il était trop tard.

30 Les années se sont **succédées**, pareilles les unes aux autres.

Phrase (nº)	Correction	Justification

EXERCICE 7.32

Accordez, s'il y a lieu, les participes passés des verbes pronominaux en caractères gras (règle générale et cas particuliers). Justifiez votre réponse.

1 Les dettes dont il s'est **acquitté** _____ étaient lourdes.

Justification : _____

_____

2 Ils se sont **arrogé** _____ le droit de nous critiquer ouvertement.

Justification : _____

_____

3 Ils se sont **fixé** _____ un objectif : réussir.

Justification : _____

_____

4 Elle s'est **laissé** _____ servir sans discuter.

Justification : _____

_____

5 Les comédiens se sont **fait** _____ huer.

Justification : _____

_____

6 Elle s'est **entendu** _____ reprocher ses erreurs.

Justification : _____

_____

7 Il s'est **dit** _____ beaucoup de choses sur mon compte.

Justification : _____

_____

8 Le père et la fille se sont longtemps **ressemblé** _____ .

Justification : _____

_____

9 Elle s'est **vu** _____ obligée de s'excuser publiquement.

Justification : _____

_____

10 Elles se sont **rendu** _____ compte qu'il était temps de partir.

Justification : _____

_____

11 Elles s'en sont **voulu** _____ longtemps.

Justification : _____

_____

12 Ils se sont **vu** _____ condamner à une forte amende.

Justification : _____

_____

13 Elle s'est **senti** _____ défaillir et s'est **laissé** _____ aller.

Justification : _____

_____

_____

_____

14 Que de choses il s'est **passé** _____ en peu de temps !

Justification : _____

_____

15 Elle s'est **permis** _____ de répliquer.

Justification : _____

_____

Voici un tableau récapitulatif sur l'accord du participe passé.

L'accord du participe passé
L'accord du participe passé employé avec l'auxiliaire _être_
Le participe passé employé avec l'auxiliaire _être_ s'accorde toujours avec le sujet du verbe.
L'accord du participe passé employé avec l'auxiliaire _avoir_
Le participe passé employé avec l'auxiliaire _avoir_ ne s'accorde jamais avec le sujet du verbe. Il s'accorde avec le CD (s'il y en a un) si celui-ci est placé devant le verbe. Il est invariable dans les cas suivants : 1. Le CD est le pronom _en_ ; 2. Le CD est le pronom neutre _le_ ou _l'_ (dont le référent est une phrase ou une idée) ; 3. Le participe passé est celui d'un verbe impersonnel ou du présentatif _il y a_ ; 4. Le participe passé est suivi d'un GInf et le CD placé devant le verbe n'est pas le sujet de l'infinitif ; 5. Le participe passé est _pu, cru, dit, su, voulu_ ou _dû_, suivi d'un GInf, ou d'une subordonnée ou d'un GInf sous-entendu ; 6. Le participe passé est _fait_ ou _laissé_, suivi d'un GInf.

L'accord du participe passé d'un verbe pronominal	
Le participe passé d'un verbe **essentiellement** pronominal s'accorde avec le sujet du verbe.	Le participe passé d'un verbe **occasionnellement** pronominal s'accorde avec le CD placé devant le verbe.

Méthode simplifiée

Le participe passé des verbes pronominaux s'accorde généralement avec le **sujet** du verbe, sauf dans les deux cas suivants :

1. Le verbe a un complément direct autre que le pronom personnel conjoint : dans ce cas, on fait l'accord avec ce **CD s'il précède le verbe**, mais le participe passé reste invariable si le complément direct suit le verbe ;
2. Le verbe n'a pas de complément direct et le pronom personnel conjoint est complément indirect : dans ce cas, le participe passé du verbe pronominal reste **invariable**.

EXERCICE 7.33   Récapitulation

**Dites si les participes passés en caractères gras sont bien accordés
et justifiez votre réponse.**

1 Pourquoi ne portes-tu jamais la bague que je t'ai **offerte** pour ton anniversaire ?

L'accord est correct. ☐   L'accord est incorrect. ☐

Justification :

2 Elle est **revenue** de son entrevue avec le directeur du journal depuis déjà une heure.

L'accord est correct. ☐   L'accord est incorrect. ☐

Justification :

3 C'est à Hélène qu'on a **demandée** d'organiser la réception.

L'accord est correct. ☐   L'accord est incorrect. ☐

Justification :

4 Les étudiants ont **décidés** de s'opposer à toute hausse des droits de scolarité.

L'accord est correct. ☐   L'accord est incorrect. ☐

Justification :

5 Je vais te montrer ma dernière acquisition : une chaine stéréo que j'ai **eue** pour
une bouchée de pain.

L'accord est correct. ☐   L'accord est incorrect. ☐

Justification :

6 Ne t'en fais pas, quand elle a **bue**, elle dit n'importe quoi.

L'accord est correct. ☐   L'accord est incorrect. ☐

Justification :

7 Jeanne, tu as **vu** l'émission sur les résidences royales en Pologne dimanche soir ?

L'accord est correct. ☐   L'accord est incorrect. ☐

Justification : _____

_____

8 Avez-vous entendu parler des terribles incendies de forêt qu'il y a **eus** cet été en Colombie-Britannique ?

L'accord est correct. ☐   L'accord est incorrect. ☐

Justification : _____

_____

9 Ariane ne s'est **rendue** compte de son erreur qu'à la toute dernière minute.

L'accord est correct. ☐   L'accord est incorrect. ☐

Justification : _____

_____

10 J'ignore vraiment pourquoi ils ont **rompus**, après toutes ces années passées ensemble !

L'accord est correct. ☐   L'accord est incorrect. ☐

Justification : _____

_____

11 Dans cette histoire, elle s'est **faite** rouler.

L'accord est correct. ☐   L'accord est incorrect. ☐

Justification : _____

_____

12 La gravure que Jean-Pierre m'a donnée, je l'ai **fait** encadrer.

L'accord est correct. ☐   L'accord est incorrect. ☐

Justification : _____

_____

13 Elle ne lui accordait pas toujours toute l'attention qu'il aurait **voulue**.

L'accord est correct. ☐   L'accord est incorrect. ☐

Justification : _____

_____

14 L'an dernier, plus de 10 000 diplômés se sont **disputés** les 200 postes disponibles au ministère de l'Éducation.

L'accord est correct. ☐   L'accord est incorrect. ☐

Justification : _____

15 Pendant son voyage en Argentine, ils se sont **téléphoné** tous les jours.

L'accord est correct. ☐   L'accord est incorrect. ☐

Justification : _____

16 Les droits qu'il s'est **arrogés** pourraient le mener en prison.

L'accord est correct. ☐   L'accord est incorrect. ☐

Justification : _____

17 Au fil des heures, civils et militaires se sont **succédés** chez le président.

L'accord est correct. ☐   L'accord est incorrect. ☐

Justification : _____

18 Ils se sont **plu** dès leur première rencontre.

L'accord est correct. ☐   L'accord est incorrect. ☐

Justification : _____

19 Nous nous sommes **rencontrés**, Gilles et moi, au marathon des Deux-Rives.

L'accord est correct. ☐   L'accord est incorrect. ☐

Justification : _____

20 Elle ne s'est pas **prévalue** de son droit de réplique.

L'accord est correct. ☐   L'accord est incorrect. ☐

Justification : _____

21 Les ennuis que sa décision nous causait, elle ne s'en est guère **souciée**.

L'accord est correct. ☐   L'accord est incorrect. ☐

Justification :

_____

_____

22 La nouvelle de leur mariage s'est **répandu** très vite.

L'accord est correct. ☐   L'accord est incorrect. ☐

Justification :

_____

_____

23 L'algèbre est-elle aussi rebutante que vous l'aviez **crue** ?

L'accord est correct. ☐   L'accord est incorrect. ☐

Justification :

_____

_____

24 Je ne regrette aucunement les cinquante-mille dollars que la réparation m'a **coutés**.

L'accord est correct. ☐   L'accord est incorrect. ☐

Justification :

_____

_____

25 Personne ne les a **vus** échanger des coups de feu.

L'accord est correct. ☐   L'accord est incorrect. ☐

Justification :

_____

_____

26 Cette épreuve a été beaucoup plus pénible que nous ne l'avions **prévu**.

L'accord est correct. ☐   L'accord est incorrect. ☐

Justification :

_____

_____

27 Les deux braves dames se sont **vues** arrêter pour trafic de drogue à l'aéroport de Rome.

L'accord est correct. ☐   L'accord est incorrect. ☐

Justification :

_____

_____

28 Ils s'étaient **laissé** prendre au jeu de l'imposteur.

L'accord est correct. ☐   L'accord est incorrect. ☐

Justification :

29 Le peu de sympathie que vous avez **montré** m'a profondément déçu.

L'accord est correct. ☐   L'accord est incorrect. ☐

Justification :

30 Pendant les deux heures qu'a **durées** l'émission, il y a eu une vingtaine de pauses publicitaires.

L'accord est correct. ☐   L'accord est incorrect. ☐

Justification :

31 La fortune que ces hommes ont **acquis** est considérable.

L'accord est correct. ☐   L'accord est incorrect. ☐

Justification :

32 Songe à tous les dangers qu'elle a **courus** !

L'accord est correct. ☐   L'accord est incorrect. ☐

Justification :

33 Cette maison, je l'avais **crue** moins chère.

L'accord est correct. ☐   L'accord est incorrect. ☐

Justification :

34 C'est une caricature, et non un portrait, que vous avez **faite**.

L'accord est correct. ☐   L'accord est incorrect. ☐

Justification :

35 Hier soir, as-tu eu connaissance des choses étranges qu'il s'est **passé** chez nos voisins ?

L'accord est correct. ☐   L'accord est incorrect. ☐

Justification :

_____

_____

7.2.3   L'accord de l'adjectif attribut du sujet

Le noyau d'un GAdj remplissant la fonction d'attribut du sujet reçoit le genre et le nombre du nom noyau du GN sujet ou du pronom sujet.

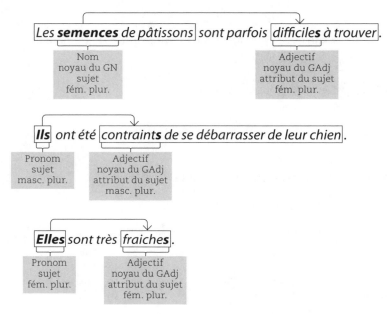

À NOTER

Si *on* est employé dans le sens de *nous* et que le verbe est suivi d'un attribut du sujet, celui-ci s'accorde avec ce que *on* représente.

On *est contents de vous voir.*   **On** *est contentes de vous voir.*

(Luc et Paul)   (Marie et Lise)

7.2.4   L'accord de l'adjectif attribut du complément direct

Le noyau d'un GAdj remplissant la fonction d'attribut du complément direct reçoit le genre et le nombre du nom noyau du GN complément direct ou du pronom complément direct.

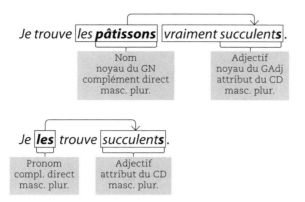

Je trouve les **pâtissons** vraiment succulents.

Nom
noyau du GN
complément direct
masc. plur.

Adjectif
noyau du GAdj
attribut du CD
masc. plur.

Je **les** trouve succulents.

Pronom
compl. direct
masc. plur.

Adjectif
attribut du CD
masc. plur.

À NOTER

Certains adjectifs peuvent être employés comme adverbes. Ils modifient alors le verbe et sont invariables, comme tous les adverbes.

*Andrée mange trop **gras**.*   *Ces fleurs sentent **bon**.*

EXERCICE 7.34   Récapitulation

Complétez les phrases suivantes avec les adjectifs entre parenthèses et faites les accords nécessaires. Consultez une grammaire ou le *Multi* au besoin.

1. L'autruche a la tête ainsi que le cou (garni) _____ de duvet.

2. C'est une (fort) _____ tête, mais nous nous faisons

   (fort) _____ de lui faire entendre raison.

3. Ils ont tenu (bon) _____ .

4. L'un comme l'autre sont (inutile) _____ .

5. L'organisation et la synchronisation étaient (parfait) _____ .

6. Ne trouvez-vous pas qu'elles sont un peu (cher) _____ ?

   Pour ma part, je trouve vraiment qu'elles coutent trop (cher) _____ .

7. Son offre a l'air (sérieux) _____ . (Voir l'article « Air (avoir l'air) » dans le *Multi*.)

8. Elle a l'air un peu (fatigué) _____ . (Voir l'article « Air (avoir l'air) » dans le *Multi*.)

9 Elles devenaient de plus en plus (maussade) _____ .

10 J'ai trouvé les petites vraiment (changé) _____ .

11 Elle paraissait très (fatigué) _____ .

12 Ils sont demeurés longtemps (fâché) _____ contre elle.

13 Tous les étudiants du programme ont été (consulté) _____ .

14 Il parait que la marchandise nous a été (expédier) _____
la semaine dernière.

15 Les tâches auxquelles Jean-Paul est (astreindre) _____

sont extrêmement (difficile) _____ .

7.3 LES ACCORDS DANS LE GN

Dans un GN, les accords dépendent du nom noyau du GN, qui donne son genre et son nombre à d'autres constituants du GN : l'adjectif et le déterminant. Le nom est donc donneur de genre et de nombre, alors que le déterminant et l'adjectif sont des receveurs de genre et de nombre.

7.3.1 L'accord de l'adjectif complément du nom ou du pronom

Règle générale

L'adjectif est un mot variable ; il reçoit son genre et son nombre du nom ou du pronom dont il est le complément.

 Voir le tableau « Adjectif » dans le *Multi*.

Fém. plur.

*Des **personnes chaleureuses** l'ont accueilli.*
(L'adjectif *chaleureuses* est complément du nom *personnes*.)

Fém. sing.

***Fatiguée** de sa journée, **elle** s'est endormie dans le fauteuil.*
(L'adjectif *fatiguée* est complément du pronom *elle*.)

Pour trouver le nom ou le pronom auquel l'adjectif se rapporte, on pose une des questions *Qui est-ce qui est… ?* ou *Qu'est-ce qui est… ?* devant l'adjectif.

> *Sophie a eu une journée vraiment* **fatigante**.
>
> (*Qu'est-ce qui est fatigant ? la journée*. L'adjectif se met au féminin singulier : *fatigante*.)

Adjectif se rapportant à plus d'un nom

Lorsque l'adjectif se rapporte à deux noms, il prend la marque du pluriel.

> *Ce comédien joue avec* **un naturel et un aplomb parfaits**.

Si l'un des deux noms est féminin, l'adjectif reste au masculin.

> *Ce comédien joue avec* **une justesse et un naturel parfaits**.

On évitera autant que possible de placer le nom féminin juste avant l'adjectif.

> * *Ce comédien joue avec* **un naturel et une justesse parfaits**.

Si ce n'est pas possible, on peut toujours essayer de remplacer l'adjectif par un autre où le féminin est indifférencié.

> *Ce comédien joue avec un naturel et une justesse* **remarquables**.

À NOTER

Si les adjectifs sont en rapport avec des noms unis par une conjonction de comparaison (*ainsi que*, *comme*, etc.), on les accorde avec le premier nom si la conjonction exprime une idée de comparaison ; l'ensemble formé par la conjonction et le deuxième nom sera alors placé entre virgules.

> *Le manque d'exercice, comme le tabagisme, est* **nuisible** *à la santé cardiovasculaire*.

Si la conjonction a un sens d'addition, l'adjectif s'accorde avec les deux noms ; il se met donc au pluriel.

> *Le manque d'exercice comme le tabagisme sont* **nuisibles** *à la santé cardiovasculaire*. (Notez l'absence de virgules.)

Si l'adjectif est en relation avec des noms unis par *ou*, il s'accorde avec le deuxième nom si l'un des noms exclut l'autre.

> *Selon son humeur, il peut faire montre d'une courtoisie* **ou** *d'une impolitesse* **inqualifiable**.

Si les noms s'additionnent, l'adjectif s'accorde avec les deux noms ; il se met donc au pluriel.

> *Le manque d'exercice* **ou** *le tabagisme sont* **nuisibles** *à la santé cardiovasculaire*.

 Pour voir d'autres cas particuliers d'accord de l'adjectif, reportez-vous au *Multi*.

Adjectifs se rapportant à un même nom

Quand deux adjectifs se rapportent de façon distributive à un nom pluriel, il faut bien sûr les laisser au singulier.

> Les fronts **méridional** et **occidental** (Un seul front méridional, un seul front occidental)
>
> Les langues **grecque** et **latine** (La langue grecque, la langue latine)

Adjectifs désignant une couleur

De nombreux adjectifs désignant une couleur sont en fait des noms même si, dans plusieurs grammaires, on parle d'adjectifs de couleur. Le nom employé pour désigner une couleur reste invariable.

> des souliers **aubergine**
>
> des bonnets **turquoise**
>
> des chaussettes **orange**

Les adjectifs dérivant de noms ou d'adjectifs de couleur reçoivent le genre et le nombre du nom avec lequel ils sont en relation.

> une écharpe **orangée**
>
> des teintes **cuivrées**

Cependant, certains noms de couleur sont devenus, en raison de leur usage répandu, de véritables adjectifs et s'accordent donc en genre et en nombre avec le nom auquel ils se rapportent.

> des chaussettes **roses**
>
> des chaussures **violettes**

Dès qu'ils sont composés, les adjectifs tout comme les noms désignant des couleurs restent invariables. L'exemple suivant est donc incorrect.

> * Je me suis acheté des chaussettes **vertes foncées**.

Il faut respecter l'invariabilité dans tous les cas.

> Je me suis acheté des chaussettes **vert foncé**.
>
> des cheveux **blond cendré**
>
> des chaussettes **bleu marine**

   Voir le tableau « Couleur, Adjectifs de » dans le *Multi*.

EXERCICE 7.35

Complétez les phrases suivantes avec les adjectifs entre parenthèses et faites les accords qui s'imposent. Consultez une grammaire ou le *Multi* au besoin.

1. Il a soulevé l'ire et l'indignation (général) _____ .

2. Nous n'avons plus de peinture (blanc cassé) _____ .

3. L'automne prochain, la mode exploitera toute la gamme des bruns : souliers (marron) _____ , pantalons (kaki) _____ ou (havane) _____ , chemisiers et chandails (chocolat) _____ ou (tabac) _____ , foulards (mordoré) _____ , rouges à lèvres (or) _____ ou (bronze) _____ .

4. Vous trouverez ce que vous cherchez dans un magasin de pièces (détaché) _____ .

5. Sa laideur et son air (sinistre) _____ repoussent les gens.

6. J'ai pour vous une estime et une amitié toute (particulier) _____ .

7. Il a fait preuve d'un courage, d'une intrépidité peu (commun) _____ .

8. Venez profiter de nos soldes de blanc. Draps de coton (brodé) _____ à demi-prix.

9. Il faisait montre d'une politesse, d'une amabilité (exquis) _____ .

10. On paie tous des impôts aux gouvernements (fédéral) _____ et (provincial) _____ .

Il existe plusieurs cas particuliers d'accord de l'adjectif. Dans la majorité d'entre eux, il vaut mieux consulter une grammaire ou un dictionnaire plutôt que de mémoriser les règles de cas peu fréquents.

EXERCICE 7.36

En vous aidant des informations données à la fin de chacune des phrases, faites l'accord des adjectifs entre parenthèses.

1. Pourriez-vous commander trois douzaines et (demi) _____ de bas ? (Voir l'article « Demi » dans le *Multi*.)

2. La lettre Y est une (semi) _____ -voyelle. (Voir l'article « Semi- » dans le *Multi*.)

3. C'est une situation des plus (compliqué) _____ . (Voir l'article « Plus » dans le *Multi*.)

4. C'est une personne des mieux (informé) _____ . (Voir l'article « Plus » dans le *Multi*.)

5. Nous avons examiné toutes les solutions (possible) _____ . (Voir l'article « Possible » dans le *Multi*.)

6. En fait, ce que nous voulons surtout, c'est faire le moins de dépenses (possible) _____ . (Voir l'article « Possible » dans le *Multi*.)

7. Où pourrais-je trouver des valises (bon marché) _____ ? (Voir l'article « Marché » dans le *Multi*.)

8. Il faudrait que vous vous adressiez à une personne (haut placé) _____ . (Voir l'article « Haut » dans le *Multi*.)

9. Nous pensons aller en voyage dans les iles (anglo-saxon) _____ . (Voir le *Petit Robert*.)

10. Nous avons eu un voyage des plus (mouvementé) _____ . (Voir l'article « Plus » dans le *Multi*.)

11. Soyez là à trois heures et (demi) _____ sonnantes ! (Voir l'article « Demi » dans le *Multi*.)

12. Il a porté des accusations à (demi voilé) _____ . (Voir l'article « Demi » dans le *Multi*.)

13. Il fut un temps où les femmes ne se promenaient pas (nu) _____ -tête, et encore moins les jambes (nu) _____ . (Voir l'article « Nu » dans le *Multi*.)

14 La question des pluies acides continuera longtemps d'envenimer les relations

(canado-américain) _____ . (Voir le *Petit Robert*.)

15 Les fenêtres (grand) _____ (ouvert) _____

offraient une vue magnifique sur la mer. (Voir l'article « Grand » dans le *Multi*.)

Cas particuliers

- *Attendu, vu, supposé, compris, entendu, passé, excepté* et *ôté* sont adjectifs, et donc variables, quand ils suivent le nom ou le pronom auquel ils se rapportent.

    *Les enfants except**és**, tout le monde s'est amusé.*

    (*Exceptés* est adjectif et s'accorde avec *enfants*.)

  Toutefois, ils sont invariables lorsqu'ils précèdent immédiatement le nom ou le pronom auquel ils se rapportent, car ils ont alors valeur de préposition.

    *Except**é** les enfants, tout le monde s'est amusé.*

    (*Excepté* est une préposition ; *Excepté les enfants* est ici un GPrép complément de phrase.)

- *Ci-joint, ci-inclus* et *ci-annexé* sont invariables quand on leur donne une valeur adverbiale ; ils sont alors placés en tête de phrase. Ils sont aussi invariables quand ils se trouvent à l'intérieur de la phrase, devant un nom sans déterminant.

    *Ci-join**t** les documents que vous avez demandés.*

    *Vous trouverez ci-join**t** copie de mon curriculum vitæ.*

  L'accord est facultatif lorsqu'ils sont placés à l'intérieur de la phrase devant un nom précédé d'un déterminant.

    *Vous trouverez ci-join**t(s)** les documents que vous avez demandés.*

  Ils sont variables quand ils sont placés après le nom ou le pronom auquel ils se rapportent.

    *Veuillez consulter les documents ci-join**ts**.*

- Pour *étant donné*, l'usage admet l'accord ou l'absence d'accord.

    *Étant donn**é** (donn**ées**) les circonstances, on a décidé de fermer l'école pour la journée.*

EXERCICE 7.37

Accordez, s'il y a lieu, les adjectifs contenus dans les phrases suivantes.

1 La note ci-joint _____ contient les informations nécessaires.

2 Passé _____ dix-sept heures, nos bureaux sont fermés.

3 Étant donné _____ les faits rapportés par les témoins,

le juge a condamné Claude à 10 jours de prison.

4 Vu _____ la grande compétence de cette candidate, nous avons décidé de l'embaucher.

5 Veuillez trouver ci-joint _____ les rapports des évaluateurs.

Adjectif et participe présent

L'adjectif issu d'un participe présent est variable et reçoit le genre et le nombre du nom ou du pronom avec lequel il est en relation. Le participe présent, quant à lui, est un verbe ; il est invariable et se termine toujours par *-ant*.

> *Nous sommes arrivés la journée **précédente**.*
>
> (L'adjectif *précédente* est complément du nom *journée*.)

> *Nous sommes arrivés la journée **précédant** le concours.*
>
> (Le mot *précédant* est un participe présent invariable.)

Le participe présent étant un verbe, on peut l'employer avec la négation *ne... pas*. On peut ainsi le distinguer de l'adjectif issu d'un participe présent.

Adjectif	Participe présent
*Nous sommes arrivés la journée **ne** précédente **pas**.*	*Nous sommes arrivés la journée **ne** précédant **pas** le concours.*

EXERCICE 7.38

Complétez les phrases suivantes avec le participe présent du verbe entre parenthèses ou avec l'adjectif qui en est dérivé et accordez-le s'il y a lieu.

1 À un certain âge, nombreux sont les élèves qui suivent leurs cours en (somnoler) _____ un peu.

2 Quelle journée (fatiguer) _____ !

3 Le lundi matin, elle faisait le tour du bureau, réprimandant l'un, secouant l'autre, et (fatiguer) _____ tout le monde dès le début de la semaine.

4 Il avait complètement perdu le gout de la vie, (négliger) _____ jusqu'à sa précieuse collection de timbres.

5 Chaque automne le ramenait inchangé, toujours aussi nonchalant, toujours aussi (négliger) _____ de sa femme.

6 Nos dates de passage à Montréal ne (coïncider) _____ pas, il nous faut encore une fois remettre notre rencontre.

7 Si vous acceptez une retraite anticipée, vous aurez droit à une prime de départ (équivaloir) _____ à deux ans de salaire.

8 Ces deux cours sont tout à fait (équivaloir) _____ .

9 C'est d'un ton (déférer) _____ qu'il s'adressa au président.

10 Leurs conclusions (diverger) _____ complètement, ils demandèrent l'avis d'un troisième spécialiste.

11 Les deux spécialistes parvinrent à des conclusions totalement (diverger) _____ .

12 C'était un conteur né, (exceller) _____ à vous faire courir les plus longs frissons dans le dos.

13 Ce n'est pas en (influer) _____ sur lui que vous aurez gain de cause.

14 Au cours (précéder) _____ , nous avons traité du nom.

15 (Précéder) _____ les voitures officielles, une véritable armée de motocyclistes pétaradaient.

7.3.2 L'accord du déterminant

Comme l'adjectif, le déterminant reçoit son genre et son nombre du nom auquel il se rapporte.

Le potager, *la* citrouille, *les* petits pois (Déterminants définis)

Son ordinateur, *sa* voiture, *ses* dossiers (Déterminants possessifs)

Ce temps-là, *cette* fois-là, *ces* temps-ci (Déterminants démonstratifs)

Quel homme! *Quelle* femme! *Quels* beaux enfants! (Déterminants exclamatifs)

Le déterminant numéral

- Les déterminants numéraux sont invariables à l'exception des déterminants *un*, *vingt* et *cent*.
  - Le déterminant numéral *un* varie en genre.

    *Quarante-et-un**e** jeunes femmes faisaient partie du groupe.*

– On ajoute un *s* à *vingt* et à *cent* s'ils sont multipliés par un nombre et s'ils ne sont pas suivis d'un autre déterminant numéral ou des noms *million* ou *milliard*.

> *À quatre-vingt**s** ans, elle avait vingt petits-enfants.*
>
> *À quatre-vingt-un ans, elle en avait vingt-et-un.*
>
> *J'ai gagné deux-cent**s** dollars à la loterie.*
>
> *L'entreprise a perdu deux-cent-millions de dollars.*
>
> *L'entreprise a perdu quatre-vingt-milliards de dollars.*

● Le nombre *mille* est invariable.

> *trois-mille ans*

● Les mots *million* et *milliard* sont des noms. Ils ne suivent donc pas la règle d'écriture de *vingt* et *cent* et prennent toujours un *s* s'ils sont multipliés par un nombre.

> *trois-million**s**-deux-cent-quatre-vingt-mille dollars*
>
> *quatre-milliard**s**-cinq-cent-million**s** de personnes*

À NOTER

L'écriture des déterminants numéraux a fait l'objet de rectifications orthographiques. Tous les éléments des déterminants numéraux composés, y compris les noms *million* et *milliard*, doivent désormais être liés par un trait d'union. (Exception : on peut écrire *un-million* ou *un million*.)

Pour connaitre les règles traditionnelles concernant les déterminants numéraux, voir le tableau « Nombres » dans le *Multi* ou les différentes pages sur les nombres dans la *BDL*.

EXERCICE 7.39

Transcrivez les nombres suivants en lettres.

1 21 _____

2 80 _____

3 85 _____

4 200 _____

5 320 _____

6 3 000

7 3 800

8 3 000 000

9 80 000 000

10 200 489 000

7.4 L'ACCORD DE TOUT, MÊME, QUELQUE ET TEL

Certains mots présentent des difficultés d'accord parce qu'ils peuvent appartenir à plus d'une classe. Le scripteur doit d'abord reconnaitre la classe grammaticale à laquelle ces mots appartiennent avant de décider s'il doit ou non les accorder. C'est le cas notamment des mots *tout*, *même*, *quelque* et *tel*.

7.4.1 L'accord de tout

Tout déterminant

Quand il est déterminant, *tout* fait partie d'un GN et reçoit le genre et le nombre du nom avec lequel il est en relation. Au singulier, il peut prendre le sens de «chaque» ou de «en entier», alors qu'au pluriel, il exprime la totalité du nombre. Il peut précéder immédiatement le nom.

> **Tout** *effort mérite une récompense.*
>
> *En* **toutes** *circonstances, assurez-vous de garder l'anonymat.*

Il peut aussi être séparé du nom par un autre déterminant.

> **Tous mes** *espoirs ont été anéantis.*
>
> *J'ai lu* **toute la** *collection.*

À NOTER

Le déterminant *tout* reste invariable devant un nom d'auteur ou un nom de ville lorsque le GN désigne l'ensemble des œuvres ou des habitants.

> *Il a lu* **tout** *Anne Hébert.* (**Tout** *Anne Hébert* = toutes ses œuvres)
>
> **Tout** *Montréal était au rendez-vous.* (**Tout** *Montréal* = tous les Montréalais)

Tout adverbe

Tout est adverbe et invariable lorsqu'il modifie un adjectif. Il fait alors partie d'un GAdj et on peut l'effacer (l'adverbe *tout* est une expansion du noyau du GAdj). Il exprime alors l'intensité ou la totalité de la qualité exprimée.

> *Jean et Nicole étaient* **tout** *heureux de mon bonheur.*

> *Françoise est* **tout** *étonnée de la lettre qu'elle a reçue.*

Cependant, et c'est là la **seule** exception à l'invariabilité des adverbes, *tout* est variable lorsqu'il modifie un adjectif féminin commençant par une consonne ou un *h* aspiré.

> *Elles étaient* **toutes** *honteuses de leur résultat.*

> *Sylvie était* **toute** *consternée.*

À NOTER

Le *h* est-il aspiré ou muet ?

Pour savoir si un *h* est aspiré ou non, il faut consulter un dictionnaire.

Par exemple, le *Petit Robert* indique qu'un mot commence par un *h* aspiré en ajoutant une apostrophe devant la transcription phonétique de ce mot. Le *Multi*, pour sa part, ajoute la mention (*h* aspiré) après le mot. Le *h* dit « aspiré » est l'équivalent d'une consonne, alors que le *h* muet correspond à une voyelle. Si vous n'avez pas de dictionnaire sous la main, il suffit d'employer le déterminant *le/la* devant le nom de même famille que l'adjectif. Si le déterminant s'élide, comme il le ferait devant une voyelle, le *h* est muet.

> ***l'***habit (non pas *le habit)

On écrira donc :

> *Elle dort* **tout** *habillée.*

Si le déterminant ne s'élide pas, comme devant une consonne, le *h* est aspiré.

> ***la*** honte (et non *l'honte)

On écrira donc :

> *des petites filles* **toutes** *honteuses*

Devant des noms et des expressions à valeur adjectivale, *tout* est adverbe et invariable.

> *Ils sont* **tout** *obéissance avec moi.*

> *Elle était* **tout** *yeux* **tout** *oreilles.*

Tout devant *autre*

Tout devant *autre* peut être déterminant ou adverbe. Lorsque l'expression *tout autre* a le sens de « n'importe quel autre », *tout* est déterminant ; on peut d'ailleurs le remplacer par le déterminant indéfini *un* ou *une*. Il s'accorde avec le nom avec lequel il est en relation.

> **Toute** *autre personne* (**Une** *autre personne*) *aurait agi différemment.*
> *Pour accompagner ce plat,* **tout** *autre légume* (**un** *autre légume*) *peut remplacer les pommes de terre.*

Lorsque l'expression *tout autre* signifie « tout à fait autre », « tout à fait différent », *tout* est adverbe et invariable. On peut donc l'effacer.

> *C'est une* **tout** *autre raison qu'il m'a donnée.*
> *C'est une* Ø *autre raison qu'il m'a donnée.*

Tout pronom

Comme pronom, *tout* prend le genre et le nombre du mot ou du groupe de mots qu'il représente.

> *Les syndiqués se sont-ils réunis hier ? Oui,* **tous** *étaient présents.*
> *Ces femmes ont du courage.* **Toutes** *ont la charge d'une famille nombreuse.*

Au singulier, il est surtout employé nominalement, c'est-à-dire qu'il ne rappelle pas quelque chose que l'on a évoqué auparavant. Il est toujours masculin.

> **Tout** *est parfait.*
> *Chez lui,* **tout** *respire la joie de vivre.*

 Voir le tableau « Tout, Accord de » dans le *Multi*.

EXERCICE 7.40

Dites à quelle classe appartient le mot *tout* dans les phrases suivantes.

1 **Tout** le groupe était en colère contre moi.

_____

2 Elles étaient **tout** époustouflées de mon audace.

_____

3 **Tout** doit être payé la semaine prochaine.

_____

4 Cet enfant est **tout** pour moi.

_____

5 **Tout** autre que lui m'aurait invitée à danser.

_____

6 Il a dépouillé **tout** le courrier.

_____

7 **Tout** est si passionnant en Alaska.

_____

8 Il est encore **tout** feu **tout** flamme à son égard.

_____

9 Je ne porte que des chandails **tout** laine.

_____

10 **Tout** enfant doit obéir à ses parents.

_____

EXERCICE 7.41

Complétez les phrases suivantes à l'aide du mot _tout_ et faites les accords qui s'imposent.

1 Ce n'est pas parce qu'elle a lu _____ Agatha Christie qu'elle doit se prendre pour Hercule Poirot.

2 _____ ses ennuis ont commencé lorsqu'il l'a rencontrée.

3 _____ restèrent médusés devant son accoutrement.

4 Si vous remplissez _____ les conditions, je vous rappellerai.

5 Au début, elle me parlait _____ gentiment, maintenant,

elle est _____ autre.

6 Les carreaux sont _____ cassés, je me demande ce qui s'est passé.

7 J'ai _____ confiance en lui.

8 _____ les livres ont volé dans les airs. J'en suis encore _____ remuée.

9 _____ étonnée, madame Lambert accepta le colis.

10 D'où viennent Claire et Lucie ? Elles sont _____ halées !

11 Elle en est restée _____ hébétée.

12 _____ vos caprices commencent à m'énerver.

13 _____ calorie vide doit être évitée.

14 J'ai frappé à _____ les portes.

15 Enfin, _____ est fini !

7.4.2   L'accord de _même_

Même **adjectif**

Même est adjectif et variable lorsqu'il est en relation avec un nom ou un pronom (auquel il est joint par un trait d'union) et qu'il désigne l'identité ou la ressemblance.

> _Elle portait les **mêmes** vêtements que sa sœur._
>
> _Elles se fient trop à elles-**mêmes**._

Même **adverbe**

Même est adverbe et invariable lorsqu'il a le sens de « aussi », « de plus », « jusqu'à ». Il peut modifier :

- un nom dont il est séparé par un déterminant
  > _**Même** les histoires de fantômes ne lui faisaient pas peur._
- un adjectif
  > _**Même** épuisés, les soldats n'arrivaient pas à dormir._
- un verbe
  > _Ils hurlaient, piaffaient **même**._
- une phrase
  > _Et **même**, il avait encore le temps d'aller au cinéma._

À NOTER

Les grammairiens ne s'entendent pas sur la classe de *même* lorsqu'il suit un nom pré-cédé d'un déterminant. Certains le considèrent comme adjectif et conseillent l'accord, d'autres lui donnent une valeur adverbiale et recommandent l'invariabilité. C'est l'intention de l'auteur qui doit guider l'accord, qui est facultatif.

> *Ces enfants même**s** racontaient les évènements.*
>
> (= *Ces enfants eux-mêmes* : *mêmes* est adjectif.)

Cependant, quand on peut placer le mot *même* devant le déterminant et le nom, il s'agit de l'adverbe et *même* reste invariable.

> *Les hommes, les femmes, les enfants même furent massacrés.*
>
> (= *même les enfants* : *même* est adverbe.)

Même pronom

Même pronom ne se rencontre qu'avec le déterminant défini *le/la/les* et est généralement attribut du sujet.

> *Ce sont **les mêmes** qui ont assassiné mon père.*

 Voir l'article « Même » dans le *Multi*.

EXERCICE 7.42

Dites à quelle classe appartient le mot *même* dans les phrases suivantes.

1 **Même** le couronnement de la reine ne l'a pas intéressé.

2 Il raconte toujours la **même** histoire.

3 Il tiendra probablement à faire le travail lui-**même**.

4 **Même** en portant ses lunettes, elle n'y voit rien.

5 Et **même**, elle a réussi à déjeuner avec lui.

_____

6 C'est le **même** règlement pour tout le monde.

_____

7 **Même** le chien ne voudrait pas y gouter.

_____

8 **Même** heureuse, elle a toujours cet air renfrogné.

_____

9 Il est **même** arrivé à nous faire croire qu'il avait eu un accident.

_____

10 Je ne crois qu'en moi-**même**.

_____

EXERCICE 7.43

**Complétez les phrases suivantes à l'aide du mot _même_ et faites les accords
qui s'imposent.**

1 _____ déchainés, la mer et le fleuve étaient pour lui des alliés.

2 Parfois, ils arrivaient _____ à faire des profits.

3 J'éprouvais envers elle les _____ sentiments qu'envers ma mère.

4 Quel enfant blasé! Les funambules, les acrobates, les femmes à barbe _____
ne l'impressionnent pas.

5 _____ vos chaussettes sont boueuses.

6 Ils ont construit eux-_____ leur maison.

7 J'espère _____ qu'ils seront pénalisés pour ce qu'ils ont fait.

8 Ce sont ces bijoux _____ qui m'ont été volés.

9 _____ murs, les avocats sont indigestes.

10 Madame, c'est vous-_____ qui me l'avez proposé.

7.4.3 L'accord de *quelque*, *quel que* et *quelque… que*

Quelque déterminant

L'orthographe de *quelque* présente des difficultés particulières du fait qu'à l'oral, il se confond avec le déterminant *quel* suivi de *que*.

Quelque est déterminant et s'écrit en un seul mot lorsqu'il a le sens de « un certain » au singulier et de « un petit nombre » au pluriel. Comme tout déterminant, il reçoit le genre et le nombre du nom avec lequel il est en relation. On peut le remplacer par un autre déterminant (*des*, *ces*, *un*, etc.).

> Il a joué **quelque** personnage (**un** personnage) ténébreux dans cette pièce.
>
> J'ai apporté **quelques** fruits (**des** fruits) pour le dessert.

Quel que s'écrit en deux mots lorsqu'il est accompagné d'un verbe attributif au subjonctif (généralement *être*, parfois des verbes semi-auxiliaires tels *devoir*, *pouvoir*). Il signifie « peu importe », et *quel* est attribut du sujet. *Quel* reçoit donc le genre et le nombre du sujet.

> **Quelles que** soient les difficultés, j'y arriverai.
>
> (*Quelles* est attribut du sujet *les difficultés*, féminin pluriel.)
>
> **Quel que** soit votre problème, n'hésitez pas à m'appeler.
>
> (*Quel* est attribut du sujet *votre problème*, masculin singulier.)

Quelque adverbe

Placé devant un nombre, *quelque* est un adverbe qu'on peut effacer ou remplacer par l'adverbe *environ*. Il est par conséquent invariable.

> Ils ont invité **quelque** deux-cents personnes à leur mariage.
>
> Ils ont invité   Ø   deux-cents personnes à leur mariage.
>
> Ils ont invité **environ** deux-cents personnes à leur mariage.

 Voir les tableaux « Quel » et « Quelque » dans le *Multi*.

EXERCICE 7.44

Complétez les phrases suivantes avec *quelque* ou *quel que* et faites les accords qui s'imposent.

1 Rendez-vous dans _____ heures devant le chalet des Poulin !

2 J'aime les enfants, _____ ils soient.

3 Il y aura _____ cent questions à l'examen.

4 Nous avons reçu _____ centaines de lettres.

5 _____ fillettes s'amusaient sur la plage.

6 Depuis _____ temps, les lapins ne touchent plus aux carottes.

7 _____ soit l'heure, vous êtes toujours attendu chez moi.

8 Que veux-tu que je fasse de ces _____ poireaux rachitiques ?

9 _____ soient vos récriminations, je n'y accorde aucun intérêt.

10 Ce poulet pèse _____ huit-cents grammes.

L'expression *quelque… que*

Dans l'expression *quelque… que*, toujours suivie du subjonctif, *quelque* s'écrit en un seul mot. *Quelque… que* est adverbe et invariable devant un adjectif ou un autre adverbe si on peut le remplacer par *si* ou *aussi*.

> **Quelque** repentis **qu'**ils soient, je ne leur ferai plus confiance.
>
> **Si** repentis **qu'**ils soient, je ne leur ferai plus confiance.
>
> **Quelque** prudemment **qu'**il conduise, je m'en méfie.
>
> **Si** prudemment **qu'**il conduise, je m'en méfie.

Il est déterminant et variable devant un nom, que ce nom soit précédé ou non d'un adjectif ; il a alors le sens de « peu importe ».

> **Quelques** vêtements **qu'**il porte, il a toujours l'air ridicule.

EXERCICE 7.45

Complétez les phrases suivantes avec l'expression *quelque… que* et faites les accords qui s'imposent.

1 _____ importantes _____ soient vos raisons, vous resterez jusqu'à la fermeture.

2 _____ raisons _____ vous évoquiez, vous resterez jusqu'à la fermeture.

3 _____ agréables _____ soient vos manières,
vous n'en faites toujours qu'à votre tête.

4 _____ joliment _____ vous vous habilliez,
il n'en demeure pas moins que vous dilapidez mon argent.

5 _____ sentiments _____ vous ressentiez
à son égard, ne les laissez jamais paraitre.

EXERCICE 7.46

**Complétez les phrases suivantes avec le mot ou l'expression qui convient
et faites les accords qui s'imposent.**

1 Il ne reste plus que _____ centaines de personnes
dans cette communauté.

2 _____ soient les bénéfices que me procurera cette affaire,
j'en subirai aussi _____ ennuis.

3 Il a accumulé _____ cent-cinquante points à la dernière
compétition.

4 Il faut s'attendre à _____ bêtise de sa part.

5 _____ beignes trainaient sur la table. _____
rassis _____ ils fussent, je les dévorai avec avidité.

6 _____ fragiles _____ elles soient,
les femmes sont plus résistantes que les hommes.

7 Dans _____ minutes, cette bombe va exploser.

8 _____ soient vos maladresses, je vous les pardonne
à la condition que vous me rendiez _____ services.

9 A-t-il encore _____ espoir de la changer ?

10 Est-ce que quelqu'un a dit que l'accord de _quelque_ présentait _____
difficultés ?

7.4.4 ## L'accord de *tel*, *tel que* et *tel quel*

C'est seulement lorsque *tel* et *tel que* établissent une comparaison entre deux termes que l'on peut hésiter pour leur accord : avec lequel des deux termes s'accordent-ils ? Avec celui qui précède ou avec celui qui suit ?

En fait, la règle est simple : *tel* s'accorde avec le nom qui le suit et *tel que* s'accorde, dans la majorité des cas, avec celui qui le précède.

> ***Telle*** *une hirondelle, le petit Nicolas s'envola sous les yeux de sa mère.*
>
> *Hélène ondulait dans l'eau* ***tel*** *un serpent de mer.*
>
> *Il n'attrapait que des insectes* ***tels que*** *les libellules.*
>
> *On en a fait plusieurs traductions* ***telles que*** *Le rendez-vous manqué.*

Autrement, c'est-à-dire lorsque *tel* caractérise un seul objet, c'est avec lui qu'il s'accorde.

> ***Telle*** *avait été ma destinée.* (Attribut du sujet)
>
> *Je la croyais* ***telle***. (Attribut du CD)
>
> ***Telle quelle***, *cette robe ne me plait pas.* (Complément du nom)

  Voir le tableau « Tel » dans le Multi.

EXERCICE 7.47

Accordez correctement *tel*, *tel que* ou *tel quel* dans les phrases suivantes.

1. Il adore les mollusques _____ les moules et les huitres.

2. Je t'avais pourtant demandé de laisser mes livres _____.

3. Lucie sautait de roche en roche _____ un crapaud.

4. _____ sont les recommandations de votre oncle.

5. Le ballon monta au ciel _____ une fusée.

6. Charmante et détendue : _____ était Claire avec ses intimes.

7. J'ai besoin que l'on me reconnaisse _____ je suis réellement.

8. _____ un phare, l'étoile nous guidait à travers champs.

9 Il a dit que les fruits _____ la tomate et l'avocat sont de nature hybride.

10 Des grammaires _____ le *Précis* sont-elles vraiment utiles aux étudiants ?

EXERCICE 7.48   Récapitulation

Complétez les phrases suivantes à l'aide du mot *tout* et faites les accords qui s'imposent.

1 Essayez de relever _____ les erreurs.

2 _____ Sherbrooke était en émoi.

3 _____ endimanchée, Suzanne trottinait derrière ses parents.

4 Nous avons atteint notre objectif : ils ont _____ répondu à notre appel.

5 _____ générosité cache un sentiment de culpabilité.

6 Depuis qu'elle est revenue de Grèce, Hélène est _____ resplendissante.

7 _____ autre employée aurait profité de l'occasion.

8 Il me regarda avec ses yeux de vieillard, de petits yeux _____ humides.

9 Vous devez remettre à l'agent _____ vos effets personnels.

10 Dans Facebook, il faut accorder une attention _____ particulière aux réglages de confidentialité.

EXERCICE 7.49   Récapitulation

Complétez les phrases suivantes à l'aide du mot *même* et faites les accords qui s'imposent.

1 _____ timides, les enfants sont toujours spontanés.

2 Il nous a servi les _____ balivernes qu'à toi.

3 Ils ont protesté et sont _____ allés jusqu'à prétendre que vous aviez monté toute l'affaire.

4 Ils vous diront eux-_____ ce qui ne va pas.

5 _____ ses proches souhaitent son départ.

EXERCICE 7.50   Récapitulation

Quelque, quel… que et *quelque… que* : utilisez la locution ou le mot qui convient dans les phrases qui suivent et faites les accords qui s'imposent.

1 _____ soit la subvention que l'on m'accordera, j'irai au colloque l'été prochain.

2 Venez vers les sept heures ; je reçois _____ collègues à souper.

3 Ajoutez _____ pruneaux à l'armagnac et le menu sera complet.

4 _____ gentils qu'ils soient, leurs manières laissent à désirer.

5 Il a fait _____ trente degrés Celsius cette nuit.

6 Madame a reçu hier soir _____ mystérieux visiteur ; n'en dites surtout rien à Monsieur.

7 _____ habiles ménagères réussissaient pourtant à lui soustraire de la farine et des œufs.

8 _____ soit son ambition, elle ne réussit pas à terminer ce doctorat.

9 _____ ambitieuses qu'elles soient, elles ont de la peine à terminer leur doctorat.

10 Il faudrait que j'emprunte _____ deux-mille dollars à mon père.

EXERCICE 7.51   Récapitulation

Complétez les phrases suivantes à l'aide de *tel*, *tel que* ou *tel quel* et faites les accords qui s'imposent.

1 Il est certain que les patients qui ont subi des interventions chirurgicales rapprochées

développent une accoutumance à des drogues _____
la morphine.

2 J'ai levé les yeux et j'ai aperçu Marie et Lise suspendues, _____
de petits singes, aux branches du peuplier.

3 Si vous n'acceptez pas cette marchandise _____ , je vous
poursuis pour n'avoir pas respecté les clauses de votre contrat.

4 À 85 ans, ma mère était restée _____ elle avait toujours été :
enthousiaste, optimiste et débordante d'énergie.

5 Des surprises _____ celles-là, je m'en passerais bien !

Partie 3
Le lexique

Chapitre 8

L'évolution des mots

Le lexique, c'est l'ensemble des mots d'une langue donnée, la banque des mots existant dans cette langue, en quelque sorte. Les mots décrivent la réalité et, comme celle-ci évolue, le lexique français, comme celui de toutes les langues, est en perpétuelle évolution. Tout mot est en effet susceptible de se charger de sens nouveaux ; certains mots disparaissent de l'usage, d'autres apparaissent…

L'histoire du vocabulaire, c'est en fait celle de l'adaptation constante des outils d'expression à la pensée. Les mots vieillissent, s'usent ; leur valeur expressive peut s'atténuer ou se modifier, ce qui provoque parfois leur remplacement par des mots nouveaux, décrivant mieux les réalités nouvelles qu'on cherche à désigner. C'est avant tout cette nécessité d'exprimer des idées nouvelles ou de décrire des objets nouveaux qui sert de moteur à l'évolution du lexique et contribue à son « rajeunissement », soit par la création de mots, soit par l'adaptation de mots existants.

Personne ne peut prétendre posséder tout le lexique français. Chacun puise dans cette banque les mots dont il a besoin et en maitrise de ce fait une partie seulement. Il suffit d'ouvrir un dictionnaire et d'en lire ne serait-ce qu'une page pour mesurer son ignorance (mais aussi pour se rassurer sur ses compétences !). L'apprentissage du lexique n'est de toute façon jamais terminé : toute sa vie on apprendra de nouveaux mots et on butera sur des mots inconnus qu'on apprendra à connaitre et à utiliser.

Il faut par ailleurs faire la distinction entre le vocabulaire actif et le vocabulaire passif. Le vocabulaire actif, c'est le vocabulaire qu'on utilise régulièrement et qu'on maitrise donc bien. Tout le monde possède aussi ce qu'on appelle un vocabulaire passif, c'est-à-dire des mots qu'on connait, qu'on reconnait lorsqu'on les voit écrits, dont on peut définir le sens, mais qu'on n'utilise pas forcément. C'est souvent le vocabulaire qu'on acquiert en lisant. Ne dit-on pas que les gens qui lisent beaucoup ont en général un vocabulaire plus étendu que ceux qui lisent moins ?

En matière de vocabulaire, ce qui compte, c'est bien sûr de connaitre un grand nombre de mots, mais ce n'est pas tout ! Il faut aussi savoir que les mots ont souvent plusieurs sens, plusieurs utilisations possibles. Combien, par exemple, connaissent toute la richesse du simple verbe *faire*, qui occupe près de deux pages dans le *Petit Robert* ? On doit également savoir, comme vous le verrez dans les chapitres suivants, que le vocabulaire est marqué par des registres, des variations régionales, des variations dans le temps ; que, ce qui conditionne l'emploi, en plus du sens du mot, c'est le contexte dans lequel il est utilisé.

Dans ce chapitre, nous ferons le tour des différents modes de formation des mots. Cet apprentissage n'est pas une fin en soi ; au contraire, il vise à vous aider à comprendre des mots que vous voyez ou entendez pour la première fois ou encore que vous connaissez mal. Il vous aidera aussi à trouver par raisonnement le mot que vous cherchez ; en somme, il vous mettra en position de force face au lexique français. Mais d'abord, rappelons brièvement d'où vient le français et comment son vocabulaire s'est constitué.

8.1 L'ÉVOLUTION DU FRANÇAIS

Depuis quand la langue française existe-t-elle ? Ou depuis quand parle-t-on d'une langue française, puisqu'elle n'est pas apparue d'un seul coup ? On sait qu'elle est née sur le territoire français, autrefois la Gaule. Remontons un peu le cours des siècles.

8.1.1 Les origines

Tous ceux qui connaissent *Astérix* ont déjà entendu parler de la Gaule, des Gaulois et de la présence des Romains en Gaule. Tout cela est vrai : aux environs de l'an 50 avant l'ère chrétienne, les Romains conquirent la Gaule et y introduisirent le latin. Conséquence de la colonisation romaine, les villes, où affluaient colons, commerçants et fonctionnaires, devinrent avec le temps toutes latines. À partir des villes, l'usage de la langue des conquérants se diffusa peu à peu dans toute la Gaule. Si la romanisation de la Gaule fut progressive, elle n'en fut pas moins efficace : au Ve siècle de notre ère, le latin avait complètement supplanté les anciens dialectes gaulois.

Le latin dont est issu le français était le latin parlé par la population, latin dit « vulgaire ». Le latin ne survécut cependant pas longtemps tel quel sur le territoire gaulois. Par suite de la désintégration de l'Empire romain à la fin du Ve siècle, le latin se scinda en plusieurs idiomes (dont le roman, ancêtre du français) qui sont devenus les langues romanes qu'on connait aujourd'hui : le français, l'italien, l'espagnol, le roumain et le portugais.

Issu donc de cette « décomposition » du latin vulgaire à la fin du Ve siècle, le français s'élabora ensuite lentement, aux temps troubles des monarchies françaises. Le dialecte de l'Île-de-France (la région parisienne), qui était le français parlé par la royauté, devint la langue dominante. Au fil des siècles, le français continua de se transformer pour devenir la langue que nous connaissons aujourd'hui. Cette évolution se poursuit et ne cessera jamais : si, aujourd'hui, on lit avec peine le français du XVIe siècle, consolons-nous en nous disant que, dans quatre siècles, nos descendants ne nous liront sans doute pas plus facilement...

8.1.2 Le fonds primitif

Le français étant une langue romane, c'est-à-dire résultant de l'évolution et de la transformation phonétique graduelle du latin introduit en Gaule par les Romains, l'essentiel de son lexique est d'origine latine. C'est le cas, entre autres, de la majorité des déterminants, pronoms, prépositions et conjonctions, et des mots les plus courants.

Un petit nombre de mots gaulois (environ 450) ont survécu à l'invasion romaine, se sont intégrés à ce fonds primitif latin et ont évolué avec lui : *chêne, bouleau, ruche* et *charrue*, par exemple, nous viennent du gaulois.

À ce fonds primitif latin se sont également ajoutés des mots d'origine germanique empruntés soit par le latin vulgaire, avant les invasions germaniques, soit par le latin parlé en Gaule au moment de ces invasions, au Ve siècle. *Balle, barrière, gibier, gagner* et *brochet* sont quelques-uns des mots d'origine germanique qui ont ainsi contribué à la formation du lexique primitif.

8.1.3 Les emprunts du passé

Tous les mots du lexique français ne sont pas d'origine gauloise, latine ou germanique. Le français s'est aussi annexé des termes empruntés à d'autres langues avec lesquelles il s'est trouvé en contact au cours de son histoire.

Les langues classiques (latin et grec)

À partir du XIIe siècle, le français a emprunté des mots au latin écrit, dit « savant » ou « classique ». Ces mots ont ceci de particulier qu'ils n'ont pas suivi l'évolution phonétique des mots empruntés au latin vulgaire (ou populaire) et qui constituent le fonds primitif. On les a en effet transposés directement dans la langue française en se contentant de franciser leurs terminaisons. *Naviguer, fragile, priorité* sont des exemples de ce type d'emprunt.

L'influence du latin a été particulièrement forte aux XVe et XVIe siècles, époque où le latin classique était très prestigieux ; cette influence ne s'est toutefois jamais démentie, notamment dans le domaine des sciences.

Le grec a lui aussi beaucoup influencé le français, surtout à partir du XIVe siècle. Son influence s'est particulièrement fait sentir dans le domaine des sciences, mais aussi dans le vocabulaire de la philosophie et dans celui de la médecine. *Hygiène, hypothèse* et *symptôme* sont des exemples d'emprunts faits au grec.

Encore aujourd'hui, des préfixes et des suffixes empruntés au grec et au latin servent à la formation de mots nouveaux. Ainsi, les suffixes *-al, -ation* et *-ateur* sont d'origine latine ; *télé-, -graphie,* et *-logie* viennent du grec. Nous étudierons les éléments de formation grecs et latins en détail un peu plus loin dans ce chapitre.

Les langues vivantes

L'italien (du XIVe au XVIIe siècle) et l'anglais (à partir du XVIIIe siècle) ont eu une influence considérable sur le français. À l'italien, on doit des mots tels que *balcon, bouffon, carnaval* et *vedette*. L'anglais a donné des mots comme *vote, clown, handicap* et *chèque*.

Le français a également emprunté à l'allemand *(choucroute, fauteuil)*, à l'espagnol *(guitare, moustique)*, à l'arabe *(alcool, chiffre)*, au flamand et au néerlandais *(boulevard, matelot)*, au portugais *(banane, acajou)*, etc.

8.1.4 Les emprunts contemporains

Comme nous venons de le voir, le français a emprunté des mots à plusieurs langues au fil des siècles. Ces emprunts sont légitimes et utiles, puisqu'ils permettent à notre langue d'évoluer. Par le passé, les langues occidentales ont emprunté au grec et au latin, puis au français, lequel a longtemps été la langue dominante dans le monde occidental. Aujourd'hui, c'est l'anglo-américain, langue du commerce et des sciences, qui domine, et prédomine même en cette ère de mondialisation et de cyberespace. Il est donc normal que le français moderne emprunte à l'anglais, comme autrefois l'anglais a emprunté au français à la suite de la conquête de l'Angleterre par les Normands au XIe siècle. Mais alors pourquoi parle-t-on tellement d'anglicismes si emprunter ne représente pas une faute en soi ? Jusqu'où et dans quelles circonstances l'emprunt est-il justifiable ? Abordons la question sous l'angle pratique.

Faites-vous une différence entre les deux phrases suivantes ?

> *Hier soir, j'ai écouté un excellent concert de **jazz**.*
>
> *Lili a passé un ***casting** à Montréal pour tourner dans une production sino-canadienne.*

Jazz est un mot anglais qui désigne une réalité, à l'origine, américaine. *Jazz* est donc venu enrichir la langue française en exprimant une réalité nouvelle qu'aucun mot ne représentait encore. *Casting,* au contraire, est emprunté indûment, puisque son équivalent, *audition,* existe dans notre langue. Il faut donc bien faire la distinction entre emprunts légitimes (mots français d'origine anglaise) et anglicismes (emprunts non justifiés).

Quand un Français dit qu'un chanteur fait son *come-back* en sortant un tout nouveau *single*, il commet des anglicismes de la même manière que le Québécois ou le Canadien français qui est *down* parce qu'il a été *slacké* par son *boss*. En Amérique du Nord, comme nous sommes entourés d'anglophones, nous risquons davantage d'utiliser à notre insu des anglicismes. En effet, les anglicismes se trouvent un peu partout et prennent plusieurs formes : outre les anglicismes lexicaux vus plus haut, il existe des anglicismes orthographiques (*exercise* au lieu d'*exercice*), des anglicismes de prononciation (le mot *zoo* prononcé *[zu] comme dans *genou* plutôt que [zo] comme dans *eau*), des calques de structure (*être en charge de* au lieu d'*être chargé de*), des anglicismes de sens (*éventuellement* utilisé dans le sens de *ultimement*). Dans le chapitre 11, consacré aux écarts lexicaux, vous verrez ces différents problèmes dans le détail. Pour l'instant, revenons à l'histoire des mots dans notre langue et étudions la façon dont ils se forment.

8.2 LA CRÉATION DES MOTS

Dès qu'apparait une nouvelle réalité, le besoin de la nommer se fait pressant. Tout mot nouveau qui apparait ainsi dans la langue est un néologisme. Il en existe deux types : les néologismes lexicaux et les néologismes sémantiques. Les premiers correspondent à de véritables créations de mots nouveaux *(altermondialisation)* ; les seconds sont créés simplement en donnant un sens nouveau à un mot qui existe déjà dans la langue *(baladeur)*. Les néologismes sont un phénomène tout à fait normal dans l'évolution d'une langue : ils témoignent de sa vitalité et assurent sa survie. Car si des mots nouveaux apparaissent *(blogue, DVD, numériseur, baladodiffusion)*, d'autres disparaissent ou tombent en désuétude *(gramophone, moult, sourdre)*. On ne doit pas cependant tomber dans le travers qui consiste à créer des mots nouveaux par inflation verbale. Il n'y a pas de raison de créer des mots quand un terme existe déjà pour exprimer la réalité désignée.

Toute création de mots nouveaux doit obéir à des règles de formation bien établies. Quelles sont ces règles ? Outre les emprunts faits à d'autres langues, dont nous venons de parler, les principaux modes de formation des mots sont la **dérivation** et la **composition**. Ces deux procédés sont à la base de la formation de nombreux mots en français, particulièrement dans le domaine des sciences et de la technologie, secteur très productif dans la création de néologismes.

La **dérivation** est le procédé qui consiste à former un mot nouveau en ajoutant à un mot un élément qui n'est pas lui-même un mot et qui en modifie le sens. On appelle cet élément **préfixe** lorsqu'il se place au début du mot et **suffixe** lorsqu'il se place à la fin du mot. Au verbe *fermer*, par exemple, on peut ajouter le préfixe *re-* pour former *refermer* ; au nom *accident*, on peut ajouter le suffixe *-el* pour former l'adjectif *accident**el***.

On parle aussi de dérivation quand on forme un mot nouveau par simple changement de classe grammaticale d'un mot existant. L'adjectif *beau* et le verbe *manger*, par exemple, ont donné *le beau, le manger* par dérivation.

La **composition**, quant à elle, est le procédé qui consiste à créer un mot nouveau en combinant des mots existant déjà. Le résultat donne ce qu'on appelle les mots composés. Par exemple, *porte-bonheur* résulte de la combinaison du verbe *porter* et du nom *bonheur*, et *pomme de terre* résulte de la combinaison des noms *pomme, terre*, et de la préposition *de*. Les mots-valises, qui résultent en général du « collage » de la partie initiale d'un mot avec la partie finale d'un autre mot, sont critiqués par certains grammairiens en raison de leur construction « sauvage ». En effet, si des mots comme *publireportage* combinent des éléments signifiants (publi + reportage), ce n'est pas le cas pour des mots comme *didacticiel* (didacti + [logi]ciel), *courriel* (courri[er] + él[ectronique]), etc. Ce mode de formation a cependant une forte valeur ludique, ce qui en fait un procédé prisé en publicité, notamment.

Il existe une autre forme de composition, qu'on appelle savante parce qu'elle consiste à combiner des mots (ou racines) grecs ou latins pour obtenir un mot nouveau. Le mot *vermifuge*, par exemple, se décompose en *vermi-* et *-fuge*, qui viennent de deux mots latins *vermis* (ver) et *fugare* (éloigner). Le sens du mot *vermifuge* résulte de cette combinaison ; *vermifuge* signifie donc « qui éloigne les vers ».

Si la dérivation et la composition permettent de deviner le sens des mots qu'on ne connait pas, certains autres modes de formation ne le permettent pas toujours : pensons par exemple aux acronymes régionaux. Un étranger, même francophone, ne saisira pas le sens du mot québécois *cégep*, acronyme du syntagme *collège d'enseignement général et professionnel*. Et qui, au Canada, devinera qu'en France un *smicard* est une personne touchant le *SMIC, salaire minimum interprofessionnel de croissance* ? En revanche, plus personne aujourd'hui ne s'interroge sur le mot *sida*, pourtant acronyme de *syndrome d'immunodéficience acquise*.

Dans la suite de ce chapitre, vous allez vous familiariser davantage avec les deux principaux modes de formation des mots, la dérivation et la composition, qui sont à la base d'une grande partie du lexique français. Vous approfondirez ainsi, entre autres, votre connaissance des formants grecs et latins.

8.2.1 La dérivation

Un mot formé par dérivation peut se décomposer en plusieurs éléments : la **base** (aussi appelée **racine** ou **radical**), le ou les **préfixes** et le ou les **suffixes**.

La base

La base, c'est l'élément fondamental du mot ; elle contient l'idée générale commune à toute une famille de mots. Considérez les mots suivants :

> **fin**, **fin**al, **fin**ale, **fin**alement, **fin**aliste, **fin**ir, **fin**alité, **fin**ition, **fin**issant

On sent bien qu'il y a un élément commun à tous ces mots, une sorte de parenté entre eux. Ce qu'il y a de commun entre ces mots, c'est la base *fin* : elle crée la parenté de sens entre les mots et est de ce fait le noyau de cette famille de mots. On appelle d'ailleurs *famille de mots* l'ensemble des mots formés à partir d'un même mot, d'une même base. En voici un exemple :

> **arm**e, **arm**er, **arm**ée, **arm**ement, **arm**ure, **arm**urier, **arm**et, **arm**oire,
> **arm**oiries, **arm**oriste, **arm**orial, **arm**ateur, **arm**ature, dés**arm**er,
> dés**arm**ement, al**arm**e, al**arm**er, al**arm**ant, al**arm**iste, **arm**istice

Vous connaissez beaucoup de ces mots, sans pour autant savoir que *alarme* et *armoiries*, par exemple, appartiennent à la même famille de mots. C'est pourtant le cas, car tous ces mots viennent du latin *arma* qui a donné *arme*, base de cette famille de mots.

Dans les deux exemples précédents, les bases *fin* et *arme* ne subissent pas d'altérations dans les mots de la famille. Souvent, cependant, la base prendra des formes différentes à l'intérieur de la famille de mots. Examinez, par exemple, la famille de mots suivante :

> **écol**e, **écol**ier, **scol**aire, **scol**arité, **scol**ariser, **scol**arisation,
> **scol**astique, auto**écol**e, navire-**écol**e, etc.

Certains des mots de cette famille ont *école* pour base, d'autres *scol*. En fait, *scol* n'est qu'une forme différente de *école* ; l'élément *scol* signifie en effet « école ».

Prenons un autre exemple:

> **peupl**e, **popul**ation, **peupl**ade, **popul**arité, **popul**aire, **peupl**er, dé**peupl**er, **peupl**ement, **publ**ic, etc.

On trouve dans cette famille trois bases, différentes par la forme mais équivalentes sur le plan sémantique: *peupl, popul, publ.*

Il faut toutefois distinguer entre **famille de mots** proprement dite (ou famille étymologique) et **champ sémantique** d'un mot. Une famille de mots est formée de dérivés et de composés issus d'une base commune, ayant la même origine. Ainsi, les mots

> **cœur**, é**cœur**er, é**cœur**ement; **cord**ial, **cord**ialité, **cord**ialement; ac**cord**, ac**cord**er, ac**cord**éon, ac**cord**eur, ac**cord**ailles; con**cord**e, con**cord**er, con**cord**ance, con**cord**ant, con**cord**ataire; dis**cord**e, dis**cord**ant, dis**cord**ance; miséri**cord**e, miséri**cord**ieux; rac**cord**, rac**cord**er, rac**cord**ement; **cour**age, **cour**ageux, **cour**ageusement; dé**cour**ager, dé**cour**ageant, en**cour**ager, en**cour**ageant, en**cour**agement, etc.

appartiennent tous à la même famille de mots, ou famille étymologique. La base de la famille prend trois formes, *cœur, cord* et *cour*, toutes trois issues du latin *cor*. L'origine *cor* est donc la même pour tous ces mots, et c'est pourquoi on dit qu'ils forment une famille.

Si on cherche maintenant l'origine des mots

> **card**iaque, **cardio**gramme, **cardio**graphie, **cardio**logie, **cardio**logue, électro**cardio**gramme, endo**card**e, myo**card**e, péri**card**e, tachy**card**ie, etc.

on découvrira que la base *card* ou *cardio* est issue celle-là du grec *kardia*, qui signifie «cœur». Ces mots ne peuvent donc se rattacher à la famille étymologique précédente puisque leur origine n'est plus la même. Ils forment donc une famille étymologique indépendante de celle de *cœur*.

Cependant, si ces deux familles sont différentes du point de vue de l'étymologie (origine), on peut dire qu'elles sont apparentées par le sens, le latin *cor* et le grec *kardia* signifiant tous deux «cœur». Les deux familles étymologiques forment ensemble une **famille de sens**; c'est ce qu'on appelle le **champ sémantique** d'un mot. En voici un autre exemple. Les quatre familles étymologiques suivantes composent le champ sémantique du mot *enfant*:

1. **enfan**t, **enfan**ce, **enfan**tin, **enfan**tillage, **infan**tile, **infan**ticide, etc. (base *enfan* ou *infant*, du latin *infans, infantis*, qui signifie «enfant»);

2. **puér**il, **puér**ilité, **puéri**culture, **puer**péral, **puéri**lement, etc. (base *puer* ou *puéri*, du latin *puer, pueris*, qui signifie «enfant»);

3. **poup**on, **poup**ée, **poup**onner, **poup**onnière, etc. (base *poup*, du latin *pupa* ou *pupus*, qui signifie «petit enfant»);

4. **péd**agogie, **péd**iatrie, **pédo**phile, psycho**péd**agogie, ortho**péd**ie, ortho**péd**iste, **péd**éraste, **pédo**logie, etc. (base *péd* ou *pédo*, du grec *pais* ou *paidos*, qui signifie «enfant, jeune garçon»).

Ces quatre familles étymologiques forment un champ sémantique autour du mot *enfant*.

Dans un sens plus large, le champ sémantique (parfois appelé «champ lexical») se définit aussi comme un ensemble de termes relevant d'un thème ou d'un cadre particulier. On peut ainsi bâtir le champ sémantique des termes de l'habitation (*maison, auberge, cabane, hutte, iglou,* etc.) ou encore celui des mots décrivant l'habitant canadien-français dans un roman du terroir, par exemple *Le survenant,* de Germaine Guèvremont, publié en 1945.

Les préfixes

Les préfixes sont des éléments qu'on place devant un mot pour en modifier le sens. Si, par exemple, on cherche à dire le contraire de *acceptable,* on ajoutera le préfixe *in-* pour obtenir **in**acceptable. Le préfixe *in-* ajoute donc une idée de négation, de contraire, au mot *acceptable.* De même, on pourra modifier le sens du verbe *coudre* en utilisant des préfixes : **dé**coudre, **re**coudre.

Les préfixes français sont d'origine latine ou grecque. Vous trouverez une liste des principaux préfixes dans la plupart des ouvrages de référence généraux, comme la *Banque de dépannage linguistique (BDL)* de l'Office québécois de la langue française ou le *Multidictionnaire des difficultés de la langue française (Multi)* ; dans le *Petit Robert (PR),* les préfixes figurent dans la nomenclature principale. Ce qu'il faut retenir, c'est que les préfixes ont un **sens** qui s'ajoute, en quelque sorte, au sens donné par la base du mot.

Il faut bien voir également que le même préfixe peut prendre différentes formes tout en gardant le même sens. Dans les mots

> **ir**réalisable, **in**compétent, **il**lisible, **im**moral

les préfixes *ir-, in-, il-* et *im-* ajoutent tous aux adjectifs une idée de négation : qui « n'est pas » réalisable, compétent, lisible, moral. Ces quatre formes différentes ne sont que des variantes du même préfixe de négation.

De même, si on examine les mots

> **re**dire, **ré**organiser, **r**allumer

on se rend compte que *re-, ré-* et *r-* sont trois formes différentes du même préfixe. *Re-, ré-* et *r-* ajoutent le même sens, la même idée de répétition : **r**allumer, c'est « allumer de nouveau » ; **ré**organiser, c'est « organiser de nouveau » ; **re**dire, c'est « dire de nouveau ».

Cependant, il ne faut pas se fier uniquement à la forme du mot. Si on sait, par exemple, que *in-* est un préfixe de négation dans **in**actif et **in**certain, il ne faut pas en déduire que *in-* est toujours un préfixe de négation ! Dans **in**telligent, par exemple, *in-* n'amène aucune idée de négation ; ce n'est en fait pas un préfixe. Dans **in**intelligent, cependant, le premier *in-* est un préfixe puisqu'il signifie « qui n'est pas » ; il a un sens qu'on peut isoler dans le mot.

Par ailleurs, une même forme peut aussi correspondre à deux préfixes distincts. Par exemple, les mots

> **anti**ciper, **anti**dater, **anti**vol, **anti**conformisme

contiennent tous le préfixe *anti-*. Dans *anticiper* et *antidater*, *anti-* signifie « avant », alors que dans *antivol* et *anticonformisme*, *anti-* signifie plutôt « contre ». Le premier est d'origine latine et le deuxième, d'origine grecque ; ce sont deux préfixes distincts, ayant chacun leur sens propre.

Les suffixes

Les suffixes sont des éléments qu'on ajoute à la fin d'un mot, soit pour en changer ou en modifier le sens (comme on le voit dans les exemples ci-dessous), soit pour le faire passer d'une classe de mots à une autre.

Le suffixe change le sens quand il permet de créer un mot nouveau à l'intérieur d'une même catégorie grammaticale. Ainsi, en ajoutant des suffixes aux noms *peuple*, *feuille* ou *lait*, on peut créer de nouveaux noms : *peuplade, peuplement, feuillage, feuillet, laiterie, laitier…*

Le suffixe modifie le sens du mot quand il ne fait qu'apporter une nuance sémantique au mot de base, par exemple une idée de petitesse *(maisonnette, jardinet)* ou une nuance péjorative *(ferraille, paperasse).*

Enfin, les suffixes permettent de faire passer un mot d'une classe de mots à une autre, chose que les préfixes ne font pas. On peut ainsi, en ajoutant un ou des suffixes à un mot, transformer un nom en verbe ou en adjectif, un verbe en nom ou en adjectif, un adjectif en nom, en verbe ou en adverbe, etc. Par exemple, à partir du nom *paresse* on peut former le verbe *paresser* et l'adjectif *paresseux* ; à partir du verbe *exploser* on peut former le nom *explosion* et l'adjectif *explosif* ; à partir de l'adjectif *fier* on peut former le nom *fierté* et l'adverbe *fièrement*, etc.

Comme pour les préfixes, la forme des suffixes peut varier. Ainsi, les mots

> *évol**ution**, isol**ation**, répét**ition***

présentent trois formes différentes du suffixe *-tion*, qui signifie « action » ou « résultat de l'action ».

Par ailleurs, des suffixes différents peuvent exprimer exactement le même sens. Dans les mots

> *noy**ade**, dress**age**, contribu**tion**, prolonge**ment**, bless**ure***

les suffixes *-ade*, *-age*, *-tion*, *-ment* et *-ure* ajoutent tous le sens d'« action » ou de « résultat de l'action » au mot qui est la base (action ou résultat de l'action de noyer, de dresser, de contribuer, de prolonger et de blesser).

De même, les suffixes servant à former les mots *tartel**ette**, brind**ille**, chat**on**, lion**ceau**, bâton**net***, etc., ont tous une valeur diminutive.

Pour faire les exercices qui suivent, vous aurez besoin du *Petit Robert* (les préfixes sont traités dans la nomenclature, et les suffixes dans une annexe). Vous pouvez aussi vous servir des listes de préfixes et de suffixes que vous trouverez dans la *BDL* ou dans le *Multi.*

EXERCICE 8.1

Dans les familles de mots suivantes, dégagez la base commune à tous les mots et précisez-en le sens. Consultez le dictionnaire au besoin. (Le *Petit Robert* vous permet de dégager le sens de la base d'un mot à partir de son étymologie, donnée au début de l'article, après l'entrée.)

1 ludique, ludion, interlude, prélude, préluder

2 certain, certainement, certes, certificat, certitude, incertain, incertitude

3 noblesse, anoblir, nobliau, noblaillon, noblement, anoblissement, ennoblir, ignoble, ignoblement

4 numéraire, numéral, numérateur, numération, numérique, numériquement, numéro, numéroter, numérotage, numérotation, énumérer, énumératif, énumération, surnuméraire

5 célérité, accélération, accélérer, accélérateur, décélération, accéléré

6 aquarelle, aquarelliste, aquafortiste, aquarium, aquatinte, aquatique, aqueux, aquiculture

7 cape, décaper, caparaçon, caparaçonner, décapage, décapant, capeline, capote, décapoter, décapotable, capot, capuche, capuchon, encapuchonner

8 manette, manier, maniement, maniable, maniabilité, manipuler, manipulation, manivelle, manœuvrer, manœuvrabilité, manucure, manuel, manuellement, manufacture, manuscrit, manutention, remanier

9 collaborer, collaborateur, collaboration, élaborer, élaboration, labeur, laborieux, laborieusement, laboratoire, laborantin

10 satisfaction, satisfaire, satisfaisant, satisfait, insatisfaction, insatisfait, satiété, insatiable, saturé, saturation, rassasier, rassasié, rassasiement

EXERCICE 8.2

Trouvez des noms, des adjectifs et des verbes de la même famille que les mots suivants ; limitez-vous aux mots dérivés qui ont la même base.

1 hiver

Noms :

Adjectifs :

Verbes :

2 vin

Noms :

Adjectifs :

Verbes :

3 vent

Noms :

Adjectifs :

Verbes :

4 apprécier

Noms :

Adjectifs :

Verbes :

5 doctrine

Noms :

Adjectifs :

Verbes :

EXERCICE 8.3

Quels noms appartiennent à la même famille que les verbes et adjectifs suivants ?

1 sabbatique :

2 précaire :

3 céleste :

4 favoriser :

5 comprimer :

6 troquer :

7 évincer :

8 bégayer :

9 promouvoir :

10 naviguer :

EXERCICE 8.4

Regroupez les mots suivants par famille. Pour chacun de vos regroupements, précisez le sens de la base quand celle-ci est un élément et non un mot qui existe de façon autonome. Outre le *Petit Robert*, vous pouvez vous aider d'*Antidote*, qui permet, pour n'importe quel mot, de visualiser tous les mots de la même famille.

allonger, intemporel, intermédiaire, longévité, médiane, médiéval, temporiser, biberon, boisson, chiromancie, chirurgical, clameur, congratulation, destitution, imbiber, imbuvable, immature, ingrat, innocent, innocuité, prématuré, proclamation, restituer

1

2

3

4

5

6

7

8

9

10

EXERCICE 8.5

Voici quelques préfixes courants. Donnez deux exemples de mots formés avec ces préfixes. Déduisez le sens des préfixes à partir de vos exemples.

Préfixe	Mots		Sens du préfixe
1 a-			
2 co-			

3 con-			
4 dé- (dés-)			
5 dis-			
6 in-			
7 mé- (més-)			
8 para-			
9 pré-			
10 re-			

EXERCICE 8.6

Plusieurs préfixes servent à **nier** ou à **dire le contraire** : *in- (im-, il-, ir-)*, *dé- (des-, dis-, di-)*, *mal- (mau-, malé-)*, *mé- (mes-)*, *a- (an-)*, *anti- (anté-)* ; d'autres préfixes peuvent aussi s'opposer : par exemple, *anté-*, « avant », et *post-*, « après », comme dans ***anti*dater** et ***post*dater**.

Donnez, pour chacun des mots suivants, un antonyme (mot de sens contraire) que vous formerez avec un préfixe (en remplaçant parfois le préfixe existant).

1 heureux :

2 fécond :

3 patient :

4 lisible :

5 réel :

6 continuer :

7 concordance :

8 inculper :

9 habile : _____

10 content : _____

EXERCICE 8.7

Donnez une définition des mots suivants après avoir dégagé leur préfixe et en avoir précisé le sens.

1 désaffection

Préfixe : _____

Sens du préfixe : _____

Définition du mot : _____

2 analphabète

Préfixe : _____

Sens du préfixe : _____

Définition du mot : _____

3 épiderme

Préfixe : _____

Sens du préfixe : _____

Définition du mot : _____

4 dévoiler

Préfixe : _____

Sens du préfixe : _____

Définition du mot : _____

5 inouï

Préfixe : _____

Sens du préfixe : _____

Définition du mot : _____

6 contemporain

Préfixe : _____

Sens du préfixe : _____

Définition du mot : _____

7 hypernerveux

Préfixe : _____

Sens du préfixe : _____

Définition du mot : _____

8 périnatalité

Préfixe : _____

Sens du préfixe : _____

Définition du mot : _____

9 progéniture

Préfixe : _____

Sens du préfixe : _____

Définition du mot : _____

10 hypocalorique

Préfixe : _____

Sens du préfixe : _____

Définition du mot : _____

EXERCICE 8.8

Les mots suivants contiennent tous deux préfixes. Dégagez chacun des préfixes et précisez-en le sens.

1 anticonformiste : _____

_____

2 asymétrie : _____

_____

3 indissoluble :

4 déconcentrer :

5 insurpassable :

6 surexposer :

7 redécouvrir :

8 inconsciemment :

9 retransmettre :

10 compromettre :

EXERCICE 8.9

Voici une liste de mots contenant tous un préfixe. Soulignez les préfixes et regroupez les mots dont les préfixes ont le même sens.

hypoderme, diagonale, entretenir, soumettre, concourir, transmettre, trépasser, collatéral, surprendre, compatriote, international, entreposer, coexistence, succession, entracte, supersonique, hyperémotivité, circonlocution, comprendre, épicentre, souterrain, suggestion, subdiviser, traverser, transformation, périmètre, surhumain, sympathie, hypotension, circonvolution

1 dessous, au-dessous :

2 avec, ensemble :

3 sur, au-dessus :

4 au-delà, à travers :

5 autour :

6 au milieu, réciproquement :

EXERCICE 8.10

Au verbe *prendre*, ajoutez le préfixe qui convient pour que le verbe ainsi formé corresponde à la définition qui en est donnée.

1 Être avisé, informé de quelque chose : _____ prendre.

2 Prendre sur le fait : _____ prendre.

3 Appréhender par la connaissance : _____ prendre.

4 Apprendre de nouveau (deux préfixes) : _____ prendre.

5 Être saisi, entrainé par un sentiment, une passion : _____ prendre.

6 Prendre de nouveau, recommencer : _____ prendre.

7 Se détacher de quelqu'un ou de quelque chose : _____ prendre.

8 Commencer à faire quelque chose : _____ prendre.

9 Oublier (deux préfixes) : _____ prendre.

10 Se tromper au sujet de quelqu'un ou de quelque chose : _____ prendre.

EXERCICE 8.11

Les suffixes désignant l'action ou le résultat de l'action sont les suivants :

-ade	-faction, -fication	-on, -ion
-ance	-is	-son, -aison
-age	-ise	-tion, -ation, -ition
-ence, -escence	-ment, -ement	-ure, -ature

Avec chacun des verbes suivants, formez un nom exprimant l'action ou le résultat de l'action.

1 abolir :

2 ahurir :

3 allier :

4 atermoyer :

5 combiner :

6 courber :

7 contenir :

8 créer :

9 exiger :

10 glisser :

11 incliner :

12 dégénérer :

13 sursoir :

14 convoiter :

15 croupir :

16 jeter :

17 gager :

18 trahir :

EXERCICE 8.12

Plusieurs suffixes permettent de former des noms exprimant des qualités (dans le sens large de « caractère », de « propriété », et non dans le sens de « bonne qualité »), généralement à partir d'adjectifs. Les principaux suffixes de **qualité** sont :

-erie	*-esse*	*-eur*
-ie	*-ise*	*-té, -ité, -tié*
-ude, -itude	*-ance, -ence*	

Trouvez un nom de qualité dérivé des adjectifs suivants.

1 habile : _____

2 adroit : _____

3 capable : _____

4 diplomate : _____

5 apte : _____

6 ingénieux : _____

7 fin : _____

8 agile : _____

9 gauche : _____

10 lourd : _____

EXERCICE 8.13

Les principaux suffixes servant à former des **noms de personnes** (agents, métiers, etc.) sont les suivants :

-aire	*-ard, -arde* (suffixes dépréciatifs)	*-ateur, -atrice*
-er, -ère	*-eron* (féminin rare)	*-eur, -euse/-eure*
-icien, -icienne	*-ien, -ienne*	*-ier, -ière*
-iste	*-on, -onne*	

Complétez les phrases suivantes avec un nom de personne dérivé du mot en caractères gras.

1 Je vais au magasin de **disques**, je vais chez le _____ .

2 Il faut l'assentiment de toutes les personnes qui ont des **actions** dans la compagnie, il faut avoir l'assentiment de tous les _____ .

3 Elle a le **blogue** le plus lu du pays, c'est une _____ exceptionnelle.

4 Les amateurs de mots **croisés** s'appellent des _____ .

5 Cette femme consacre tout son temps à la **recherche** scientifique, c'est une _____ renommée.

6 Il est tout le temps en train de **grogner**, c'est un _____ .

7 Elle a **mis en scène** trois pièces de théâtre l'année dernière. C'est une _____ très prisée.

8 Un médecin qui soigne le **cancer** est un _____ .

9 Ma sœur commercialise des **voyages** à forfait, c'est une _____ .

10 Une personne qui place toute son ambition dans sa **carrière** est un _____ ou une _____ .

EXERCICE 8.14

Plusieurs suffixes servent à former des noms désignant des **instruments**, des outils ou des appareils. Pour arroser, on se sert d'un *arrosoir*. Ces principaux suffixes sont :

-ail	-eur	-ateur	-oire	-ière
-oir	-ier	-aille	-euse	-atrice

Formez, à partir des mots suivants, des noms désignant des instruments.

1 vaporiser : _____

2 tondre : _____

3 tenir : _____

4 râteau : _____

5 gouverner : _____

6 perforer : _____

7 chaud : _____

8 éteindre : _____

9 écumer : _____

10 démarrer : _____

À NOTER

Le suffixe _-oir_ sert également à former des noms désignant des **endroits** : un _abattoir_ est un endroit où on abat les animaux de boucherie. Pensez aussi à _fumoir, isoloir, parloir,_ etc.

EXERCICE 8.15

Combinés avec une base verbale, les suffixes _-able_, _-ible_ et _-uble_ permettent de former des adjectifs exprimant une **capacité**, une **possibilité** : _épouvantable_, qui peut épouvanter ; _lisible_, qui peut être lu ; _résoluble_, qu'on peut résoudre, qui peut être résolu. Pour certains de ces adjectifs, il existe des antonymes formés par préfixation : _lisible_, **il**_lisible_ ; _variable_, **in**_variable_.

Les préfixes _-able_ et _-ible_ peuvent aussi se combiner avec des noms pour former des adjectifs exprimant des qualités, des caractéristiques : une décision prise avec équité, une décision _équit**able**_ ; un endroit où règne la paix, un endroit _pais**ible**_.

Complétez les phrases suivantes avec des adjectifs de capacité ou de possibilité dérivés des mots en caractères gras.

1 En quittant le chalet, assurez-vous que vous n'y laissez aucune denrée (**périr**)

_____ .

2 Un commerce **sans équité** entre le Nord et le Sud est un commerce

_____ .

3 Un résultat qu'on peut **regretter**, c'est un résultat _____ .

4 Une personne que l'on peut **joindre** au téléphone est une personne

_____ .

5 Un comportement tellement lamentable qu'il pourrait susciter la **pitié**,

c'est un comportement _____ .

6 Pour désigner ce que les Québécois appellent café instantané, les Français disent

« café (**dissoudre**) _____ ».

7 Un développement qui doit **durer** longtemps, c'est un développement

_____ .

8 La députée réunit les conditions nécessaires pour être **élue**; elle est

_____ .

9 L'amour-passion est une force à laquelle on peut difficilement **résister**; c'est une force

_____ .

10 C'est une erreur à laquelle on ne peut apporter aucun **remède**; c'est une erreur

_____ .

EXERCICE 8.16

Les principaux suffixes à valeur **diminutive** ou **dépréciative** sont les suivants:

  -ard, -aud, -âtre, -asse, -et, -elet, -in, -ot

De l'eau *saumâtre*, est-ce:

  a) de l'eau ni douce ni salée, entre les deux?

  b) de l'eau contenant des dépôts en état de putréfaction?

  c) de l'eau où vivent de nombreux saumons?

  d) de l'eau...?

La première définition est la bonne: de l'eau *saumâtre*, c'est de l'eau douce contenant une certaine partie d'eau de mer. Pourtant, on confond souvent eau *saumâtre* et eau *putride, fétide*. Pourquoi? Dans le *Petit Robert*, le mot *saumâtre* est associé à *dépôt*: *dépôts saumâtres*, qui se forment dans les lagunes, les estuaires et qui, il est vrai, ne semblent pas très appétissants. D'ailleurs, le sens figuré, « amer, désagréable », est lui, tout à fait négatif. La connotation négative tient donc à la fois à la réalité désignée et au suffixe *-âtre*, qui a acquis une valeur tout à fait péjorative: *gris**âtre**, brun**âtre**, blanch**âtre*** ne sont pas des couleurs particulièrement attrayantes. Mais le sens de *-âtre*, c'est aussi celui d'une ressemblance incomplète: pas tout à fait gris, pas tout à fait brun, pas tout à fait blanc... et pas tout à fait salé. Il existe trois autres suffixes adjectivaux à valeur dépréciative assez courants: *-ard (vant**ard**)*, *-asse (bon**asse**)*, *-aud (court**aud**)*.

D'autres suffixes ont une valeur diminutive: *-et, -elet, -in, -ot*. Ils ne sont pas à proprement parler péjoratifs, mais ils sont souvent un peu dépréciatifs: si on parle d'une installation *vieil**lotte***, par exemple, on imaginera une installation vieillie, voire désuète, hors d'usage.

Formez, à partir des mots suivants, un adjectif à valeur dépréciative ou diminutive.

1 enfant : _____

2 pâle : _____

3 nasiller : _____

4 roux : _____

5 rouge : _____

6 aigre : _____

7 propre : _____

8 brailler : _____

9 flemme : _____

10 lourd : _____

11 opiner : _____

12 doux : _____

13 mou : _____

14 fade : _____

15 geindre : _____

EXERCICE 8.17

Dégagez le suffixe de chacun des mots suivants et précisez-en le sens à l'aide de la liste ci-dessous :

A. *Action ou résultat de l'action*	G. *Habitant*
B. *Contenu*	H. *Instrument, outil, appareil*
C. *Diminutif*	I. *Maladie, infection*
D. *Doctrine*	J. *Péjoratif*
E. *Partisan d'une doctrine*	K. *Possibilité, qui peut être*
F. *Métier, profession*	L. *Qualité ou défaut*

	Suffixe	Sens
Exemple : *fourchette*	-ette	(C)
1 changement		
2 artiste		
3 franchise		
4 combinaison		
5 piqûre		
6 anglais		
7 poignée		
8 vantard		
9 lavage		
10 directeur		
11 estimable		
12 caneton		
13 socialisme		
14 arthrose		
15 chirurgien		
16 carafon		
17 péquiste		
18 lionceau		
19 dévidoir		
20 bronchite		
21 hongrois		
22 bouchée		
23 réparation		

24 honnêteté		
25 rustaud		

EXERCICE 8.18

Voici des mots dérivés de *fin* par suffixation ; trouvez la définition qui correspond à chacun dans la colonne de droite.

1 fin

2 final

3 finale (n. f.)

4 finale (n. m.)

5 finalement

6 finalisme

7 finaliste (n.)

8 finaliste (adj.)

9 finalitaire (adj.)

10 finalité

11 fini

12 finir

13 finissage

14 finissant (adj.)

15 finisseur

16 finition

17 finitude

A. Qui croit à l'action des causes finales et, en général, à la finalité comme explication de l'Univers.

B. Moment, instant auquel s'arrête un phénomène, une période, une action.

C. Dernier morceau d'un opéra, dernier mouvement d'une composition de la forme sonate.

D. Caractère de ce qui tend à un but.

E. Qui est à la fin, qui sert de fin.

F. Didact. Le fait d'être fini, borné. «La […] d'un monde resserré entre le macrocosme et le microcosme» (Foucault).

G. Mener à sa fin, arriver à sa fin.

H. Syllabe ou éléments en dernière position dans un mot ou une phrase. Dernière épreuve (d'un tournoi, d'une coupe) qui désigne le vainqueur.

I. Concurrent ou équipe disputant une finale ; qualifié pour la finale.

J. En train de finir.

K. I. Personne qui finit qqch. II. Engin routier automoteur qui reçoit les matériaux prêts à l'emploi, les répand, les nivèle, les dame et les lisse, livrant après son passage un tapis fini.

L. Qui a été mené à son terme ; achevé, terminé.

M. À la fin, pour finir.

N. Opération ou ensemble d'opérations qui termine la fabrication d'un objet, d'un produit livré au public.

O. Philosophie finaliste.

P. Action de finir une fabrication, une pièce. V. finition.

Q. Qui présente un caractère de finalité.

La composition

La composition est le procédé qui consiste, rappelons-le, à former un mot nouveau en combinant des mots; on obtient alors des mots composés. Avec les rectifications de l'orthographe, le trait d'union disparait de nombreux mots composés: *rouge-gorge* devient *rougegorge et va-nu-pieds, vanupieds,* par exemple.

On peut aussi former des mots en combinant des racines grecques ou latines; on parle alors de **composition savante**: *photographie* (de *photo-* et *-graphie*, éléments grecs) et *agriculture* (de *agri-* et *-culture*, éléments latins) sont des exemples de ce type de composés.

L'évolution de la société, de la science et des techniques impose la création de mots nouveaux. Dans les domaines scientifique et technique, la composition savante (gréco-latine) est le procédé privilégié pour la création de mots nouveaux. C'est pourquoi une connaissance sommaire des éléments grecs et latins entrant dans la composition des mots peut vous aider à décoder des mots nouveaux, que vous n'aviez jamais vus auparavant. La logique voudrait peut-être qu'on évite d'accoupler une racine grecque à une racine latine, mais dans la pratique de telles combinaisons sont très nombreuses: *hydrofuge (hydro-,* grec et *-fuge,* latin), etc.

La création de mots nouveaux repose le plus souvent sur un principe d'économie: on n'invente pas; on réutilise, on fait du neuf avec du vieux en juxtaposant des mots ou des racines existant déjà dans la langue pour former de nouveaux composés, en ajoutant des préfixes ou des suffixes, en fusionnant des éléments empruntés à deux ou plusieurs mots (mots-valises), en transformant des sigles (C.E.G.E.P.) en acronymes (cégep). Bref, en créant ainsi de nouvelles combinaisons à partir d'éléments existant déjà dans la langue, on réutilise ce dont on se sert déjà et ce qu'on connait.

EXERCICE 8.19

Trouvez le sens des éléments ayant servi à composer les mots suivants.
Assurez-vous que votre réponse s'applique à tous les mots de l'énumération.
Comparez ensuite votre réponse avec la signification donnée dans vos ouvrages
de référence. Vous pouvez vous servir de votre dictionnaire, des listes
de préfixes et de suffixes que vous trouverez sous forme de tableaux
dans le *Multi* ou encore, recourir à la *BDL* ou à *Antidote.*

1 omnivore, granivore, herbivore, carnivore, énergivore

-vore: _____

2 radiographie, lithographie, photographie, mammographie

-graphie: _____

3 photophore, photosynthèse, photomètre, photojournalisme

photo- : _____

4 thermomètre, thermostat, thermos, thermonucléaire

thermo- : _____

5 polycopie, polyglotte, polyvalente, polytechnique

poly- : _____

6 phonétique, aphone, gramophone, phonothèque

phon(o)-, -phone : _____

7 télévision, téléphone, téléconférence, télétravail, télésouffleur

télé- : _____

8 télescope, microscope, périscope, magnétoscope

-scope : _____

9 anatomie, appendicectomie, tome, atome

-tome, -tomie : _____

10 synonyme, antonyme, paronyme, toponyme

-onyme : _____

11 chronologie, chronomètre

chrono- : _____

12 dynamite, dynamique, dynamomètre

dynam(o)- : _____

13 tétrasyllabe, tétraplégie, tétralogie

tétra- : _____

14 manipuler, manutention, manucure

mani-, manu- : _____

15 aquarium, aquarelle, aquatique, aquifère

aqua-, aqui- : _____

16 similitude, similicuir

simili- : _____

17 quadrilatère, quadrupède, quadragénaire

quadra-, quadri-, quadru- : _____

18 calorie, calorifère, calorimétrie

calor- : _____

19 anthropologie, misanthrope, anthropophage

anthropo-, -anthrope : _____

20 chiromancie, chiropractie ou chiropraxie, chirurgien

chir(o)- : _____

EXERCICE 8.20

**En vous aidant de votre dictionnaire et des listes d'éléments latins et grecs
que proposent *Antidote*, la *BDL* et le *Multi*, trouvez le mot correspondant
à la définition entre parenthèses.**

1 Ce philosophe est un grand (personne qui s'emploie à améliorer le sort des hommes,

qui aime tous les hommes) _____ .

2 Il souffre de (douleur ressentie sur le trajet des nerfs) _____ .

3 Jeanne connait des difficultés financières (qui durent ou se répètent)

_____ .

4 Jacques est un (personne qui aime, recherche et conserve avec soin les livres rares

et précieux) _____ .

5 J'ai acheté une (meuble permettant de ranger ou de classer des livres)

_____ .

6 L'historien étudie la (science de la fixation des dates des évènements historiques,

de la succession des évènements dans le temps) _____
des évènements.

7 L'aspirine est un médicament (qui supprime ou atténue la douleur)

_____ .

8 Ils ont enfin arrêté le (personne qui allume des incendies, poussée par une sorte

de folie) _____ qui terrorisait le quartier.

9 Yvan souffre de (angoisse d'être enfermé) _____ ;

Jean-Guy, lui, souffre d'(peur maladive des lieux publics, de certains espaces)

_____ .

10 Ce dictateur tristement célèbre était un (personne qui a la folie des grandeurs,

un orgueil et une ambition excessifs) _____ .

11 Pourriez-vous me recommander une bonne pommade (qui tue les champignons

parasites) _____ ?

12 Le fondement de notre gouvernement est la (forme de gouvernement dans laquelle

la souveraineté appartient au peuple, aux citoyens) _____ .

13 Donnez-moi un (mot de sens contraire) _____ , un

(mot de prononciation identique et de sens différent) _____

et un (mot qui a un sens très voisin) _____ de « chaud ».

14 La (science des noms de lieux, de leur étymologie) _____
fait partie de l'onomastique.

15 Elle aurait besoin d'une cure d'(traitement par usage externe de l'eau, bains, douches,

etc.) _____ ou, mieux encore, de (usage thérapeutique

des bains de mer, du climat marin) _____ .

16 Dans la dialectique de Hegel, l'(seconde démarche de l'esprit, niant ce qui était affirmé

dans la thèse) _____ précède la synthèse.

17 Le mélange des bruits de la rue et des cris des enfants crée une (assemblage discordant

ou confus de voix, de sons) _____ .

18 On appelle la France l'(polygone à six angles et par conséquent six côtés)

_____ à cause de la forme de sa carte géographique.

19 Le sapin est un (arbre dont les organes reproducteurs femelles sont le plus souvent

en forme de cônes) _____ .

20 Voici un (dix litres) _____ d'eau et un (dixième de litre)

_____ d'eau de Javel.

Comme on l'a vu précédemment, la création de mots nouveaux peut aussi provenir de l'amalgame d'éléments empruntés à deux ou plusieurs mots ; le résultat de cet amalgame s'appelle un mot-valise. Par exemple, *informatique* vient de **information** et *auto***matique**. Et la création ne s'arrête pas là ! Avec le temps, la terminaison *-tique* est devenue un nouveau suffixe, comme dans *bureau***tique**, *signalé***tique**.

EXERCICE 8.21

En vous aidant de la *BDL* et de recherches dans Internet, trouvez les éléments composant les mots-valises suivants et donnez-en une définition.

1 clavardage : _____

2 cognitique : _____

3 progiciel : _____

4 motel : _____

5 webzine : _____

6 alicament : _____

7 nétiquette : _____

8 pourriel : _____

9 tapuscrit : _____

10 franglais : _____

11 télévangéliste : _____

12 brunch : _____

EXERCICE 8.22

Donnez le sens des sigles, acronymes et néologismes en caractères gras en vous aidant de vos ouvrages de référence et en faisant au besoin des recherches dans Internet.

1 World Vision, une **ONG** qui vient en aide aux enfants de la rue, s'inquiète de voir de plus en plus de producteurs **monétiser** les enfants des bidonvilles.

_____

_____

2 Dans certains cas, c'est la lutte contre la société de consommation et ses gaspillages qui motive les **déchettariens**, mais dans d'autres, c'est la pauvreté.

_____

_____

3 Son **aguiche** était tellement réussie que les consommateurs se sont rués sur le produit.

_____

_____

4 Vous ne comprenez pas le sens d'un mot ? **Double-cliquez** dessus avec le bouton gauche de la souris.

_____

_____

5 Elle ne peut pas lire sans mettre de **papillons adhésifs** partout.

_____

_____

EXERCICE 8.23

Répondez aux questions suivantes portant sur les sigles, les acronymes et les néologismes.

1 Comment s'appelle un **membre de l'ADQ** ? Que signifie **ADQ** ?

_____

_____

2 Qu'est-ce qu'une **ZEC** ?

3 Qu'est-ce que la **LSSSS** ? Comment prononce-t-on ce sigle ?

4 Comment s'appellent les **adeptes des véhicules tout-terrain** ?

5 Qu'est-ce qu'un **bédéiste** ?

Chapitre 9

L'emploi du mot juste

Trouver le mot juste permet d'éliminer les ambigüités, de préciser sa pensée, de rendre son texte concis et d'éviter la monotonie. Comme les mots peuvent avoir plusieurs sens, qu'ils n'ont pas ou rarement de synonymes parfaits et que certaines associations de mots sont plus usuelles (ou idiomatiques) que d'autres, il faut prêter une attention soutenue au choix des mots et à leur combinaison. Dans ce chapitre, qui vise essentiellement l'enrichissement du vocabulaire, nous nous pencherons sur le choix des mots en présentant les principales difficultés auxquelles il faut être attentif.

Pour chercher le sens d'un mot ou pour trouver les meilleures associations possibles, on peut consulter des dictionnaires de cooccurrences, qui indiquent les associations habituelles d'un mot à un autre au sein d'une phrase (*trancher la question, couper la poire en deux*) ou des dictionnaires de synonymes, qui donnent des mots ou expressions dont la signification est très proche (*fatigué, épuisé*) ou encore des dictionnaires analogiques, comme le *Petit Robert* (*PR*), qui présente pour chaque mot ceux qui lui sont apparentés (**prédominer** → *emporter, prévaloir, primer*). Vous trouverez de nombreux dictionnaires en ligne, mais l'outil le plus efficace est sans aucun doute le logiciel *Antidote*, qui comprend – outre les définitions – de nombreux autres « sous-dictionnaires », ou sections, notamment sur les synonymes et les cooccurrences (la section « Analogies » d'*Antidote* construit pour sa part un réseau sémantique autour d'un mot à partir de ses occurrences dans les définitions et les locutions ainsi que des noms propres qui lui sont associés).

9.1 LA SYNONYMIE

Si, pour gagner en précision et en variété sur le plan lexical, on doit savoir recourir aux synonymes, il faut se garder de croire que les synonymes sont nécessairement interchangeables. En réalité, il n'existe à peu près pas de synonymes absolus, mais bien plutôt des mots de sens très proches, qui diffèrent cependant par une nuance, une valeur ou résonance particulière, le niveau de langue, le contexte d'emploi…

9.1.1 Synonymes et nuances de sens

De façon rapide, on peut dire que les synonymes partagent un **noyau sémantique commun** et se différencient par **un ou des traits secondaires**. Comment déterminer cette différence ? En délimitant premièrement le noyau sémantique commun, puis en déterminant les traits différenciateurs. Faisons un exercice. Qu'ont en commun les mots *fat* et *prétentieux* ? La prétention. Et qu'est-ce qui les distingue ? Voyons ce que dit le *Petit Robert* de *fat* : « Qui montre sa prétention de façon déplaisante et quelque peu ridicule. » Sous *prétentieux*, on lit : « Qui estime avoir de nombreuses qualités, des mérites, qui affiche des prétentions excessives. » Dans le premier cas, c'est la manière déplaisante et ridicule qui restreint le sens ; dans le second, c'est l'idée d'excès, de surabondance qui domine.

À vous maintenant de mettre en pratique ce que nous venons de voir. Aidez-vous des dictionnaires cités plus haut.

EXERCICE 9.1

Trouvez la définition qui se rapporte à chacun des verbes en gras dans les phrases ci-dessous.

> a) **Observer attentivement et secrètement.**
> b) **Considérer attentivement ; s'absorber dans l'observation de.**
> c) **Examiner attentivement par la vue ; fouiller du regard.**
> d) **Regarder avec défi, ou plus souvent, avec dédain, mépris.**
> e) **Regarder quelqu'un avec attention, avec insistance.**

1 Appuyée au bastingage, à la proue du bateau, elle **scrutait** l'horizon.

2 Il écrivait son billet doux sans se douter que le mari l'**épiait**.

3 Du haut du promontoire, il **contemplait** l'océan.

4 Le poisson la **dévisagea** de ses gros yeux.

5 Il attrapa le voleur et le **toisa** de la tête aux pieds.

EXERCICE 9.2

Trouvez la définition qui se rapporte à chacun des adjectifs en gras dans les phrases ci-dessous.

> a) **Qui se comporte ou se manifeste sans retenue.**
> b) **Qui aime à communiquer ses idées, ses sentiments.**
> c) **Qui manifeste vivement les sentiments qu'elle éprouve ou veut paraitre éprouver.**

1 une camarade de classe **communicative**

2 une camarade de classe **exubérante**

3 une camarade de classe **démonstrative**

EXERCICE 9.3

Lequel des synonymes suivants convient à chacun des faits énoncés ci-dessous ?

Accident, calamité, catastrophe, incident, malheur

1 une collision entre deux automobiles

2 une panne d'électricité

3 un raz de marée

4 une épidémie de choléra

5 une mort en mer

EXERCICE 9.4

Complétez les phrases suivantes à l'aide des synonymes proposés ci-dessous.

Célébrité, notoriété, popularité, renommée, réputation

1 Les médias ont donné à cet évènement une _____ qu'il ne méritait pas.

2 Ce premier ministre jouit d'une grande _____ dans son pays.

3 Bien des artistes n'ont connu la _____ qu'à titre posthume.

4 La _____ de notre sirop d'érable a franchi les frontières.

5 Sa _____ n'est plus à faire. Il est estimé de tous.

EXERCICE 9.5

Complétez les phrases suivantes à l'aide des synonymes proposés et faites les accords qui s'imposent. Vérifiez les nuances de sens.

Affronter, braver, défier, provoquer

1. Les pêcheurs hauturiers doivent souvent _____ la tempête.

2. Il m'a _____ de trouver la moindre erreur dans son travail écrit.

3. À force de se/s' _____, ils vont finir par se/s' _____ .

Barrer, barricader, calfeutrer

4. Pendant le festival d'été, certaines rues sont _____ .

5. Les manifestants ont réussi à _____ la rue Saint-Denis.

6. Avant l'hiver, il vaudrait mieux _____ cette fenêtre.

Adopter, choisir, opter

7. De deux maux, il faut _____ le moindre. *(Proverbe)*

8. À sa majorité, elle a _____ pour la nationalité canadienne.

9. L'assemblée a _____ le projet de loi.

Complexe, compliqué, difficile

10. La question que vous me posez est trop _____ .

11. Son histoire était si _____ que je n'ai jamais réussi à savoir où il voulait en venir.

12. Elle a trouvé l'apprentissage de la langue vietnamienne _____ .

EXERCICE 9.6

Trouvez à quel cadre de travail ou à quelle(s) catégorie(s) de travailleurs s'applique chacun des mots suivants et déterminez lesquels de ces mots sont génériques, c'est-à-dire s'emploient de façon générale.

1. cachet

2. émoluments

3. gages

4. gain(s)

5. honoraires

6. rémunération

7. rétribution

8. salaire

9. solde

10. traitement

9.1.2 Synonymes et cooccurrences

Le choix d'un mot ou d'un autre de sens proche repose sur les nuances de sens entre l'un et l'autre, mais aussi, très fortement, sur le contexte textuel immédiat, c'est-à-dire les mots avec lesquels il se combine, bref son ou ses « cooccurrents ». C'est ainsi qu'on **brave la tempête** (voir l'exercice 9.5 ci-contre), qu'on **scrute l'horizon** (voir l'exercice 9.1) et qu'une **réputation** n'est **plus à faire** (voir l'exercice 9.4). Les dictionnaires nous aident à trouver ces cooccurrences quand elles ne nous viennent pas à l'esprit spontanément. Par exemple, on pourrait écrire la phrase :

Il cherche par tous les moyens à éviter ma question.

On pourrait sentir alors qu'il existe un verbe plus idiomatique qu'*éviter* à combiner avec *question* sans que ce verbe nous vienne à l'esprit. Comment le chercher efficacement dans les dictionnaires ?

À l'article « éviter » dans le *PR*, on trouve *éluder* comme mot analogue pour le sens « écarter, ne pas subir (ce qui menace) » et à l'article « éluder », on trouve l'exemple *éluder une question*. Mais comme l'article « éviter » propose de nombreux analogues (*conjurer, écarter, empêcher, prévenir, fuir, couper, se dérober...*) pour le sens en cause, il faut évidemment avoir la puce à l'oreille quand on rencontre le mot *éluder*. *Antidote* permet une recherche plus structurée. Dans la section « Synonymes » d'*Antidote*, les synonymes d'*éviter* sont divisés en quatre sens, dont celui d'« éluder ».

Éluder — _contourner_, **_éluder_**, _escamoter_, _esquiver_, _fuir_, _se dérober à_, _tourner_.

En choisissant *éluder* dans cette série, on obtient immédiatement dans l'article « éluder » (qui apparait dans le cadre de droite) l'expression *éluder une question* après la définition du verbe. L'article « esquiver » ne propose pas l'expression *esquiver une question*, mais si on consulte la section « Cooccurrences » pour *éluder* et *esquiver*, on trouve les deux verbes associés à *question* comme cooccurrence la plus fréquente en complément direct (avec une multitude d'exemples).

Chercher le bon synonyme, c'est aussi chercher celui qui s'intègre le mieux, celui qui crée une cooccurrence privilégiée. Notre mémoire engrange un certain nombre de ces cooccurrences idiomatiques; pour celles qui nous échappent, les dictionnaires viennent à la rescousse.

EXERCICE 9.7

En vous aidant du _Petit Robert_ et, si possible, d'_Antidote_ (sections « Synonymes » et « Cooccurrences »), trouvez un synonyme plus idiomatique pour chacun des verbes en gras et faites les modifications qui s'imposent.

1. Il **accepta** _____ ma proposition d'un hochement de tête.

2. Les journalistes doivent **signaler** _____ les injustices.

3. Un badaud interrogé sur l'affaire **a dit** _____ son ignorance.

4. Les heures passant, la discussion **se transforma** _____ en lutte ouverte.

5. Grâce à l'aide de nombreux bénévoles, on a pu **réparer [en respectant son style]** _____ la chapelle.

9.1.3 Synonymes et degrés d'intensité

Ce qui différencie aussi des synonymes, c'est le **degré d'intensité**. Ainsi, appliqué à un spectacle, *beau* a pour synonyme *admirable*, *magnifique*, qui ajoutent cependant le trait de « degré supérieur ». L'expression du degré peut se faire au moyen d'adverbes (*assez*, *beaucoup*, *très*, *fort*, *peu*, etc.) ou par un synonyme marquant une différence d'intensité par rapport au mot de référence: *je regrette son échec* peut devenir *je regrette profondément* *son échec* ou *je déplore son échec.* Il va sans dire qu'on peut diminuer le degré d'intensité comme on peut l'augmenter : un texte *confus* est à moindre intensité *imprécis* et à plus forte intensité *obscur.*

EXERCICE 9.8

Trouvez un synonyme plus fort que l'adjectif en gras dans les expressions ci-dessous.

1 une eau **claire**

2 une loi **sévère**

3 un accueil **froid**

4 un accueil **chaleureux**

5 une décision **injuste**

6 un repas **abondant**

7 des manières **impolies**

8 un ton **sec**

9 des affaires **prospères**

10 une critique **élogieuse**

EXERCICE 9.9

Trouvez un synonyme plus fort et un autre plus faible pour remplacer le verbe en gras et faites les modifications qui s'imposent.

1 Il est **tiraillé** _____ / _____
   entre ses deux passions.

2 Il **détestait** _____ / _____
   cette ville de banlieue.

3 Son audace nous **stupéfie** _____ / _____ .

4 L'orateur a **condamné** _____ / _____
l'attitude du maire dans cette affaire.

5 Je n'arrive pas encore à croire qu'il ait **gaspillé** _____ /
_____ autant d'argent.

9.1.4   Synonymes de sens péjoratif

Certains mots sont connotés péjorativement, c'est-à-dire qu'ils transmettent une **valeur dépréciative**. Comparez pour vous en rendre compte les mots *maison* et *masure*. L'un et l'autre désignent des habitations, mais la maison est définie comme un bâtiment d'habitation, tandis que la masure a comme qualités d'être petite, misérable, vétuste et délabrée.

EXERCICE 9.10

Choisissez, dans la liste suivante, le synonyme de sens péjoratif qui correspond à chacun des noms en gras.

Cohue, racontar, sarcasme, sensiblerie, utopie

1 Il me fallut supporter ces **plaisanteries** _____ toute la soirée.

2 Elle parvint à se frayer un chemin dans la **foule** _____ .

3 Ces films à l'eau de rose répondaient alors à la **sensibilité** _____ du public.

4 Croire à un monde sans violence est une grande **illusion** _____ .

5 Comment pouvez-vous croire de tels **propos** _____ ?

9.1.5   Synonymes et euphémismes

Au cours des dernières décennies, notre société a adopté une langue « politiquement correcte » pour éviter certaines formulations jugées trop directes. Les interdits touchent tout ce qui risque d'être marginalisé, infériorisé, exclu, mal vu. On évitera ainsi les mots qui conduisent à la discrimination, qu'elle soit liée au sexe, à la race, à la classe sociale, aux revenus, à la confession, à l'âge, à l'orientation sexuelle, aux handicaps, etc. L'euphémisme est une formulation qui adoucit une réalité dont l'expression directe est perçue comme choquante. On remplace alors les tournures jugées trop dures, les mots trop crus par des détours, sortes de synonymes édulcorés, qui masquent le tabou. Un aveugle devient un

non-voyant, un sourd, un malentendant et un bègue, une personne atteinte d'un dysfonctionnement de l'appareil élocutoire! Les euphémismes servent aussi à valoriser ou à rendre
plus techniques des réalités qui ne le seraient pas assez : un dépotoir est ainsi devenu un site
d'enfouissement sanitaire et un éboueur, un préposé à la collecte des ordures ménagères.

EXERCICE 9.11

Trouvez un euphémisme pour atténuer la réalité exprimée par les mots en gras dans les phrases ci-dessous.

1. Les métropoles comptent de plus en plus de **clochards** _____ .

2. Nos sociétés ne laissent pas assez de place aux **vieillards** _____ .

3. Les deux échecs référendaires n'ont pas réussi à décourager les **séparatistes** _____ québécois, qui continuent leur action politique pour obtenir l'indépendance.

4. L'Église catholique est contre l'**avortement** _____ .

5. Dans certains organismes communautaires, les **drogués** _____ peuvent venir échanger leurs seringues souillées contre des seringues stérilisées.

6. Ce sont les **pauvres** _____ qui subissent le plus durement la crise du logement ; et encore plus les pauvres **qui ont la peau foncée** _____ .

7. Jadis, on parlait d'**infirmes**, hier, on parlait d'**handicapés** et aujourd'hui, on parle de _____ .

8. À la une, un article consacré aux **sourds** _____ titrait « Ils sont sourds et sans parole ».

9. La ville a subi plusieurs **bombardements** _____ malgré le cessez-le-feu.

10. Les frappes aériennes ont fait **de nombreuses victimes chez les civils** _____ .

EXERCICE 9.12

Retrouvez le mot ou l'expression que masque l'euphémisme en gras dans les phrases ci-dessous et faites les modifications qui s'imposent.

1 Les **exploitants d'entreprises agricoles** _____
sont durement touchés par la sècheresse qui sévit depuis un mois.

2 Cette entreprise a **remercié** _____ plusieurs de ses employés.

3 Nombreuses sont les personnes souffrant de **surcharge pondérale**
_____ .

4 Ce médicament est utilisé pour traiter les cas de **dysfonctionnement érectile**
_____ .

5 Sans les **aidants naturels** _____ , le **milieu sociosanitaire**
_____ ne pourrait pas répondre à toutes les demandes
des **bénéficiaires** _____ .

6 La nouvelle administration de l'université a décidé de s'engager dans la voie
de la **réingénierie des processus** _____ .

7 Les architectes tiennent maintenant compte **des personnes ayant une limitation
fonctionnelle** _____ .

9.1.6 Synonymes et niveaux de langue

Les synonymes peuvent aussi se distinguer les uns des autres par leur niveau de langue. La différence de registre recoupe la différence de degré, le jugement dépréciatif (ou mélioratif), les variations dans le temps et dans l'espace, et même les euphémismes. En effet, l'intensité n'est pas indépendante du niveau de langue : *c'est sublime* n'est pas vraiment du même niveau que *c'est beau*. *Il habite dans une piaule* comporte un jugement négatif absent de *il habite dans un petit appartement*. Le mot *bouquin* est aujourd'hui plus neutre qu'il y a 50 ans ; le mot *bouffe* est moins familier au Canada qu'il ne l'est en France. Quant aux euphémismes, ils deviennent, dans certains cas, des termes techniques et sont alors d'un niveau de langue différent des mots ou expressions qu'ils remplacent. Le syntagme *assisté social* a aujourd'hui un sens péjoratif ; cherchant à rejeter toute connotation négative, la langue technique du travail social a ainsi créé le terme *prestataire de la sécurité du revenu ou de l'aide de dernier recours.* Ce changement de terme révèle également une nouvelle orientation politique : il indique, entre autres, que les gens doivent utiliser tous les autres recours avant de demander de l'aide.

EXERCICE 9.13

Essayez de classer les synonymes suivants selon leur niveau de langue et autres caractéristiques d'usage (temps, espace). Fiez-vous à votre sens linguistique dans un premier temps et vérifiez ensuite quelles marques d'usage (ex. : LITT., FAM., POP., PÉJ., etc.) leur ont été attribuées dans les dictionnaires.

1 prostituée

2 putain

3 pute

4 fille

5 femme de mauvaise vie

6 tapineuse

7 guidoune

8 pétasse

9 courtisane

10 professionnelle

11 femme de mœurs légères

12 femme facile

13 péripatéticienne

14 catin

15 amazone

16 call-girl

17 hétaïre

18 escorte

9.2 L'ANTONYMIE

Les antonymes sont des mots de sens **contraire** : ainsi de la paire *petit* et *grand*. Souvent, passer par l'antonyme aide à préciser ou à fixer le sens d'un mot, et à enrichir ainsi son vocabulaire : le sens d'*arbitraire* se retient peut-être mieux en l'opposant à *équitable* qu'en le comparant à *injuste* ou à *inique.* Passer par le détour de l'antonyme peut aussi permettre de trouver un mot qui ne vient pas à l'esprit spontanément.

EXERCICE 9.14

Trouvez un antonyme des mots en gras dans les phrases ci-dessous en vous aidant de vos dictionnaires.

1. Il lui a fallu beaucoup de ténacité pour **dissuader** _____ sa femme de quitter son emploi.

2. La direction n'a jamais **confirmé** ni _____ sa volonté de supprimer des postes.

3. Mes amis ont **accepté** _____ l'invitation.

4. L'épidémie a **progressé** _____ .

5. Son talent était **reconnu** _____ du grand public.

6. Il **affirmait** _____ avoir vu la scène.

7. Il ne faut pas **minimiser** _____ cette affaire de pots-de-vin.

8. C'était un compagnon de nature **optimiste** _____ .

9. De **rurale**, la population québécoise est devenue _____ .

10. Ma voisine était **prodigue** _____ de confidences.

11. Il tient de ses parents une santé **précaire** _____ .

12. À Noël, elle était toujours d'humeur **enjouée** _____ .

13. Son caractère **impulsif** _____ ne le servit pas toujours.

14. Le directeur a souligné les **convergences** _____ de vues entre les enseignants.

15 Ce qui frappe, au premier abord, c'est la **concision** _____ de son style.

16 Elle était l'**égoïsme** _____ incarné.

17 La **réalité** dépasse parfois la _____.

18 Le monde est bien mal fait : **surabondance** ici, _____ ailleurs.

19 Il a fait preuve, à cette occasion, de **largeur** _____ d'esprit.

20 Ce texte contient trop d'**archaïsmes** _____.

9.3 LES MOTS PASSEPARTOUTS

Nous avons observé les nuances de sens et d'emploi qui distinguent les synonymes. Nous allons maintenant poursuivre notre recherche du mot juste en nous penchant sur une habitude très répandue : l'utilisation abusive des mots les plus courants : les noms *chose*, *truc*, les verbes *être*, *avoir*, *faire*, *dire*, *mettre*, *voir*, la tournure *il y a…* Si ces mots ont des emplois très idiomatiques, on tend facilement à les employer à « toutes les sauces », comme « passepartouts ». Or, à force de servir à exprimer des idées trop larges ou à désigner des choses imprécises, ces mots se vident de leur sens, perdent leur valeur propre. Aussi faut-il chercher à les remplacer par des termes plus appropriés chaque fois qu'ils ne sont pas indispensables. Notre prose y gagnera en précision et en variété.

Ne tombez pas pour autant dans l'abus inverse : on *fait ses devoirs* (on ne les *effectue* pas), ce sont *des choses qui arrivent* (et non *des évènements qui arrivent*) et *il y a longtemps que je t'aime*, comme le dit la chanson.

EXERCICE 9.15

Remplacez *être*, ou l'expression construite avec *être*, par un verbe plus précis et faites les modifications qui s'imposent.

Pour réussir cette tâche, consultez les exemples et les citations qui suivent la définition d'un mot dans le *PR* ou ayez recours aux cooccurrences dans *Antidote*. Par exemple, pour remplacer « *est de plus en plus grande* » par un verbe seul dans la phrase *Sa renommée est de plus en plus grande*, on peut consulter les cooccurrences de *renommée* proposées par *Antidote* : *renommée*, en sujet, s'associe, entre autres, aux verbes *s'étendre*, *grandir*, *s'accroitre*, *grossir*.

1 Les rues **sont pleines** _____ de monde.

2 Depuis l'entrée en vigueur de la nouvelle loi, polémiques et interrogations **sont de plus en plus nombreuses** _____ .

3 Les pertes de la compagnie **seraient proches** _____
du milliard de dollars.

4 Comme ses relations avec le conseil d'administration **sont de plus en plus mauvaises**
_____ , le représentant municipal devra sans doute se retirer
avant la fin de son mandat.

5 Le résultat du concours **est** _____ dans *Le Soleil* d'hier.

6 Le monument **est** _____ à l'entrée du village.

7 Cette comédienne **est trop sure** _____ de son talent.

8 Rentrons vite, les nuages **sont de plus en plus nombreux** _____ .

9 Son commerce **était prospère** _____ avant la récession.

10 Depuis qu'elle a rencontré son amoureux, elle **est lumineuse** _____ .

EXERCICE 9.16

Remplacez *avoir*, ou l'expression construite avec *avoir*, par un verbe plus précis et faites les modifications qui s'imposent.

1 La France **a** _____ près de quarante-mille monuments classés.

2 Les violations du cessez-le-feu pourraient **avoir pour résultat** _____
la fin des pourparlers.

3 M. Latulippe est le seul membre du comité qui **a** _____
deux fonctions.

4 Cette équipe de rédaction **a** _____ de l'expérience
et du talent.

5 La firme Zika **a** _____ une bonne réputation.

6 Les employés de la banque Z **ont** _____ un maigre salaire.

7 Souhaitons que ce reportage **ait** _____ une diffusion plus large.

8 Heureusement qu'ils **ont** _____ de l'aide humanitaire.

9 Cette femme **a** _____ un courage indescriptible.

10 Il est difficile d'**avoir** _____ un logement à bas prix.

EXERCICE 9.17

Remplacez *il y a* par un verbe de la liste suivante et faites les modifications qui s'imposent.

Alourdir, circuler, couvrir, déambuler, déceler, dénoter, éclater, embellir, encombrer, enrichir, errer, orner, perturber, peser, planer, révéler, se creuser, témoigner

1 **Il y a** de vives discussions au sein du comité.

De vives discussions ont _____ au sein du comité.

2 **Il y a** des piles de dossiers sur son bureau.

Des piles de dossiers _____ son bureau.

3 **Il y a** une menace sur l'usine.

Une menace _____ sur l'usine.

4 **Il y a** de magnifiques dessins dans l'ouvrage.

De magnifiques dessins _____ l'ouvrage.

5 **Il y a** une certaine pudeur dans ses paroles.

Ses paroles _____ (d')une certaine pudeur.

6 **Il y a** trop de digressions dans son discours.

Son discours est _____ par de trop nombreuses digressions.

7 Depuis qu'ils ne vivent plus ensemble, on dirait qu'**il y a** un abime entre eux.

Depuis qu'ils ne vivent plus ensemble, un abime _____ entre eux.

8 **Il y a** une grève dans le secteur hospitalier.

Une grève _____ le secteur hospitalier.

9 **Il y avait** des rumeurs concernant les activités de son mari.

Des rumeurs _____ concernant les activités de son mari.

10 **Il y a** beaucoup de gens qui sont dans la rue depuis le séisme.

Beaucoup de gens _____ dans la rue depuis le séisme.

EXERCICE 9.18

Employez un verbe plus précis que *faire* pour compléter les expressions suivantes.

1 _____ de l'argent

2 _____ une chanson

3 _____ des recherches

4 _____ une liste d'épicerie

5 _____ un rapport

6 _____ une erreur

7 _____ des excuses

8 _____ un métier

9 _____ des menaces

10 _____ des dégâts

EXERCICE 9.19

Remplacez *voir* par un verbe de la liste suivante et faites les modifications qui s'imposent. (Un même verbe peut convenir à plusieurs phrases.)

Comprendre, consulter, déceler, distinguer, fréquenter, observer, prédire, prévoir, produire, remarquer, rencontrer, visiter

1 Je ne **vois** _____ pas pourquoi il m'en veut.

2 Thérèse ne **voit** _____ pas beaucoup de monde.

3   J'ai **vu** _____ des aurores boréales. C'est un phénomène qui ne se **voit** _____ pas souvent.

4   Tu devrais aller **voir** _____ un rhumatologue.

5   Il faisait noir. Je ne **voyais** _____ pas l'escalier.

6   Elle prétend être capable de **voir** _____ l'avenir.

7   Je n'ai rien **vu** _____ de particulier dans son comportement.

8   En une journée, ils ont **vu** _____ tout le quartier des antiquaires.

9   J'ai l'impression d'avoir déjà **vu** _____ cette femme quelque part.

10   Je ne désire pas aller **voir** _____ ce musée.

EXERCICE 9.20

Remplacez _dire_ par un verbe plus précis et faites les modifications qui s'imposent.

1   Il est passé chez elle pour lui **dire** _____ bonne fête.

2   La PDG ne tient pas à **dire** _____ ses projets aux employés pour l'instant.

3   Veux-tu me **dire** _____ pourquoi tu étais absent hier ?

4   Après deux heures de discussion, Pierre-André a fini par **dire** _____ qu'il avait tort.

5   Je me suis bornée à lui **dire** _____ quelques mots d'encouragement.

EXERCICE 9.21

Remplacez _mettre_, ou l'expression construite avec _mettre_, par un verbe plus précis et faites les modifications qui s'imposent.

1   Des manifestants ont **mis le feu à** _____ des voitures de police.

2 L'ordinateur, hors d'usage, avait été **mis** _____ au grenier.

3 Des agents de police furent **mis** _____ à toutes les issues.

4 L'étudiant a **mis** _____ un mot sous la porte du professeur.

5 Son nom avait été **mis** _____ sur la liste des bénévoles.

9.4 LA CONCISION

Bien écrire, c'est être clair, précis et concis. Et pour être concis, il faut savoir utiliser un minimum de mots pour obtenir un maximum de sens. Un mot seul – mais juste ! – peut souvent remplacer avec bonheur un long syntagme (groupe de mots qui se suivent et forment une unité). Viser la concision, c'est éviter les circonvolutions, les détours, les périphrases ; c'est aller droit au but.

9.4.1 Suppression de l'adverbe _très_

Autant l'adverbe _très_ a sa place pour marquer l'intensité, autant il ne sert parfois qu'à masquer une imprécision lexicale. On dit naturellement d'une personne qu'elle est _très aimable_, mais un plat est-il _très mauvais_ ou _infect_ ? Comme il a été vu à la section 9.1.3 sur les synonymes et les degrés d'intensité, c'est souvent par un autre mot plutôt que par un modificateur qu'on change le degré d'intensité.

EXERCICE 9.22

Remplacez les groupes de mots en gras construits avec _très_ par l'adjectif qui convient en vous aidant de vos dictionnaires et faites les modifications qui s'imposent.

1 La nourriture était abondante, mais plusieurs mets étaient **très fades**

_____ .

2 Son spectacle s'attira des critiques **très élogieuses** _____ .

3 Malheureusement pour elle, le succès fut **très court** _____ .

4 J'ai lu des écrivains **très médiocres** _____ et j'en ai lu

de **très bons** _____ .

5 Ces sportifs d'élite ont parfois des mœurs **très relâchées** _____ .

9.4.2   Suppression des adverbes de manière

Les adverbes de manière ont leur place, sinon pourquoi existeraient-ils ? Alors comment distinguer l'emploi judicieux d'un adverbe d'un emploi inutile ? En premier lieu, c'est une question de fréquence : on n'enfile pas les adverbes, particulièrement les adverbes en -*ment*, comme les perles d'un collier. En second lieu, il y a, encore une fois, le caractère idiomatique d'une combinaison : là ou l'un *mène ses affaires* **rondement**, l'autre *tergiverse* plutôt que de les *mener lentement*.

EXERCICE 9.23

Remplacez le verbe et l'adverbe de manière en gras par un verbe seul en vous aidant de vos dictionnaires et faites les modifications qui s'imposent.

1 Cette animatrice **choisit** _____ toujours **soigneusement** ses mots.

2 Elle est si peu sûre d'elle qu'elle sent le besoin de **montrer ostensiblement** _____ sa richesse.

3 Pendant l'entrevue, elle a **évité habilement de répondre à** _____ certaines questions.

4 Il **avalait rapidement** _____ son repas.

5 Elle **distribue généreusement** _____ des conseils à qui veut l'entendre.

9.4.3   Suppression des subordonnées relatives

Les subordonnées relatives complétant des noms, on leur donne parfois le nom de « subordonnées adjectives ». C'est dire qu'on peut dans certains cas les remplacer avantageusement par des adjectifs. Lorsqu'une subordonnée relative s'apparente à une périphrase, à une définition, cela signale souvent une faiblesse d'expression : une personne *qui ne sait ni lire ni écrire* est tout simplement une personne *analphabète* et une personne *qui pense beaucoup aux autres*, une personne *altruiste*.

EXERCICE 9.24

Remplacez la subordonnée relative en gras par l'un des adjectifs suivants et faites les accords qui s'imposent.

Éloquent, équivoque, impardonnable, inaudible, incendiaire, incessant, inédit, inepte, infaillible, tenace

1. C'est vraiment un passage **qui peut être interprété de diverses manières** _____ .

2. Elle a inclus dans son spectacle une chanson **que personne n'avait encore entendue** _____ .

3. J'ai attrapé un rhume **dont je n'arrive par à me défaire** _____ .

4. Il raconte toujours des histoires **qui ne tiennent pas debout** _____ .

5. L'étudiant a fait sa présentation d'une voix **qu'on avait de la peine à entendre** _____ .

6. Le ministre s'est réfugié dans un silence **qui en disait long** _____ .

7. Le commissaire Maigret est renommé pour son instinct **qui ne le trompe jamais** _____ .

8. Il a lancé des paroles **que je ne peux pas pardonner** _____ .

9. Ses récriminations **qui durent sans interruption** _____ me tuent.

10. Les déclarations **qui enflamment les esprits** _____ sont proscrites.

9.4.4 Suppression des subordonnées complétives

Les subordonnées complétives sont généralement compléments directs ou indirects du verbe, fonction que peuvent aussi occuper les groupes nominaux. Dans bien des cas, la structure syntaxique s'impose d'elle-même: si on dit aussi bien *je souhaite sa réussite* que *je souhaite qu'il réussisse*, on ne peut substituer de groupe nominal à la subordonnée complétive dans *je veux qu'il mange*. Lorsqu'on a le choix, la subordonnée donne souvent à la phrase une valeur plus active, le nom, une valeur plus abstraite. Ainsi, choisir le groupe nominal n'est pas toujours mieux: *je veux qu'il réussisse* exprime un désir plus ressenti que *je veux sa réussite*. Cependant, lorsque le recours à la subordonnée ne fait que repousser plus loin dans la phrase l'idée centrale du complément, la forme nominale est probablement préférable, notamment dans la langue administrative. Plutôt que d'écrire :

> *La ministre a annoncé **que le contrat était octroyé** à la firme XYZ.*

On préfèrera la nominalisation qui est plus concise et met en évidence l'action en cause.

> *La ministre **a annoncé l'octroi** du contrat à la firme XYZ.*

EXERCICE 9.25

Remplacez la subordonnée complétive en gras par un groupe nominal. Lorsqu'il n'y a pas de nominalisation directe possible du verbe de la subordonnée, cherchez un autre mot dans le champ sémantique du verbe en cause.

EXEMPLE

Le trésorier regrette qu'il **n'existe pas** de ligne de conduite cohérente au sein du Conseil.

Le trésorier regrette l'**absence** d'une ligne de conduite cohérente au sein du Conseil.

1. Le directeur a annoncé **que certains frais seraient abolis**.

2. La ministre a réitéré **qu'elle ne voulait pas augmenter le prix des places en garderie**.

3. Le procès a révélé **combien la fraude avait été grande**.

4. Ils avaient prévenu le président **qu'il y aurait très prochainement une nouvelle vague d'attentats**.

5. Les météorologues ont annoncé **que le froid réapparaitrait et s'intensifierait**.

9.4.5 Suppression des périphrases

Définitoire, explicative, la périphrase est malvenue lorsqu'elle n'est pas intentionnelle. Autant il est astucieux de recourir à la périphrase pour faire comprendre une idée, autant on doit chercher à l'éliminer lorsqu'elle n'est que circonlocution autour d'un mot qui nous échappe.

EXERCICE 9.26

Les expressions en gras dans les phrases ci-dessous sont des périphrases inutiles. Remplacez-les par un mot simple ou une expression plus concise et faites les modifications qui s'imposent.

1. Les alpinistes atteignirent **le point le plus élevé** _____ de l'Everest après des jours d'efforts surhumains.

2. Il a **modifié** _____ son permis de conduire **de façon trompeuse**.

3. Il **est retombé dans le même crime** _____ .

4. À partir de quel moment l'idée de fonder une compagnie **commença-t-elle à se développer** _____ dans sa tête ?

5. À cause de la récession, l'entreprise **s'acheminait rapidement vers la ruine** _____ .

6. La naïveté de la question **mit** _____ l'orateur **dans l'impossibilité de répondre.**

7. Si vous voulez connaitre **la meilleure route à suivre lors de vos voyages** _____ , consultez notre site.

8. Il aura fallu de nombreuses années et une quantité impressionnante de vaccins pour **faire disparaitre de façon définitive** _____ la variole.

9. Devant son **refus de répondre** _____ , elle soupira et partit.

10. **En proie à des remords indescriptibles** _____ , il mit fin à ses jours.

Chapitre 10

Normes et usages

Quand on consulte un dictionnaire, c'est en général pour chercher le sens d'un mot, pour vérifier son orthographe ou encore pour voir si son emploi est «permis». La plupart des dictionnaires indiquent en effet une norme à suivre. La norme linguistique est en quelque sorte l'ensemble des prescriptions consignées dans un dictionnaire en fonction d'un modèle de langue choisi comme étalon. Dans les faits, il existe deux types de normes : une norme **prescriptive**, qui régit les emplois en se fondant sur un modèle socialement valorisé, et une norme **descriptive**, dont le but est de décrire la réalité sans porter de jugement. Ainsi, un dictionnaire ou un glossaire descriptif rendra compte de l'usage d'un groupe particulier d'individus. Il peut s'agir du parler d'une population donnée (les Romands, les Québécois, les Acadiens, les Franco-Manitobains, etc.) ou d'un petit groupe d'individus (les débardeurs, les slameurs, etc.). Dans un ouvrage consacré au français parlé en Suisse romande, *Le langage des Romands*, on peut lire ce qui suit :

> Que l'Africain patauge dans le poto-poto, que le Québécois affronte la poudrerie, le Wallon la drache ou le Romand la roille, leurs mots naissent de leur climat, de leur expérience et de leur invention. Leurs mots ont beaucoup plus d'importance que de pittoresques régionalismes. Leurs mots sont, dans des terrains si divers, les petites, les nombreuses, les solides racines du français. (Jean-Marie Vodoz, président de l'Union internationale des journalistes et de la presse de langue française)

Les dictionnaires prescriptifs, pour leur part, présentent une hiérarchisation des usages, qui vise à régir les emplois en fonction d'un point de référence correspondant à un certain idéal socioculturel au sein d'une communauté : c'est le **bon usage**. Il faut bien voir cependant que l'assignation des marques d'usage est subjective, puisqu'elles tiennent pour beaucoup à des conventions sociales. Voilà pourquoi il est important d'aborder la question de la norme et de l'usage dans toutes ses variantes si on veut bien utiliser les dictionnaires.

10.1 QUALITÉ DE LANGUE ET VARIATIONS DE L'USAGE

Lorsqu'il est question de la norme, les positions sont souvent tranchées. À un pôle, il y a les tenants d'une norme unique, imposée par la France, pour qui toutes les autres variantes sont jugées marginales et inférieures. À l'autre pôle, il y a ceux qui, s'opposant à la notion élitiste de « qualité de langue », favorisent l'usage spontané sans balise aucune. Entre ces deux extrêmes, il existe une conception médiane, et c'est celle qui est présentée ici : selon cette position, chaque personne devrait pouvoir maitriser une langue de qualité et être en mesure de reconnaitre ses différentes variantes. Chaque contexte de communication oblige en effet à un choix singulier : on n'écrit pas à un employeur comme on écrit à un ami ; on n'écrit pas un texte d'opinion comme un article encyclopédique ; on n'écrit pas non plus comme on parle, et on parle différemment selon qu'on s'amuse entre amis ou qu'on plaide en public.

Par analogie, on peut dire que la façon de s'exprimer correspond à la façon de s'habiller. Qui penserait planter des tomates en robe du soir ou en veston cravate ? Et qui imaginerait aller danser dans sa vieille salopette de jardinier ? Un jour bergère, un jour princesse, la langue révèle ce que nous sommes de plusieurs façons : dans l'espace, quand on utilise des mots « bien de chez nous » ; dans le temps, quand on utilise des mots surannés ou les dernières expressions à la mode ; dans la hiérarchie sociale, quand on utilise des mots savants ou des mots populaires.

> Donner une chance égale à tous suppose qu'on enseigne à l'école la langue qui permet d'accéder aux postes de pouvoir, sans pour autant juger les autres variétés de langue. Les condamner signifierait que quiconque n'accède pas à la langue de l'élite perdrait son droit de parole comme citoyen. Le handicap dans la vie de tous les jours, ce n'est pas de parler d'une façon ou d'une autre, c'est de ne pouvoir choisir le bon registre dans la bonne circonstance. Qui ne connait pas les règles des initiés ne pénètre pas dans le cercle. Et pour pouvoir être libre, il faut pouvoir entrer là où l'on veut.
>
> Extrait adapté de CLERC, Isabelle. « Pouvoir choisir pour être libre », *Le Devoir*, 6 mars 1999, p. A11.

Les dictionnaires prescriptifs comme le *Petit Robert* (*PR*) ou le *Multidictionnaire de la langue française* (*Multi*) décrivent ces variations par des **marques d'usage** qui rendent compte des variations ou des modifications que connaissent les mots dans l'espace, dans le temps et sur le plan social. Pour bien utiliser ces ouvrages, il est important de comprendre et même de juger ces marques, ou étiquettes, accolées aux mots, aux expressions et aux emplois particuliers.

10.1.1 La variation dans l'espace

On trouve des francophones aux quatre coins du monde : en Europe, en Afrique, en Amérique, en Asie et en Océanie. Si toutes les variétés de français se valent sur le plan linguistique, l'une d'entre elles est dominante. Il s'agit du français de France, qui a un fort ascendant sur les autres variétés de français, à cause, notamment, de l'importance historique, démographique, économique et culturelle de la communauté qui le parle.

Où parle-t-on français ?	
Aires géographiques	**États et régions administratives où le français est langue officielle[1]**
Amérique	Canada[*2] ; Haïti*
	Guadeloupe, Guyane, Martinique, Saint-Barthélemy, Saint-Martin, Saint-Pierre-et-Miquelon (collectivités ou départements français d'outre-mer)
Europe	Belgique*, France, Luxembourg*, Monaco, Suisse*
	Iles Anglo-Normandes [Jersey*, seulement] (dépendance de la Couronne britannique), Val-d'Aoste* (région autonome d'Italie)
Afrique	Bénin, Burkina Faso, Burundi*, Cameroun*, Centrafrique*, Congo, Côte-d'Ivoire, Djibouti*, Gabon, Guinée, Guinée équatoriale*, Mali, Niger, Rwanda*[3], Sénégal, Tchad*, Togo, République démocratique du Congo (ancien Zaïre)
Océan Indien et Asie	Comores*, Madagascar*, Seychelles*
	Mayotte[4], La Réunion (départements français d'outre-mer) ; Poudouchéry* [anciennement « Pondichéry »] (union territoriale au sein de l'Union indienne)
Océanie	Vanuatu*
	Nouvelle-Calédonie, Polynésie française (pays d'outre-mer au sein de la République française) ; Wallis-et-Futuna (collectivité française d'outre-mer)

Dans les échanges internationaux, les francophones du monde entier se sont alignés sur la variété parlée en France, étant donné que c'est cette variété que décrivent les grammaires et les dictionnaires. Certains l'appellent « le français international », ce qui est un non-sens, parce qu'une langue ne peut exprimer que la réalité de la communauté qui la parle. Derrière le français parlé en Suisse, il y a les Romands ; derrière le français parlé en Acadie, il y a les Acadiens, mais derrière le « français international », aucun groupe culturel n'est incarné. Or, on ne peut extraire la langue de la situation de communication dans laquelle elle s'inscrit. Bien sûr, les différences grammaticales entre les variétés sont moins grandes que les différences lexicales : si tous s'entendent pour accorder le participe passé *mangé* avec le complément direct qui le précède dans *Les pommes qu'elle a **mangées** étaient succulentes*, les termes familiers pour désigner celui qu'on aime varient d'une région à l'autre : le *chum* d'une Canadienne sera le *mec* d'une Française.

---

1. L'astérisque indique qu'un État possède plusieurs langues officielles. Pour en savoir plus, voir le site *L'aménagement linguistique dans le monde* (http://www.tlfq.ulaval.ca/axl), de Jacques Leclerc, chercheur associé au *Trésor de la langue française du Québec*.
2. Au niveau provincial, le Québec a le français comme langue officielle ; le Nouveau-Brunswick, pour sa part, a deux langues officielles, le français et l'anglais. Les trois territoires (Territoires du Nord-Ouest, Yukon et Nunavut) ont l'anglais et le français comme langues officielles ; le Nunavut a aussi l'inuktitut comme langue officielle *de facto*.
3. Depuis 2010, l'anglais est la seule langue de l'enseignement et de l'administration au Rwanda.
4. En 2011, Mayotte deviendra un département français d'outre-mer (jusque-là, c'est une collectivité d'outre-mer).

On utilise aussi parfois l'expression «français standard» pour désigner le français de France. Cette expression n'est pas plus heureuse que celle de «français international», car, comme chacun le sait, le français parlé en France renferme lui aussi des mots grossiers, vulgaires, qu'on ne saurait recommander. Voilà pourquoi il vaut mieux réserver l'expression «français standard» au niveau de langue soigné qu'on utilise dans des échanges officiels, où qu'on soit dans le monde.

Notons par ailleurs que le «standard» d'une communauté donnée n'est pas nécessairement le «standard» d'une autre. Prenons l'ensemble que forment la fourchette, le couteau et la cuillère dans trois pays francophones : en France, on les nomme *couverts*, en Suisse, *services*, au Québec, *ustensiles*. Pour tenir compte de cette variation, l'Office québécois de la langue française (OQLF) définit le français standard comme une forme comprenant à la fois «les usages généraux et les usages régionaux qui ne sont assortis d'aucune autre marque d'usage associée à un registre de langue moins soigné[5]».

EXERCICE 10.1

Cherchez dans deux dictionnaires de langue ou de difficultés (le *PR* et le *Multi*, par exemple) les marques d'usage qui sont accolées aux mots ou expressions de la liste ci-dessous. Dans un deuxième temps, dites si vous jugez qu'ils devraient être considérés comme du français standard ou non selon la définition du français standard de l'OQLF donnée ci-dessus. Vous pouvez également consulter le *Grand dictionnaire terminologique* (*GDT*) de l'OQLF à l'adresse www.granddictionnaire.com.

1. truite mouchetée : _____

   omble de fontaine : _____

2. bain-tourbillon : _____

   baignoire à remous : _____

   bain à remous : _____

   baignoire à jets : _____

   jacuzzi : _____

   spa : _____

3. sèche-cheveux : _____

   séchoir à cheveux : _____

   fœhn : _____

---

5. Politique de l'Officialisation linguistique, texte approuvé par l'Office québécois de la langue française le 15 juin 2001 et mis à jour le 5 mars 2004.

4 airelle : _____

ataca : _____

atoca : _____

canneberge : _____

5 élan : _____

orignal : _____

6 banc de neige : _____

congère : _____

7 cerf de Virginie : _____

chevreuil : _____

8 cocotte : _____

pive : _____

pomme de pin : _____

9 nonante : _____

quatre-vingt-dix : _____

10 traversier : _____

ferry-boat : _____

transbordeur : _____

bac : _____

EXERCICE 10.2

1 Trouvez quel vêtement on ira mettre au Canada, en France et en Suisse en réponse
à la demande suivante : *Mets ta jaquette.*

_____

_____

_____

2 Les dictionnaires rendent-ils compte de cette variation géographique ?

_____

_____

_____

EXERCICE 10.3

1 Nommez trois pays ou régions francophones où l'on parle d'*école secondaire* pour désigner l'établissement d'enseignement qui donne la formation de second degré et nommez trois pays ou régions où l'on utilise le mot *lycée*. (Vous pouvez vous référer au tableau du français dans le monde présenté à la page 387.)

_____

_____

2 Les deux termes expriment-ils la même réalité ?

_____

_____

_____

3 Comment peut-on expliquer cette répartition géographique ?

_____

_____

_____

EXERCICE 10.4

Vous êtes rédacteur professionnel. On vous demande de réviser un dépliant sur la conduite automobile en hiver au Canada. Vous lisez les phrases suivantes :
– *Méfiez-vous de la poudrerie : elle réduit de beaucoup la visibilité.*
– *Méfiez-vous des congères : elles bloquent votre visibilité latérale.*
Consultez le *PR* et le *Multi* et voyez ce que ces dictionnaires disent à propos de *poudrerie* et de *congère*. Demandez-vous ensuite ce que les gens autour

de vous utilisent comme mots ou expressions pour exprimer ces deux réalités. Que décidez-vous au bout du compte : garderez-vous les deux termes ? Justifiez vos choix. Consultez au besoin d'autres dictionnaires (notamment le *GDT*).

10.1.2 La variation temporelle

La langue, à l'image de l'humanité, est bien vivante : les mots naissent, murissent, vieillissent et meurent. La vie de certains est éphémère ; ils apparaissent et disparaissent au gré des modes et des innovations technologiques. Les *tourne-disques* des années 1960 ont été remplacés par des *chaines hautefidélités* et des *lecteurs* de toutes sortes. Mais en même temps, certains mots désignant des réalités disparues restent présents dans la mémoire collective : qui ne connait pas le *télégramme* et son mode de communication, le *morse*, même si la téléphonie moderne et le courriel en ont sonné le glas ?

Parfois, des mots ou expressions deviennent indéracinables même s'ils ont perdu leur signification première : plus personne n'utilise une barre de bois ou de métal pour fermer sa porte, et pourtant, l'expression *barrer sa porte* est demeurée bien vivante au Canada. Les francophones d'Amérique du Nord ont gardé vivantes de nombreuses expressions aujourd'hui vieillies ou dont l'usage n'a plus cours en Europe : c'est le cas de *piquer une jasette, s'enfarger, chicaner quelqu'un, barguigner*, etc. Certains mots, au contraire, sont abandonnés et remplacés par d'autres : *Inuit* (parfois *Inuk* au singulier) a remplacé *Esquimau* et *Innu* a remplacé *Montagnais*. Les unités de mesure anglo-saxonnes comme *pied, once, pinte* ont pratiquement cédé la place à celles du système métrique.

L'évolution de la société oblige aussi à désigner de nouvelles réalités : les Pierrot d'*Au clair de la lune* ne prêtent plus leur *plume*, mais leur « *BlackBerry* ». On n'envoie plus de *lettres*, mais des *SMS* ou des *textos*. Les nouvelles technologies de l'information ont en fait donné naissance à un lexique très riche, qui a gagné la langue générale au même rythme que leur taux de pénétration auprès de la population. Les médias jouent également un grand rôle dans la diffusion des mots nouveaux parmi la population.

EXERCICE 10.5

Le *Multi* recommande d'utiliser l'expression *verrouiller la porte* ou *fermer la porte à clé* au lieu de *barrer la porte*. La note donnée dans la 5ᵉ édition (2009) est la suivante : « On *ferme* une porte à clé ou on la *verrouille*. L'emploi du verbe *barrer* en ce sens est une impropriété. »

Dans une édition précédente du même ouvrage, on disait : « L'emploi du verbe *barrer* est courant au Québec dans la langue familière, mais il est vieilli en ce sens dans le reste de la francophonie. »

Dans le *GDT*, sous l'entrée « barrer », qui renvoie à « fermer à clef », voici ce que dit la note : « Tout comme *fermer à clef*, *verrouiller* peut s'employer même lorsque le blocage du pêne se fait sans clef. Par exemple, lorsqu'on enfonce un bouton dans une serrure (poignée de porte). *Barrer* : Vieux ou régional. Fermer avec une barre. Ex. : *Barrer une porte.* »

Dans l'édition 2010 du *PR*, voici ce que l'on trouve sous l'entrée « barrer » : V. tr. 1. vx ou région. Fermer avec une barre. Barrer la porte. -- région. (Nord, Ouest ; Canada) Fermer à clé. *N'oublie pas de barrer l'auto.* « *Entre, c'est pas barré* » V.-L. Beaulieu.

Dans un contexte requérant du français standard (se référer à la note 5 de la page 388), accepteriez-vous l'emploi de *barrer la porte* ?

EXERCICE 10.6

Comparez la valeur du mot *bicycle* au Canada et dans le reste de la francophonie à partir du *PR* et du *Multi* ou du *GDT*. A-t-il partout le même sens ?

EXERCICE 10.7

Selon vous, lequel des deux termes suivants est le plus récent :
antimondialisation ou *altermondialisation* ? Pourquoi ?

10.1.3 La variation sociale (ou sociostylistique)

Si tous les mots qu'on trouve dans le dictionnaire sont du français, ils n'ont pas tous la même valeur d'emploi. On ne dira pas *Salut!* en quittant le pape et on n'écrira pas *Recevez mes salutations distinguées* à la fin d'une lettre destinée à l'élu de son cœur. Voilà pourquoi les dictionnaires de langue donnent une marque d'usage en ce qui concerne le registre (ou niveau) de langue devant certaines définitions ou certaines expressions. Cette marque, qui indique la valeur d'emploi du mot en fonction du cadre social et de la situation de communication, est particulièrement utile pour les non-francophones : elle leur permet par exemple de savoir que *je fiche le camp* et *je me retire* ne sont pas des expressions équivalentes. Mais même comme francophone, on a souvent besoin de vérifier le registre d'un mot ou d'une expression.

Si le nombre de niveaux de langue et leur définition varient d'un dictionnaire à l'autre, tout le monde s'entend pour dire qu'il existe un registre courant ou standard, au-dessus duquel se situent les registres plus soutenus et au-dessous duquel se trouvent les registres plus relâchés. Tout le monde s'entend aussi pour dire que les marques de registre attribuées par les dictionnaires sont parfois contestables. Situer les mots et les expressions sur un axe vertical suppose en effet un jugement d'appréciation. Or, qui dit jugement dit forcément subjectivité. Les marques d'usage n'en sont pas moins un instrument essentiel pour respecter le registre convenant à une situation de communication donnée. Les explications ci-dessous concernant les différents registres suivent celles qui sont données dans le *Petit Robert* et s'appliquent donc particulièrement à ce dictionnaire.

La marque **populaire** (*pop.*) qualifie dans le *PR* un mot, un sens ou une expression qui vient des milieux populaires. Très peu de mots sont ainsi classés ; il s'agit, dans bien des cas, d'anciens mots d'argot parisien (donc très européens et souvent méconnus ici) désignant des personnes, des parties du corps ou des activités usuelles : *ciboulot* (tête), *paluche* (main), *boustifaille* (nourriture), etc.

Le niveau **familier** (*fam.*) est assigné à des mots et à des emplois qui relèvent de la langue quotidienne, surtout parlée, mais aussi écrite. C'est une classe très vaste, qui, dans le *PR*, englobe des mots et des emplois très populaires : *fric, pognon, mec, gonzesse, mioche*, ainsi que des mots perçus par beaucoup de gens comme neutres : *bouquin, bambin, siroter* ; elle comprend aussi des expressions figurées très concrètes : *se faire arranger le portrait*, comme d'autres beaucoup plus sobres : *accuser le coup, mettre un bémol*.

La marque **littéraire** (*littér.*) s'applique à des emplois qu'on ne rencontre pas dans la langue courante et qu'on associe souvent à la langue écrite élégante : les *oaristys*, dans un registre littéraire, désignent ainsi les « ébats amoureux ». Bon nombre de mots ou d'emplois littéraires sont en fait vieillis et se rencontrent peu. Les niveaux de langue populaire, familier et littéraire s'appliquent également à des constructions : *quossa donne ?* est manifestement une construction populaire, alors que *j'aime à lire* (plutôt que *j'aime lire*) est une construction rare, qualifiée de littéraire dans le *PR*.

Le registre **technique** ou **scientifique** correspond pour sa part au langage des domaines spécialisés, indiqués dans le *PR* par des abréviations comme *méd., chim., bot., photogr.*, etc. Ce niveau indique que l'emploi du mot, normal dans un traité, un cours ou entre spécialistes, ne le serait pas dans l'usage courant. Entre eux, les médecins parleront de *céphalées* et non de « maux de tête ». Les mots non marqués sont donc vus comme des mots d'usage standard, le niveau **courant** (*cour.*) n'étant signalé que lorsqu'un doute est possible.

Il existe également des marques telles **vulgaire** (*vulg.*) et **péjoratif** (*péj.*). La première s'applique à des mots crus qui risquent de choquer ; la seconde, à des mots qui manifestent une attitude hostile ou méprisante. La marque **argot** (*arg.*) révèle, quant à elle, une appartenance à un milieu professionnel donné ou encore à un groupe d'initiés. Quel Français est capable de suivre une conversation en verlan (argot consistant à inverser les syllabes, comme *ripou* pour « pourri »), s'il n'a pas un interprète à ses côtés ?

La marque *arg. scol.* signifie « argot scolaire » ; elle indique que le mot est connu du milieu scolaire, mais qu'il est inconnu du grand public. En revanche, la marque *arg. fam.* désigne un mot d'argot passé dans le langage familier. Comme les mots populaires, l'argot recensé dans le *PR* est un argot vieilli et essentiellement européen ; on n'y trouvera pas les créations de l'heure.

EXERCICE 10.8

Demandez autour de vous comment les gens nomment les chaussures à semelle de caoutchouc qui se portent notamment pour faire du sport. Une fois votre liste dressée, attribuez-leur un registre de langue sans consulter d'ouvrages de référence. Enfin, comparez ce qu'en disent plusieurs dictionnaires de langue ou de difficultés (*PR, Multi, GDT*).

EXERCICE 10.9

Soulignez, dans chaque série synonymique, les mots ou expressions qui appartiennent à la langue familière ou populaire.

1 visage, frimousse, face, figure, minois, gueule, binette

2 bagnole, char, voiture, automobile, auto, bazou, minoune, tacot

3 peur, frousse, crainte, trouille, phobie, trac, chienne (avoir la)

4 partir, s'en aller, lever le camp, se barrer, se tirer, mettre les voiles, se retirer, ficher le camp

5 naïf, niais, niaiseux, nigaud, sot, godiche, bêta, débile, nono, con, corniaud, cave, benêt, bébête, simplet, épais

6 bâfrer, manger, bouffer, casser la croute, s'empiffrer, se bourrer, se restaurer, se goinfrer

7 argent, fric, pognon, blé, radis, fonds, sous, galette, cash, espèces, ronds, tunes, bidous

EXERCICE 10.10

Indiquez le registre auquel appartiennent les mots et expressions en caractères gras selon les catégories suivantes : langue technique (T) ou scientifique (Sc), littéraire (L), courante (C), familière (F) et populaire (P). Remplacez les mots ou expressions ne correspondant pas à l'usage courant.

1 Ce musée est un vrai fourretout. Les objets les plus **moches** (_____) _____ y côtoient des chefs-d'œuvre.

2 L'**onychophagie** (_____) _____ est une manie dont il faut se défaire.

3 Un conducteur dans la lune a **embouti** (_____) _____ notre voiture neuve.

4 Tiens, voilà notre amie Jeanne qui s'**amène** (_____) _____ .

5 Quel bon vent l'**amène** (_____) _____ ?

6 Je vous recommande cet excellent **bouquin** (_____) _____ .

7 L'enfant s'est fait **disputer** (_____) _____ parce qu'il arrachait les pages de son livre.

8 Il **tança vertement** (_____) _____ son fils, qui avait été renvoyé de l'école.

9 En été, les gens de Québec aiment bien se **balader** (_____) _____ sur les Plaines.

10 Il **appert** (_____) _____ de la déposition du quatrième témoin que l'accusé se trouvait bien sur les lieux du crime à ce moment-là.

Comme nous l'avons vu dans ce chapitre, nous révélons beaucoup de nous-mêmes quand nous parlons. Nous dévoilons notre origine géographique, notre degré de scolarisation, le milieu social dont nous venons. Le choix de nos mots révèle aussi nos valeurs, nos préjugés.

Reflets de la société, les dictionnaires évoluent : les fautes d'hier deviennent souvent l'usage d'aujourd'hui. Un regard sur les éditions passées des ouvrages de référence permet de suivre l'évolution normative de certains mots. Il faut donc garder un esprit critique lorsqu'on se sert des dictionnaires. Le simple fait de prendre Paris comme point de référence peut conduire à des situations cocasses : aujourd'hui, à Montréal, l'inscription *Carré Saint-Louis* a été biffée et remplacée par *Square Saint-Louis*. Pourtant, le « carré » Saint-Louis fait partie de l'imaginaire québécois pour avoir abrité, entre autres, les Nelligan, Miron, Pauline Julien et Gérald Godin et pour avoir occupé une place importante dans la littérature québécoise. Cette réalité n'a pas empêché les terminologues québécois de pencher pour l'usage de la France…

Chapitre 11

Les écarts lexicaux

Comme vous l'avez vu dans les trois chapitres précédents, le lexique est un champ d'étude fort complexe, aux ramifications nombreuses. Vous avez noté que, lorsqu'on écrit, il est essentiel de distinguer la norme de l'usage pour faire des choix éclairés ; vous avez découvert à quel point les dictionnaires sont des alliés précieux pour trouver le mot juste et vous avez constaté aussi que notre langue est bien vivante, créant au fur et à mesure de l'évolution de la société les mots nécessaires pour exprimer de nouvelles réalités. Vous avez maintenant tout le bagage de connaissances nécessaire pour éviter de commettre des impropriétés de toutes sortes : anglicismes, solécismes, barbarismes, paronymes, etc. Chaque fois qu'on doute du sens exact d'un mot ou de sa « légitimité », il faut recourir au dictionnaire et vérifier s'il est utilisé dans la bonne acception, avec un sens propre à la langue française et dans une structure bien idiomatique. Une fois les impropriétés décelées, il ne vous restera plus qu'à les corriger.

11.1 LES PIÈGES DE L'EMPRUNT

Toutes les langues, nous l'avons vu, empruntent des mots à d'autres langues. Le français n'échappe pas à cette tendance, et encore moins aujourd'hui avec l'apport d'Internet. Le français, comme la plupart des langues, emprunte surtout à l'anglais. Les mots et les expressions qui s'introduisent ainsi dans la langue se substituent au vocabulaire existant, remplacent une expression française qui désigne ces notions ou bloquent la voie à une traduction qui se substituerait avantageusement au mot emprunté. Aux fins de ce chapitre, nous entendons nommer ici « anglicismes » les **emprunts critiqués** ; nous réservons « emprunts » aux termes anglais acceptés et entrés dans l'usage (*tennis, jazz, steak, harmonica, gin*, etc.).

On distingue principalement trois sortes d'anglicismes : les anglicismes lexicaux, qui sont des emprunts inopportuns puisque le français possède déjà les mots pour exprimer ces entités (**flash light* pour *lampe de poche*), les anglicismes de sens, ou sémantiques, qui sont plus « pervers » parce qu'ils donnent à un mot français un sens qu'il ne possède pas (**quitter* au sens de *démissionner*), et les calques, qui sont une traduction littérale soit d'une expression (calque sémantique), soit d'une construction syntaxique anglaise (calque syntaxique). Ainsi, **certificat de naissance* est la traduction littérale de « birth certificate » ; le terme français est ***acte*** *de naissance* ou ***extrait*** *de naissance*. Par ailleurs, la construction **participer dans* vient de « participate in », la construction correcte étant *participer **à***. Les calques de préposition sont une source fréquente d'anglicismes.

Dans cet ouvrage, nous avons choisi de traiter les anglicismes de sens avec tous les autres problèmes de sens, sous la rubrique « Les impropriétés ». Les anglicismes syntaxiques quant à eux sont traités avec les autres solécismes (problèmes de structure).

11.1.1 Les anglicismes de prononciation

Rappelons-nous que lorsqu'il emprunte un mot à l'anglais, le français ne doit emprunter ni sa prononciation ni son orthographe. Si vous voulez vous assurer de prononcer correctement un mot, consultez votre *Petit Robert* : la transcription phonétique, entre crochets, suit immédiatement l'entrée de l'article et est doublée, dans la version électronique, d'une émission sonore pour les mots présentant des difficultés. Dans les pages de présentation au début du dictionnaire, vous trouverez des explications concernant le code de transcription phonétique utilisé.

EXERCICE 11.1

Vérifiez la prononciation des mots suivants en vous servant de la transcription phonétique donnée dans le *Petit Robert* ou, si vous utilisez la version électronique, de l'émission sonore, le cas échéant.

1. camping _____
2. alcool _____
3. cantaloup _____
4. chaos _____
5. sculpture _____

6. chèque _____
7. pyjama _____
8. maths _____
9. cents _____
10. révolver _____

11.1.2 Les anglicismes orthographiques

Rappelons-nous également qu'un mot peut s'écrire différemment en français et en anglais. *Danse* s'écrit avec un *s* en français. L'écrire avec un *c* serait commettre un « anglicisme orthographique ». L'exercice suivant vous fera découvrir bon nombre des anglicismes orthographiques les plus répandus en Amérique du Nord.

EXERCICE 11.2

Ajoutez les lettres nécessaires pour compléter les mots suivants en vérifiant au besoin leur orthographe dans le dictionnaire.

1 un bon exerci ____ e

2 un enfant a ____ ressif

3 le co ____ fort

4 un ex ____ mple

5 le lang ____ ge

6 le ha ____ ard

7 la li ____ érature

8 de la confiture d'a ____ ricots

9 une conne ____ ion

10 le tra ____ ic

11 une recomm ____ ndation

12 un a ____ artement

11.1.3 Les anglicismes lexicaux

L'anglicisme lexical est un emprunt critiquable puisque son équivalent existe en français. L'emprunt peut être direct ou francisé. Un *hit-and-run* est un emprunt direct ; *zoomer*, pour sa part, est une forme francisée du verbe anglais *to zoom*.

EXERCICE 11.3

Remplacez les anglicismes lexicaux en caractères gras par des mots français et faites les modifications qui s'imposent. Aidez-vous de vos dictionnaires et autres outils, notamment du *Multi*, d'*Antidote* ainsi que de la *Banque de dépannage linguistique* (*BDL*) de l'Office québécois de la langue française (sections « Anglicismes intégraux » et « Anglicismes hybrides »), en accès libre sur Internet.

1 Les réservations ne peuvent être ***cancellées** ____ .

2 Elle sera encore en retard à force d'appuyer sur le ***snooze** ____ de son radio-réveil.

3 On voit de plus en plus de ***start-up** ____ dans le monde des jeux vidéo.

4 J'ai réparé deux ***flats** ____ , coup sur coup, le mois dernier.

5 Il a fait appel à un ***contracteur** _____ extrêmement compétent pour rénover sa cuisine.

6 Pour économiser de l'argent, il a acheté un moteur ***reconditionné**

_____ .

7 On prend un ***break** _____ ?

8 Je lui ai dit de ***focuser** _____ sur un seul objectif à la fois. Sinon, il n'y parviendra jamais.

9 Un ***freelancer** _____ est à la fois l'entrepreneur, le propriétaire et son propre employé.

10 Je suis allée voir un spectacle de ***drag queens** _____ samedi dernier.

11.2 LES IMPROPRIÉTÉS

Le terme **impropriété** recoupe différents problèmes lexicaux dont le dénominateur commun est le sens : faux-sens, anglicismes sémantiques, homonymes, paronymes, pléonasmes et redondances sont autant de fautes de sens. Dans le *Français apprivoisé*, nous appelons *impropriété* toute altération du sens, que celle-ci touche un mot ou un groupe de mots. Quand le problème de sens concerne la relation sémantique entre deux mots ou deux groupes (le verbe et son complément, par exemple), on parlera plutôt d'incompatibilité sémantique ou de cooccurrence erronée ; nous reviendrons sur ce point à la section 11.3 de ce chapitre.

11.2.1 Les faux-sens

Les fautes de sens qu'on appelle faux-sens consistent à attribuer à un mot un sens qu'il n'a pas. Elles sont fort nombreuses dans les textes et résultent parfois d'une certaine négligence. Recourir à des termes justes pour décrire des réalités diverses exige en effet rigueur et précision, ce qui suppose qu'on consulte les dictionnaires.

L'exemple suivant est éclairant à ce sujet :

*L'ajout de ces compléments rend la ***lisibilité** complexe.*

La *lisibilité* ne peut être complexe ; c'est plutôt la *lecture* qui devient complexe, au fur et à mesure que la lisibilité du texte diminue.

*L'ajout de ces compléments rend la **lecture** complexe.*

EXERCICE 11.4

**Vérifiez dans votre dictionnaire le sens des mots en caractères gras,
puis remplacez-les par des expressions plus justes.**

1 La réforme de l'éducation ***entraine** quelques enjeux majeurs dont certains sont
d'ordre politique et juridique.

2 La question des bulletins scolaires ramène ***l'emphase** sur les enjeux de la réforme
de l'éducation en cours.

3 Les bouleversements causés par la ***déconcentration** du pouvoir sont à l'origine
de conflits ethniques.

4 Les écologistes et les chercheurs désapprouvent ***farouchement** le projet de loi
qui modifie les règles d'exploitation des forêts.

5 À moins que leurs propriétaires ne ***se révisent**, ces entreprises vont fusionner.

6 Ce remède a des effets positifs sur le malade ; il ***apporte** un état de bienêtre et facilite
la guérison.

7 Les rares cas de méningite prouvent que les personnes atteintes de cette maladie
n'ont pas ***affecté** le reste de la population.

8 Grâce aux effets spéciaux et au montage, le réalisateur ***inculque** au film un rythme
soutenu qui tient le spectateur en haleine.

9 La comparaison du taux de décrochage déprécie les écoles en milieu défavorisé
et ***considère** fortement les écoles en milieu aisé.

10 Le milieu de l'enseignement tente de réviser ses priorités, mais il nie du même coup sa mission ***primaire** : l'éducation pour tous.

11.2.2 Les anglicismes sémantiques et les calques d'expressions

Les fautes de sens incluent les anglicismes sémantiques, qui sont généralement difficiles à dépister puisque les mots posant problème existent bel et bien en français. En effet, certains mots ou certaines expressions existent dans les deux langues, mais avec des sens plus ou moins différents. On les appelle aussi des faux amis. Quand on les utilise en français dans leur acception anglaise, on commet des anglicismes sémantiques (de sens). Il faut par exemple faire attention à l'emploi d'*éligible*, un mot français qui appartient à la même famille que *élire* et *élection*. Par conséquent, *être éligible*, c'est satisfaire aux conditions pour être élu et rien de plus. Ainsi, pour être *éligible* au Parlement canadien, il faut avoir la nationalité canadienne, mais pour être *admissible* (et non *éligible) au cégep, il faut avoir obtenu son diplôme d'études secondaires.

Les calques d'expressions s'apparentent aux anglicismes sémantiques. Ce sont des traductions littérales d'« idiotismes », c'est-à-dire d'expressions figées propres à une langue. Ainsi en français, *quelque chose **a** du sens*, alors qu'en anglais, *something **makes** sense*. Beaucoup d'expressions calquées sont figurées et souvent intraduisibles mot à mot : imaginez un anglophone traduire mot à mot l'expression *se faire couper l'herbe sous le pied* ! Ces calques sont souvent critiqués parce qu'ils traduisent la lettre et non l'esprit d'une locution et que la langue hôte possède d'autres expressions pour exprimer les réalités décrites. Néanmoins, les langues s'empruntent bel et bien des expressions, en particulier des expressions colorées, comme celles-ci que le français a emprunté à l'anglais : *jeter le bébé avec l'eau du bain* (que l'anglais a lui-même emprunté de l'allemand), *ce n'est pas ma tasse de thé* (plus populaire en France qu'au Canada), *parler à travers son chapeau* (qui semble tomber en désuétude), *parler à un mur*.

EXERCICE 11.5

Vérifiez dans vos dictionnaires le sens des mots ou expressions en caractères gras, puis remplacez-les par des formes plus françaises. (Dans la *BDL*, les calques sont classés sous « Anglicismes phraséologiques ».)

1 C'est la visite du ***sanctuaire d'oiseaux** qui a le plus impressionné Louis au cours de son voyage.

2 ***Jusqu'à date** personne n'est venu se plaindre.

3 Tous les vols ***domestiques** sont annulés. Les vols internationaux sont maintenus.

4 Pour réussir dans la vente, il faut être ***agressif**.

5 On dénonce partout l'obésité infantile, mais ***à la fin de la journée**, qu'est-ce que proposent les gouvernements et les écoles pour changer la situation ?

6 La musique country, c'est ***le plus gros vendeur** aux États-Unis.

7 En tant que chauffeur désigné, il est resté ***sobre** toute la soirée.

8 Ce candidat ne ***rencontre** pas toutes les exigences.

9 Les jeunes veulent ***faire une différence** en matière d'environnement.

10 Il a perdu ses ***licences** à la suite d'un alcootest.

11 En achetant dans cette boutique, j'ai ***sauvé** de l'argent.

12 Lors de son inscription, il a dû apporter son ***certificat de naissance**.

13 Dans son discours, le président a mis ***l'emphase** sur les problèmes économiques.

14 Donne-moi la moitié de la somme aujourd'hui et ***la balance** dans un mois.

_____

15 Le nouveau centre de conférences pourra ***accommoder** 1000 personnes.

_____

16 Ses affaires vont mal. Elle a des problèmes ***monétaires**.

_____

17 ***Toute l'audience** l'a applaudi.

_____

18 C'est ***définitivement** lui le coupable.

_____

19 Pour ***partir** son commerce, il a dû investir un million de dollars.

_____

20 La police l'a arrêté et lui a demandé les ***enregistrements** de sa voiture.

_____

21 Elle a ***fait application sur** un poste de monitrice.

_____

22 Ce n'est pas très bien payé, mais il y a des ***bénéfices marginaux**.

_____

23 Je gagne 50 $ ***clair** par jour.

_____

24 Il a ***collecté** les loyers, on peut aller souper.

_____

25 Elle a acheté un ***bloc appartements** en ville.

_____

26 Il m'a ***chargé** 50 $ pour la journée.

_____

27   Elle a reçu deux ***certificats-cadeaux** de la boutique Fleurs du jour.

_____

28   ***Spécial du jour** : bœuf stroganoff !

_____

29   Julie participe aux réunions ***plus souvent qu'autrement**.

_____

30   Les chiffres que la comptable a donnés sont ***conservateurs**.

_____

11.2.3 Les homonymes

Les homonymes (du grec *homo*, « semblable », et *onoma*, « nom ») sont des mots qui se prononcent de la même manière, mais qui s'écrivent, le plus souvent, différemment. Ils sont une source fréquente d'erreurs orthographiques et posent à leur façon des problèmes de sens puisqu'on les confond souvent : ainsi, on peut être *sceptique* devant les déclarations d'un député, mais on fait vidanger sa fosse *septique* !

EXERCICE 11.6

Complétez les phrases suivantes en employant le mot qui convient, à la forme appropriée. Aidez-vous du *PR* pour trouver le mot juste.

acquis / acquit

1   Relisons une dernière fois, par _____ de conscience.

2   Il n'est pas question de remettre en cause les droits _____ .

3   Il est maintenant _____ à nos vues, mais cela n'a pas été sans peine.

4   J'ai _____ beaucoup d'expérience dans ce bureau.

censé / sensé

1   Nul n'est _____ ignorer la loi.

2   N'étiez-vous pas _____ me remettre ce travail hier ?

3 Je le croyais plus _____ que ça.

4 Il m'a fait quelques remarques très _____.

chair / chère

1 Tous les quotidiens ont leur chronique de bonne _____.

2 Si on fait trop bonne _____, on risque d'être bien

en _____.

dessein / dessin

1 Les enfants aiment faire des _____.

2 Il formait le _____ de renverser le gouvernement.

3 Je suis sûr qu'il l'a fait à _____.

pair / paire

1 C'est un étudiant hors _____.

2 Il n'a jamais été reconnu par ses _____.

3 Deuxième _____ de lunettes gratuite!

parti / partie

1 Les _____ d'opposition font bloc contre le gouvernement.

2 Il a refusé de prendre _____.

3 Il a pris le/la _____ des plus forts.

4 Il en a pris son/sa _____.

5 C'est du _____ pris.

6 Il faut tirer _____ de ce qu'on a.

7 Les deux _____ n'arrivant pas à s'entendre, on a eu recours à l'arbitrage.

8 Il a pris à _____ le premier ministre.

9 Dans cette sombre histoire, il était juge et _____ .

pause / pose

1 Ah, la journée d'un mannequin ! Des _____ ,

des _____ , et jamais de _____ .

voir / voire

1 Cela reste à _____ .

2 La France accepte mal d'être devenue une puissance de deuxième, _____ de troisième rang.

11.2.4 Les paronymes

Les paronymes (du grec *para*, «à côté de», et *onoma*, «nom») sont des mots qui présentent une ressemblance d'orthographe ou de prononciation, mais qui n'ont absolument pas la même signification. Il en existe de très nombreuses paires en français. Ainsi, on dira qu'un mot a plusieurs *acceptions* (sens d'un mot), mais on parlera de l'*acceptation* (le fait d'accepter) d'une offre.

EXERCICE 11.7

Complétez les phrases suivantes en employant le mot qui convient, après avoir vérifié le sens de chacun dans un dictionnaire, et faites les accords qui s'imposent.

adhésion / adhérence

1 Son _____ au Parti québécois a fait beaucoup de vagues.

2 Ces pneus ont beaucoup d' _____ au sol.

isolement / isolation

1 Les gardiens de phare souffraient parfois de leur _____ .

2 J'ai confié l' _____ de mon chalet à un expert.

juré / jury

1 Mon frère faisait partie du _____ .

2 J'ai été convoqué comme _____ .

stage / stade

1 L'affaire n'est encore qu'au _____ de projet.

2 Il fera son _____ dans une école secondaire.

compréhensible / compréhensif; incompréhensible / incompréhensif

1 Tout le monde n'a pas la chance d'avoir des parents _____ .

2 C'est _____ ! Comment cela a-t-il pu arriver ?

3 Fernand Seguin était un grand vulgarisateur scientifique. Il réussissait à rendre

_____ pour les profanes les choses les plus compliquées.

de plus / en plus

1 _____ , nous croyons que ces mesures stimuleront la recherche.

2 Et elle veut nous faire travailler le samedi matin _____ !

3 _____ , elle veut nous faire travailler le samedi matin !

éminent / imminent

1 C'est un _____ savant.

2 La pluie est _____ .

3 Elle a occupé des fonctions _____ au sein du gouvernement.

4 Aujourd'hui, nous tenons à remercier notre _____ collègue
pour son dévouement à notre institution.

5 Dès septembre, on a parfois l'impression que l'hiver est _____.

6 Elle a rendu d'_____ services à notre institution.

éruption / irruption

1 L'éminent volcanologue avait prédit l'_____ du volcan.

2 L'_____ de joie tournait à la folie.

3 L'herbe à puce est une plante vénéneuse dont le contact peut causer une

_____ de vésicules qui provoquent des démangeaisons

très désagréables.

4 Il fit _____ chez le trésorier pour réclamer son dû.

évoquer / invoquer

1 Le muguet _____ pour moi l'adolescence : ma première eau
de toilette était une eau de muguet.

2 Tout l'auditoire était venu pour entendre parler des nouvelles subventions,

mais c'est à peine si le ministre a _____ la question.

3 Alcoolique repenti, il n'_____ (imparfait) pas moins
avec plaisir les nombreuses bouteilles qu'il avait bues.

4 Après un mois de sécheresse, tous les agriculteurs _____
le ciel pour un peu de pluie.

5 Comme d'habitude, les autorités ont _____ le manque
d'argent pour surseoir au projet.

gradation / graduation

1 Il faut graduer les difficultés, il faut procéder par _____.

2 Je voudrais un thermomètre à double _____ : Celsius et Fahrenheit.

inclination / inclinaison

1 L'_____ de la tour de Pise attire de nombreux touristes. Les commerçants de la ville s'élèvent contre son redressement.

2 Si je suivais mon _____, je ne me lèverais jamais avant 10 heures.

3 Il acquiesça d'une brève _____ de la tête.

4 L'après-midi était chaud, et le gâteau de mariage prenait une dangereuse

_____ .

inculquer / inculper

1 Personne ne vous a donc _____ la politesse ?

2 Tant bien que mal, il essayait de leur _____ quelques notions d'orthographe.

3 Ce matin au Palais de justice, Madame X a été _____ de vol et de délit de fuite.

judiciaire / juridique

1 Des poursuites _____ ont été engagées.

2 L'enquête _____ piétine.

3 Recherchons une secrétaire _____ .

4 Les « erreurs _____ » ne sont pas toujours des erreurs.

notable / notoire

1 Son avarice était _____ .

2 Hormis l'explosion d'une voiture devant l'ambassade, la soirée s'est déroulée sans incident _____, a déclaré l'attaché de presse.

3 Votre fils a fait des progrès _____ en orthographe.

4 Tous les _____ de la ville étaient présents à la cérémonie.

perpétrer / perpétuer

1 Le crime a été _____ aux alentours de minuit.

2 Toutes les traditions sont-elles bonnes à _____ ? s'interrogeait le nouveau chef religieux.

3 Pourquoi cette injustice devrait-elle se _____ ? demande le syndicat.

personnaliser / personnifier

1 Il est la bonté _____.

2 Tout en n'ayant que des meubles fabriqués en série, il a réussi à _____ son intérieur.

prolongement / prolongation

1 Les travaux de _____ de la route débuteront au printemps.

2 _____ de la vie ou euthanasie : un débat difficile.

rabattre / rebattre

1 A-t-il fini de nous _____ les oreilles avec cette vieille histoire ?

2 S'il continue, je vais lui _____ le caquet.

recouvrer / recouvrir

1 La faillite de son fournisseur lui laisse peu d'espoir de _____ son argent.

2 Il a _____ la santé alors que les médecins avaient perdu tout espoir.

3 J'ai _____ le canapé de velours côtelé noir.

amener / apporter

1 Mais bien sûr, _____ vos enfants !

2 N'oubliez pas d' _____ vos dictionnaires.

3 Elle a _____ beaucoup de soin à ce travail.

11.2.5   Les pléonasmes et les redondances

Un pléonasme, c'est une répétition fautive. Il en existe de célèbres : *panacée universelle, *monter en haut, *descendre en bas* : en effet, une panacée est par définition universelle, on monte toujours vers le haut et on descend toujours vers le bas. Si le pléonasme est parfois voulu, pour son effet comique, c'est plus souvent par mégarde qu'on l'utilise. Le mot *redondance* peut être pris comme synonyme de *pléonasme* ; il s'applique aussi à des répétitions plus diffuses. Les redondances ne sont pas par nature fautives : on peut répéter quelque chose intentionnellement, pour le faire mieux comprendre ou mieux retenir. Dans l'exercice qui suit, nous ne nous intéresserons qu'aux tours vraiment pléonastiques, donc fautifs.

EXERCICE 11.8

Éliminez les répétitions inutiles dans les phrases suivantes, soit en les retirant complètement, soit en les remplaçant par autre chose.

1 « Reculez en arrière ! » cria le chauffeur d'autobus.

_____

2 Dans certains pays, à cause de l'alcoolisme, un enfant sur six qui nait est atteint du syndrome d'alcoolisme fœtal à la naissance.

_____

3 L'état de la situation est critique.

_____

4 Les offres d'emploi qui requièrent de telles exigences sont rares.

---

5 De plus, les stéréotypes véhiculés par le film sont banals. On aurait apprécié davantage d'originalité et de profondeur.

---

6 Nous avons marché au moins 15 kilomètres à pied.

---

7 Il a inventé toutes sortes de faux prétextes pour éviter de se faire gronder.

---

8 Il est indispensable de s'entraider mutuellement.

---

9 Prière de réserver vos billets à l'avance.

---

10 Notre compagnie a le monopole exclusif pour la région de Québec.

---

11 Le premier ministre présidera demain l'inauguration de la nouvelle clinique.

---

12 Ils se sont vus contraints malgré eux de vendre leur maison.

---

13 Il ne vous reste qu'une journée seulement.

---

14 Depuis que Jean est entouré d'un environnement paisible, sa vie a changé.

---

15 L'économie mondiale favorise les pays riches à s'enrichir davantage.

11.3 L'INCOMPATIBILITÉ SÉMANTIQUE (COOCCURRENCES ERRONÉES)

Quand deux personnes ne s'entendent pas, c'est souvent par incompatibilité de caractère ; des différences de tempérament majeures les rendent incapables de s'accorder, de vivre ensemble. Il en va de même pour les mots. Souvent, on combine un verbe avec un sujet ou un complément direct ou indirect qui ne convient pas à son sémantisme. Par exemple, certains verbes ont un sens résolument positif et d'autres, un sens résolument négatif. Leur cooccurrence avec des mots ou des expressions dont le sens est contraire au leur est de ce fait impossible. Prenons la phrase suivante : *Le projet de loi a recueilli l'hostilité des milieux de l'enseignement.* Comme le verbe *recueillir* impose une idée positive, sa combinaison avec *hostilité* est mauvaise. On peut *recueillir l'assentiment* de tous, *recueillir des votes*, etc., mais non l'hostilité, sauf, bien sûr, si l'intention est ironique.

Corriger les fautes et les maladresses de cooccurrence exige beaucoup d'attention lorsqu'on écrit et lorsqu'on se relit.

> *La dernière étape fut celle de nous **pencher sur l'étude** de solutions de rechange.*

Si on peut *se pencher sur **un problème**, **une question***, on ne peut certainement pas *se pencher sur **l'étude** d'une question*.

Les erreurs de cooccurrence touchent toutes les combinaisons, par exemple celle entre le sujet et l'attribut.

> *La Révolution tranquille qu'a connue le Québec au début des années 1960 a été **synonyme** de grands changements.*

La *Révolution tranquille* est un phénomène abstrait, qui ne peut être *synonyme* de quoi que ce soit.

La combinaison entre le nom et son complément est également le lieu de nombreuses erreurs et maladresses.

> *Leur **différence** de vues les a éloignés l'un de l'autre.*

Idiomatiquement, on parle de *divergence* et non de *différence de vues*.

Grâce au découpage très détaillé des emplois, à ses nombreux exemples et citations, ainsi qu'à ses renvois analogiques, le *Petit Robert* nous aide à éviter les combinaisons fautives. On peut aussi utiliser le *Dictionnaire des cooccurrences* (en accès libre, dans *Termium Plus*, sur Internet), de Jacques Beauchesne, qui compile les adjectifs et les verbes à utiliser avec chaque nom. *Antidote*, lui, va encore plus loin et traite les cooccurrents tant des verbes, des adjectifs et des adverbes que ceux des noms : pour les verbes, par exemple, la rubrique sur les cooccurrences donne, par ordre de fréquence, les combinaisons sujet + verbe, verbe + complément direct, verbe + autres compléments, etc. ; pour un adjectif, on aura les combinaisons nom + adjectif complément, mais aussi adverbe + adjectif, adjectif + complément de l'adjectif, etc.

EXERCICE 11.9

Trouvez des expressions idiomatiques pour remplacer les combinaisons incompatibles, en caractères gras dans le texte.

1 Lorsque la **coopération** entre parents et enseignants est **présente**, l'élève réussit plus facilement à surmonter ses difficultés à l'école.

2 Ces mesures doivent faciliter le commerce international des produits forestiers en **clarifiant les controverses** touchant la certification environnementale.

3 Il n'existe aucun médicament pour traiter la méningite virale, toutefois cette maladie **rentre heureusement dans l'ordre**.

4 Nous ne comprenons pas pourquoi le gouvernement **adopte une attitude inactive** dans ce dossier.

5 Encore faut-il être sûr que les **efforts** qui sont actuellement **pris** sont suffisants pour protéger l'environnement.

6 La réforme de l'éducation devrait permettre aux élèves **d'atteindre certaines exigences** et d'évoluer dans un environnement motivant.

7 Les gens qui vont **réaliser des achats** sur Internet doivent prendre au préalable des renseignements sur les fournisseurs.

8 Quand un parent est souffrant et que les médecins prétendent qu'il n'existe pas de médicaments pour **atténuer le malade**, la situation est difficile pour tout le monde.

9 Nous nous **demandons la question suivante** : pourquoi n'avez-vous pas pris les mesures qui s'imposaient pour éviter de vous retrouver dans une situation aussi délicate ?

10 Malgré toute notre bonne volonté pour résoudre cette énigme, **on nage toujours en plein désert**.

11 Les spectateurs **ont donné un accueil** chaleureux à la vedette lorsqu'elle a fait son entrée en scène.

12 Selon une enquête menée récemment, de nombreux jeunes **placent** l'argent et le sexe **sur le même pied d'égalité**.

13 Cette femme a mené de front une carrière d'avocate et **une maternité de quatre enfants**.

14 Elle **éprouve** la satisfaction de partager des secrets bien gardés et le **mérite** d'aider ses clients à réaliser leurs ambitions.

15 Ce **questionnaire a à cœur** de mesurer le degré d'anxiété des patients.

16 **L'interprétation des rôles principaux est jouée** avec tant de naturel qu'on ne peut que croire à cette histoire.

17 En cas de mauvais temps, **la projection se déplace** à la grande salle du centre récréatif.

18 Après un long procès, **les biens** de ce riche propriétaire terrien **ont été transmis** à l'ainée de la famille.

19 La réalisation du projet va **encourager le saccage** de toute la région.

20 Il **jouit d'une mauvaise** santé.

21 Cette nouvelle **s'est avérée fausse**.

22 Les risques sont **réduits au maximum**.

23 C'est **grâce à une plaque de verglas qu'il a dérapé**.

24 Il **risque de gagner** lors des prochains Jeux olympiques.

25 Il a **perdu** des milliers de dollars **à la faveur de cette erreur**.

EXERCICE 11.10

Dans les phrases suivantes, corrigez les formulations fautives provenant, dans la plupart des cas, d'une mauvaise connaissance des expressions figées.

1 Le ministre avait montré ses couleurs en brandissant la menace d'agir rapidement dans ce dossier.

2 Dans une pièce théâtrale, l'imagination du spectateur est constamment mise à contribution ; on ne peut pas en dire autant dans un film où, bien souvent, tout est montré.

3 Grâce à mon nouvel emploi de cuisinière dans un grand hôtel, je pourrai plus facilement rejoindre les deux bouts.

4 Il était temps qu'on rénove ce théâtre et qu'on lui refasse une fraicheur, car c'est un bâtiment historique.

5 Pour tirer l'affaire au clair, les deux animateurs poseront les cartes sur la table en fin de journée.

6 Tant qu'à moi, un élève qui quitte le secondaire se ferme de nombreuses portes, à moins qu'il ne reprenne ses études plus tard.

7 Pour faciliter l'intégration des nouveaux étudiants, la plupart des facultés mettent sur place une journée d'information et un rite d'initiation.

8 L'entrée en scène d'un nouveau suspect dans cette intrigue policière déjà compliquée ne fait qu'embrouiller les pistes.

9 Depuis qu'elle a fait sa connaissance dans un bar de la vieille ville, elle n'a d'ouïe que pour lui.

10 Être riche et célèbre comporte bien des avantages, toutefois le revers du pendentif, c'est qu'on ne peut aller nulle part sans être importuné.

11 À l'annonce de la mort de son fidèle compagnon, elle avait pleuré comme une madone pendant des heures.

12 Le ministre a démontré de l'intérêt pour les problèmes des pêcheurs.

13 Le Ministère a mis en place des quotas de pêche pour éviter la disparition de l'espèce.

14 Le partage de leurs richesses ne fera que constituer un appauvrissement collectif.

15 Actuellement, un débat est présent au sein du cabinet du premier ministre au sujet de la TPS.

11.4 LES BARBARISMES ET LES SOLÉCISMES

Le **barbarisme** est une faute de langage qui consiste à se servir de mots déformés et, par extension, de mots forgés ou employés à mauvais escient. Ainsi, on se rend à l'*aéroport* et non pas à l'**aréoport*. L'invention de mots qui n'existent pas dans la langue (et qu'on pourrait qualifier de néologismes de mauvais aloi) s'inscrit dans la même ligne. Quand un expert en sinistres dit qu'il « doit donner une **priorisation* aux clients assurés », il commet un barbarisme. Le mot **priorisation*, même s'il a tendance à se répandre, n'a pas le sens de *priorité*.

Le **solécisme**, quant à lui, désigne les fautes contre les règles de la syntaxe. Si nous en présentons quelques cas dans cette partie consacrée au lexique, c'est parce que leur solution se trouve la plupart du temps dans le dictionnaire. En voici un exemple : *Ils se sont empressés *à faire connaitre les avantages de leur solution.* Le *Petit Robert* indique que le verbe pronominal *s'empresser* se construit avec la préposition **de**.

Ces fautes de construction peuvent provenir de sources diverses. Quand elles proviennent de l'influence de l'anglais, on les appelle des *calques syntaxiques* ou *anglicismes syntaxiques*. Par exemple, on n'est pas **sur un comité* mais **membre d'un** comité. On ne se *fie pas *sur quelqu'un* mais **à** quelqu'un.

EXERCICE 11.11

Complétez les phrases suivantes avec la préposition qui convient et, s'il y a lieu, faites les modifications qui s'imposent.

1 S'il me répond _____ l'affirmative, je serai là à la première heure.

2 Elle joue de la guitare _____ l'oreille.

3 La ville de Rimouski a besoin _____ nouvelles installations.

4 Pascal a fait une commande _____ 100 fanaux.

5 Il est demeuré _____ observation pendant huit heures.

6 Mon cousin est plombier. Il travaille _____ la construction.

7 Tu as vu la foule qu'il y avait _____ la rue à cinq heures ?

8 Son bureau se trouve _____ cet étage-ci.

9 Cette fois-ci, j'ai voyagé _____ un Airbus A380.

10 La pièce est grande : elle fait 9 mètres _____ 10.

11 Si vous en doutez, vérifiez _____ le Service aux abonnés.

12 Ces articles sont vendus _____ perte.

13 Il fait 15 °C _____ zéro.

14 C'est _____ regret que nous devons vous quitter aujourd'hui.

15 Je suis _____ vous dans 10 minutes.

16 Elle a passé une commande _____ 300 crayons.

17 Elle a décidé de vivre _____ campagne après son infarctus.

18 Veuillez payer _____ serveur SVP.

19 Il a échoué _____ son examen.

20 Le cas _____ étude est particulier.

EXERCICE 11.12

Corrigez les constructions fautives en caractères gras dans les phrases suivantes et faites les modifications qui s'imposent.

1 Ça lui a pris *un bon 20 minutes** pour effectuer le parcours.

_____

2 *En autant que** je sache, il ne viendra pas demain.

_____

3 La nouvelle ***à l'effet que** le dollar serait en chute libre s'est révélée fausse.

---

4 Les écoles sont demeurées fermées ***dû au** mauvais temps.

---

5 Elle a fait ses courses ***en dedans d'**une heure.

---

6 Je ***suis familier avec** ce programme.

---

7 ***Vérifiez avec** M. Tremblay l'horaire des trains.

---

8 C'est M. Côté qui est ***responsable pour** ce dossier.

---

9 Aurez-vous ***les argents** nécessaires pour acheter l'immeuble ?

---

10 On n'aurait jamais dû ***se fier sur** lui.

---

11 Il est ***obsédé avec** l'argent.

---

12 Il a ***participé dans** trois concours l'année dernière.

---

13 Ils ont mangé trois gaufres ***chaque**.

---

14 ***Dépendamment** du temps, le spectacle aura lieu au Pigeonnier ou au Grand Théâtre.

---

15 ***Dépendant** des sources que vous aurez à votre disposition, vous pourrez traiter ce point avec plus ou moins de détails.

16 Les ***dernières 10 années**, j'ai habité à Toronto.

17 C'est Amélie qui est ***en charge** des achats.

18 Avez-vous ***été répondu** ?

19 Combien as-tu ***payé pour cela** ?

20 Aujourd'hui, ***c'est plus 18 °C** : c'est un record pour le mois de mars.

EXERCICE 11.13

Corrigez les erreurs mises en relief par les caractères gras dans les phrases suivantes.

1 Le célèbre romancier est mort d'un ***infractus** à l'âge de 42 ans.

2 Je me ***rappellerai de** cette soirée toute ma vie.

3 Je vous ***serais** gré de bien vouloir me répondre par retour du courrier.

4 Il y a assez de vin pour deux ***à** trois personnes.

5 Il est placé devant un grave ***dilemne**.

6   Demain, c'est la fête ***à** Maxime.

7   Il a fait ***pareil que** vous quand je lui ai annoncé la nouvelle.

8   Il y a inégalité entre sa ***rénumération** et la qualité du travail accompli.

9   Je préfère rester à la maison ***que** sortir.

10   Une soixantaine d'organismes et de clubs divers ***se sont objectés** à tout nouveau développement hydroélectrique.

11   Il a exécuté son travail avec ***habilité**.

12   Faute de moyens ***pécuniers**, il a dû renoncer à ses vacances.

13   Il ***s'est accaparé** l'auditoire pendant toute la soirée.

14   Louise ***débute** toujours le cours par un mot de bienvenue.

15   Elle a ***démontré** de l'intérêt quand je lui ai parlé de Venise.

16   Vous l'avez appris à ***votre dépend**.

17   Louis a ***ramené** un poncho du Venezuela.

18 Les outardes ***quittent** pour un ciel plus clément.

19 ***J'haïs** le pâté chinois.

20 Derrière ses manières ***frustres** se cachait un être sensible.

EXERCICE 11.14   Récapitulation

Dans les phrases qui suivent, relevez les fautes de sens et corrigez-les en vous aidant de votre *PR*, de votre *Multi*, d'*Antidote* et de votre sens linguistique !

1 Elle a longuement parlé de l'incohérence budgétaire du gouvernement.

2 Une nouvelle ronde de hausse des taux d'intérêts est à prévoir.

3 Des groupes s'inquiètent du pouvoir des citoyens dans la nouvelle ville.

4 On a clos la semaine avec une question touchant toute la population : le suicide chez les jeunes. Ce problème a augmenté depuis les dernières années.

5 Cette redondance nuit aux règles du style.

6 Dans son article, la journaliste aborde dans le même sens.

7 Ces mesures doivent faciliter le commerce international des produits forestiers en clarifiant les controverses touchant la certification environnementale.

8 La base du concept réside dans l'interprétation et la mise en application de critères.

9 Pour l'instant, le syndicat adhère aux positions qu'il a déjà fait connaitre.

10 « Depuis toujours, la langue et la culture sont au cœur de la vie des Québécoises et des Québécois », énonce le ministre.

11 Ce projet de loi favorise les industries forestières et celles-ci vantent une création d'emplois et des retombées économiques que les statistiques ne prédisent pas.

12 Le point de ce débat est de savoir quelle forme prendront les relevés de notes destinés aux enfants du primaire et du secondaire, ainsi qu'à leurs parents.

13 Le gouvernement oublie certains principes premiers qu'il prévalait auparavant.

14 La confessionnalité de cette école entre en conflit avec les valeurs de plusieurs familles.

_____

_____

15 La grande dame de la chanson française a comblé nos oreilles plusieurs fois au cours des années.

_____

_____

Partie 4
La rédaction

Chapitre 12

La démarche de rédaction

On a d'autant plus de chances de se faire comprendre de la personne à qui on s'adresse qu'on la connait bien. Si on écrit un mot tendre à son compagnon, si on raconte une anecdote à ses amis dans Facebook, on a bien des chances de trouver le bon mot : on est sur la même longueur d'onde. Les choses se compliquent quand on connait peu, mal ou pas du tout le destinataire auquel on s'adresse. Il peut s'agir d'un professeur auquel on remet un premier travail, d'un employeur chez qui on postule, d'un supérieur à qui on doit remettre un rapport ou encore du « grand public » à qui on destine un dépliant, un communiqué, une publicité.

Un texte compréhensible est un texte dont le destinataire saisit le sens à la première lecture. Pour être **compréhensible**, le texte doit être à la fois **lisible** et **intelligible**. La lisibilité facilite le décodage ; elle relève de la typographie, du choix des mots et de la structure des phrases. L'intelligibilité, pour sa part, se manifeste dans l'architecture du texte ; elle relève principalement de la sélection et de la structuration de l'information (contenu et découpage visuel) : elle facilite donc la construction du sens.

Qu'on ait un travail scolaire à rendre, une procédure à imposer ou une lettre à composer, on a besoin de suivre une démarche rigoureuse pour structurer sa pensée. Rédiger est une tâche complexe, qui se présente comme un problème à résoudre. En effet, chaque contexte de communication étant particulier (en raison de l'intention de communication, du destinataire ciblé, du genre d'écrit, etc.), il faut trouver des stratégies qui soient propres à la situation.

Cependant, si chaque acte de communication est singulier par définition, la démarche qui le sous-tend est générale. Celle qui vous est proposée ici comporte cinq étapes : l'analyse du mandat, le choix de l'information, la structuration de l'information, la rédaction et la relecture (ou révision). Cette démarche s'applique à chaque situation de communication et pour tout type de document, travail scolaire ou document utilitaire. Elle touche tous les scripteurs, qu'ils soient étudiants ou travailleurs.

12.1   L'ANALYSE DU MANDAT

Toute tâche d'écriture suppose un « mandant » (celui qui donne le mandat), un « mandataire » (le rédacteur ou le responsable de la conception du document), et un destinataire (la personne à qui s'adresse le document). En rédaction professionnelle, le mandant et le destinataire sont deux entités différentes ; par exemple, Hydro-Québec (mandant ou client) demande à la boite de communication X (concepteur) de réaliser une brochure pour les jeunes familles désirant faire des rénovations dans leur logement (destinataire). En rédaction scolaire, qu'on soit au cégep ou à l'université, le mandant et le destinataire sont souvent la même personne : le professeur. C'est lui qui donne le mandat et c'est lui qui lit (et note !) le travail.

Dans les deux cas, le rédacteur doit s'assurer qu'il a bien compris ce qu'on exige de lui et qu'il a en main toute l'information nécessaire pour mener à bien son travail. En effet, c'est à lui de choisir les stratégies d'écriture les plus efficaces pour produire l'effet escompté sur le lecteur, dans la limite des contraintes qui lui sont imposées. Le rédacteur fera la preuve de sa compétence s'il sait anticiper les difficultés auxquelles il devra faire face. S'il ne demande pas de précisions sur la tâche dont il devra s'acquitter, c'est à lui qu'incombe la responsabilité de tout malentendu ou retard indu.

L'analyse du mandat constitue une étape vitale, qui détermine toute la production écrite. C'est à ce moment que le rédacteur définit les paramètres de la situation de communication qui le guideront tout au long de son travail d'écriture. Plus les réponses aux questions qu'il se pose alors seront précises, plus la démarche sera rigoureuse et le texte, efficace. Pour cerner son mandat, il doit s'interroger sur le public ciblé et le but visé par le texte, sur les limites du sujet imposé, sur le type de document à produire (compte rendu de lecture, rapport de recherche, lettre, formulaire, etc.) ainsi que sur le temps dont il dispose.

12.1.1   Le destinataire (le public cible)

Tout document bien construit circonscrit son public avec précision. Pour être en mesure de choisir la bonne information à transmettre, le rédacteur doit tenir compte de l'intérêt et des acquis de la personne à qui il s'adresse. *Dans quel but le lecteur lit-il ce texte, que veut-il en tirer, que connait-il du sujet, de quelles connaissances a-t-il besoin pour suivre le raisonnement tenu ?* Pour être bien saisie, l'information nouvelle doit répondre au besoin du lecteur et se greffer sur ce qu'il possède déjà. En rédaction professionnelle, le principal écueil qui guette le rédacteur peut résider dans sa trop grande compétence : en effet, la connaissance approfondie du sujet risque d'occulter la situation d'un lecteur non averti. En revanche, si destinataire et mandant se confondent en la personne du professeur, le rédacteur n'aura pas à s'inquiéter du bagage de ce dernier : il connait la matière qu'il enseigne. Il s'attend néanmoins à ce que les étudiants fassent la preuve qu'ils l'ont comprise et qu'ils respectent l'ensemble des consignes données pour le travail.

12.1.2   Le but de la communication

Une communication réussie est une communication qui répond aux exigences du mandant et qui produit l'effet voulu sur le destinataire. Le but (ou l'intention de communication) est la pierre angulaire du texte. Doit-on informer le destinataire (pour l'éclairer sur une question, rendre compte d'une expérience, etc.)? Doit-on plutôt le convaincre de quelque chose (pour l'amener à changer d'opinion, à modifier sa perception)? Tout texte utilitaire se construit autour d'une de ces deux intentions dominantes: informer (rendre compte, expliquer ou analyser sans donner son point de vue) ou persuader. Il est donc important de bien préciser sa visée. Dans les travaux scolaires, le professeur peut demander un rapport de recherche à ses étudiants: exige-t-il un rapport d'activité ou informatif (des faits uniquement), analytique (des faits expliqués) ou de recommandation (des faits analysés et menant à des recommandations)? S'il demande à ses étudiants de résumer un ouvrage, souhaite-t-il un résumé brut, sans commentaires, ou un compte rendu critique?

12.1.3   Le sujet de la communication (le contenu du document)

Le contenu du document, c'est le sujet sur lequel porte le message et ce qu'on veut ou doit en dire. En rédaction professionnelle, il faut non seulement connaitre son sujet, mais encore déterminer l'angle sous lequel on veut l'aborder et définir l'ampleur qu'on veut lui donner. Connaitre la durée de vie du document est nécessaire: le rédacteur devra tout d'abord distinguer les informations temporaires (dates, couts, noms de personnes, etc.) des informations permanentes (public ciblé, programme visé, etc.). Déterminer l'étendue du sujet, c'est aussi choisir les différents points qu'il faudra présenter dans le document. Pour déterminer jusqu'à quel degré il lui faudra détailler son propos, le rédacteur devra estimer ce que le lecteur sait du sujet et se demander ensuite ce dont il a besoin. Cette étape est essentielle dans la conception de documents s'adressant au grand public.

La question se pose également dans la réalité scolaire. Si un professeur demande un essai de 10 pages sur un sujet, il ne demande pas une thèse de doctorat. S'il demande aux étudiants de justifier leur position (partie argumentative), cela suppose qu'il leur faudra tout d'abord présenter les faits (partie informative). Et même si le professeur ne précise pas que le travail doit commencer par une introduction, il s'attend à ce que cela soit su et fait. Même chose souvent pour la bibliographie à la fin du travail. À moins d'avis contraire, une bibliographie ou une liste des références est toujours exigée dans un travail de recherche. Elle est placée immédiatement après la conclusion.

12.1.4   La forme du document

Rédacteur et mandant doivent s'entendre sur le genre, la longueur du document et le média, s'il y a lieu. Il leur faut aussi déterminer le rapport entre le texte et les éléments visuels pour que le rédacteur puisse concevoir le document en tenant compte de la place réservée au texte. Chaque genre d'écrit possède une allure bien à lui: un rapport de recherche ne ressemble pas à un dépliant, un communiqué de presse, à un procès-verbal. La raison en est que les genres sont soumis à des règles d'écriture et de présentation matérielle admises par une communauté à une période donnée. Ils peuvent naitre et mourir au rythme de l'évolution technologique d'une société : le courriel remplace de plus en plus la note de service, par exemple. Certains genres sont plus stables que d'autres : le canevas de la lettre est stabilisé, tandis que celui d'une page Web est encore fluctuant. Ce qu'il faut retenir au bout du compte, c'est que la facture visuelle et les règles d'écriture propres à chaque genre permettent au lecteur, sans même qu'il ait pris connaissance du contenu du document, de repérer certains éléments d'information. Les conventions de genre sont déterminantes pour la compréhensibilité d'un texte.

Voici des questions que peut se poser le rédacteur concernant la forme du document :

- Quel genre de document faut-il produire ?
- Sous forme imprimée ou électronique ?
- Quel est le canevas du genre demandé ?
- Quelles sont ses composantes obligatoires et facultatives ?
- Quelle longueur doit avoir le document ?
- Existe-t-il des documents similaires qui pourraient servir de modèles ?
- Y aura-t-il des éléments visuels ? Si oui, quelle sera leur répartition par rapport au texte ? (Faut-il prévoir des illustrations, des tableaux, des grilles de calculs, etc. ?)

12.1.5 La reformulation du mandat et l'établissement de l'échéancier

Le rédacteur professionnel avisé fera valider sa compréhension du mandat et son plan de travail par celui qui lui aura confié le mandat. L'étudiant avisé fera du même, par courriel ou oralement en classe, s'il doute de quoi que ce soit dans l'interprétation des consignes ou lorsque le travail a une certaine étendue. La reformulation du mandat peut prendre la forme d'une fiche ou celle d'un texte suivi d'une vingtaine de lignes. Pour s'assurer de remplir sa tâche d'écriture dans les délais fixés, qu'il s'agisse d'un dépliant de 250 mots ou d'un rapport de 50 pages, le rédacteur prudent établira un échéancier. Il énumèrera, dans un ordre logique et de façon détaillée, les actions à entreprendre (recherches, lectures, rencontres, etc.) en respectant les étapes de la démarche de rédaction. Cette liste d'activités peut se combiner avec le calendrier dans un diagramme de Gantt (voir la figure 12.1) : le rédacteur déterminera alors le temps requis pour s'acquitter de chacune de ces activités et précisera qui en est responsable, ce qui est indispensable pour les travaux d'équipe. De cette manière, le rédacteur pourra visualiser toutes les tâches à effectuer et déterminer plus facilement si certaines d'entre elles peuvent être menées de front. Cette étape permet de juger de la logique de mise en ordre des actions à entreprendre et de la rigueur de la planification. Le réalisme du calendrier traduit la capacité du rédacteur d'évaluer le temps qu'il alloue à chacune des étapes de réalisation du mandat.

Échéancier

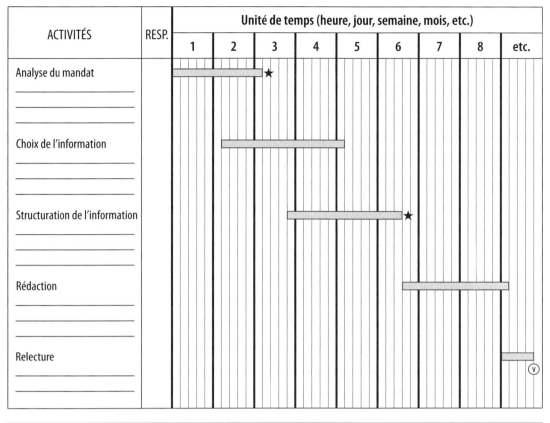

Figure de la planification :

ACTIVITÉS	RESP.	Unité de temps (heure, jour, semaine, mois, etc.)								
		1	2	3	4	5	6	7	8	etc.
Analyse du mandat				★						
Choix de l'information										
Structuration de l'information						★				
Rédaction										
Relecture										ⓥ

Légende : ★ = validations
▭ = durée estimée des activités liées au projet
ⓥ = versions

Figure 12.1[1] – La planification d'une tâche de rédaction (diagramme de Gantt)

À NOTER

Un texte compréhensible est un texte dont l'information est complète pour le lecteur, dont la structure fait ressortir l'idée maitresse avec logique et clarté, et dont les notions complexes sont expliquées au fur et à mesure du raisonnement.

---

1. Les figures 12.1, 12.2 et 12.4 sont tirées de *La démarche de rédaction*, parue aux Éditions Nota Bene en 2000.

12.2 LE CHOIX DE L'INFORMATION

12.2.1 La collecte

Certaines tâches d'écriture commandent une recherche d'informations, d'autres non. Si vous devez résumer un article, aucune recherche n'est requise. En revanche, si vous avez à présenter une expérience réalisée en laboratoire et à étayer vos résultats à l'aide d'études scientifiques, il vous faudra faire une recherche. Que ce soit pour la recherche en bibliothèque ou dans Internet ou pour une observation sur le terrain, la rapidité et l'efficacité de la recherche sont proportionnelles à la connaissance que le rédacteur a des outils et des méthodes de collecte. Il existe de nombreux ouvrages sur la manière de mener une recherche ou de réaliser une observation sur le terrain, et la plupart des bibliothèques offrent des séances d'information pour initier les étudiants à la recherche.

La collecte vise trois objectifs principaux :

- obtenir l'information nécessaire à la production d'un document complet et précis ;
- vérifier la qualité et la fiabilité des sources en les confrontant ;
- s'assurer d'avoir un nombre suffisant de sources crédibles récentes.

Trouver l'information est une chose, trouver la bonne en est une autre ! Vérifier la pertinence, la fiabilité et l'exactitude des sources de référence est nécessaire pour livrer un message à la fois juste, complet et conforme aux exigences de qualité en communication écrite. À cette étape, il est primordial de distinguer les différents types de sources à consulter. On ne confondra pas la chronique d'un journaliste – aussi brillante soit-elle – avec un article scientifique publié dans une revue savante : la finalité de l'un et de l'autre n'est pas la même. Dans Internet, certains sites sont des sources fiables, d'autres non. Il faut s'assurer de la crédibilité de l'auteur, de la date de mise à jour du site, etc. Les bibliothèques universitaires proposent des guides d'initiation à la recherche. Voici en exemple celui de l'Université Laval, qu'on peut consulter à l'adresse suivante :

http://www.bibl.ulaval.ca/vitrine/giri/outils/apropos.htm

L'Association des journalistes indépendants du Québec (AJIQ), quant à elle, recommande un guide hébergé par l'Agence Science-Presse :

http://www.sciencepresse.qc.ca/recherche/tdm.html

À NOTER

Tenir un journal de bord lors d'une recherche sur le terrain ou d'une expérience de laboratoire peut faire gagner un temps précieux le jour de la rédaction, particulièrement quand plusieurs semaines se sont écoulées entre les deux étapes. Plus vos notes seront détaillées (commentaires, résultats, points de méthodologie, références bibliographiques, coordonnées des sources, etc.) et plus elles seront faciles à déchiffrer (protocole de couleurs ou tout autre moyen pour faciliter leur compréhension), plus la sélection de l'information sera efficace.

12.2.2 La sélection de l'information

Chaque source consultée sert à préciser le contenu informatif du document à concevoir. Il faut veiller à bien distinguer ce qui est de notre propre cru de ce qui est emprunté à autrui. Tout extrait de document pris tel quel doit être cité. Un « copier/coller » non indiqué par des guillemets est considéré comme du plagiat. Assurez-vous de reformuler les idées d'autrui dans vos propres mots ou « rendez à César ce qui appartient à César[2] ».

Avec le temps, chaque rédacteur développe sa propre méthode de recherche, qui convient aux sujets traités le plus souvent, aux types d'information recherchée, aux sources consultées plus particulièrement, etc. Pourquoi ne pas établir d'ailleurs sa propre banque de références ? Mise à jour régulièrement, une banque rassemblant les sites et les ouvrages jugés indispensables, les contacts personnels (carnet d'adresses), des documents modèles ou toute autre donnée pertinente aidera à constituer un outil de recherche efficace.

La sélection de l'information consiste à distinguer l'essentiel de l'accessoire dans la documentation recueillie. Grâce à une analyse détaillée de l'information qu'il a en main, le rédacteur pourra déterminer ce qui est nécessaire (juste assez) – et suffisant (pas trop) – pour la compréhension du lecteur, en rédaction professionnelle, et pour prouver sa propre compréhension de la matière, en rédaction scolaire. À cette étape de la démarche de rédaction, trois opérations s'imposent :

- lecture et dépouillement de la documentation rassemblée ;
- retour au mandat de départ pour valider les lectures et les sélections ;
- surlignement ou extraction de tout passage utile au message à transmettre.

Imaginez un instant que vous quittiez le pays pour six semaines de vacances au Vietnam. Vous êtes devant votre garde-robe et vous vous demandez ce que vous allez bien pouvoir emporter. Tout est devant vous et vous avez l'embarras du choix. Vous devez sélectionner vos vêtements en fonction du type de voyage choisi (aventure en solo ou voyage organisé), de la partie de pays visitée (ferez-vous le sud ou le nord ?), de la période de l'année et du climat anticipé. Les réponses à ces questions vous aideront à sélectionner vos vêtements. Ainsi, pour s'assurer de la pertinence de l'information choisie, le rédacteur établira une liste de critères de sélection à partir de l'analyse du mandat : thèmes et sous-thèmes recherchés en fonction de l'angle de traitement, des composantes obligatoires du genre et de la longueur du texte final. Lors de la sélection de l'information, il faut constamment se demander si le lecteur a besoin ou non de l'information en question pour que le texte soit compris aisément et de façon autonome. Par exemple, si un étudiant doit faire la critique d'un film ou d'un livre, il doit faire en sorte que le professeur suive son analyse sans être obligé de lire le livre ou de voir le film lui-même.

---

2. Cette locution est la traduction d'une partie d'un passage du Nouveau Testament qui, en latin, donne : *Redde Caesari quae sunt Caesaris, et quae sunt Dei Deo*, ou « Rendez à César ce qui appartient à César, et à Dieu ce qui appartient à Dieu » (Matthieu, XXII, 21).

Pour s'aider dans la sélection de l'information, le rédacteur doit avoir en tête les conventions du genre utilisé (règles d'écriture et facture visuelle). S'il rédige une lettre, il sait qu'il devra prévoir une mise en contexte (plus ou moins longue selon le bagage acquis du lecteur), qu'il devra annoncer l'acte administratif, le justifier, donner les renseignements pour trouver de l'information supplémentaire, etc. Si un étudiant rédige un rapport de laboratoire, il lui faudra colliger l'information glanée tout au long de l'expérimentation dans son journal de bord, ainsi que celle qu'il sera allé chercher ailleurs ; cela lui permettra à la fois de rendre compte de son expérimentation et des recherches réalisées pour appuyer les résultats.

À NOTER

Les pièges liés à la sélection de l'information sont le manque d'information (ou de précision informationnelle) et le trop-plein d'information. Le premier, par ses lacunes, exige du lecteur qu'il aille chercher un complément d'information en dehors du texte ; le second, en noyant le lecteur dans des informations accessoires ou superflues, le dissuade de poursuivre sa lecture.

12.3 LA STRUCTURATION DE L'INFORMATION

L'étape de structuration se déroule en trois temps : regroupement de l'information, hiérarchisation de l'information et ordonnancement de l'information.

À cette étape, le rédacteur doit mettre de l'ordre dans le matériau amassé ; il doit en quelque sorte « organiser le chaos ». Imaginez des camions de livraison qui déverseraient pêle-mêle, dans une épicerie, fruits, légumes, viandes, produits d'entretien, céréales et sacs à ordures ! À l'épicerie, l'ordre logique est à la fois celui du marchand, par exemple quand il met les bonbons et les magazines à la caisse, et celui du consommateur, par exemple quand un supermarché met les produits congelés dans la dernière allée avant que le client ne passe à la caisse.

L'objectif, à cette étape, est d'obtenir une vision structurée du document pour en vérifier la cohérence avant de rédiger. Le résultat de ce travail, c'est ce qu'on appelle l'architecture du texte. La figure ci-contre (figure 12.2) en donne une illustration. Vous remarquerez qu'elle se dessine principalement lors des étapes d'analyse du mandat et de structuration de l'information.

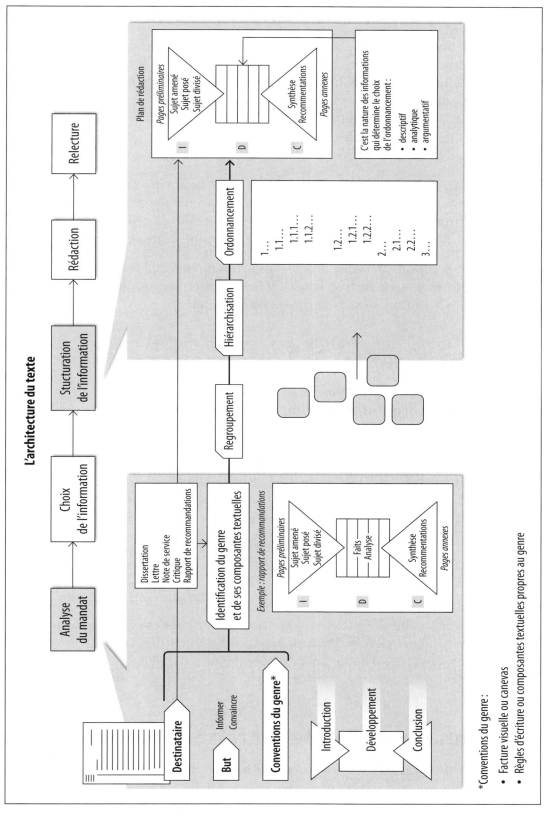

Figure 12.2 – L'architecture du texte

12.3.1 Le regroupement de l'information

Regrouper l'information, c'est comparer les éléments d'information sélectionnés pour faire des rapprochements et leur trouver un dénominateur commun. Le regroupement de l'information sera bien sûr différent pour chaque texte à écrire, mais la façon de faire obéit toujours aux mêmes règles fondamentales. Il faut en effet regrouper les éléments selon leurs similitudes thématiques (pour reprendre l'exemple de l'épicerie, on placera les bananes et les oranges avec les **fruits**, le poulet et le porc avec les **viandes**, les savons à vaisselle et les sacs à ordures avec les **produits d'entretien**).

C'est en regroupant adéquatement l'information qu'on assure une organisation générale efficace du texte. Si le regroupement n'est pas fait de façon rigoureuse, l'organisation du texte en souffrira. La rédaction et, par la suite, la lecture du texte seront beaucoup plus difficiles, l'éparpillement des thèmes créant une impression de dispersion.

À l'étape du regroupement, il faut viser le plus petit nombre de thèmes possible. Quand la liste des thèmes retenus est trop longue, il faut resserrer davantage en subordonnant certains thèmes à d'autres, c'est-à-dire en les hiérarchisant.

12.3.2 La hiérarchisation de l'information

La hiérarchisation de l'information consiste à établir des niveaux à l'intérieur de chaque thème. Comme une poupée russe, un thème général (thème 1) peut en comprendre d'autres plus spécifiques (thème 1.1, thème 1.2, etc.) qui, à leur tour, en comprennent de plus spécifiques (thème 1.1.1, thème 1.1.2, etc.). S'il n'est pas impératif que tous les niveaux aient le même nombre d'éléments, il ne peut exister de subdivision unique. On ne peut établir de subdivision 1.1 sans une subdivision 1.2, ni de subdivision 2.1.1 sans une 2.1.2. Ce travail de hiérarchisation se fait jusque dans le détail de l'information. Lorsque cette étape est terminée, on peut passer à l'ordonnancement des idées.

À NOTER

Si on éprouve de la difficulté à trouver un intertitre pour une des parties du texte, c'est peut-être parce qu'il s'y trouve plus d'une idée principale. Il faut alors vérifier si les regroupements sont logiques et si l'importance des idées est bien traduite dans la hiérarchie.

12.3.3 L'ordonnancement de l'information

L'ordonnancement d'un texte consiste à placer les éléments d'information les uns après les autres en fonction du but visé, niveau par niveau. On décidera d'abord de l'ordre dans lequel on placera les regroupements de premier niveau. Ensuite, on placera dans un ordre logique les éléments de deuxième niveau. L'ordre de succession des idées (ordonnancement) varie en fonction de la visée du document. Si le texte est argumentatif, les paragraphes se succèderont en fonction de la logique argumentative utilisée: ainsi, dans une argumentation par accumulation, on préfèrera commencer et terminer par un argument de poids pour capter l'attention au début et la retenir à la fin.

Si la visée du texte est informative, deux types d'ordonnancement sont possibles: l'ordonnancement descriptif, qui décrit un objet, un phénomène, etc., ou l'ordonnancement analytique, qui explique un phénomène. L'ordonnancement descriptif peut suivre un ordre spatial (du nord au sud, de bas en haut, de la surface en profondeur, etc.), chronologique (hier, aujourd'hui, demain; étape 1, étape 2, étape 3, etc.) ou encore par catégories (facteurs économiques, facteurs politiques, facteurs historiques, etc.). L'ordonnancement analytique établit des relations de comparaison ou de cause à effet entre les éléments qui composent un phénomène ou un problème. On trouvera donc des agencements comparatifs de type «avantages/inconvénients» ou «points forts/points faibles», ou encore «ressemblances/dissemblances». Dans les relations de cause à effet, l'ordonnancement le plus courant est sans aucun doute la triade «problème(s), cause(s), conséquence(s)».

On retient rarement le même type d'ordonnancement pour tous les niveaux du texte. On pourrait adopter un ordre par catégories au premier niveau et avoir un ordre chronologique ou spatial au deuxième niveau. On peut avoir un ordonnancement descriptif au premier et un ordonnancement analytique au deuxième.

L'ordre de présentation des idées devrait respecter le parcours de lecture le plus habituel. Pour y arriver, il faut tabler sur l'expérience et sur les besoins du public visé. Dans une lettre, par exemple, le lecteur s'attend à trouver un rappel des échanges antérieurs avant l'annonce de l'acte administratif. Dans une dissertation scolaire, le professeur s'attend à trouver dans l'introduction un «sujet amené», qui introduit l'objet sur lequel repose le travail, un «sujet posé», qui annonce l'objet du travail, et un «sujet divisé», qui présente le plan suivi dans le travail, ou sa ligne directrice.

Chaque texte a donc une structure propre, établie à la fois en fonction du destinataire et de l'intention de communication. Même brève, une information, si elle est bien structurée, aura plus de chances d'être comprise et retenue. On ne répètera jamais assez combien la clarté d'un texte est déterminée par sa structure, structure de contenu mise en évidence par la facture visuelle.

À NOTER

Un texte dont la structure n'est pas épurée et mise en évidence exigera du lecteur des efforts de compréhension supplémentaires.

Imaginez un instant que vous êtes un chef d'orchestre[3]. On vous remet une liste d'instruments de musique, présentés en ordre alphabétique : bassons, cithare, clarinettes, contrebasses, cors, cymbales, flutes, gong, grosse caisse, harpe, hautbois, tambours, timbales, triangle, trombones, trompettes, tuba, violons, violoncelles. On vous demande de les classer selon leurs caractéristiques propres et de les disposer en vue d'atteindre le meilleur résultat acoustique possible. Il vous faut réussir les trois grandes opérations : regrouper, hiérarchiser et ordonnancer, et être en mesure de justifier vos choix. Dans quel ordre doit-on placer, par exemple, la cithare, les contrebasses, la harpe, les violons et les violoncelles ? Est-ce que leur emplacement est déterminé par la taille des instruments ou par leur puissance ?

Commençons par le regroupement.

Un orchestre comprend trois grandes familles d'instruments (regroupement sous dénominateurs communs) : les instruments à vent (1), les instruments à cordes (2) et les instruments à percussion (3).

1. Instruments à vent : bassons, clarinettes, cors, flutes, hautbois, trombones, trompettes et tuba ;

2. Instruments à cordes : cithare, contrebasses, harpe, violons et violoncelles ;

3. Instruments à percussion : cymbales, gong, grosse caisse, tambours, timbales, triangle.

Passons à la hiérarchisation.

Ces trois grands regroupements (il s'agit en fait du 1er niveau de hiérarchisation) peuvent se subdiviser à un niveau inférieur (2e niveau de hiérarchisation). Par exemple, dans la famille des instruments à vent, on trouve les bois (1.1) et les cuivres (1.2). Ce 2e niveau comprend une autre subdivision (3e niveau de hiérarchisation) : les bois regroupent les bassons (1.1.1), les clarinettes (1.1.2), les hautbois (1.1.3) et les flutes (1.1.4), tandis que les cuivres réunissent, entre autres, les cors, le tuba, les trompettes et les trombones. Chacun de ces instruments à vent a une sonorité particulière, bien qu'ils appartiennent tous à la même famille. La hiérarchisation met en valeur les différences de sonorité.

1. Instruments à vent :
   1.1 Bois
       1.1.1 Bassons
       1.1.2 Clarinettes
       1.1.3 Hautbois
       1.1.4 Flutes

---

3. Cet exemple est tiré du guide *De la lettre à la page Web : savoir communiquer avec le grand public* paru aux Publications du Québec en 2006.

1.2 Cuivres

    1.2.1 Cors

    1.2.2 Tuba

    1.2.3 Trompettes

    1.2.4 Trombones

2. Instruments à cordes :

2.1 Cordes frottées

    2.1.1 Violons

    2.1.2 Contrebasses

    2.1.3 Violoncelles

2.2 Cordes pincées

    2.2.1 Harpe

    2.2.2 Cithare

3. Instruments à percussion :

3.1 Peau

    3.1.1 Tambours

    3.1.2 Grosse caisse

    3.1.3 Timbales

3.2 Métal

    3.2.1 Gong

    3.2.2 Cymbales

    3.2.3 Triangle

Enfin, terminons par l'ordonnancement de l'information (ou ordre de succession des éléments).

Dans le cas de l'orchestre, il s'agira de l'ordre d'apparition des instruments depuis le pupitre du chef d'orchestre. Les familles (cordes, vents, percussions) suivront un ordre spatial, en forme d'éventail, qui va de l'avant-scène à l'arrière-scène.

À l'intérieur de chaque famille, les instruments au son le plus faible sont placés le plus près du chef d'orchestre, tandis que ceux qui résonnent avec force en sont plus éloignés. À ce double ordonnancement de l'avant vers l'arrière, s'ajoute une organisation de gauche à droite (de l'instrument au son le plus aigu à l'instrument au son le plus grave). (Voir la figure 12.3 à la page suivante.) Cet ordonnancement est essentiel pour que tous les instruments se fassent entendre selon leurs capacités acoustiques.

Rappelons que la composition précise de l'orchestre dépend des œuvres exécutées ; l'orchestre symphonique classique ne comprend pas de cithare.

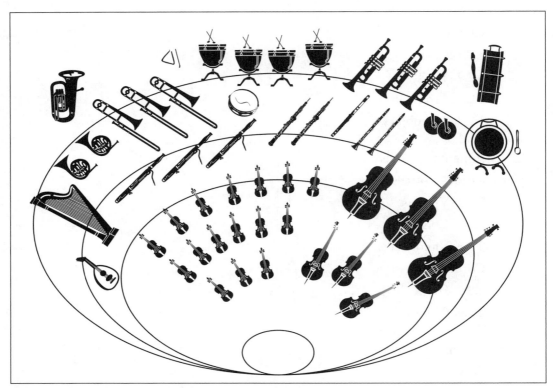

Figure 12.3 – La disposition des instruments d'un orchestre symphonique

12.4 **LA RÉDACTION**

Un exigeant travail de formulation reste à faire une fois la structuration de l'information bien établie. Il est alors temps de mettre en mots le plan tracé : il faut trouver les mots justes (voir les chapitres sur le lexique) et construire les phrases correctement autour d'une unité d'information en évitant les pièges de la grammaire (voir les chapitres sur la grammaire de la phrase). Pour assurer au texte sa cohésion, il faut également savoir lier les phrases entre elles et les agencer à l'intérieur de l'unité thématique que représente le paragraphe. Enfin, il faut organiser les paragraphes entre eux pour assurer une cohérence au texte dans sa progression thématique et logique (voir le chapitre 13). L'ensemble du *Français apprivoisé* étant dédié à la rédaction, nous ne nous attarderons, dans cette section sur la rédaction, qu'à la structure type du texte scolaire, canevas de base à partir duquel plusieurs variantes sont possibles.

La structure type d'un texte scolaire est une structure à trois composantes : l'introduction, le développement et la conclusion. L'introduction elle-même comprend généralement trois composantes : une mise en contexte (ou « sujet amené » dans la terminologie classique), la présentation de l'objet (ou « sujet posé »), qui peut prendre la forme d'une problématisation quand le but du texte le justifie (pour un article scientifique, par exemple) et l'annonce du plan ou de la ligne directrice du texte (ou « sujet divisé »). Le développement présente autant de parties (regroupements) et de sous-parties (hiérarchisation) qu'il y a de points ou de thèmes à développer. La conclusion comprend habituellement une synthèse et un élargissement. Selon le contexte de communication et le genre du document, certains éléments des composantes obligatoires peuvent être omis, comme l'annonce du plan du texte dans l'introduction et l'élargissement dans la conclusion. La figure 12.4 ci-dessous représente le schéma d'une structure textuelle type.

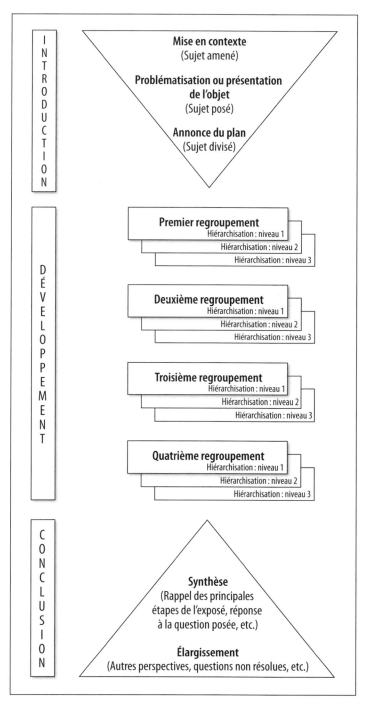

Figure 12.4 – Une structure textuelle type

L'introduction

Amener le sujet, c'est donner le contexte qui permet de camper le décor et de capter l'attention du lecteur. Faits, chiffres, anecdote, question d'actualité, réflexion, voilà autant de façons d'amener le sujet : l'important est de partir de quelque chose que le destinataire connait et qui est en lien avec le sujet qui sera traité. Cela dit, certains textes n'exigent pas d'entrée en matière : pensons à la nouvelle journalistique ou au dépliant, par exemple.

Poser le sujet consiste à présenter clairement l'objet du texte et à annoncer ce qu'on veut en dire. Quels que soient le contexte de communication et le genre du document, poser le sujet est nécessaire dans tout texte. Si le but du texte est d'informer, on annoncera simplement sur quoi il porte, éventuellement en reprenant le titre du document ou encore en posant une question. Dans ce dernier cas, la réponse pourrait n'être donnée que dans la conclusion. Si le but est de convaincre, on « problématisera » la question qui sera traitée, en plus de la présenter. On décrira notamment les enjeux qu'elle soulève. Par exemple, si, dans un texte d'opinion, un étudiant doit prendre position pour ou contre la peine de mort ou l'avortement, la légalisation de la prostitution ou des drogues douces, il lui faudra (après avoir donné le contexte de l'intérêt pour cette question dans l'actualité) montrer en quoi la question est complexe, grave et lourde de conséquences pour la société, qu'il choisisse le pour ou le contre.

Diviser le sujet consiste à nommer les aspects ou les points de vue (les thèmes) qui seront abordés dans le texte pour développer le sujet. Il s'agit d'une sorte de table des matières qui fait état des idées principales du développement. Dans certains genres d'écrits, en raison de leur brièveté (par exemple, une lettre ou un dépliant) ou à cause de l'effet que l'auteur cherche à créer chez le destinataire, ce troisième élément de l'introduction n'apparait pas.

Un conseil : n'écrivez pas l'introduction en premier. Cette partie est plus facile à rédiger une fois le développement terminé.

Le développement

Le développement présente autant de parties et de sous-parties qu'il y a de points à développer. Selon la longueur du texte, la partie de « niveau 1 » (le niveau le plus haut dans la hiérarchie du texte) peut représenter tout un chapitre ou un seul paragraphe. Chaque paragraphe ne comprend qu'une seule idée principale. Autour de cette idée s'articulent une ou des idées secondaires, dont la fonction est d'illustrer, d'expliquer ou encore d'étayer l'énoncé. Des phrases de transition et des mots de liaison permettent de passer harmonieusement d'une idée à l'autre, d'un paragraphe à l'autre en mettant en lumière l'articulation du texte.

La conclusion

En règle générale, la conclusion comporte deux parties : la synthèse et l'élargissement. La synthèse reprend l'essentiel du propos ou de la question traitée. Elle dresse un bilan de ce qui a été dit précédemment. On y retrouve les aspects ou points de vue énoncés dans la troisième partie de l'introduction (sujet divisé). L'élargissement, lui, ouvre de nouvelles perspectives, propose d'autres pistes, donne une orientation nouvelle à la réflexion. Il boucle le texte en établissant un lien avec la première partie de l'introduction (sujet amené). Dans certains types de textes, la conclusion ne présente que la synthèse ; dans d'autres, on ne trouve que l'élargissement (il est facile de comprendre que la synthèse est superflue dans le cas de textes très courts). On dit que l'introduction, comme la conclusion, son pôle inverse, doit occuper environ 10 % du texte.

EXEMPLE

À titre d'illustration, prenons l'exemple d'un travail scolaire en littérature dans lequel les étudiants doivent faire le portrait d'une personnalité francophone peu connue du grand public. Si un étudiant annonce dans son sujet posé qu'il va parler de Corinna Bille, le lecteur sera sans doute surpris. Si, en revanche, il donne des repères comme « Suisse romande », « xxᵉ siècle », « littérature », « écrivaine », le lecteur situera le propos dans un cadre plus général, qui lui est familier. Ce cadre, c'est le sujet amené : il a pour fonction de situer le sujet, de planter le décor, en fait, de donner des informations, connues du lecteur, qui l'aideront à saisir ce que le scripteur lui révèle de nouveau, son « inconnu » (le sujet posé), en l'occurrence ici, Corinna Bille. Le sujet divisé, quant à lui, annonce les grandes parties du développement.

Introduction

Sujet amené :

> *La Suisse romande a vu naitre plusieurs talents littéraires au xxᵉ siècle.*
>
> (On plante le décor avec un *où*, un *quoi* et un *quand*.)

Sujet posé :

> *Corinna Bille en est un exemple probant.*
>
> (On annonce de quoi il sera question ; pas besoin de problématisation ici.)

Sujet divisé :

> *Cette écrivaine est non seulement nouvelliste, mais encore romancière et poète.*
>
> (Il est facile de deviner que le développement se divisera en trois parties.)

Développement

Niveau 1 (Ordre de succession par catégorie)	**Niveau 2** (Ordre de succession chronologique)
	● Sous-regroupement 1.1 : *Son œuvre de jeunesse*
● Regroupement 1 : *Corinna Bille, nouvelliste*	● Sous-regroupement 1.2 : *Son œuvre comme adulte*
● Regroupement 2 : *Corinna Bille, romancière*	
● Regroupement 3 : *Corinna Bille, poète*	

Conclusion

Synthèse (rappel du sujet divisé):

> *Ce triple talent, Corinna Bille l'a développé avec ardeur. Sa passion de l'écriture*
> *ne s'est jamais démentie, de l'aube de sa vie à la fin de ses jours. Son œuvre,*
> *publiée dans plusieurs langues, lui a valu de nombreux prix et honneurs*
> *qui ont fait connaitre la littérature suisse romande à l'étranger.*

Élargissement (retour sur le sujet amené):

> *Il est à espérer que la patrie de Corinna Bille continuera de donner voix*
> *à d'autres talentueux ambassadeurs littéraires.*

À NOTER

Quelques conseils
... pour commencer

Dans le sujet amené, évitez de remonter à la nuit des temps ou d'utiliser des clichés éculés comme «Depuis toujours, l'être humain cherche à...» ou «La femme est l'égale de l'homme, tout le monde le sait...».

Dans le sujet divisé, il faut surtout éviter les tournures scolaires, du type: «Dans une première partie, je ferai état...» ou «Je vais d'abord vous parler...», qui décrivent la démarche et non le contenu. Allez droit au but et utilisez une formulation dynamique pour présenter les aspects que vous comptez aborder.

Faites également attention de ne pas résumer votre développement. À quoi bon continuer à lire si tout est dit dans l'introduction? En général, vous devez aussi éviter de répondre dès l'introduction à la question que vous posez.

... pour terminer

Ne reprenez pas sous une forme affirmative des questions que vous auriez posées dans votre introduction.

N'introduisez pas dans votre conclusion d'idée nouvelle à propos de la question que vous avez traitée.

Prenez soin de donner une idée de l'ensemble de votre développement et non de la dernière partie seulement.

12.5 LA RELECTURE

Au fur et à mesure qu'on écrit, on relit et soupèse ce qu'on a déjà écrit, ce qui nous amène à apporter des modifications et nous aide à avancer. Une fois l'écriture terminée, on relit le tout ; c'est l'étape ultime de la démarche de rédaction, celle qui fera la différence entre un bon travail et un très bon, voire un excellent travail. Souvent négligée par le rédacteur qui manque de temps, la relecture permet pourtant d'éliminer les erreurs qui se sont glissées en cours de route et de corriger des maladresses. Dans l'idéal, la relecture commande un regard extérieur, celui de quelqu'un qui n'a jamais vu le texte. Il en est ainsi de la révision professionnelle, où plusieurs relectures sont faites, par les auteurs en premier, par les spécialistes de l'édition, ensuite. Dans une maison d'édition, un manuscrit peut « subir » jusqu'à six ou sept relectures, de la révision de fond (contenu) jusqu'à la correction d'épreuves (erreurs typographiques) en passant par la révision linguistique (orthographe, syntaxe, lexique) !

En autorévision, la relecture est une étape d'autant plus difficile que notre texte nous est devenu très familier. En effet, à force d'être « collé » sur son propre texte, le rédacteur a de la difficulté à prendre le recul nécessaire pour découvrir d'éventuelles faiblesses. Voilà pourquoi, quand on est étudiant, il faut laisser reposer son texte avant de le rendre au professeur. Une simple nuit suffit parfois à retrouver la distance critique utile pour se relire. Pour réussir cette dernière étape, le rédacteur doit de nouveau confronter le résultat de son travail avec le mandat donné au départ : A-t-il fait ce qu'on lui a demandé ? A-t-il répondu aux questions posées ? A-t-il cité le nombre d'auteurs exigé ? A-t-il suivi précisément toutes les consignes ? Pour être efficace, la relecture doit se faire en plusieurs temps, à l'image d'un ognon qu'on épluche, pelure après pelure. En effet, relire le texte en pensant être capable de vérifier à la fois le choix de l'information, la structure d'ensemble et les questions de langue est dangereux. Si on concentre son attention sur la vérification des accords, remarquera-t-on en même temps l'oubli d'un intertitre ou le cumul de plusieurs idées dans le même paragraphe ?

À NOTER

On est rarement le meilleur évaluateur de ses propres textes. Le manque de recul et la trop grande familiarité avec le texte réduisent la distance critique nécessaire à une relecture efficace. Si les circonstances ne permettent pas de faire appel à un regard extérieur, il faut impérativement laisser s'écouler du temps entre la fin de la rédaction et la relecture finale. (Même en situation d'examen, on peut essayer de faire le vide dans son esprit pendant quelques secondes avant de relire son texte.)

Pour vous aider dans votre travail de relecture, voici une liste de questions à vous poser pour évaluer chaque dimension du texte : informative, structurelle, rédactionnelle et visuelle.

Évaluer l'information

Vérifiez la pertinence de l'information : Le choix de l'information et l'angle de traitement correspondent-ils au mandat donné ? L'information correspond-elle à l'intérêt, aux besoins et au bagage du lecteur ?

Vérifiez l'exactitude de l'information : Les faits sont-ils exacts ? Les dates sont-elles justes ? Les noms propres sont-ils bien orthographiés ? Les passages empruntés sont-ils parfaitement cités ?

Évaluer la structure

Vérifiez le regroupement de l'information : Chaque regroupement contient-il des éléments qui présentent des similitudes thématiques ? Chaque regroupement s'articule-t-il autour d'une idée principale ?

Vérifiez la hiérarchisation de l'information : L'importance relative des idées se traduit-elle dans la hiérarchisation ? Les subdivisions à l'intérieur des regroupements comportent-elles plus d'un embranchement (1.1, 1.2…) ?

Vérifiez l'ordonnancement de l'information : Pour chaque niveau de hiérarchisation, le choix (descriptif, analytique, argumentatif) de l'ordonnancement correspond-il à l'intention de communication ?

Évaluer l'écriture

Vérifiez les qualités communicationnelles du texte : Le ton respecte-t-il l'intention du texte (objectif ou expressif) ? Les transitions entre les phrases et entre les paragraphes sont-elles adéquates et suffisantes ? A-t-on eu recours à des explications ou à des illustrations pour faciliter la compréhension du texte ? Les références culturelles, les expressions et le vocabulaire sont-ils connus du lecteur ? Les longues énumérations sont-elles présentées sous forme de listes à puces ?

Vérifiez le respect du code linguistique et typographique : Les mots sont-ils utilisés dans leur sens précis ? Font-ils l'objet d'une remarque (anglicisme, impropriété, etc.) dans les outils d'aide à la rédaction ? Sont-ils correctement orthographiés ? La construction de la phrase et la ponctuation sont-elles correctes ? Y a-t-il des accents sur les majuscules ? L'écriture des nombres et des sigles est-elle uniformisée ? L'italique, les guillemets et les caractères gras sont-ils utilisés selon les règles ?

Évaluer la facture visuelle du texte

Vérifiez la mise en pages : Le document est-il construit d'après une grille visuelle qui respecte les conventions du genre ? Le système de titres est-il bien visible ? A-t-on laissé de l'espace libre pour délimiter les zones (marges, espaces entre les paragraphes, etc.) ?

Vérifiez la lisibilité typographique : La police de caractères a-t-elle été choisie en fonction de sa lisibilité sur le support choisi (Times New Roman ou Arial pour l'imprimé et Georgia ou Verdana à l'écran) ? A-t-on veillé à la grosseur du caractère choisi (en général,

11 ou 12 points pour le texte et 9 ou 10 points pour les notes de bas de page) ? Le contraste entre le texte et l'arrière-plan est-il optimal (noir sur fond blanc) ? Les mises en évidence sont-elles faites uniquement avec le gras ?

À NOTER

Écrire est un processus «récursif», c'est-à-dire que les étapes fonctionnent en boucle, permettant des retours en arrière. Par exemple, la recherche d'informations peut mettre en lumière un mandat mal défini ; la structuration de l'information fera voir des trous éventuels dans la documentation ; la rédaction exige de revenir constamment sur ses pas pour mieux avancer... Bref, on aura relu son texte bien des fois avant la relecture finale. Adopter consciemment une démarche récursive aide à assurer la qualité du texte.

Chapitre 13

La cohérence du texte

Comme nous l'avons vu dans le chapitre précédent sur la démarche de rédaction, le texte est un objet de communication écrit par quelqu'un pour quelqu'un, sur un sujet déterminé par le mandat de départ, dans une visée donnée et selon les conventions d'un genre particulier.

Maintenant, qu'est-ce qui permet de dire qu'un texte est cohérent? C'est l'impression d'unité, d'homogénéité, de fluidité qui s'en dégage. Pour arriver à cette «rondeur», cette complétude, il faut avant tout que le texte soit en **adéquation** avec la situation de communication et le lecteur pour lesquels il a été produit: adéquation de l'information avec le sujet traité, adéquation de la structure avec la visée de la communication et avec le genre, adéquation du ton avec le point de vue adopté. Un texte cohérent sur le plan informatif, par exemple, est un texte dont l'information est suffisante (il n'y en a ni trop, ni trop peu) pour permettre au lecteur de comprendre précisément ce qu'on veut lui communiquer.

Pour être cohérent, le texte doit également respecter certains principes d'**enchaine-ment**: équilibre entre répétition et progression de l'information de phrase en phrase, de paragraphe en paragraphe; relations de sens entre les énoncés qui soient claires dans le contexte immédiat et permettent d'entrevoir où va le texte; absence de contradiction dans l'information, constance dans les choix terminologiques, orthographiques, dans la visée, le point de vue et le ton, parallélisme dans le traitement de segments énumérés…

Le présent chapitre porte sur ces principes d'enchainement, qui sont inscrits dans la langue même et sont source d'erreurs ou de faiblesses fréquentes. Quelques commentaires sur la façon dont la mise en pages et la typographie contribuent à la cohérence des documents ferment le chapitre.

13.1 LA PROGRESSION DE L'INFORMATION

La progression textuelle demande que chaque phrase apporte de l'information nouvelle. Sur le plan informatif, une phrase se divise ainsi en deux constituants: le **thème** (ce dont on parle), qui est généralement déjà connu, et le **propos** (ce qu'on en dit), qui correspond à l'information nouvelle. La deuxième phrase de l'enchainement suivant se découpe comme suit :

Thème   Propos

Lucie est contente. Elle a obtenu le premier prix.

Le thème de la deuxième phrase est connu, puisqu'il est repris de la phrase précédente ; le propos est nouveau. Si la continuité du texte oblige à reprendre, de phrase en phrase, des éléments, la progression, elle, oblige à introduire constamment de nouveaux propos, mais également à **renouveler le thème** pour construire une **progression thématique** dynamique. Cette dynamique de continuité et de progression et les difficultés qu'elle pose font l'objet des quatre sections suivantes.

13.1.1 Les types de progression thématique

S'il est naturel d'écrire sans (trop) se répéter, il est tout de même utile de savoir identifier les différentes façons de faire progresser l'information de phrase en phrase. Pour le lecteur, cette connaissance aide à reconstituer le fil du texte si le scripteur l'a lui-même perdu ou emmêlé. Pour le scripteur, avoir à l'esprit ces mécanismes peut aider à donner forme aux idées qu'il veut exprimer.

Il existe différentes façons de progresser de phrase en phrase. On peut progresser à partir du **thème**.

*Lucie est contente. **Elle** a obtenu le premier prix.*

On peut aussi progresser à partir du **propos**.

*Lucie a remporté le premier prix. **Celui-ci** lui permettra de se consacrer entièrement à son art pendant toute une année.*

*Lucie a remporté le premier prix. **Cela** lui permettra de se consacrer entièrement à son art pendant toute une année.*

Bien souvent, on ne reprend qu'une partie du thème ou du propos. On « dérive » un **nouveau thème**.

*Nous avons en librairie tous les livres de Marie Laberge. **Sa trilogie,** Le goût du bonheur, est maintenant réunie en un volume.*

Ce découpage peut s'étendre sur plusieurs phrases : à partir d'un thème général, ou « **hyperthème** », on dérive plusieurs **sous-thèmes**. L'hyperthème se trouve fréquemment dans la première phrase du paragraphe.

*Lauréat du Prix littéraire du Gouverneur général du Canada en 1999, Herménégilde Chiasson se définit comme un artiste multidisciplinaire. **Le poète** a publié une quinzaine de recueils de poésie. **Comme cinéaste**, Herménégilde Chiasson a réalisé une douzaine de films (dont plusieurs primés). **Homme de théâtre**, il a écrit une vingtaine de pièces. C'est aussi **un artiste visuel** qui a participé à plus de 100 expositions, dont 18 en solo.*

Dans les textes, on combine les différentes façons de progresser. Certains types de textes se prêtent cependant bien à un type de progression ou à un autre sur des enchainements plus ou moins longs. Ainsi, la **narration** emprunte facilement la **répétition**.

> *Ce matin-là, <u>Marie</u> se leva d'excellente humeur. **Elle** avait obtenu le premier prix! **Elle** allait pouvoir passer ses journées entières dans son studio! **Elle** n'irait plus huit heures par jour répondre aux récriminations de tous les clients insatisfaits de la qualité des services!*

La **description** procède presque naturellement par **dérivation**.

> *Elle franchit sans hésiter le seuil de <u>ce monde mystérieux</u>. **Des robots lilliputiens** s'activaient à des tâches énigmatiques. **Des Martiens à lunettes vertes** parlaient tous en même temps. **Trois informaticiens, café à la main,** se grattaient la tête devant un serveur grimaçant.*

Certaines chansons, le plus souvent enfantines, s'appuient entièrement sur la répétition du propos de la phrase précédente.

> *Dans le cœur il y a <u>l'amour</u>*
> ***L'amour** est dans <u>le cœur</u>*
> ***Le cœur** est dans <u>l'oiseau</u>*
> ***L'oiseau** est dans <u>le n'œuf</u>*
> ***Le n'œuf** est dans <u>le nid</u>*

(Extrait de la chanson *L'arbre est dans ses feuilles* de Zachary Richard)

Sauf par effet ludique, ce genre de progression n'est pas viable très longtemps.

Dans une phrase, l'élément repris du texte antérieur peut occuper toutes les fonctions. Pour être thématique, cependant, une reprise doit occuper le début de la phrase, c'est-à-dire être soit sujet (ou partie de sujet), soit complément de phrase en tête de phrase.

Complément de phrase en tête de phrase:

> *Tout le monde criait, des pétards explosaient, des sirènes hurlaient. **Malgré le vacarme**, Jules continuait à écouter paisiblement la musique de son baladeur numérique.*

Complément du nom antéposé devant le nom noyau dans le groupe sujet:

> *Tout le monde criait, des pétards explosaient, des sirènes hurlaient. **Indifférent à ce vacarme**, Jules continuait à écouter paisiblement la musique de son baladeur numérique.*

Sujet:

> *Tout le monde criait, des pétards explosaient, des sirènes hurlaient. **L'effroyable vacarme** n'empêchait pas Jules d'écouter paisiblement la musique de son baladeur numérique.*

À l'écrit comme à l'oral, on s'arrête rarement à penser au type de progression qui convient, ce qui ne veut pas dire que la progression soit sans contraintes. Les pronoms de reprise et le choix du déterminant dans les reprises nominales, notamment, font l'objet de nombreuses erreurs. Même lorsqu'il n'y a pas faute, on peut souvent améliorer la cohérence textuelle en modifiant la progression.

EXERCICE 13.1

Mettez en lumière le fonctionnement de la progression dans les passages suivants en identifiant les reprises qui sont en position thématique et ce qu'elles reprennent. Indiquez également si la reprise se fait à partir du thème ou du propos de la phrase précédente.

EXEMPLE

Le thème central de l'œuvre de Gabrielle Roy est la peine et la solitude humaines, que rachètent l'amour de la création et l'espérance d'un monde de réconciliation entre tous les êtres humains. Plusieurs de ses romans portent sur son Manitoba natal, mais l'œuvre de Roy n'y est pas entièrement consacrée. Elle traite de nombreux sujets, comme la vie ouvrière, la solitude, le monde de l'artiste, la diversité des cultures, la nature, l'enfance.

Plusieurs de ses romans : reprise dérivée de *l'œuvre de Gabrielle Roy*
(partie du thème de la phrase précédente)

l'œuvre de Roy : reprise de *l'œuvre de Gabrielle Roy*
(en thème, deux phrases – syntaxiques – plus haut)

Elle : reprise de *l'œuvre de Roy* (thème de la phrase précédente)

1 Il n'y a pas si longtemps, la tendance était de créer des biosphères, dans un but de préservation. Le but était louable, mais l'approche présentait énormément de limites. Les pressions économiques et politiques sont telles que ces réserves finissent par être exploitées.

[annotations manuscrites :]
① en propos – but de préservation
Approche ② en propos –
③ reprise dérivé limite (en propos

2 L'histoire de l'Iran se reflète dans la mosaïque ethnique qui le compose. Les Perses, qui forment près de la moitié de la population, sont le groupe dominant dans le nord et le centre du pays ; ils habitent surtout les villes. Le second groupe ethnique est celui des Azéris, dans le nord-ouest du pays ; ce sont surtout des agriculteurs, des pasteurs et des commerçants. Les montagnes du Zagros, à l'ouest, sont peuplées par des Kurdes, des Lurs et des Bakhtiyaris, qui, traditionnellement, étaient des pasteurs nomades. Dans le sud-ouest vivent de nombreux Arabes, qui travaillent notamment dans l'industrie pétrolière. Le sud-est est habité par des Baloutches, ethnie de tradition pastorale nomade.

[annotations manuscrites :]
① reprise dérivé : mosaïque .. (en pros)
② reprise dérivé : mosaïque

③ thème dérivé d'un hyperthème absent
④ thème dérivé
⑤ _____ _____ ___ __

EXERCICE 13.2

Déterminez quel est l'hyperthème (le thème général) des passages suivants. (Aidez-vous au besoin d'un atlas pour la première question.)

1 Chichén Itzá est le plus extraordinaire des sites mayas : nous y avons passé trois jours !
Mérida nous attend demain. Puis Progreso, où nous finirons par une semaine
de farniente au bord de la mer. Pensons à vous.

Papa et maman

Vacance au mexique

2 Les chambres sont spacieuses, le petit déjeuner est plantureux et l'accueil, chaleureux.
L'hôtel des Trois Cloches, tout près de la cathédrale, est le meilleur camp de base
pour explorer la vieille ville.

Hôtel des 3 cloches — 3 thèmes

EXERCICE 13.3

Expliquez en quoi la progression est douteuse ou mauvaise dans les expressions en gras des passages suivants et corrigez-la.

1 En consultant mon curriculum vitæ, vous constaterez que je suis un candidat
consciencieux et dynamique, qui possède le niveau de rigueur et de clarté
indispensable pour fournir un enseignement de qualité. Plus précisément,
mes responsabilités en tant que professeur dans le secteur technologique
m'ont permis de découvrir à quel point l'enseignement présente un caractère
à la fois stimulant et valorisant.

Elle ne reprend rien ⁺ᵗ plus précisément

Vous pourrez également constaté que j'ai exercé mes
responsabilité de Prof dans le sect techno, ce qui
m'a permis de ...

---

2 Les garçons au comportement actif ne semblent pas toujours avoir leur place
dans les écoles mixtes. L'école séparée devrait-elle être envisagée ? **En offrant plus
de temps d'activité physique, les garçons** seraient en mesure de se concentrer
davantage en classe.

Le sujet   renvoie à la première phrase

→ *Dans la mesure où l'école pour garçon offrirait
plus de temps pour l'activité physique, elle
leur permettrait ...*

OU → *Si elle offrait ..., l'école pour garçon permettrait
à ces derniers*

13.1.2 Les types de reprises de l'information

La continuité du texte est assurée avant tout par les **reprises d'information** d'une phrase
à l'autre. L'extrait suivant en présente plusieurs types.

> *On ne dira jamais assez la souffrance, le désarroi et la rancœur causés
> par <u>le bruit</u>. Pourtant, **le bruit** est bien l'une des dernières calamités que
> l'on essaie d'enrayer, et **les souffre-douleur du bruit** passent pour des fai-
> blards et des geignards incapables de faire face à <u>la musique du monde
> moderne</u>. Mais **le vacarme assourdissant des autoroutes et des boule-
> vards, le vrombissement turboréacté des avions, le tapage lancinant
> des boîtes de nuit et des bars, l'assommoir journalier du métro, le viol
> de l'intimité par la télévision et le système de son du voisin, le saccage
> du silence perpétré par des motocyclettes réveillant une ville endormie
> à trois heures du matin** comptent parmi les plaies de la vie moderne qui

*empoisonnent l'existence à petite dose, vous déboussolent et vous assaillent sans rémission jusqu'à ce que, de guerre lasse, vous cédiez à leur emprise funeste. Non, **le bruit** est un mal si géant, si monstrueux que se taire à son sujet est s'en rendre complice. **Il** introduit la chicane dans les ménages, stresse le travailleur, dépassionne les amants, énerve l'enfant, étourdit l'adolescent et accable le vieillard. **Il** écourte le sommeil, parasite les bons moments de la vie, déconcentre l'étudiant et le créateur. **Le bruit** agit comme cette ancienne torture chinoise qui consiste à arracher à la victime cent bouchées de chair. **Il** siphonne, par petites succions mortifères, votre sève intérieure, jusqu'au total écervellement. **Le bruit**, comme la cigarette, abrège les jours.*

(Marc Chevrier, extrait de « Lamentations d'un martyr du bruit »,
http://agora.qc.ca)

Le rapport entre une reprise et son antécédent (ce qui est repris) peut être décrit **grammaticalement** : ainsi, la substitution d'un nom par un pronom est une pronominalisation. On peut aussi le décrire **sémantiquement** : le rapport entre un GN de reprise et son antécédent peut en effet être synonymique, périphrastique, etc.

Classement grammatical des reprises

Sur le plan **grammatical**, on peut distinguer trois grandes catégories de reprises : les reprises par pronominalisation, les reprises nominales, qui peuvent mettre en œuvre diverses transformations par rapport à l'antécédent, et les reprises adverbiales.

a) Reprises par **pronominalisation** d'un GN, d'un GPrép ou d'une ou de plusieurs P

le bruit → ***il***

*À la campagne, ce n'est guère mieux. Le bruit **y** est tout aussi omniprésent.*

*Le silence est mort. **Cela** dérange de plus en plus de gens.*

b) Reprises **nominales**

- reprise par simple **répétition d'un GN** (ou d'un pronom)

le bruit → ***le bruit***

*Elle aime travailler en écoutant de la musique. **Elle** se concentre mieux ainsi.*

(Il n'y a pas ici de pronominalisation, mais simple répétition d'un pronom.)

- reprise d'un GN **avec modification**
  - changement de déterminant : *un bruit* → ***ce bruit***
  - changement de nombre et changement de type de déterminant :
    le bruit → ***certains bruits***
  - ajout d'une expansion : *le bruit* → ***le bruit nocturne***
  - changement de l'expansion : *le bruit de la ville* → ***le bruit nocturne***
  - troncation de l'expansion : *le bruit nocturne* → ***le bruit***
  - changement de noyau : *le bruit* → ***les assauts du bruit***
  - renvoi au nom repris par un déterminant possessif : *le bruit* → ***ses effets***

- reprise d'un GV, d'un GAdj, d'un GAdv ou d'une P par **nominalisation**

  *Le bruit <u>assaille nos oreilles</u>. **Cette agression** dérange de plus en plus de gens.*

  *Le bruit est devenu <u>omniprésent</u>. **Cette omniprésence** dérange de plus en plus de gens.*

  *Le bruit est <u>partout</u>. **Cette omniprésence** dérange de plus en plus de gens.*

  *<u>Le bruit est partout</u>. **Cette omniprésence du bruit** dérange de plus en plus de gens.*

c) Reprises **adverbiales** (au moyen de *ici, là, ainsi, alors…*) d'un groupe, d'une phrase ou d'une série de phrases

  *Rien ne sert d'aller <u>à la campagne</u>. **Même là**, le bruit est omniprésent.*
  *Pour en être conscient, il faut tout d'abord <u>muscler sa sensibilité, avoir le courage du silence et savoir dire non aux paillettes brulantes du bruit</u>. **Alors**, la vraie musique, celle qui est écoutée dans sa pleine mesure, qui arrive à point et qu'on a eu le temps de désirer, n'en sonnera que meilleure.*

Classement sémantique des reprises

Sur le plan **du sens**, on peut aussi distinguer divers rapports entre l'antécédent et la reprise. Une première distinction oppose les reprises **totales** des reprises **partielles**.

a) Reprises totales

  *<u>le bruit</u> ⟶ **le bruit***
  *<u>le bruit</u> ⟶ **il***

b) Reprises partielles

  *<u>les bruits</u> ⟶ **certains d'entre eux***
  *<u>le bruit</u> ⟶ **les assauts du bruit***

Il est intéressant de noter que la plupart des reprises ne sont pas totales. La construction du sens au fil du texte rend nécessaire un renouvèlement constant du thème. Ainsi, à l'exception des simples répétitions ou pronominalisations totales, les reprises comportent toujours un apport. Les synonymes mêmes ne se recouvrent presque jamais de façon totale, comme il a été vu dans le chapitre 9 sur l'emploi du mot juste. On peut classer comme suit les relations qu'introduisent les reprises.

- Une **reprise synonymique** introduit un angle nouveau.

  *<u>les souffre-douleur du bruit</u> ⟶ **les martyrs du bruit*** (Valeur superlative)

- Une **reprise générique** effectue un classement, objectif ou subjectif.

  *<u>les sons</u> ⟶ **le bruit***

- Une **reprise périphrastique** (par un groupe de mots synonyme d'un seul mot) apporte un commentaire.

  le bruit → **la musique du monde moderne**

- Une **reprise associative** fait dériver le thème.

  le bruit → **les assauts du bruit**

- Une **reprise synthétique** donne un nouveau point de départ.

  Le bruit est devenu non seulement une nuisance, mais encore une menace grave pour la santé. Les effets sur la santé de l'exposition au bruit constituent en fait un problème de santé publique de plus en plus important. Face à **cet état de choses**…

Ce double classement, grammatical et sémantique, est nécessaire pour cerner les erreurs et les maladresses en matière de reprises. Certaines témoignent d'une faible maitrise de la langue soutenue, mais gênent peu la communication ; d'autres ont des effets plus profonds sur la construction du sens dans le texte et nuisent davantage à la communication. La partie suivante propose un tour d'horizon des erreurs et des maladresses qu'on rencontre le plus souvent dans les reprises.

13.1.3 Erreurs et maladresses dans les reprises de l'information

Dans le contexte de la cohérence, on utilise souvent deux termes pour parler de ce qui est repris : _antécédent_ et _référent_. Le mot _antécédent_ désigne le segment de texte qui est repris. Le mot _référent_, lorsqu'on l'oppose à _antécédent_, désigne ce à quoi renvoie la reprise du point de vue du sens : une reprise peut en effet renvoyer à l'antécédent de façon totale ou partielle ; elle peut par ailleurs renvoyer à une réalité dont il n'est pas question dans le texte. La notion de référent est donc nécessaire, notamment pour comprendre les défauts de reprise sans antécédent.

Genre ou nombre incorrect dans les reprises pronominales et nominales

Une reprise pronominale doit être de même genre et de même nombre que son antécédent.

La plupart des familles rurales élèvent des animaux et cultivent du maïs, du riz et des haricots pour leur subsistance ou pour le marché local. Nombre d'entre *eux (→ **elles**) doivent également travailler dans les plantations.

La reprise du nom _personnes_ par le pronom _ils_, si courante à l'oral, est évidemment à bannir à l'écrit.

Cinq-mille personnes ont été bannies du site Internet Vive ma ligne ! : *ils (→ **elles**) avaient pris trop de poids pendant le temps des fêtes !

Sauf la reprise associative (qui dérive un nouveau thème), la reprise nominale aussi est généralement du même nombre que son antécédent. Or, les erreurs sont fréquentes.

> _Les devoirs à la maison_ sont nécessaires pour consolider les apprentissages de la journée. Grâce *__au devoir__ (→ __aux devoirs__), l'enfant peut en effet s'exercer et revoir au besoin les notions qui n'ont pas été correctement acquises.

À NOTER

Le déterminant possessif dans les reprises associatives

Dans les reprises associatives comprenant un **déterminant possessif**, il faut particulièrement faire attention à la personne de ce déterminant.

Si l'antécédent est singulier, le déterminant possessif compris dans la reprise sera de la 3ᵉ personne du singulier. Si l'antécédent est pluriel, le déterminant possessif compris dans la reprise sera de la 3ᵉ personne du pluriel.

un enfant → _son chapeau_	_les enfants_ → _leur chapeau / leurs chapeaux_
le devoir → _ses bienfaits_	_les devoirs_ → _leurs bienfaits_

Les erreurs de nombre dans une reprise avec déterminant possessif sont assez courantes, notamment parce qu'on peut utiliser un GN singulier dans un sens générique désignant l'espèce, la catégorie.

> _Le tigre_ est un animal féroce. *__Leurs griffes__ (→ __Ses griffes__) peuvent déchirer…
>
> _La chaise Bionics Confort_ est révolutionnaire ! *__Leurs pieds__ (→ __Ses pieds__) en alliage d'aluminium et de titane vous permettent de…

Les erreurs se rencontrent aussi fréquemment quand l'antécédent est un nom collectif.

> _La classe_ s'est concertée pour discuter du travail avec le professeur. *__Leur principale crainte__ concerne…

Comme il est difficile d'attribuer la crainte à une entité abstraite comme la classe, on changera plutôt la reprise.

> _La classe_ s'est concertée pour discuter du travail avec le professeur. __La principale crainte des élèves__ concerne…

Même pour une entité abstraite, on peut souvent garder une reprise avec déterminant possessif.

> _le gouvernement_ → _ses projets_ (et non *_leurs projets_)
>
> _le journal_ Le Devoir → _ses journalistes_ (et non *_leurs journalistes_)

EXERCICE 13.4

Corrigez les erreurs de genre ou de nombre dans les reprises contenues dans les passages suivants.

1 Aujourd'hui, l'automobile est devenue indispensable. On ne saurait plus se passer de ces véhicules.

la (handwritten)
s'en (handwritten)
ou s'en passer (handwritten)

2 Il y a des personnes qui travaillent trop. Ils n'ont pas l'occasion d'apprécier leurs biens.

Elles (handwritten)

3 La Chine et l'Inde ont violemment rejeté les contraintes de nature à entraver leur développement, face à des pays qui ont cyniquement accumulé dans l'atmosphère la bombe à retardement du changement climatique. Mais ces nations, qui montent en puissance économiquement, ne pourront toujours se désolidariser des enjeux de la survie planétaire. On se réjouira toutefois qu'ils ne soient pas tombés dans le piège qui leur était grossièrement tendu, à cette étape, par les États-Unis.

Elles (handwritten)

4 Macadam Tribus, c'était une émission drôle et intelligente. Visitez leur site Web à http://www.radio-canada.ca/refuge.

son (handwritten)

5 Santé Canada est en phase de recrutement. Ils cherchent notamment des scientifiques et des techniciens.

Le ministère (handwritten)

Ambigüité référentielle du pronom de reprise

Dans un passage narratif ou descriptif, on peut créer un effet de surprise en ne présentant le référent qu'après la reprise. C'est le cas pour ce début de refrain :

> Ah ! **la voici, la voici, la voilà**, celle que j'aime, celle que j'aime…

En général, cependant, le pronom doit être décodable dès qu'on le lit, ce qui n'est pas le cas dans le passage suivant.

> Cet atelier a pour but de provoquer une remise en question des conceptions et des connaissances héritées de leur propre expérience en tant que cadres.
> Ces conceptions seront soumises à la discussion afin de ***les** rendre réceptifs aux préoccupations des employés de leur service.

Lorsque le lecteur arrive au pronom *les,* il est porté à croire que le pronom renvoie à *Ces conceptions.* Ce n'est qu'en lisant le mot *réceptifs* qu'il comprend que le pronom renvoie à *cadres.* On pourra lever l'ambigüité en répétant le GN *les cadres.*

> *Cet atelier a pour but de provoquer une remise en question des conceptions et des connaissances héritées de leur propre expérience en tant que* <u>cadres</u>. *Ces conceptions seront soumises à la discussion afin de rendre les cadres réceptifs aux préoccupations des employés de leur service.*

Dans ce passage, on pourrait aussi changer complètement la progression thématique, qui stagne un peu : il y a en effet une répétition peu utile entre *une remise en question des conceptions* et *Ces conceptions seront soumises à la discussion.*

> *Cet atelier a pour but de provoquer chez les* <u>cadres</u> *une remise en question des conceptions et des connaissances héritées de leur propre expérience afin de **les** rendre plus réceptifs aux préoccupations des employés de leur service.*

Le retrait de la répétition et l'intégration en une seule phrase resserrent le lien de sens entre *a pour but de provoquer* et *afin de rendre,* levant ainsi l'ambigüité référentielle du pronom.

Voici trois situations d'ambigüité relativement faciles à éviter.

Plusieurs antécédents possibles pour un pronom

Ce genre d'ambigüité se produit notamment lorsqu'on a, en thème et en propos, deux GN qui sont du même genre et du même nombre.

> *Les professeurs ont parlé avec les étudiants. *Ils ne feront pas la grève.*

Qui ne fera pas la grève ? Les professeurs ou les étudiants ? Si ce sont les étudiants, on peut reprendre par un démonstratif qui pointe vers le GN le plus près de la phrase précédente.

> *Les professeurs ont parlé avec* <u>les étudiants</u>. ***Ceux-ci*** *ne feront pas la grève.*

On peut aussi reprendre par un pronom relatif qui subordonnera la deuxième phrase à la première.

> *Les professeurs ont parlé avec* <u>les étudiants</u>, ***qui*** *ne feront pas la grève.*

Si ce sont les professeurs qui ont décidé de ne pas faire la grève, il faudrait une reprise nominale, mais elle est difficile : on ne peut guère mettre de synonyme ou de périphrase ni répéter simplement. Comme c'est bien une répétition qu'il faut malgré tout, le mieux est de faire l'ellipse du deuxième sujet, celui qui est répété, et de coordonner les deux GV.

> *Les professeurs ont parlé avec les étudiants et ont annoncé/décidé* (selon le sens qu'on veut) *qu'ils ne feraient pas la grève.*

La locution *ce dernier* est utilisée d'une façon très similaire à *celui-ci.* Elle reprend simplement le dernier élément, même en l'absence d'ambigüité grammaticale, en insistant sur le fait que c'est bien ce dernier élément qui est repris.

> *On se réjouira que ces nations ne soient pas tombées dans le piège qui leur était grossièrement tendu, à cette étape, par* <u>les États-Unis</u>. ***Ces derniers*** *s'étaient en effet promis de repartir de Kyoto sans engagement contraignant pour leur économie.*

Changement d'antécédent ou de référent pour un même pronom répété

Il s'agit d'un cas particulier du cas précédent. En effet, lorsqu'on répète deux fois (ou plus) de suite le même pronom, il devrait chaque fois avoir le même référent. Ce n'est pas le cas dans l'exemple suivant.

> *Lorsque l'étoile aura atteint la phase de géante rouge et que toute l'énergie de son noyau sera épuisée, l'attraction gravitationnelle ne sera plus contrée par l'effet d'expansion de la chaleur. **Elle** provoquera alors la contraction de l'étoile. Pendant la contraction, ****elle*** gagnera en densité.*

Que reprend le deuxième *elle*? Répète-t-il le premier *Elle* (l'attraction gravitationnelle) ou renvoie-t-il à autre chose? La lecture de la suite de la phrase oblige à lui donner comme antécédent *l'étoile*, mais le référent devrait être clair dès qu'on lit le pronom *elle*. On changera donc pour une reprise nominale.

> *Pendant la contraction, **l'étoile** gagnera en densité.*
> (Ou, en joignant les deux phrases: ***L'étoile** se contractera et gagnera alors en densité.*)

Voici un autre exemple.

> *La diversité ethnique rend difficile toute généralisation à propos des familles iraniennes. La structure familiale dépend aussi de la religion et de la classe sociale. On peut cependant avancer qu'en général, les Iraniens accordent plus d'importance à l'unité et à l'honneur de la famille qu'à la satisfaction personnelle. Beaucoup préfèrent d'ailleurs vivre à proximité d'autres membres de la famille. C'est une société essentiellement patriarcale, et le chef de famille est habituellement l'homme le plus âgé. ****On*** apprend très tôt aux enfants à être disciplinés et à respecter leurs ainés.*

Les deux *On* ont des référents différents. Le premier ne reprend rien dans le texte: c'est un *on* d'analyse, qui renvoie en quelque sorte à l'auteur. Le second est une reprise associative du groupe *les Iraniens*. Or, les deux *On* sont trop près l'un de l'autre dans le texte pour ne pas avoir le même référent. Il faut donc remplacer l'un des deux *On* par autre chose.

> *Les enfants apprennent très tôt à être disciplinés et à respecter leurs ainés.*

Enchainement de pronoms personnels différents

Un pronom de reprise devant normalement trouver son antécédent dans la phrase précédente, l'enchainement de deux pronoms personnels différents en position thématique est rarement possible.

> *La traduction de Monod est celle que j'ai préférée parce qu'**elle** est très fidèle au texte anglais. ****Il*** a notamment su garder le même ton que le texte de départ.*
> → ***Monod** a notamment su garder le même ton que le texte de départ.*

De surcroit, la reprise par un pronom personnel en position thématique d'une partie seulement du sujet est en soi à éviter. (Voir le point « Reprise difficile d'un complément dans un GN par un pronom personnel en position thématique » un peu plus loin dans le texte.)

Absence d'antécédent « récupérable »

Les reprises pronominales doivent presque toujours avoir leur antécédent dans le contexte immédiat. Dans l'exemple qui suit, l'antécédent du pronom de reprise en gras est vraiment trop loin dans le texte.

> *Lorsque l'étoile aura atteint la phase de géante rouge et que toute l'énergie de son noyau sera épuisée, l'attraction gravitationnelle ne sera plus contrée par l'effet d'expansion de la chaleur. Elle provoquera alors la contraction de l'étoile. Pendant la contraction, l'étoile gagnera en densité. Les atomes d'hydrogène se fusionneront pour former de l'hélium et ensuite, les atomes d'hélium se fusionneront pour former du fer. *Elle devient ensuite très chaude puisque l'énergie cinétique de la chute vers le noyau est transformée en chaleur.*

L'antécédent du pronom *Elle*, le GN *l'étoile*, se trouve deux phrases plus haut dans le texte et, même si la phrase intercalée ne contient aucun nom féminin singulier qui puisse être l'antécédent de *Elle*, la distance empêche la reprise pronominale. Les pronoms de reprise doivent en effet se substituer à quelque chose qui est très présent dans l'esprit ; or, la progression thématique de phrase en phrase a pour effet que ce qui est le plus présent, c'est ce qui est dans la phrase précédente. Pour corriger la reprise de l'exemple ci-dessus, on peut simplement répéter le nom.

> *Pendant la contraction, l'étoile gagnera en densité. Les atomes d'hydrogène se fusionneront pour former de l'hélium et ensuite, les atomes d'hélium se fusionneront pour former du fer. L'étoile devient ensuite très chaude puisque l'énergie cinétique de la chute vers le noyau est transformée en chaleur.*

EXERCICE 13.5

Corrigez les erreurs relevant d'une ambigüité référentielle ou d'une absence d'antécédent dans les reprises en gras.

1 La directrice des stages a rencontré la directrice de l'école pour lui demander d'accepter le plus de stagiaires possible. **Elle** a répondu qu'elle ferait son possible.

_____

2 À la fin des cours, les instruments doivent être rangés afin d'éviter qu'ils ne soient endommagés. Les espaces de rangement doivent ensuite être fermés à clef par les professeurs. En partant, **ils** remettent la clé au concierge et signent le registre.

_____

Reprise difficile d'un complément dans un GN par un pronom personnel en position thématique

L'antécédent d'un pronom personnel doit être clair. Dès qu'il y a ambigüité quant à l'antécédent, on reprend par un pronom démonstratif ou par un autre moyen, comme il a été vu dans le point précédent. Même lorsqu'il n'y a pas d'ambigüité, la reprise par un pronom personnel n'est pas toujours possible. C'est souvent le cas lorsqu'on veut reprendre un complément dans le groupe sujet, ou encore dans un groupe complément de verbe ou de phrase.

Avec une reprise par un pronom personnel, on s'attend en effet à ce que tout le groupe soit repris.

> _L'œuvre de Conrad_ a été abondamment traduite. **Elle** a même été publiée dans la collection La Pléiade.

C'est pourquoi une reprise comme la suivante peut être déstabilisante pour le lecteur.

> _La traduction de Monod_ est excellente. *_**Il** a notamment su garder le même niveau de langue que le texte de départ._

Pourquoi ne pas garder le même thème et continuer à parler de la traduction?

> **_La traduction de Monod_** est la meilleure des quatre. **Elle** reproduit notamment le même niveau de langue que le texte de départ.

Dans le cas d'une progression à thème dérivé, on préfèrera généralement une reprise nominale (surtout si la phrase précédente a un peu de complexité).

> _La traduction de Monod_ est meilleure que les trois autres. **Monod** a notamment su garder le même niveau de langue que le texte de départ.

La progression à thème dérivé est un découpage, au moyen d'une reprise partielle (on ne reprend qu'une partie de l'antécédent) ou d'une reprise associative (on découpe par ajout à l'antécédent ou par association pure). Les choix de reprises dans la progression à thème dérivé sont multiples. Dans le cas qui nous intéresse ici, plutôt que de passer de la traduction au traducteur, la progression pourrait plutôt se faire de la traduction à un **aspect** de la traduction.

> _La traduction de Monod_ est la meilleure des trois. **_Le niveau de langue_** est notamment le même que celui du texte de départ. (Dérivation de tout à partie)

EXERCICE 13.6

Corrigez les reprises pronominales dans les passages suivants.

1. La profession des enseignants a besoin d'être revalorisée. En effet, ils ne sont pas reconnus à leur juste valeur.

Les chambres

2   En partant, déposez la clef de votre chambre à la réception. ~~Elle doit être~~ libérée
    avant midi.

3   La fillette a appris les mots désignant la robe du cheval. S'il est brun, on dira qu'il
    est alezan ou bai ; si son pelage est brun et parsemé de poils blancs, on dira
    qu'il est aubère ou rubican.

Absence totale d'antécédent pour la reprise pronominale

Comme il a été vu plus haut, un GN singulier ne peut être repris que par un pronom singulier et un GN pluriel par un pronom pluriel.

> *Les athlètes canadiens se sont bien entrainés et **ils** sont prêts à relever le défi.*
> *L'équipe canadienne s'est bien entrainée et **elle** est prête à relever le défi.*

On ne peut télescoper les deux.

> ** L'équipe canadienne est prête à relever le défi, car ils se sont bien entrainés.*

À l'oral familier, on a souvent tendance à reprendre un nom collectif ou un nom de lieu
singulier par un pronom pluriel.

> *Nous avons téléphoné trois fois au service à la clientèle pour nous plaindre.*
> *Chaque fois, ****ils** nous ont dit d'attendre encore un peu.*

Le groupe *service à la clientèle* ne peut être repris par un pronom pluriel à l'écrit (de surcroit, un service à la clientèle ne peut rien dire : ce sont les personnes qui y travaillent qui
parlent). Plutôt qu'un pronom de reprise (*ils*), il faut utiliser le pronom *on* ou tourner la
phrase autrement.

> *Nous avons téléphoné trois fois au service à la clientèle pour nous plaindre.*
> *Chaque fois, **on** nous a dit d'attendre encore un peu.*

> *Nous avons téléphoné trois fois au service à la clientèle pour nous plaindre,*
> *avec pour seul résultat de nous faire dire d'attendre encore un peu.*

En fait, sauf si on veut créer un effet de surprise, un pronom de reprise doit obligatoirement
avoir un antécédent.

> *Elle comprend bien le comportement adolescent, y compris les excuses*
> *employées par ****ceux-ci**, et sait leur montrer comment tirer profit*
> *de leurs différences culturelles dans le système scolaire.*

Il n'y a pas de nom *adolescents* dans le contexte, mais seulement l'adjectif *adolescent*.
Un pronom de reprise ne peut en principe reprendre un adjectif. Même si le référent de

ceux-ci se récupère sans difficulté, il est plus soigné, sur le plan grammatical, d'avoir un réel antécédent à la reprise. On se rend compte ensuite qu'on n'a plus besoin d'un pronom démonstratif, qui pointe un antécédent parmi plusieurs, mais qu'un simple pronom personnel suffit.

> *Elle comprend bien le comportement* <u>*des adolescents*</u>*, y compris les excuses qu'***ils*** emploient, et sait leur montrer comment tirer profit de leurs différences culturelles dans le système scolaire.*

EXERCICE 13.7

Corrigez les erreurs relevant d'une absence d'antécédent pour la reprise dans les passages suivants.

1. Avant de prendre la route, appelez la météo. S'ils annoncent de la poudrerie, évitez l'autoroute.

2. Les nouveaux employés ne peuvent pas toujours prendre de vacances estivales. Cette saison est en effet très chargée pour nous et les derniers arrivés dans l'entreprise devront même accepter de faire des heures supplémentaires.

3. L'homme est finalement rattrapé par les deux policiers et mis en état d'arrestation. C'est en vérifiant le contenu de celle-ci qu'ils trouvent, dans le coffre arrière, un cadavre encore tout chaud.

4. Le gouvernement de l'Ontario de l'époque avait été critiqué pour sa décision. Le budget de la province avait en effet été présenté dans le hall d'une compagnie figurant au nombre de leurs donateurs.

Abus de *cela*

Employé comme reprise, le pronom démonstratif *cela* (ou *ça* à l'oral ou à l'écrit familier) a généralement une valeur synthétique, c'est-à-dire qu'il reprend un groupe verbal, une phrase, une série de phrases, un paragraphe ou une section de texte plus grande.

> *Le gouvernement* <u>*a encore réduit notre budget et l'aide qu'il nous apportait sous forme de services gratuits*</u>*.* ***Cela*** *nous obligera probablement à fermer nos portes.*

*Il est évident que <u>les suppléments nutritionnels ont un rôle à jouer dans le traitement des escarres superficielles et surtout des escarres en profondeur</u>. Mais **cela** ne signifie pas qu'on puisse les considérer comme mesures préventives.*

Ces deux *cela* sont bien employés, encore qu'on pourrait reprendre par *ces réductions* dans le premier cas. Dans l'exemple suivant, condensé d'une intervention orale à la Chambre des communes, on enchaine plusieurs *cela*, dont aucun ne serait très heureux s'il s'agissait d'un texte écrit.

*Un conflit de travail qui perdure a des conséquences énormes pour une famille. Il y a beaucoup de femmes seules vivant avec des enfants parmi les grévistes et celles-ci doivent souvent s'endetter pour survivre. Il est inacceptable que **cela** se produise de nos jours. **Cela** entraine des couts inutiles dans le domaine de la santé. En effet, les gens deviennent nerveux, malades. Il faut aussi tenir compte de tous les couts que **cela** génère quand on s'endette : c'est l'économie qui écope. (Hansard révisé, n° 93, 1ᵉʳ mai 2003.)*

Dans un texte rédigé, le premier *cela* et le verbe qui suit pourraient être remplacés par une tournure idiomatique et un adverbe de reprise.

*… que les choses se passent **ainsi** de nos jours.*

Le deuxième peut être remplacé par une reprise nominale explicite.

***Les conflits de travail qui s'éternisent** entrainent des couts dont on n'a pas besoin dans le domaine de la santé.*

Enfin, dans le dernier cas, on peut tout simplement éliminer la reprise en remplaçant la subordonnée circonstancielle par un groupe nominal.

*Il faut aussi tenir compte de tous les couts que génère **l'endettement**.*

Lorsque *cela* introduit une conséquence, on peut souvent le remplacer par *ce qui*.

*Le gouvernement <u>a réduit notre budget et l'aide qu'il nous apportait sous forme de services gratuits</u>. **Cela** nous pose un problème énorme.*

*→ Le gouvernement <u>a réduit notre budget et l'aide qu'il nous apportait sous forme de services gratuits</u>, **ce qui** nous pose un problème énorme.*

EXERCICE 13.8

Retrouvez la reprise utilisée à l'origine dans les passages suivants au lieu de la reprise *cela*.

1 Il n'y a pas si longtemps, la tendance était de créer des biosphères, dans un but de préservation. **Cela** était louable, mais l'approche présentait énormément de limites.

2 Quant à moi, j'estime que le paysage sonore est une dimension aussi importante de l'écologie que le paysage visuel ou la préservation des écosystèmes. Pour être conscient de **cela**, il faut tout d'abord muscler sa sensibilité, avoir le courage du silence et savoir dire non aux paillettes brulantes du bruit. **En faisant cela**, la vraie musique, celle qui est écoutée dans sa pleine mesure, qui arrive à point et qu'on a eu le temps de désirer, n'en sonnera que meilleure.

Pour en être conscient...
Alors

EXERCICE 13.9

Remplacez *cela* par des reprises plus explicites.

1 L'élément le plus déterminant pour avoir plus de temps est peut-être d'évaluer ce qui est le plus important pour vous. Est-ce que c'est d'obtenir une grosse promotion, de passer plus de temps avec votre famille ou vos amis ? En établissant **cela** au départ, vous pourrez décider combien d'heures vous voulez consacrer au travail et peut-être éviter d'avoir des remords plus tard. (Bulletin d'information de la City Bank)

vos priorité

2 Je pense que j'ai toutes les compétences requises pour ce travail et je serais ravie de vous rencontrer afin que nous puissions discuter de **cela**.

en ma candidature

3 « Le bio, c'est bien beau, mais on n'a pas les moyens de se payer ça. » Qui n'a pas déjà entendu ce discours ou ne l'a pas lui-même prononcé ? Pourquoi est-ce comme **cela** ?

Ainsi

4 En plus d'ouvrir le projet aux différentes disciplines, l'équipe PSSM s'est orientée vers la recherche-action et participative. Les chercheuses et chercheurs canadiens et mexicains ont en effet déployé beaucoup d'énergie pour faire intervenir le plus de gens possible, afin d'approfondir la recherche et d'en maximiser l'impact. La population locale a été encouragée à participer à la formulation d'autres stratégies de développement et à tous les aspects des activités de préservation. « Il ne s'agit pas simplement de placoter

avec les paysans, les paysannes indigènes, mais d'organiser des sessions de formation avec eux, de vraiment les intégrer dans la stratégie de préservation. **Cela** s'inscrit dans notre conception du développement durable, qui n'est pas celle d'un capitalisme qui nettoie ses propres dégâts pour assurer sa survie. Nous voyons le développement durable pour et par les gens de la base», souligne le chercheur. (Andrée Poulin, *Interface* (maintenant *Découvrir*), mars-avril 1993, vol. 14, n° 2, p. 54[1].)

Cette démarche

Erreurs et maladresses lexicales dans les reprises nominales

Les reprises nominales sont aussi source d'erreurs et de maladresses. Très souvent, ce sont des maladresses d'ordre lexical : choisir un synonyme ou un terme synthétique ou générique approprié demande en effet une bonne maitrise du vocabulaire. La créativité est également en cause : trouver une bonne périphrase ou des reprises associatives évocatrices exige un effort. L'extrait du texte sur le bruit présenté plus haut renfermait des reprises témoignant d'une recherche consciente de termes expressifs : *vacarme, tapage, viol de l'intimité, saccage du silence* décrivent avec éloquence ce que pense l'auteur du bruit.

La formulation des reprises met en œuvre la force de la pensée et la créativité. Elle témoigne en toute clarté de la maitrise rédactionnelle du scripteur. Il vaut donc la peine d'y accorder son entière attention. Le chapitre 9 sur l'enrichissement lexical (« L'emploi du mot juste ») vous a donné les outils pour travailler dans ce sens.

EXERCICE 13.10

Remplacez les reprises nominales en gras par des reprises moins répétitives sur le plan des mots mêmes ou du sens.

1. Apprendre dans le bruit, est-ce possible ? **Le bruit** causé par les enfants dans les classes primaires et **le bruit** extérieur sont tels qu'ils peuvent nuire au processus d'apprentissage des jeunes élèves des écoles primaires.

   vacarme
   pollution sonore

2. Le chercheur a effectué des relevés de bruit dans des écoles primaires. **Le niveau de bruit** y variait de 40 à 70 dB (décibels).

   niveau sonore

---

1. Cet extrait a été reproduit aux termes d'une licence accordée par Copibec.

3 Depuis le début du XXe siècle, l'économie de l'Iran repose essentiellement sur la production de pétrole et de gaz naturel, que contrôle l'État. **L'économie** est donc très dépendante des fluctuations de prix du baril de pétrole au niveau mondial.

La santé économique

4 Le Concours provincial de français de l'Ontario vise à encourager les jeunes à poursuivre des études universitaires en français. Il a vu le jour en 1938, à l'initiative de Robert Gauthier, qui était alors directeur de l'enseignement en français pour la province. Le Concours s'adresse aux élèves de 12e année des écoles secondaires francophones de l'Ontario et offre aux participants la chance de remporter des bourses et des prix fort intéressants. Cette année, **le Concours** se tiendra à l'Université Laurentienne, à Sudbury.

l'évènement

13.1.4 Les reprises de l'information et l'organisation du paragraphe

Avant de passer à l'emploi des connecteurs et des organisateurs textuels dans la construction de la cohérence du texte, il convient de bien voir que les reprises peuvent elles-mêmes **structurer** un paragraphe ou un enchainement plus grand. C'est le cas dans le paragraphe suivant, où la reprise *Son manque de cartésianisme*, combinée avec le connecteur d'addition *aussi*, met en lumière l'articulation du paragraphe en une double justification.

> *En observant le comportement de la France, on peut constater que ce pays est tout sauf cartésien. En effet, la France modifie sa politique étrangère selon qu'il s'agit de questions d'ordre mondial ou européen: elle est multilatéraliste pour les questions ne la touchant pas de trop près ou lorsque cela fait son affaire, mais suit l'exemple de George Bush et devient unilatéraliste au sein de l'Union européenne. **Son manque de cartésianisme** se manifeste **aussi** par l'attitude des Français face à la mondialisation: ils ont fait un héros du chantre de l'antimondialisation José Bové, tout en étant majoritairement convaincus que la mondialisation profite grandement à la France.*
>
> (Résumé d'un billet radiophonique présenté par Alain Frachon, journaliste au quotidien *Le Monde*, invité à l'émission *Les Matinales* de la chaine culturelle de Radio-Canada, le 9 septembre 2003.)

EXERCICE 13.11

Retrouvez la reprise synthétique qui a été utilisée par l'auteur pour clore ce passage sur le bruit.

Notre siècle en a été témoin : chaque progrès technique s'accompagne **d'un bruit nouveau**. Notre amour du progrès nous a fait admettre le train, la voiture et l'avion, **grands bailleurs de bruit qui ont pénétré nos villes et les soumettent à un siège sans répit.** À ces bruits colossaux, le progrès technique a ajouté **des bruits insidieux, qui se sont insinués dans les maisons** : le roulement de la sécheuse, le gargouillement du lave-linge et du lave-vaisselle, le ronronnement du réfrigérateur, le grondement du micro-ondes, les voix et la musique vociférées par la télévision et les haut-parleurs. C'est la _vocifération_ du monde.

(Indice : nom d'action dérivé d'un verbe signifiant « crier », souvent avec colère. Ce nom s'emploie le plus souvent au pluriel.)

(Marc Chevrier, extrait de « Lamentations d'un martyr du bruit »)

EXERCICE 13.12

Exercice de synthèse sur la progression thématique et les reprises

Dans le passage qui suit, la progression thématique est correcte, mais manque un peu de vivacité. Expliquez pourquoi et dynamisez la progression en modifiant certaines reprises. Pensez aussi à exploiter les transformations syntaxiques (déplacements, mises en relief, passivation, subordination…) pour resserrer et animer la progression.

Les sauterelles ont de longues pattes sauteuses. Ces insectes peuvent faire des bonds énormes et échapper ainsi à leurs ennemis. Beaucoup de sauterelles émettent une stridulation qui est produite par le frottement de leurs ailes antérieures. Dans leurs pattes antérieures, elles ont une petite fente avec des nerfs qui sont très sensibles. Elles peuvent ainsi capter des sons. Elles ont donc des « oreilles » dans les pattes antérieures. Les femelles ont à l'arrière du corps un long oviducte qu'elles enfoncent dans le sable pour pondre leurs œufs. La plupart des sauterelles mangent de l'herbe. Les cultivateurs savent qu'un nuage de sauterelles qui s'abat sur une récolte peut causer d'importants dégâts.

(Adapté de _Mon premier livre des animaux_, p. 52.)

13.2 **LES CONNECTEURS**

Comme les reprises, les **connecteurs** (aussi appelés *marqueurs de relation*) sont un instrument essentiel de la cohérence du texte. Ils expriment, ou à tout le moins, ils explicitent les rapports entre les phrases (rôle de connecteur proprement dit) et les parties de texte (rôle d'organisateur textuel).

> *Les sommes que nous engageons sont importantes, **car** nous devons réagir, face à l'ampleur de la crise, de façon responsable.*

Mais ils contribuent également à la progression du texte.

> *Trois tâches nous attendent. **D'abord**… **Ensuite**… **Enfin**…*

De même qu'à sa cohésion.

> *Nous avons vu **plus haut** que… Nous examinerons **maintenant**…*

Souvent, les scripteurs malhabiles utilisent peu de connecteurs, ou alors ils en utilisent trop, souvent de façon approximative. Le mot *car*, par exemple, ne peut tout expliquer, ni l'expression *de plus* tout additionner. Parfois, l'absence de connecteurs reflète un « trou » dans le fil du discours : en cherchant à colmater la brèche au moyen d'un connecteur, on met le doigt sur une ellipse de raisonnement. Il faudra peut-être alors reformuler le passage, ajouter une idée intermédiaire et non uniquement ajouter un connecteur.

Pour bien utiliser les connecteurs, il est avant tout nécessaire de les reconnaitre, dans leurs manifestations syntaxiques et dans leurs valeurs sémantiques.

Les connecteurs peuvent être des conjonctions (*mais, car, or, parce que, quand*), des adverbes (*puis, d'abord, aujourd'hui*), des groupes prépositionnels (*malgré cet état de choses, en premier lieu, au début*), des locutions diverses (*quoi qu'il en soit*) et des phrases de transition (*Passons au point suivant*).

Sur le plan sémantique, on peut distinguer trois grands types de connecteurs.

- Les connecteurs **temporels**, particulièrement utiles dans une narration.

  Au début, *René Cavelier de La Salle s'installa à Ville-Marie.* ***Pendant*** *un temps, il dut vivre dans la seigneurie qui lui avait été octroyée, mais il reçut* ***finalement*** *l'autorisation de se lancer dans l'exploration des terres situées à l'ouest de la colonie.*

- Les connecteurs **spatiaux**, fréquemment utilisés dans les descriptions physiques qui suivent une progression à thèmes dérivés.

  Encore une rédaction sur le chalet de ses rêves! Cela ne traînerait pas… Ce serait un grand chalet en bois au bord d'un lac solitaire. ***Tout le long de*** *la façade avant courrait une grande galerie barricadée contre les moustiques.* ***Derrière***, *il y aurait les bécosses.* ***Au bord de*** *l'eau, un bon ponton et au milieu des rochers, un emplacement pour faire des feux.* ***Tout le tour*** *du lac, il y aurait d'autres chalets, plein d'amis avec lesquels s'amuser.*

- Les connecteurs **argumentatifs**, qui marquent diverses relations entre les phrases et les parties d'un texte, dont les principales sont: addition, énumération et complémentation; cause, conséquence et but; explication et justification; exemplification; confirmation et reformulation; opposition et concession; comparaison; hypothèse et condition; conclusion et évaluation. Ces articulations du raisonnement sont essentielles à l'exposition d'idées: mieux on maitrise leur utilisation, meilleurs sont nos raisonnements écrits.

Nous ne traiterons ici que des connecteurs argumentatifs. Nous aborderons d'abord quelques difficultés liées au sens de la relation établie par ces connecteurs. Nous proposerons ensuite des moyens de corriger les erreurs et les maladresses les plus courantes. Enfin, nous explorerons la diversité des connecteurs argumentatifs et les nuances de sens qu'ils peuvent exprimer.

13.2.1 La reconnaissance des relations exprimées par les connecteurs

Il n'est pas toujours aisé de bien cerner la relation établie par un connecteur. Si certains ont un sens fort simple – *en outre* introduit hors de tout doute un élément additionné –, d'autres ont un sens plus complexe. Ainsi, le connecteur *d'ailleurs* établit un lien d'addition, mais avec une idée de renforcement; il introduit un argument **excédentaire**.

  Dans le contexte économique actuel, *notre nouveau procédé n'est pas rentable.* ***D'ailleurs***, *tous nos efforts pour le commercialiser ont échoué.*

  (Le contexte économique actuel est une raison suffisante; les échecs essuyés malgré les efforts de commercialisation ne font que le confirmer.)

Il ne faut pas oublier non plus que certains connecteurs sont polysémiques. Par exemple, la conjonction *si* exprime aussi bien l'opposition que la condition et l'hypothèse, ou encore la conséquence dans une structure corrélative avec une cause.

> *Si l'ordinateur permet d'accomplir plus de travail, il est également source de beaucoup de perte de temps.* (Opposition)

> *Si on a une connexion Internet lente, on n'a pas intérêt à vouloir télécharger trop de fichiers de musique.* (Hypothèse)

> *Si le projet a bien réussi, c'est (parce) que nous avons eu l'appui de toute la communauté.* (Conséquence en relation avec une cause)

EXERCICE 13.13

Expliquez quelle est la relation établie par les connecteurs en gras dans les extraits suivants et indiquez quels segments de texte sont ainsi reliés (en les surlignant si vous le désirez). Aidez-vous des définitions du *Petit Robert* et du *Multidictionnaire de la langue française* (*Multi*) ainsi que des tableaux qu'on trouve dans le *Multi* («Conjonction de coordination», «Conjonction de subordination», «Connecteur»).

EXEMPLE

Jadis, les historiens se demandaient pourquoi Napoléon a envahi l'Égypte. **Maintenant**, ils se demandent quel caleçon il portait. (Richard Martineau, «Le junk food de l'histoire», *L'actualité,* 1ᵉʳ juin 1999.)

Chronologie servant à opposer deux conceptions de l'histoire.

1   **La lisibilité du graphique**

La première règle de lisibilité du graphique, c'est qu'on doit bien voir à quoi il renvoie. Le lecteur ne doit pas être obligé de chercher dans le texte à quoi se rapporte le graphique. **En effet** (a), un des premiers buts du graphique est de favoriser une prise de conscience plus rapide d'un phénomène que ne le permet le texte. **Pour** (b) cela, il ne doit pas être égaré loin de ce qu'il illustre. La deuxième règle de lisibilité, c'est que le graphique doit être sémantiquement clair. Le lecteur ne doit pas être obligé de suivre un parcours sinueux dans le graphique pour comprendre ce qu'il signifie. **Au contraire** (c), le graphique doit se lire et se comprendre facilement. **Enfin** (d), un graphique doit être sémantiquement utile. Il sera encore plus utile **s'** (e) il ne se limite pas à illustrer les propos, **mais** (f) **s'** (g) il permet également d'approfondir, de démontrer et de convaincre. **En fait** (h), le graphique et le texte sont deux aspects complémentaires de la communication écrite, **et** (i) le graphique ne doit pas contrarier le sens du texte, **mais** (j) le renforcer par effet de synergie en permettant une lecture **soit** (k) plus analytique, **soit** (k) plus synthétique que le texte. (Josiane Kwan Tat, synthèse de lectures.)

a) _____

b) _____

c) _____

d) _____

e) _____

f) _____

g) _____

h) _____

i) _____

j) _____

k) _____

2

Le pas de Doha

Plus de 36 millions de personnes sont atteintes par le sida dans le monde et plus de 10 000 personnes meurent chaque jour faute d'avoir accès aux médicaments qui pourraient leur sauver la vie. **Or** (a), le prix des médicaments est une entrave majeure à leur accessibilité. […] Avec l'apparition des premières versions génériques de certains traitements en Inde, au Brésil ou en Thaïlande, la démonstration a été faite que seule une concurrence entre de nombreux fabricants est en mesure d'entraîner une baisse conséquente du prix des produits pharmaceutiques. Les producteurs de médicaments génériques ont, **par ailleurs** (b), prouvé deux choses : **tout d'abord** (c) que les possibilités de baisse du prix des médicaments sont bien supérieures à ce qu'a toujours prétendu l'industrie occidentale ; **ensuite** (d), qu'il était possible de sortir d'une situation de blocage due à la dépendance au bon vouloir « philanthropique » des multinationales. **Pourtant** (e), depuis trois ans, les pressions et les menaces des États du Nord et des industriels bloquent la mise en place de production de génériques et leur exportation dans les pays les plus pauvres.

[…]

La majorité des malades du sida, et la majorité des malades en général, vivent dans des pays qui ne sont pas en mesure de produire eux-mêmes les médicaments dont ils ont besoin. L'exportation à partir des pays émergents est **donc** (f) une nécessité. **Or** (g), **si** (h) la déclaration des ministres du Commerce reconnaît l'existence du problème, les

pays riches ont **cependant** (i) entravé une prise de position indispensable. **De fait** (j), la déclaration de Doha ne lève pas cette barrière. **Ainsi** (k), la réunion de l'OMC ne met pas fin à la bataille des pays pauvres pour accéder aux médicaments. Contre la pression des pays riches et des compagnies pharmaceutiques, le combat doit continuer afin de terminer le travail inachevé lors de cette conférence. Des millions de vie sont en jeu. L'OMC devra **donc** (l) statuer dans les mois qui viennent au conseil du TRIPS sur le fait que rien dans l'accord sur la propriété intellectuelle ne doit entraver l'exportation de médicaments abordables vers les pays dépourvus de capacité de production.
(Gaelle Krikorian, «Le pas de Doha», *L'Humanité*, 7 décembre 2001.)

a) _____

b) _____

c) _____

d) _____

e) _____

f) _____

g) _____

h) _____

i) _____

j) _____

k) _____

l) _____

13.2.2 Quelques maladresses et erreurs courantes

Parmi les erreurs et les maladresses les plus répandues en matière de connecteurs, certaines sont très faciles à corriger : c'est le cas notamment des confusions entre deux formes proches ainsi que des erreurs dans la position du connecteur dans la phrase. D'autres erreurs touchent fondamentalement au sens et sont plus difficiles à corriger. S'ajoutent à ces erreurs de sens, les défauts «logiques» : la valeur du connecteur n'est pas à proprement parler en cause (le scripteur la connait sans doute bien), mais certains éléments du contexte font que son emploi n'est pas tout à fait pertinent.

Confusion entre deux formes proches

De plus/en plus

À l'oral, on se sert beaucoup de *en plus* en tête de phrase. À l'écrit soutenu, *de plus* est de mise ; *en plus* s'utilise à l'intérieur de la phrase (ou dans la locution prépositive *en plus de*).

> **De plus**, *la pratique d'un sport est bonne pour la santé psychique.*
>
> **En plus** d'*être le meilleur moyen de se maintenir en forme, le sport est bon pour la santé psychique.*
>
> *Avec l'achat d'un équipement complet, vous obtenez* **en plus** *gratuitement le service d'entretien pour toute la saison.*

En dernier lieu/en dernier

En dernier n'a qu'un sens spatial ou temporel : *Placez-vous en dernier. Je ferai cela en dernier.* Comme organisateur textuel, on emploie *en dernier lieu*.

> **En dernier lieu**, *la pratique d'un sport peut avoir une dimension spirituelle.*

Finalement/enfin

Finalement a une valeur de conclusion, de terme d'une analyse ou d'une situation : *Finalement, ils se sont mariés.* Dans la langue soutenue, ce n'est pas un connecteur d'addition comme *enfin*.

> * **Finalement**, *la pratique d'un sport peut avoir une dimension spirituelle.*
>
> → **Enfin** (**Par ailleurs/De surcroit**, etc.), *la pratique d'un sport…*

Par conséquent/en conséquence

Les deux formes ont le même sens (*par conséquent* est plus courant), mais il ne faut pas faire d'hybride en combinant les deux (**par conséquence*).

EXERCICE 13.14

Corrigez les erreurs touchant aux connecteurs en gras dans les passages suivants.

1. **En dernier**, travailler tout en étudiant permet de développer toutes sortes de compétences pratiques. (Dernier terme d'une énumération)

   En dernier lieu

2. Nous considérons que la relation élève-élève et élève-enseignant doit être fondée sur le respect mutuel. **En plus**, nous croyons au caractère essentiel du dialogue et de la communication entre tous les partenaires.

   De plus

3 Les lacs et les cours d'eau sont à la base de secteurs d'activité dominants
du développement de la MRC, à savoir la villégiature et le récréotourisme.
Cette hydrographie soutient aussi une faune riche et abondante. Elle approvisionne
finalement en eau potable nombre de résidants du territoire et même d'au-delà
du territoire administratif de la MRC.

4 Plusieurs usines de construction automobile ont fermé leurs portes dans la région
et, **par conséquence**, le prix des maisons a chuté.

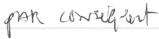

par conséquent

Erreurs dans la position du connecteur dans la phrase

Diverses contraintes syntaxiques peuvent s'appliquer à des connecteurs particuliers. Certains, par exemple, changent de sens en changeant de place. D'autres ne peuvent simplement pas se mettre en tête de phrase, place pourtant naturelle du connecteur interphrastique.

Aussi

En tête de phrase, à l'écrit, *aussi* se poursuivra « par conséquent ». Il s'emploie avec ou sans inversion du pronom sujet. Avec une inversion ou une reprise du sujet, *aussi* n'est pas suivi d'une virgule ; sans inversion ou reprise (construction moins soutenue, mais non fautive), il demande une virgule.

> *On prévoit que la tempête se poursuivra jusqu'à demain soir.* **Aussi** *l'université resterat-elle fermée jusqu'à lundi. /* **Aussi***, l'université restera fermée jusqu'à lundi.*

Avec un pronom sujet, l'inversion est la forme la plus courante.

> *Aussi fermerons-nous à midi.*

Comme connecteur d'addition, *aussi* doit être intégré dans la phrase.

> *Le sport a* **aussi** *une dimension spirituelle.* (Sens de « également »)

Également

Ce connecteur ne s'emploie pas en tête de phrase en français.

> *Le sport a* **également** *une dimension spirituelle.*

EXERCICE 13.15

Dans lequel des passages suivants *aussi* est-il mal employé ? Justifiez votre réponse.

1. Les spécialistes du centre de recherche ont constaté qu'un pneu insuffisamment gonflé avait joué un rôle déterminant dans l'accident. **Aussi**, parmi leurs recommandations, les scientifiques ont insisté sur la nécessité pour les camionneurs de surveiller constamment la pression de leurs pneus.

2. Les spécialistes du centre de recherche ont constaté qu'un pneu insuffisamment gonflé avait joué un rôle déterminant. **Aussi**, parmi leurs recommandations, ont-ils souligné la nécessité pour les camionneurs de surveiller constamment la pression de leurs pneus.

3. Parmi leurs recommandations, les spécialistes ont souligné la nécessité pour les camionneurs de surveiller constamment la pression de leurs pneus. **Aussi**, ils ont fait remarquer que la vérification devait s'effectuer avec un manomètre et non en donnant des coups de pied dans les pneus.

4. Parmi leurs recommandations, les spécialistes ont souligné la nécessité pour les camionneurs de surveiller constamment la pression de leurs pneus. Ils ont **aussi** fait remarquer que la vérification devait s'effectuer avec un manomètre et non en donnant des coups de pied dans les pneus.

Ne peut quand il s'agit d'une addition

EXERCICE 13.16

Corrigez les connecteurs en gras dans les passages suivants.

1. Le modèle présente une meilleure tenue de route et un meilleur rapport performance/économie. **Également,** le nouveau modèle offre une vraie modularité qui plaira à ceux qui se servent de leur véhicule à la fois pour la famille et pour le travail.

   de plus   jamais en début de phrase

2. Au nombre des améliorations techniques figurent des coussins latéraux et des barres de renforcement dans les portières. **Aussi**, la mécanique a intégré plusieurs nouvelles technologies permettant de mieux combiner performance mécanique et économie d'utilisation.

   De plus

Imprécisions et confusions de sens

Certains connecteurs peuvent nous sembler parfaitement synonymes, alors qu'ils ne le sont pas. D'autres ayant des sens complètement différents peuvent être confondus l'un pour l'autre. En voici quelques cas.

Car/parce que

Car introduit une explication, *parce que,* plutôt une simple cause. La cause étant un mode d'explication fondamental, on a tendance à utiliser *car* pour introduire la moindre cause. Les exemples suivants montrent qu'il est facile d'abuser du connecteur *car.*

> *Les devoirs sont nécessaires à l'école primaire, **car** ils permettent aux élèves de s'exercer.*

> *Les devoirs sont aussi utiles pour les enseignants, **car** ils leur permettent de vérifier les apprentissages de leurs élèves.*

> *Même les parents tirent profit des devoirs, **car** ils peuvent suivre, grâce à eux, les progrès de leurs enfants.*

Une raison objective (une cause) appelle davantage *parce que*; une raison subjective (une explication) appelle *car.* Ainsi, le grammairien Joseph Hanse distinguait: *Le chat miaule **parce qu'**il a faim* (cause) et *Le chat a faim, **car** il miaule* (énoncé de ce qui permet de penser que le chat a faim). En d'autres termes, plus une raison est factuelle, moins on utilisera *car.* Pour beaucoup de gens, la raison donnée dans le premier des trois exemples ci-dessus semblera un fait incontestable et serait mieux introduite par *parce que.* Les deuxième et troisième exemples se rapprochent davantage de l'explication. Pour mieux connaitre la variété des connecteurs permettant d'exprimer l'explication, voir la section « La diversité des connecteurs et les nuances de sens » plus loin dans ce chapitre.

EXERCICE 13.17

Complétez les phrases ci-dessous avec *parce que* ou *car.*

1. Nous avons pris un autre chat _parce que_ (ou car) notre vieille chatte s'ennuyait toute seule.

2. Il s'est acheté une bonne voiture _parce qu'_ il fait beaucoup de route.

3. Il hésite à prendre sa retraite, _car_ il aime beaucoup la politique.

4. Pierre n'est pas allé à son cours _parce que_ il est malade.

5 Il doit être malade, _CAR_ il n'est pas venu à son cours.

6 Nous vous remercions encore, _CAR_ c'est vous qui rendez possible cet évènement.

Parce que/puisque

La différence entre *parce que* et *puisque* est très nette, même si on les confond parfois : *parce que* introduit la cause d'un fait énoncé dans la phrase enchâssante ; *puisque* introduit un argument fondant la justesse de ce qui est énoncé dans la phrase enchâssante.

> *Il est rentré chez lui **parce que** sa fille est malade.*

> ***Puisque** votre fille est malade, travaillez donc chez vous aujourd'hui.*

Pour expliquer la différence de sens entre les deux conjonctions, on dit parfois que *puisque* introduit une cause absolument évidente, une justification incontestable.

> ***Puisqu'**il est à Paris, tu ne peux pas l'avoir rencontré à Winnipeg ce matin !*

EXERCICE 13.18

Complétez les passages suivants avec *parce que* ou *puisque*.

1 L'horloge atomique la plus stable et la plus exacte (elle est exacte par définition, _puisque_ la seconde est définie par rapport à son fonctionnement) est actuellement l'horloge atomique à jet de césium.

2 _puisque_ les atomes sont en nombre infini dans le vide infini, explique Épicure, et _parce que puisque_ le hasard, à travers le temps infini, produit nécessairement tout le possible, il est absurde de penser que notre monde est le seul, absurde d'imaginer qu'il est au centre de l'Univers ou que les dieux lui prêtent une attention particulière. (Théorie épicurienne de la pluralité des mondes)

3 La physique essaie de comprendre l'essence de certains concepts de base, tels le mouvement, les forces, l'énergie, la matière, la chaleur, le son et la lumière. _puisque_ ces phénomènes se retrouvent partout dans l'Univers, les physiciens étudient une myriade de choses différentes. Ils étudient, par exemple, les trous noirs, les atomes, les moteurs, les ascenseurs et le vol des balles de baseball, _parce que_ toutes ces choses obéissent aux lois de la physique.

4 Les théories qui sous-tendent la description des espèces changent _parce que_ la science évolue, et donc aussi le concept des espèces et leur nom.

En effet/en fait

En effet introduit une confirmation, un argument d'ordre justificatif; *en fait* (comme *en réalité*) introduit une clarification, parfois dans une relation d'opposition.

> *L'embonpoint et à fortiori l'obésité n'existent pas dans la nature. On ne les trouve ni dans les sociétés primitives ni dans le règne animal (exception faite pour les animaux domestiques, et pour cause). Ce sont **en fait** des phénomènes de civilisation.*

> *Les résultats d'une enquête nationale menée par la Faculté de kinésiologie de l'Université du Nouveau-Brunswick révèle que le nombre de cas d'obésité chez les enfants canadiens de 7 à 13 ans a plus que doublé sur une période de 15 ans. **En effet**, le nombre d'enfants obèses de 7 à 13 ans est passé de 5 à 13,5 % chez les garçons et de 5 à 11,8 % chez les filles entre 1981 et 1996.*

EXERCICE 13.19

Complétez les passages suivants avec *en fait* ou *en effet*.

1. Le gouvernement fédéral s'est donné une politique d'équité en matière d'emploi il y a déjà bien longtemps, _en fait_ il y a au moins 20 ans. Cette politique a été adoptée parce qu'elle était nécessaire. _en effet_ , certains groupes au Canada se voyaient refuser l'accès à des emplois pour des raisons qui n'avaient rien à voir avec leurs compétences ou leurs capacités.

2. Parmi les recherches envisagées en Antarctique, la plus difficile à imaginer touche sans doute l'astrophysique. Des astrophysiciens pensent _en effet_ très sérieusement à établir un observatoire international au pays des pingouins!

3. «L'éducation ne laisse personne indifférent. La population souhaite que les enfants aient accès à une éducation de qualité. Une société, un pays, une nation qui croit dans son avenir doit miser sur l'éducation. _En fait_ , l'éducation, ce n'est pas une dépense, c'est un investissement dans l'avenir», a déclaré le ministre, qui s'adressait aux principaux acteurs du milieu scolaire de la région.

Défauts logiques

Les défauts logiques ne relèvent pas d'une confusion de sens entre deux connecteurs. Ce sont plutôt des erreurs relevant de l'interaction avec le contexte. Ils touchent particulièrement la relation additive et la relation causale.

Relations de sens non justifiées

On établit parfois entre deux idées une relation qui n'est pas fondée. C'est souvent le cas pour l'addition. Or, s'il n'y a pas addition, on ne peut pas utiliser un connecteur ou un organisateur d'addition.

> ***D'abord****, la pratique d'un sport est essentielle pour être en forme. [...]*
>
> * ***Ensuite****, il faudrait imposer que le sport occupe plus de place dans les écoles.*

D'abord introduit une **raison** pour laquelle le sport est bon. *Ensuite* introduit une **conséquence**. On écrira plutôt :

> → ***Aussi*** *devrait-on imposer que le sport occupe plus de place dans les écoles.*

Erreurs de combinaison entre connecteurs

Ce genre d'erreur touche en particulier l'addition. Dans les enchainements d'organisateurs d'addition, il ne faut pas, en règle générale, mélanger les séries. On ne combinera pas *d'abord* et *en deuxième lieu* ou *En premier lieu* et *deuxièmement*.

> ***D'abord****, le sport est essentiel pour...* ****En deuxième lieu****, il permet de...*
> ***Enfin****, il ne faut pas oublier sa dimension spirituelle.*

On écrira plutôt :

> ***D'abord****, le sport est essentiel pour...* ***Ensuite****, il permet de...* ***Enfin****, il ne faut pas oublier sa dimension spirituelle.*
>
> ***En premier lieu****, le sport...* ***En deuxième lieu****, il...* ***En dernier lieu/Enfin****, il...*

L'explication circulaire

Une explication causale doit dire davantage que le fait expliqué ; en d'autres termes, elle ne peut se limiter à être l'image inversée du fait expliqué. L'énoncé suivant présente un tel effet de miroir, et on ne devrait donc pas utiliser *car*.

> * *La décision du juge est excessive,* ***car*** *l'accusé ne méritait pas 30 ans de prison.*

L'explication est ici davantage de l'ordre de la confirmation, de la reformulation (voir les catégories d'explication dans la section « La diversité des connecteurs et les nuances de sens » plus loin dans le texte). On utilisera plutôt *en effet* ou un deux-points. On peut aussi lier les deux phrases dans une relation de gradation en ajoutant un adverbe d'intensité dans la seconde.

> *La décision du juge est excessive. L'accusé ne méritait* ***en effet*** *pas 30 ans de prison.*
>
> *La décision du juge est excessive : l'accusé ne méritait (****vraiment****) pas 30 ans de prison.*

Le « sandwich but/cause » et le « sandwich causal »

Cause et but sont souvent très proches : *Lili a vite fait ses devoirs **parce qu'elle voulait aller jouer dehors** (cause) / Lili a vite fait ses devoirs **pour pouvoir aller jouer dehors*** (but). Cette proximité de sens entre la cause et le but fait qu'il est souvent incorrect d'encadrer un fait par une cause et un but. Nous avons métaphoriquement désigné cette construction de « sandwich causal » (et de « sandwich but/cause ») parce que le fait central est pris en sandwich entre des causes ou entre un but et une cause qui se concurrencent.

La plupart des gens hésiteraient sans doute à écrire :

> * **Pour avoir du succès**, *il faut travailler,* **parce que c'est nécessaire**
> **pour réussir.**

Et personne n'écrirait :

> * **Comme ma grand-mère est morte**, *je n'ai pas fait mon devoir* **parce que**
> **je me suis cassé une jambe**.

Cependant, pour plusieurs, la redondance entre le but et la cause dans l'exemple suivant pourrait passer inaperçue. Elle n'en est pas moins à éviter.

> * **Dans le but d'éviter ces écarts entre les jeunes** (but), *certaines écoles*
> *ont opté pour le port de l'uniforme,* **car les avantages de celui-ci**
> **sont nombreux** (cause).

Il faut choisir entre le but ou la cause et écrire :

> **Dans le but d'éviter ces écarts entre les jeunes**, *certaines écoles ont opté*
> *pour le port de l'uniforme. / Certaines écoles ont opté pour le port de l'uniforme*
> **dans le but d'éviter ces écarts entre les jeunes**. (but)

> *Certaines écoles ont opté pour le port de l'uniforme* **en raison des nombreux**
> **avantages qu'il présente**. (cause)

Éviter les écarts entre les jeunes devient dans le second cas une des causes, qu'on expliquera dans la suite du texte.

La poule ou l'œuf

On enchaine parfois des faits dans une relation argumentative par automatisme plus que par choix conscient. Ainsi en est-il de la relation cause-conséquence, où l'on confond parfois l'« œuf » et la « poule ». Dans le passage suivant, la relation consécutive devrait être inversée.

> *Ce logiciel a permis à l'université de fonctionner pendant près de 15 ans.*
> *Néanmoins il était devenu à la fois obsolète sur le plan de la technique*
> *informatique et inadapté sur le plan règlementaire. Au surplus, il n'était*
> *pas convivial et* ***par conséquent peu transparent**.

C'est le manque de transparence, c'est-à-dire de clarté, qui rend le logiciel peu convivial et non l'inverse. On devrait donc plutôt écrire :

> *Au surplus, il n'était pas transparent et,* **par conséquent, était peu convivial**.

EXERCICE 13.20

Expliquez quel est le défaut logique dans les passages ci-dessous et corrigez-le en faisant les modifications qui s'imposent.

1 D'abord, cumuler travail et études développe le sens de l'organisation. [...]
En deuxième lieu, un travail à temps partiel permet d'acquérir une expérience essentielle pour pouvoir obtenir un emploi à plein temps.

→ MAUVAISE combinaison.
Constance, En premier lieu...

2 Tout d'abord, cumuler travail et études développe le sens de l'organisation. [...] Ensuite, un travail à temps partiel permet d'acquérir une expérience essentielle pour pouvoir obtenir un emploi à plein temps. [...] Enfin, travailler est une nécessité et non un choix pour la plupart des étudiants.

Enfin n'est pas un argument, Addition non justifié

3 Je ne suis pas grand car je suis le plus petit de la classe.

De fait

4 Ces expressions ne sont utilisées qu'au Québec puisqu'elles n'existent pas en France ni en Belgique.

explication circulaire
circulaire

5 Comme il se sentait malade, il est allé voir son médecin pour savoir ce qu'il avait.

but/cause.

13.2.3 La diversité des connecteurs et les nuances de sens

Comprendre la valeur propre à chaque connecteur, savoir utiliser chacun selon sa valeur propre est au cœur de l'écriture et de la lecture. À partir des principales relations sémantiques, explorons maintenant la diversité des connecteurs et les nuances de sens qu'ils expriment.

Addition et énumération

L'addition est un mode de connexion et d'organisation textuelle de base. Lorsque des développements textuels sont du même ordre, on les joint dans une relation d'addition. Outre les connecteurs proprement additifs : *et, de plus, aussi*, etc., on utilise beaucoup de connecteurs dont le sens premier est temporel pour additionner : *d'abord, ensuite, enfin ; en premier lieu, en deuxième lieu, en dernier lieu...* Cette dernière série a même perdu toute valeur temporelle. Nous avons vu dans la section précédente qu'il ne fallait pas mélanger les séries ni employer de connecteurs d'addition lorsqu'il n'y a pas de relation additive. L'exercice qui suit vise à faire ressortir les valeurs propres à quelques connecteurs additifs moins courants, mais fort utiles.

EXERCICE 13.21

Complétez les passages ci-dessous avec l'un des quatre connecteurs d'addition suivants ; utilisez chaque fois un connecteur différent. Déterminez la valeur particulière que chacun apporte à l'addition.

de même, de surcroit, en outre, par ailleurs

1. Dans la mythologie grecque, l'olivier symbolise la force, la longévité et la sagesse. _____ , depuis des temps immémoriaux, le rameau d'olivier est symbole de paix.

2. L'huile d'olive a de prodigieuses propriétés. Elle fait baisser le taux de cholestérol, aide à prévenir la sclérose artérielle et réduit les risques de problèmes cardiovasculaires. _____ , elle favorise le maintien d'un bon niveau de densité osseuse chez la femme adulte et contribue à protéger le cerveau du vieillissement.

3 Aujourd'hui, on ne parle plus de régime sans sel, mais de régime à teneur réduite en sel.

_____ , il ne s'agit pas tant d'interdire les graisses

que d'équilibrer la consommation des «bons» et des «mauvais» gras.

_____

4 En vieillissant, on risque davantage de souffrir d'hypertension, surtout si d'autres

membres de notre famille en sont déjà affectés. _____ ,

notre mode de vie peut également entrainer une augmentation de la pression artérielle.

_____

Cause et explication

Si la cause constitue la première forme d'explication (*Pourquoi est-ce que la lune n'est pas toujours ronde? Pourquoi est-ce que la mer monte et descend?* demandent les enfants), il en existe plusieurs autres. À côté de la cause fondée sur les faits, il y a la raison, fondée sur la connaissance ou le jugement; la justification, plus argumentative (voir la différence entre *parce que* et *puisque* dans la section précédente); l'exemple et l'illustration, qui concrétisent; la clarification, qui élucide en modifiant ou en simplifiant; la confirmation, qui souvent nuance en introduisant un nouvel argument... Bref, le champ de l'explication est vaste comme le monde.

Panoplie de connecteurs de cause et d'explication

a) Raison, justification

> *car, en effet, de fait*

b) Illustration, exemple

> *ainsi, par exemple, notamment*

c) Clarification et reformulation

> *en d'autres termes* (visée simplificatrice)
> *en fait* (valeur souvent oppositive)
> *en réalité* (valeur souvent oppositive)
> *en somme, bref, en bref* (valeur récapitulative)
> *en vérité* (valeur souvent concessive)

d) Confirmation, argument supplémentaire

certes (valeur concessive)

d'ailleurs, du reste (souvent par un autre aspect des choses)

de fait (confirmation par une preuve tangible)

effectivement (valeur souvent concessive)

en effet (valeur parfois illustrative)

en fait (confirmation avec clarification, ajout)

EXERCICE 13.22

Clarifiez, au moyen d'un connecteur, la relation d'explication entre les deux phrases. Améliorez aussi la reprise dans la seconde phrase (*elle*).

Le personnage d'Odette Toulemonde, joué au cinéma par Catherine Frot, est complètement loufoque: elle s'envole quand elle est très heureuse.

EXERCICE 13.23

Ajoutez les connecteurs appropriés et indiquez le mode d'explication qu'ils introduisent. Tenez bien compte de la syntaxe et de la ponctuation imposées.

1 Les cellules de notre organisme doivent continuellement s'adapter, _____ (_____) notre environnement est en constante évolution.

2 Notre environnement, toujours changeant, exige des cellules de notre organisme un effort continuel d'adaptation. Une brusque élévation de la température ambiante, _____ (_____), amène nos cellules à réagir.

3 Il faut éviter que le manque partiel de résultats et de données absolument précises soit pris comme prétexte à l'inaction. _____ (_____), un certain degré d'incertitude scientifique est normal devant des systèmes complexes caractérisés par une dynamique non linéaire et un comportement chaotique.

4 Le nouveau premier ministre devra tenir compte d'une situation financière plus serrée que prévue. _En effet_ (_____), selon l'ancien vérificateur général, le déficit sera de 5,6 milliards et non de 4,5 milliards.

5 L'Institut Fraser prévoyait un déficit de 4,5 milliards de dollars. _En réalité_ (_____), le déficit sera plutôt de 5,6 milliards.

6 Dès avant les élections, il est apparu que le déficit serait plus important que ne le prévoyait l'Institut Fraser. _De fait_ (_____), trois jours après les élections, l'ancien vérificateur général confirmait les sombres prédictions.

7 Certaines personnes considèrent que le maintien d'un déficit est acceptable. _Certe ou Effectivement_ (_____), cela permet de ne pas sabrer les programmes sociaux, mais à moyen et à long terme, l'incidence économique est entièrement négative.

8 De moins en moins de gens croient en la vertu des déficits. _D'ailleurs_ (_____), qui y a jamais cru ?

9 L'aspirine combat la fièvre, les céphalées, les douleurs musculaires, les inflammations, la goutte, la polyarthrite, et elle est utile dans le traitement des maladies à thrombose; _~~de fait~~ en somme_ (_____), c'est un médicament universel.

10 Dans l'étude d'une œuvre cinématographique, il peut être tentant d'utiliser les méthodes que l'on applique aux textes littéraires : après tout, le film n'est-il pas un récit parmi d'autres, avec une trame narrative, des personnages, des thèmes ? _de fait_ (_____), on se contente parfois de cette façon de faire.

Opposition et concession

L'opposition couvre un large champ : comparaison adversative qui met en évidence une différence et peut être exprimée par une simple juxtaposition (*L'une fume, l'autre pas*), alternative (*La bourse ou la vie*), concession (*C'est bon, mais je n'aime pas cela*).

La relation concessive est de deux types. Le fait concédé peut s'opposer à une compensation : *Cette maison coute cher* (fait concédé), ***mais** elle est entièrement rénovée* (compensation); ou à une restriction : *Cette maison est entièrement rénovée* (fait concédé), ***mais** elle coute un peu cher* (restriction). Si le connecteur *mais* introduit l'une comme l'autre, beaucoup ne permettent qu'une des deux valeurs. C'est le cas de *en revanche*, qui implique obligatoirement une idée de compensation : *Cette maison est un peu petite.* ***En*** *revanche*, *elle est bien située* (compensation). L'ordre inverse ne permet pas d'utiliser *en revanche*: *Cette maison est bien située; ****en revanche**, *elle est un peu petite*. On utilisera plutôt *par contre*: *Cette maison est bien située; ***par contre**, *elle est un peu petite* (restriction).

Alors que et *tandis que* ont très souvent une simple valeur de comparaison adversative.

> *L'un est sucré, ***alors que** *l'autre est salé.*

Panoplie de connecteurs d'opposition et de concession

alors que, tandis que

au contraire

autant... autant (comparaison)

cependant, toutefois, néanmoins

certes (concession; souvent combiné avec *mais* ou *mais aussi*)

d'autre part

d'un autre côté

d'un côté... de l'autre

encore que

en revanche (compensation)

il n'en reste pas moins que

mais

même si (concession, souvent avec valeur hypothétique)

or (objection, circonstance adverse)

par contre

pourtant, et pourtant

quoique (souvent avec une idée de concession), *bien que* (idée de concession)

si (comparaison-opposition; concession)

tantôt... tantôt (alternative)

À NOTER

En subordonnée, la concession appelle souvent un verbe au subjonctif (*Bien qu'il soit... Quoiqu'il faille.../Encore qu'on voie parfois...*). Voir le *Petit Robert* ou le *Multi* pour l'emploi du mode.

EXERCICE 13.24

Complétez les passages suivants en ajoutant les connecteurs appropriés.

1. Nous croyions qu'il allait faire beau toute la journée. _Or_ , une demi-heure après notre départ, il se mit à pleuvoir.

2. Nous étions 12 enfants, _Mais_ la maison était grande.

3. _Certe_ , la maison était grande, mais nous étions 12 enfants.

4. L'industrie avicole doit miser sur le développement de méthodes de production qui diminuent l'utilisation des antibiotiques et des hormones de croissance sans réduire la production ni la rentabilité des entreprises. Le défi est _c'certré_ de taille, _demiangre_ pas nécessairement insurmontable.

5. _d'une coté_ , il y a les vitamines et les oméga-3. _de l'autre_ , les BPC et le mercure. Faut-il manger du poisson quand même ?

6. Depuis 20 ans, les problèmes de l'environnement se placent à l'avant-scène internationale. Et _pourtant_ , l'environnement n'a cessé de se détériorer à l'échelle planétaire.

7. _Si_ les problèmes de l'environnement sont interdépendants à la fois dans le temps et dans l'espace, les recherches et les actions se singularisent plutôt par leur isolement et par une certaine présomption.

8. On constate souvent une divergence entre priorités nationales et priorités internationales en matière d'environnement. _Pourtant_ , de par leur nature, les problèmes de l'environnement sont nécessairement très dépendants les uns des autres à l'échelle internationale.

9. Il serait regrettable que notre instinct de survie ne se réveille que face à une catastrophe écologique. _____ il est bien connu qu'une catastrophe a un effet beaucoup plus mobilisateur qu'une suite de perturbations moins importantes.

10   Les solutions existent, _____ elles se heurtent aux barrières

des résistances psychologiques et structurelles.

11   Les systèmes d'évaluation restent strictement disciplinaires, _____

les recherches sur l'environnement sont essentiellement interdisciplinaires.

12   Il est paradoxal de constater que le milieu universitaire est, dans la plupart des

pays, en pleine stagnation, _____ les contacts entre

environnementalistes et certains groupes industriels sont souvent très féconds

en idées et en actions.

13   Seulement 5 à 10 % des recherches actuelles sur l'environnement trouveront

une application. _____ elles ne s'attaquent pas aux vrais

problèmes, _____ elles arrivent trop tard.

14   _____ nous avons réalisé des profits substantiels l'année

dernière, _____ nos pertes sont lourdes cette année.

15   _____ la situation s'est améliorée sur le plan financier,

_____ nous manquons toujours de personnel.

16   _____ nous avons réglé nos problèmes d'argent,

nous ne sommes pas au bout de nos peines.

17   _____ nous ayons éliminé notre déficit, la banque

ne veut toujours pas nous prêter d'argent.

18   Le secteur des machines et de l'équipement, y compris les aéronefs, devrait

aussi être vigoureux, _____ les ventes de matériel

de télécommunication pourraient ne pas se redresser avant la fin de l'année.

Condition et hypothèse

La condition, et souvent l'hypothèse, s'apparente à la cause en ce qu'elle entre en relation avec une conséquence : *Si nous remplissons le contrat dans les délais prévus* (condition), *nous aurons une prime* (conséquence). Dans cette relation consécutive avec *si*, la combinaison temporelle détermine le degré de virtualité. Dans : *Si nous remplissions le contrat à temps, nous aurions une prime*, la possibilité que l'échéance soit respectée n'est pas posée comme aussi réelle. Si on affirme que la condition n'a pas été remplie, le verbe de la subordonnée se met au plus-que-parfait et le verbe principal au conditionnel passé : *Si nous avions rempli le contrat à temps, nous aurions eu une prime.* (Le *Petit Robert* donne plusieurs exemples pour la concordance avec *si*.)

En plus de *si*, qui est le plus employé des connecteurs de condition et d'hypothèse, plusieurs connecteurs s'utilisent, avec chacun une valeur et une concordance temporelle particulière.

EXERCICE 13.25

Complétez les phrases ci-dessous avec l'un des connecteurs suivants.

au cas où, dans l'éventualité où

aussitôt que, dès lors que (valeur temporelle)

dans la mesure où, dans la mesure que (idée de proportion, de mesure)

si

1   _____Si_____ la partie patronale avait accédé à nos demandes, nous aurions mis fin à la grève.

2   _____Si_____ la partie patronale accédait à nos demandes, nous mettrions fin à la grève.

3   _____Aussitôt que_____ la partie patronale accède à nos demandes, nous mettrons fin à la grève.

4   _____Dès lors que_____ la partie patronale accèdera à nos demandes, nous mettrons fin à la grève.

5   _____Dans le cas où_____ la partie patronale n'accèderait pas à nos demandes, nous ne mettrions pas fin à la grève.

6   ___Dans la mesure où___ les demandes du syndicat seront raisonnables, nous ne demandons qu'à en discuter.

Conséquence

L'expression de la conséquence est inséparable de l'expression de la cause : *En raison de la tempête de neige* (cause), *l'université fermera à midi* (conséquence). */ Environnement Canada annonce encore 30 centimètres de neige* (cause). *Aussi l'université ferme-t-elle pour le reste de la journée* (conséquence). Maitriser l'une, c'est presque maitriser l'autre. Chacun des connecteurs de conséquence s'inscrit cependant différemment dans le contexte syntaxique. L'exercice qui suit propose un petit tour de la question, tout en mettant en lumière les valeurs particulières de certains connecteurs.

EXERCICE 13.26

Complétez les passages avec l'un des connecteurs de conséquence suivants.

ainsi (mais s'emploie davantage pour introduire une explication ou un exemple)

aussi (en tête de phrase, avec inversion facultative du pronom sujet et du verbe ;
suivi d'une virgule s'il n'y a pas d'inversion)

c'est pourquoi, voilà pourquoi (rappelle la cause, mais introduit une conséquence ;
n'est pas suivi d'une virgule)

dès lors (avec valeur temporelle)

donc

et

par conséquent, en conséquence (moins courant que *par conséquent*)

par suite

1. La partie patronale a accédé à toutes nos demandes. _____ ,
   nous sommes prêts à mettre fin à la grève.

2. La partie patronale a accédé à toutes nos demandes. _____
   sommes-nous prêts à mettre fin à la grève.

3. La partie patronale a accédé à toutes nos demandes. Nous sommes _____
   prêts à mettre fin à la grève.

4. La partie patronale a accédé à toutes nos demandes. _____ (,)
   nous avons mis fin à la grève.

5. La partie patronale a accédé à toutes nos demandes. _____ ,
   il était normal que nous mettions fin à la grève.

6. Une entente est survenue hier soir _____ le travail a repris
   ce matin.

Clôture argumentative et conclusion

Y a-t-il des mots propres à la conclusion, si ce n'est l'expression *en conclusion* (ou *pour terminer, pour conclure*, davantage utilisées à l'oral) ? En fait, dans la plupart des textes, on conclut plusieurs fois ; on clôt généralement un point avant de passer à un autre. La simplification ou la récapitulation suit l'explication complexe, une concession finale pourra adoucir une critique, les conséquences suivent les causes, l'évaluation suit l'exposé, et la synthèse, le développement. Pour choisir les bons mots de clôture ou de conclusion, ce qu'il faut donc, c'est bien déterminer la relation qu'on veut établir. On évitera ainsi de recourir trop systématiquement à *donc* chaque fois qu'on termine un raisonnement ou à *en conclusion* dès qu'il s'agit de conclure un texte.

EXERCICE 13.27

Complétez les phrases ci-dessous avec l'un des connecteurs suivants.

bref
en définitive
en somme
finalement

1. En mettant l'accent sur l'aide aux devoirs, le nouveau ministre de l'Éducation ne fait que reprendre les initiatives déployées par son prédécesseur, qui voulait systématiser le tutorat et l'aide individuelle. _____, rien de révolutionnaire de ce côté.

2. De nos jours, la fonction formatrice du sport n'est plus évidente, au vu de certaines dérives du sport moderne. On peut, en effet, se demander si les sports et les Jeux olympiques sont encore à la dimension de l'homme, si celui-ci y trouve encore une place où il peut se développer harmonieusement ou s'il n'est pas devenu l'otage d'enjeux qui lui échappent. _____, le sport est-il encore au service de l'homme, ou n'est-ce pas plutôt maintenant l'homme qui est au service du sport et des intérêts politiques et économiques qu'il véhicule ?

3. Vous en avez marre des rondeurs de votre ventre ? Une pratique régulière de l'aviron vous permettra de faire disparaitre vos disgracieux bourrelets. Sport complet, notamment sur le plan musculaire, l'aviron fait travailler à la fois jambes, cuisses, abdominaux, dos, nuque, épaules, bras… _____, le sport de rêve pour mettre votre corps en valeur.

4. Les membres de la Table ronde ont eu fort à faire pour délimiter le champ de leurs travaux et le contenu de ce document. Leurs discussions ont mené à diverses pistes d'exploration de la gestion du risque dans le secteur public. _____, nous avons décidé de nous concentrer sur l'immense défi culturel consistant à fonder des organisations qui, dans un climat d'incertitude, prennent des décisions saines dans l'intérêt public.

EXERCICE 13.28 Récapitulation

Remplacez les connecteurs en gras par d'autres dont le sens convient mieux au contexte.

1. Il est notoire que l'Ontario s'est traditionnellement employé à préserver le système fédératif canadien qui, **d'autre part** – tous en conviendront –, a toujours bien servi la province et continue de le faire.

2. Au point où en sont les choses, il semble bien que seul l'Ontario, **notamment** son premier ministre, peut tirer le pays de cette mauvaise passe.

EXERCICE 13.29 Récapitulation

Expliquez la redondance entre les deux termes en gras et corrigez la faute.

1. On n'a qu'à songer à la kyrielle de déclarations aussi sensationnelles ou affligeantes les unes que les autres qu'on entend quotidiennement ou presque de la part de gens qui, **par** leur ignorance de l'histoire du pays, le condamnent **ainsi** inconsciemment à revivre ses périodes les plus troublées.

EXERCICE 13.30   Récapitulation

Complétez l'article suivant avec les connecteurs et autres marqueurs de relation qu'il contenait à l'origine et dont voici la liste :

à l'opposé   *en conséquence*

alors   *et*

alors que (3 fois)   ~~*mais*~~

~~*c'est parce que*~~   *mais il y a plus*

comme   *même si*

de plus   *pour autant qu'/qu'* (reprenant *pour autant qu'*)

donc   *pourtant*

du fait que   *si/s'* (4 fois)

en effet

La nourriture des riches ?

« Le bio, c'est bien beau, (1) _____mais_____ on n'a pas les moyens de se payer ça. » Qui n'a pas déjà entendu ce discours ou ne l'a pas lui-même prononcé ?

Pourquoi en est-il ainsi ? Sommes-nous en train de développer une agriculture à deux vitesses, productrice de denrées saines pour une classe aisée, (2) _____alors que_____ le reste de la population devra se contenter du « conventionnel » ?

(3) _____s'_____ il n'y a qu'environ 1000 fermes biologiques au Québec, (4) _____c'est parce que_____ l'État en a décidé ainsi.

(5) _____Alors que_____ l'inspection alimentaire relève normalement de l'État pour l'ensemble de la production, les producteurs biologiques doivent pour leur part payer de leur poche les frais d'inspection et de certification.

(6) _____, en raison de contamination possible par les voisins utilisant des semences génétiquement modifiées ou des pesticides, les producteurs biologiques doivent prévoir des bandes de protection le long des limites de leur propriété. Les fermes québécoises étant conçues en longueur (système seigneurial oblige), le pourcentage de la ferme inutilisable pour la production biologique devient énorme.

(7) _____ : le système québécois de soutien de l'agriculture étant basé sur le volume de production, c'est l'ensemble des fermes de taille réduite ou ayant une production diversifiée qui se trouve ainsi désavantagé. Chaque année,

l'agriculture québécoise bénéficie (8) _____ d'un soutien financier direct de plus d'un milliard de dollars : assurance stabilisation pour soutenir les prix, remboursement de taxes, subvention du lait, services à l'industrie, financement, inspection, etc. Il est intéressant de noter comment cet argent est réparti. Près de 50 % de l'aide au soutien du revenu va à 12 % des fermes, soit les plus grosses, faisant plus de 250 000 $ de revenu brut. Le tiers des fermes, les plus petites, ne reçoivent que 7 % de cette manne.

La plupart des fermes qui produisent de façon biologique sont de taille modeste. (9) _____, elles passent au travers du filet de soutien tissé par l'État. Prenons un exemple concret de concurrence plus ou moins loyale. Un éleveur de porc biologique met en marché 200 porcs par an. (10) _____ il ne produit pas le minimum annuel de 300 porcs, il n'a pas droit au programme de l'assurance stabilisation, financé aux deux tiers par l'État. Et (11) _____ son volume de vente atteignait les 300 porcs requis, la vente devrait se faire obligatoirement par le biais des enchères électroniques pour avoir droit à ce programme. Son produit de qualité supérieure disparaîtrait (12) _____ dans l'anonymat de la production de masse.

(13) _____'il veut nourrir ses porcs avec du grain, il lui sera presque impossible de trouver sur le marché des grains exempts de pesticides ou de semences non génétiquement modifiées. (14) _____ l'ensemble de la production emprunte le même circuit de récolte, d'entreposage et de mise en marché, la contamination est inévitable. Le producteur devra (15) _____ produire lui-même ses aliments. (16) _____'il n'a que quelques hectares de grain, il n'aura pas droit non plus à l'assurance stabilisation pour ses céréales, ne possédant pas la surface minimale.

(17) _____, la ferme engraissant 2000 porcs peut coûter à l'État environ 100 000 $ annuellement en assurance stabilisation, pour le porc produit et pour le maïs provenant des champs fertilisés au lisier. Le tout pour un ou deux emplois, au plus. Dans de telles conditions, pourquoi s'étonner que les produits biologiques coûtent plus cher ? (18) _____ c'est sans compter les coûts environnementaux et sociaux qui découleront de l'agriculture industrielle.

(19) _____, il est possible de faire autrement. La Ville de Munich a entrepris un programme de conversion de quelques centaines de fermes à l'agriculture biologique, pour protéger les prises d'eau potable de l'inévitable contamination par les nitrates et les pesticides de l'agriculture industrielle.

La Ville paie un montant aux agriculteurs, (20) _____ 'ils limitent le nombre d'animaux et (21) _____ 'ils renoncent à l'utilisation des principaux polluants menaçant la nappe phréatique. La Suisse applique, depuis 1993, le même principe sur la totalité de son territoire. En échange d'une production qui protège les ressources et qui maintient l'occupation du territoire tout en procurant de l'emploi, l'État a réorienté son programme de subventions agricoles en soutien à ces fermes. En neuf ans, le degré de contamination de l'eau potable est retombé à ce qu'il était dans les années 40 et la part du budget national consacrée à l'agriculture a diminué, le tout en maintenant en place les 70 000 fermes existantes, (22) _____ pour la même population et un plus grand territoire, nous continuons encore à éliminer les 32 000 fermes qui nous restent. (23) _____ le choix de l'agriculture biologique est souvent personnel, il est avant tout politique. (Maxime Laplante, « Une agriculture insoutenable », *Relations*, n° 677[2].)

13.3 LA CONSTANCE ET L'ABSENCE DE CONTRADICTION

Nous avons vu jusqu'à présent comment reprises et connecteurs tissent les idées pour former du texte. Loin d'être des mécaniques automatisables, ces deux procédés requièrent une attention constante : pour garder le fil, il faut constamment voir « la forêt » et non les arbres. C'est encore plus vrai à propos des critères de non-contradiction et de constance. Voici quelques écueils à éviter.

13.3.1 Les contradictions à l'intérieur du texte

Les contradictions dans les textes ne sont pas aussi rares qu'on pourrait le croire. Le récit est même presque un terreau pour la contradiction. Dans un roman à l'eau de rose écrit à la chaine, on verra par exemple l'héroïne plonger ses yeux dans le regard noir de l'objet de son amour pour ensuite rêver à ses yeux bleus comme une mer d'été. Dans les livres d'enfant, ce sont parfois les illustrations qui contredisent le texte : la blonde héroïne vêtue d'une robe verte sera représentée avec des cheveux couleur de jais et vêtue d'une robe rouge.

---

2. Cet extrait a été reproduit aux termes d'une licence accordée par Copibec.

Plus un texte est long, plus les risques de contradiction sont grands. Un texte écrit à plusieurs « mains » est aussi plus susceptible de présenter des contradictions qu'un texte écrit par une seule personne. Souvent, la contradiction est simplement due à des variantes dans la formulation d'une même idée. Mais que ce soit par vice de forme ou par imprécision, une étude ne peut conclure à la fois à la « totale faisabilité » d'un projet et à « sa faisabilité à condition de… ». Pour éviter les contradictions, on doit être particulièrement vigilant lorsqu'il y a répétition ou reprise sous un nouvel angle d'une question déjà abordée.

13.3.2 Le manque de constance terminologique

Autant la richesse et la diversité lexicales sont importantes dans l'écriture, autant l'est la constance terminologique dans les textes utilitaires. Une vis cruciforme ne doit pas devenir une vis à tête étoilée ou une vis Phillips à mi-chemin dans des instructions d'assemblage.

Les noms d'organismes et d'institutions, les titres de fonction, les noms de programmes et, de façon générale, les dénominations propres doivent aussi rester constants, sauf pour les troncations habituelles qui ne laissent aucun doute quant à la synonymie du nom complet et du nom tronqué.

13.3.3 Le manque de constance orthographique

Sauf si on est dysorthographique, on épèle généralement un même mot de la même façon dans le cours d'un texte. Ce sont plutôt les petits détails d'abréviation, d'emploi des majuscules, de traits d'union qui sont cause d'incohérence. Par exemple, on peut écrire *Mme* ou *Mme* (cette seconde forme étant préférable), mais pas les deux dans le même texte. Au Canada, on écrit *5e année* plutôt que *5ième année*, mais si, par erreur, on choisissait cette seconde forme, il faudrait s'y tenir. Une fois qu'on aura déterminé si on doit écrire le *Jour de l'An*, le *Jour de l'an* ou le *jour de l'An* (c'est cette dernière graphie qui est la bonne), il faut aussi s'y tenir. À ces choix orthographiques s'ajoutent les changements apportés par l'orthographe rectifiée : les anciennes graphies *céderont*-elles ou ne *cèderont*-elles pas leur place ? Les accents circonflexes *réapparaitront*-ils subrepticement de-ci de-là dans un texte censé utiliser la nouvelle orthographe ? Saura-t-on écrire le même mot composé avec ou sans trait d'union tout au long d'un texte ? Pour secondaire qu'elle soit, cette dimension de la cohérence saute souvent aux yeux quand elle n'est pas respectée.

13.3.4 Les contradictions par rapport à la réalité

Une contradiction ne se situe pas toujours à l'intérieur du texte. Un énoncé en contradiction avec la réalité est tout aussi incohérent qu'une contradiction interne au texte. De façon générale, les invraisemblances engendrent l'incohérence dans le texte.

Dans les textes pragmatiques – travaux d'étudiants, études, documents administratifs, etc. –, ce sont parfois les prémisses (point de départ d'un raisonnement) qui sont fausses, qui ne correspondent pas à la réalité. Or, à prémisses fausses, conclusion erronée. Dans les travaux scolaires, l'amorce du texte est souvent un point sensible. Les contradictions qu'on y relève ne sont pas nécessairement totales, mais si une assertion contredit ce à quoi le lecteur la rattache, l'effet de contradiction, lui, est total. Ainsi en est-il de la phrase suivante :

Les populations occidentales mangent de façon plus saine qu'auparavant.

Vraiment ? Ne nous rebat-on pas les oreilles des problèmes d'obésité ? Comment pourrions-nous alors manger de façon plus saine qu'auparavant ? Ce que la phrase vise sans doute à dire, c'est que l'abondance et la variété de nourriture dont on dispose dans les pays riches nous prémunissent contre la sous-alimentation ou la carence systématique de certaines vitamines, ce que personne ne contestera. Mais le lecteur est d'emblée déstabilisé et sceptique à l'égard de ce qui suit dans le texte.

Bien des contradictions, du moins celles qui relèvent de la rédaction, sont dues à des formulations trop elliptiques. Or, le lecteur ne lit pas dans le cerveau de la personne qui écrit. Ce qu'on veut dire doit donc être formulé explicitement.

13.3.5 Le manque de constance ou de transparence dans la visée, le point de vue et la modalisation

Un texte a une **visée** : il vise à informer, à faire comprendre, à distraire, à convaincre, à émouvoir. Pour y parvenir, il emprunte divers moyens, il combine diverses formes : la présentation d'un cas concret peut susciter l'adhésion plus rapidement qu'une longue argumentation ; la description est essentielle à l'explication et à l'argumentation. Il faut néanmoins que le lecteur comprenne le but de chaque séquence. Ainsi, dans un texte d'opinion sur l'utilité des devoirs à l'école primaire, on peut décrire ce que sont les devoirs, mais à condition de subordonner clairement cette description à la justification de leur utilité (ou de leur inutilité).

Un texte est en outre soumis à un **point de vue**. Dans le roman, la nouvelle, la façon dont le narrateur s'inscrit dans le texte fait partie intégrante du récit. Dans les textes pragmatiques aussi, l'auteur peut être plus ou moins présent ou s'effacer : *je, selon moi* impliquent l'auteur ; le pronom *on* et les constructions impersonnelles le distancient. La relation au destinataire fait également partie du point de vue : l'auteur peut s'adresser à son lecteur ou faire comme s'il n'existait pas. Un texte incitatif interpellera volontiers le lecteur : *Vous avez des enfants ? Alors, vous savez que...* Enfin, l'auteur a un certain point de vue par rapport à ses propos : il peut traiter son sujet de façon neutre, passionnée, ironique, etc. Tout ce qui exprime le point de vue relève de la **modalisation** : pronoms marquant la présence de l'auteur ou du destinataire, vocabulaire connoté (exprimant des jugements, des valeurs culturelles, des sentiments), auxiliaires exprimant la possibilité, le doute, etc., conditionnel exprimant l'incertitude, choix entre l'indicatif et le subjonctif lorsque les deux sont possibles, phrases interrogatives, exclamatives, structures impersonnelles. Pour assurer la constance du point de vue, il ne faut pas qu'il y ait de contradiction dans la modalisation.

Ainsi, un texte d'opinion présentant un *je* en introduction reprendra sans doute ce *je* en conclusion. Si on incorpore l'opinion du lecteur, on doit en tenir compte par la suite. Si on s'indigne avec véhémence, on ne peut ensuite passer à un ton parfaitement objectif. Le discours rapporté pose des difficultés particulières de gestion de la modalisation, puisque cohabitent alors dans le texte la modalisation de l'auteur et celle de l'auteur du discours second. Considérons les exemples suivants :

> *Pierre considère que la mesure est excellente et il a voté en faveur de sa généralisation à tout le service.*
>
> *Pierre a voté en faveur de la généralisation de cette excellente mesure.*

Dans le second exemple, c'est l'auteur, et non Pierre, qui trouve la mesure excellente. Si l'on veut attribuer le jugement à Pierre sans faire deux phrases autonomes, il faudrait plutôt écrire :

> *Pierre a voté en faveur de la généralisation de cette mesure, qu'il trouve excellente.*

13.3.6 Le manque de parallélisme

Dans la section 4.6.2 du chapitre sur la syntaxe, vous avez vu qu'on ne coordonne en principe que des éléments appartenant à la même classe grammaticale et relevant, sur le plan du sens, du même ensemble. Il en va de même dans une énumération par juxtaposition : on doit maintenir un bon parallélisme entre les éléments sur le plan du sens comme sur le plan de la forme. Dans un curriculum vitæ, par exemple, on ne juxtaposera pas une tâche et une fonction dans la description d'un poste occupé.

> ***Tenir*** *l'inventaire des boissons alcooliques*
>
> * ***Responsable*** *de l'ambiance : musique, éclairage, etc.*

Pas plus qu'on ne juxtaposera un groupe verbal et un groupe nominal.

> * ***Servir*** *aux tables,* ***gestion*** *de la caisse*

On écrira plutôt :

> ***Tenir*** *l'inventaire des boissons alcooliques*
>
> ***Assurer*** *une bonne ambiance : musique, éclairage, etc.*
>
> ***Servir*** *aux tables,* ***gérer*** *la caisse*

13.3.7 Le manque de constance dans le temps des verbes

Les narrations et les passages narratifs se prêtent particulièrement à des incohérences temporelles. Si l'on engage une narration au passé simple, on ne peut passer au présent historique ou au passé composé sauf si une rupture le permet. Le passage suivant est donc fautif.

> *Cavelier de La Salle **revint** en Nouvelle-France en 1678, accompagné d'une trentaine d'hommes. Il *__navigue__ sur les Grands Lacs, *__explore__ la rivière Illinois et *__bâtit__ des forts. En 1682, il *__descend__ le Mississippi, *__dépasse__ l'embouchure de la rivière Arkansas où s'était arrêtée l'expédition de Jolliet et de Marquette, et *__atteint__ l'embouchure du fleuve. Le 9 avril, vêtu d'un manteau écarlate, il **prit** possession du territoire découvert au nom de Louis XIV et le **nomma** « Louisiane » en son honneur.*

> Pour les valeurs propres à chaque temps, vous pouvez consulter les nombreux articles de la *Banque de dépannage linguistique* sur les temps grammaticaux ou les différents tableaux du *Multi* sur les temps.

EXERCICE 13.31

Expliquez et corrigez les manques de constance dans les extraits qui suivent.

1 Lire le chapitre 3.

Faire les exercices donnés en classe.

N'oubliez pas de rendre votre compte rendu de lecture.

_____

_____

_____

2 Laver, éplucher et couper les légumes en dés.

Les faire revenir dans une poêle avec un peu d'ail.

Ajouter de la sauce soja et quelques gouttes d'huile de sésame.

Ajouter du riz (déjà cuit).

Dégustez.

_____

_____

3 **Compétences acquises**

- Bilingue (français-anglais).

- Capacité de diriger le personnel.

- Excellente compréhension du service hôtelier en général et du rôle de chacun.

- Peut travailler sur la plupart des systèmes informatiques.

- Favorise le travail d'équipe plutôt que l'individualisme.

4 **Conseils postopératoires**

Les patients peuvent boire dès le lendemain matin de l'opération et manger légèrement à midi. Généralement, l'intervention est peu douloureuse en post-opératoire et répond bien aux antalgiques simples qui vous seront prescrits lors de votre sortie de l'hôpital. Après le départ de l'établissement, vers le 2e ou le 3ème jour, le patient est revu en consultation. La durée d'arrêt des activités professionnelles est à discuter en consultation préopératoire. La prise en charge diététique postchirurgicale est indispensable.

5 Cavelier de La Salle est né en 1643 à Rouen, en Normandie, et grandit chez les Jésuites. À l'âge de 24 ans, il quitta les Jésuites et partit pour Montréal. Il entreprit sa première expédition en 1669, accompagné de Dollier de Casson.

Le voyage se passant mal, La Salle quitte son compagnon et repart vers Montréal après seulement trois mois d'expédition. Mais en réalité, il continua à voyager pendant deux ans. Certains prétendent que La Salle a découvert la rivière Ohio et le Mississippi durant ces deux années, mais il n'en existe aucune preuve.

6 Nous sommes heureux d'être l'hôte de cet excitant tournoi, qui permet aux meilleurs équipes de hockey de la région de s'affronter. Que le meilleur gagne ! Mais avant d'ouvrir officiellement le tournoi, il serait important de rappeler que les mises en échec ne sont pas permises.

À NOTER

Les contradictions et le manque de constance donnent au lecteur l'impression de se faire mener en bateau. Or, c'est rarement le but qu'on poursuit lorsqu'on écrit. Seule la vigilance permet d'éviter ce genre d'incohérence.

13.4 LA MISE EN PAGES ET LA TYPOGRAPHIE

On ne saurait clore un chapitre sur la cohérence sans dire un mot de la cohérence visuelle. L'œil n'est-il pas le canal par lequel on appréhende le texte ? La mise en pages doit faire ressortir la hiérarchisation des informations et, pour ce faire, elle doit être cohérente, comme tous les choix typographiques. Parmi les principes et les règles de mise en pages et de typographie, on retiendra en particulier les suivants.

- **Constance dans la présentation matérielle du paragraphe**

  Si l'on fait des renfoncements au début des paragraphes, on doit en faire partout. L'interligne devrait également être toujours le même. En règle générale, lorsqu'on fait un interligne entre les paragraphes, on ne fait pas de renfoncement à leur début.

- **Constance dans l'emploi des signes et des marques typographiques**

  Lorsqu'on utilise des marques typographiques, on leur assigne une ou plusieurs valeurs. L'italique sera par exemple utilisé pour les mots étrangers, les termes à définir, les exemples ; le gras pour les éléments qu'on veut mettre en relief ; les guillemets pour le discours direct, les définitions, etc. Ces valeurs doivent rester constantes tout au long du texte.

- **Clarté et pertinence de la numérotation des sections**

  Si l'on structure un texte au moyen de marques alphanumériques, le mode de numérotation doit non seulement être constant, mais la division en sections, pertinente.

- **Appartenance des intertitres à la partie qu'ils introduisent**

  Un intertitre doit être plus près du texte qu'il introduit que du texte qui le précède. Il ne doit pas « flotter » entre les deux.

- **Constance dans la présentation de listes au moyen de puces**

  Mettra-t-on des majuscules ou non ? Mettra-t-on des points à la fin ou non ? Quels que soient les choix, ils doivent être constants.

EXERCICE 13.32

Relevez les incohérences de mise en pages et de typographie. Relevez aussi les différences (le manque de cohérence) entre le développement du point 1.1 et celui du point 1.2.

Le pronom « on »

1. Valeurs du pronom *on*

1.1 Valeurs indéterminées

Le *Petit Robert* (*PR*) distingue quatre valeurs indéterminées de *on* : 1) les hommes en général, c'est-à-dire les êtres humains, l'être pensant ; 2) les gens, à l'exception du *je* ; 3) un plus ou moins grand nombre de personnes ; 4) quelqu'un (une personne). En d'autres termes, le pronom *on* peut représenter de l'ensemble de l'humanité à une seule personne, avec tout l'entredeux ; il exclut le locuteur (*je*) dans les emplois 2) et 4) ; dans l'emploi 3), il peut inclure ou exclure *je*.

Beaucoup d'ouvrages distinguent seulement 2 ou 3 emplois indéterminés de *on*, en faisant divers regroupements. Ce qu'il faut voir, c'est le continuum de la valeur quantitative du *on* indéterminé (de l'infini à 1), avec la possibilité d'inclure ou d'exclure le *je* dans les valeurs intermédiaires (et l'exclusion du *je* dans la valeur singulière). Cette reconnaissance est nécessaire pour garder la coréférence (le fait de renvoyer à la même chose) lorsqu'on « enfile » plusieurs *on* de suite dans un texte.

1.2 Les valeurs déterminées

Dans ses emplois déterminés, *on* est tout aussi polysémique : il peut représenter à peu près tout le monde : 1re, 2e et 3e personnes, au singulier ou au pluriel. Passons chaque personne en revue.

1re *personne*

La distinction qu'établit le PR entre deux *on* à valeur de *nous* (un relevant d'un niveau de langue standard et l'autre d'un niveau de langue familier) est assez subtile : le *on* non familier correspond à une dépersonnalisation partielle, une distanciation : « *Au ministère, on pense que…* » (le locuteur fait partie du ministère, mais veut rendre l'opinion en cause plus impersonnelle, plus administrative). Seul le *on* familier à valeur de « nous » est courant : *Lili et moi, on est allées à la plage*. Le *on* de modestie n'est pas non plus courant ; au singulier, on lui préfère *nous* (ou on abandonne carrément cette formulation de modestie et on emploie le *je*, qui est de plus en plus accepté dans les thèses universitaires, par exemple).

2e *personne (emploi familier)*

L'emploi du *on* à valeur de *tu* ou de *vous* se fait aussi moins courant. C'est un emploi qu'on peut qualifier de stylistique. À une enfant à qui on vient de faire un cadeau, on peut dire : *Alors, on est contente ?* (*on* = tu = l'enfant en cause, qui dans ce cas-ci serait une fille, puisque l'adjectif est au féminin).

3ᵉ personne

Cet emploi se fait également rare. À un enfant qui rentre d'un rendez-vous chez le dentiste, on peut dire : *Alors, on ne t'a pas fait mal ?* (*on* = ils = le dentiste, l'hygiéniste).

1.3 Constructions particulières (section C du *PR*)

[...]

___

À NOTER

Il ne faut pas croire que le travail de mise en pages est anodin. Un texte visuellement ordonné permet à celui qui l'écrit de mieux structurer son information et de mieux se réviser. Il permet à celui qui lit de mieux saisir les relations entre les parties du texte et donc de mieux le comprendre. Grâce à la mise en pages, un texte devient véritablement un objet de communication.

Bibliographie

BAILLY, René. *Dictionnaire des synonymes,* sous la direction de Michel de Toro, Paris, Larousse, 1969, 626 p.

BEAUCHESNE, Jacques. *Dictionnaire des cooccurrences*, Montréal, Guérin, 2001, 402 p.

BÉNAC, Henri. *Dictionnaire de synonymes conforme au dictionnaire de l'Académie française,* Paris, Hachette, 1956, 1026 p.

Bescherelle 1. L'art de conjuguer : dictionnaire de 12 000 verbes, nouvelle édition, Montréal, Hurtubise HMH, 2006, 264 p.

BOULANGER, Jean-Claude. *Dictionnaire québécois d'aujourd'hui : langue française, histoire, géographie, culture générale,* sous la direction de Jean-Claude Boulanger et la supervision d'Alain Rey, Saint-Laurent, DicoRobert, 1992, xxxv, 1269 p. et annexes.

BUREAU DE LA TRADUCTION. *Le guide du rédacteur*, 2ᵉ édition revue et augmentée, Ottawa, Travaux publics et Services gouvernementaux Canada, 1996, 319 p.

CAJOLET-LAGANIÈRE, Hélène, Pierre COLLINGE et Gérard LAGANIÈRE. *Rédaction technique, administrative et scientifique*, 3ᵉ édition revue et augmentée, Sherbrooke, Éditions Laganière, 1999, 468 p.

CANADA, Secrétariat d'État du Canada, Bureau des traductions. *Vade-mecum linguistique*, édition revue et corrigée, Ottawa, Direction des services linguistiques, Division recherches et conseils linguistiques, 1987, 183 p.

CARTER-THOMAS, Shirley. *La cohérence textuelle : pour une nouvelle pédagogie de l'écrit*, coll. Langue & parole, Paris – Montréal, Harmattan, 2000, 400 p.

CATACH, Nina. *La ponctuation*, Paris, Presses universitaires de France, coll. «Que sais-je?» (nº 2818), 1994, 128 p.

CHAROLLES, Michel. «Cohésion, cohérence et pertinence du discours», *Travaux de linguistique*, nº 29, décembre 1994, p. 125-151.

CHAROLLES, Michel. «Les études sur la cohérence, la cohésion et la connexité textuelle depuis la fin des années 1960», *Modèles linguistiques*, vol. 10, 1988, p. 45-66.

CHAROLLES, Michel. «Introduction aux problèmes de la cohérence des textes», *Langue française,* nº 38, 1978, p. 7-41.

CHARTRAND, Suzanne-G., Denis AUBIN, Raymond BLAIN et Claude SIMARD. *Grammaire pédagogique du français d'aujourd'hui*, Boucherville, Graficor, 1999, 397 p.

CHÉNARD, Suzanne, Ghislaine DESJARDINS et Diane L'ÉCUYER. *Grammaire 100 % au secondaire,* coll. Action liaison, Laval, Éditions HRW, 1997, 345 p.

DRILLON, Jacques. *Traité de la ponctuation française*, Paris, Gallimard, 1991, 472 p.

FAVART, Monik et Jean-Michel PASSERAULT. « Aspects textuels du fonctionnement et du développement des connecteurs. Approche en production », *L'Année Psychologique*, vol. 99, n° 1, mars 1999, p. 149-173.

FAYOL, Michel et Serge MOUCHON. « Production and comprehension of connectives in the written modality: A Study of Written French », *Writing development: an interdisciplinary view, Studies in written language and literacy; v. 6*, sous la direction de Clotilde Pontecorvo, Amsterdam, J. Benjamins, 1997, 336 p.

FOREST, Constance et Denise BOUDREAULT. *Le Colpron: le dictionnaire des anglicismes*, 4e édition, Laval, Éditions Beauchemin, 1998, 381 p.

GAGNON, Odette. *Manifestation de la cohérence et de l'incohérence dans des textes argumentatifs d'étudiants universitaires québécois*, Thèse de doctorat, Université Laval, Sainte-Foy, 1998.

GENEVAY, Éric. *Ouvrir la grammaire*, Lausanne, Éditions L.E.P., 1994, 274 p.

GOUVERNEMENT DU CANADA. *Pour un style clair et simple*, réimpression, Ottawa, Groupe Communication Canada, 1993, 62 p.

GREVISSE, Maurice. *Le bon usage, grammaire française*, 13e édition refondue par André GOOSSE, Paris – Louvain-la-Neuve, Duculot, 1993, 1762 p.

GUÉNETTE, Louise, François LÉPINE et Renée-Lise ROY. *Guide d'autocorrection du français écrit. Le français tout compris*, Éditions du renouveau pédagogique inc. (ERPI), Saint-Laurent, 2004, 124 p.

GUILLOTON, Noëlle et Hélène CAJOLET-LAGANIÈRE. *Le français au bureau*, 5e édition, Québec, Publications du Québec, 2000, 503 p.

HANSE, Joseph, *Nouveau Dictionnaire des difficultés du français moderne*, Louvain-la-Neuve (Belgique), DeBoeck – Duculot, 3e édition établie d'après les notes de l'auteur avec la collaboration scientifique de Daniel BLAMPAIN, 1994, 984 p.

HYDRO-QUÉBEC. *Tours d'adresse et de rédaction*, 3e édition, Québec, Hydro-Québec, Direction des affaires corporatives, 1999, 380 p.

HYDRO-QUÉBEC. *J'écris pour Hydro: guide de rédaction au travail*, Québec, Hydro-Québec, Communication d'entreprise, Direction principale – Communication, 1999, 107 p.

Le Petit Larousse illustré 2010, Paris, Larousse, 2009, 1820 p.

MAISONNEUVE, Huguette. *Vade-mecum de la nouvelle grammaire*, 2ᵉ édition, Montréal, Centre collégial de développement de matériel didactique, 2003, 87 p.

MARQUIS, André. *Le style en friche ou L'art de retravailler ses textes : 75 fiches illustrant des erreurs et des maladresses stylistiques : exemples, exercices et corrigés*, Montréal, Triptyque, 1998, 208 p.

MENEY, Lionel. *Dictionnaire québécois français. Mieux se comprendre entre francophones*, Montréal, Guérin, 1999, 1884 p.

MERCIER, Louis. « Le français, une langue qui varie selon le contexte », dans Claude Verreault, Louis Mercier et Thomas Lavoie (éd.), *Le français, une langue à apprivoiser*, Textes des conférences prononcées au Musée de la civilisation (Québec, 2000-2001) dans le cadre de l'exposition « Une grande langue : le français dans tous ses états », Québec, Les Presses de l'Université Laval, 2002, p. 41-60.

PATRY, Richard. « L'analyse de niveau discursif en linguistique : cohérence et cohésion », *Tendances actuelles en linguistique générale, Actualités pédagogiques et psychologiques*, sous la direction de Jean-Luc Nespoulous, Neuchâtel (Suisse), Delachaux et Niestlé, 1993, p. 109-143.

PEPIN, Lorraine. *La cohérence textuelle, l'évaluer et l'enseigner : pour en savoir plus en grammaire du texte*, Laval, Groupe Beauchemin, 1998, 128 p.

PIDOUX, Edmond. *Le langage des Romands*, Lausanne, Ensemble éditeurs, 1984, 173 p.

POIRIER, Claude et collaborateurs. *Dictionnaire du français plus : à l'usage des franco-phones d'Amérique*, édition établie sous la responsabilité de A.E. Shiaty avec la collaboration de Pierre Auger et Normand Beauchemin, Montréal, Centre Éducatif et Culturel, 1988, xxiv, 1856 p.

RIEGEL, Martin, Jean-Christophe PELLAT et René RIOUL. *Grammaire méthodique du français*, coll. Quadrige, Paris, Presses Universitaires de France, 2001, 646 p.

ROBERT, Paul. *Le Nouveau Petit Robert 2010 : Dictionnaire alphabétique et analogique de la langue française*, nouvelle édition remaniée et amplifiée, sous la direction de Josette Rey Debove et Alain Rey, Paris, Dictionnaires Le Robert, 2009, 2838 p.

TATILON, Claude. *Écrire le paragraphe*, Fascicules de la collection nᵒ 1, Toronto, Éditions du Gref, 1997, 97 p.

VERREAULT, Claude. « L'enseignement du français en contexte québécois : de quelle langue est-il question ? », *La norme du français au Québec. Perspectives pédagogiques*, sous la direction de Conrad Ouellon, *Terminogramme*, nᵒˢ 91-92, Montréal, septembre 1999, p. 21-40.

VILLERS, Marie-Éva de. *Multidictionnaire de la langue française*, 5ᵉ édition, Montréal, Éditions Québec Amérique, 2009, 1707 p.

WALTER, Henriette. « Le français de France et d'ailleurs : unité et diversité », dans Claude Verreault, Louis Mercier et Thomas Lavoie (éd.), *Le français, une langue à apprivoiser*, Textes des conférences prononcées au Musée de la civilisation (Québec, 2000-2001) dans le cadre de l'exposition « Une grande langue : le français dans tous ses états », Québec, Les Presses de l'Université Laval, 2002, p. 5-18.

WILMET, Marc. *Grammaire critique du français*, Paris – Louvain-la-Neuve, Hachette-Duculot, 1997, 670 p.

DEUX ORGANISMES À CONNAITRE

Centre collégial de développement de matériel didactique (CCDMD)

http://www.ccdmd.qc.ca/index.asp (adresse « générale »)

http://www.ccdmd.qc.ca/fr/franc/amelioration.asp (accès direct à la section « amélioration du français »)

Le CCDMD se consacre à l'amélioration du français au collégial. Il offre, entre autres, un répertoire des meilleurs sites Internet pour l'amélioration de la langue, des tests diagnostiques, des jeux, des exercices (avec théorie et corrigé), des stratégies d'autocorrection, un atelier d'aide, des renseignements sur l'épreuve uniforme de français, etc.

Office québécois de la langue française (OQLF)

http://www.oqlf.gouv.qc.ca/

Le site de l'OQLF offre une mine de renseignements. On y trouve *Le grand dictionnaire terminologique*, qui donne accès à près de 3 millions de termes français et anglais, et la *Banque de dépannage linguistique*, qui répond aux questions fréquemment posées au service de consultation téléphonique. Les articles de la banque abordent la grammaire, la syntaxe, le vocabulaire, la typographie, etc. Le site renferme également des liens vers différents sites linguistiques et terminologiques, des lexiques et une banque de données sur les noms et les lieux du Québec.

Index